PEPE DOMINGO MULEIRO Y OLEIROS, A LOS 18 MESES.

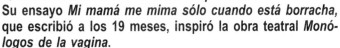
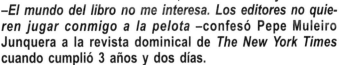

El famosísimo Pepe Muleiro, *"el de los chistes de gallegos"*, al año de edad firmaba con el seudónimo Mateo Junquera. Mateo, a los 18 meses, escribía discursos para diferentes reyes y presidentes europeos, pero sus textos eran sistemáticamente rechazados:

–*¡Tienen demasiado nivel!* –le decían.

Entonces, Mateo los reescribía para todo público.

Muleiro, por entonces Junquera, ganó el Gran Premio Literario Nesquik de Crema y Chocolate (en la foto) por su novela *Devórame otra vez,* que más tarde llevaría al cine Quantin Tarantino con el título *Pulp Fiction.*

Su ensayo *Mi mamá me mima sólo cuando está borracha,* que escribió a los 19 meses, inspiró la obra teatral *Monólogos de la vagina.*

A los tres años, hastiado, Pepe Junquera-Mateo Muleiro abandonó la literatura. Dejó atrás 437 novelas (traducidas todas al checo) escritas antes de cortar el primer diente, y más de un millar de poemas traducidos por él mismo al japonés, que escribió aprovechando una diarrea que lo mantuvo una semana en cama, a los dos años y medio.

–*El mundo del libro no me interesa. Los editores no quieren jugar conmigo a la pelota* –confesó Pepe Muleiro Junquera a la revista dominical de *The New York Times* cuando cumplió 3 años y dos días.

Esta frustración le llevó a recopilar chistes.

Comenzó, a los tres años y medio, con *Había una vez... ¡trus!,* chascarrillo que se hiciera célebre por su sencilla estupidez.

Hoy lleva recopilados más de dos millones de chistes.

A pesar de su éxito monumental, aún se queja:

–*¡Es terrible! Los editores siguen sin querer jugar conmigo a la pelota.*

PEPE MULE!RO

LOS
5000
MEJORES
CHISTES
de la Historia de la Humanidad

Editorial Sudamericana

Diseño de tapa e interiores: *Ricardo Parrotta / Carolina Narnesi*

IMPRESO EN U.S.A.

© *2006, Editorial Sudamericana S.A.* ®
Humberto I 555, Buenos Aires.

ISBN 13: 978-950-07-2779-2

© 2006, Ricardo Parrotta

A la memoria de *Alzheimer.*

¡BIENVENIDOS **5000** VECES!

"Dios es el amigo imaginario de los adultos"

Nota al Lector

Existe un santo que estuvo muy preocupado porque nadie le rezaba.

La gente le rezaba a San José, a San Pedro, a San Cayetano, a San Antonio; pero a él... ¡nada!

Dios le recomendó:

–Hazte unas tarjetas de presentación y repárte-las por todo el mundo. Di que haces milagros por encargo; eso sí, no se las des a los perverti-dos ni a las mujeres que no disfrutan ni a los corruptos ni a los ladrones y estafadores.

Las hizo.

Ahora es el santo más milagroso y el que tiene más devotos en todo el mundo.

–¿Sabes cómo se llama ese santo? ¡Vamos piensa! ¡Acuérdate! *¿No sabes? ¿¿¿¡¡¡No sabes!!!???* ¡¡¡Aaaajááááá!!! ¿Y por qué no te dieron la tarjetita?

—Pepe ¿se puede saber por qué se te ocurrió salir del armario justamente ahora?

—*Hombre pues ¡porque estaba lleno de maricones!*

2

Llega el gallego Paco al almacén del pueblo, se acerca al dependiente y le dice:

—*Déme unos calzoncillos con teflón.*

—Disculpe caballero, ¿Unos qué?

—*¡Unos calzoncillos con teflón, hombre!*

—Debe estar usted confundido señor, el teflón es un recubrimiento que tienen los sartenes para que no se peguen los huevos.

—*Pues precisamente, ¡para eso los quiero!*

3

Ayer vi a un faquir tocando la flauta. *¡Me encantó!*

4

—¡Cuánto tiempo! ¿Qué es de tu vida, Manolo?

—*Pues... aquí con mi madre, la pobre se ha quedado sorda y ciega.*

–¡Joder! ¡Qué mal! ¿La llevas ahora al médico?
–*No, no, voy a que le corten la luz y el teléfono.*

5

Entre Melón y Melames se comieron un pajarito.
Melón se comió las plumas y Melames el pajarito

6

–¿Qué hace David Beckham cuando el árbitro le muestra una tarjeta?
–*Le firma un autógrafo.*

7

–¿Por qué los gallegos usan latas de Coca-Cola como zapatos en el verano?
–*No sé.*
–Porque son *re-frescos.*

8

Finalizó la Tercera Guerra Mundial y sólo quedó una pareja de vascos. El Patxi, de Bilbao, y su mujer.
–*Oye Patxi, tendremos que hacer nuevamente la humanidad.*
–¡Pues vale, Arantxa! Dime ¿tú recuerdas cuántos éramos antes de esta maldita guerra?

9

–¿Cómo le dicen a los borrachos?
–*Colibrí, porque cuando salen, se dedican a chupar.*

10

–Oye Paco… Las mujeres cuando practican el sexo con nosotros, ¿lo hacen por amor o por interés?
–*Te aseguro que la mía lo hace por amor...*

–¿Como estás tan seguro?
–*Porque lo que es interés, no pone ninguno.*

11

Un lepero en la iglesia.
–*Yo quiero un Ford Fiesta.*
–Muy bien, hijo, pero esto es un *confesionario*, no un *concesionario.*

12

–¿Le has dicho a nuestra hija que si se casa con ese tipo, la desheredaré?
–*No, he hecho algo mejor: ¡se lo he dicho a él!*

13

–A ver, Manolito: ¿quiénes fueron los caldeos?
–*¡Qué fácil! Los inventores del caldo, señorita.*

14

Ella era hermosísima. Tenía unos pechos espectaculares. Él la abordó directamente:
–*Por 5.000 dólares ¿me dejaría morderle los pechos?*
–¡¡Está loco!?
–*¿Por 50.000 dólares ¿me dejaría morderle los pechos?*

–¡Yo no soy de ese tipo de mujer! ¿Entiende?
–*Por 500.000 dólares ¿me dejaría morderle los pechos?*
–¡¿Quinientos mil?! Hum… ¿Quinientos mil? Buéh... de acuerdo.
Se abrió la blusa. Él se lanzó y comenzó a besarlos, alisarlos, pasarle las manos, acariciarlos… recostó la cabeza, los lamió, los chupó, volvió a besarlos; pero de morder, nada. Hasta que la mujer perdió la paciencia y preguntó:
–Pero ¿es que no me los va a morder?
–*No ¡¡¡es muy caro!!!*

15

–¿Cómo ordeñan las vacas los gallegos?
–*Uno agarra la vaca por las tetas y 20 o 30 suben y bajan al animal.*

16

En un bar de Tel Aviv conversaban tres hombres
–*No estoy bien aquí. Soy ruso. En Rusia me decían judío de mierda. Aquí, en Israel, me llaman ruso de mierda...*
–Pues yo estoy peor. Soy etíope; en África me decían judío de mierda. Y aquí me llaman *negro de mierda...*
–*Yo estoy peor que ustedes. Soy uruguayo. En Montevideo me llamaban judío de mierda. Pero aquí me dicen ¡¡¡argentino de mierda!!!*

17

Esto es una prueba para ver si tienes agilidad mental con las palabras. Debes hacer el juego lo más rápido posible y en voz alta para que oigan todos.
Frase a repetir:

"...Mi moto alpina derrapante..."
Ahora con la A:
...ma mata alpana darrapanta...;
Muy bien, ahora con la O :
...mo moto olpono dorroponto...;
¡¡¡Genial!!!
Ahora más difícil: prueba con la E...

18

–¿Sabes querida? Cinco centímetros más y *sería un rey..*
–*¿Sabes querido? Cinco centímetros menos y* serías una reina.

19

–Paca ¿ensayamos una posición diferente esta noche?
–*Buena idea Pepe; tú te paras al lado de la mesa de planchar y yo me siento en el sofá a ver la tele.*

20

Era un abogado tan, pero tan bueno que al terminar el juicio el Jurado pidió cadena perpetua... *¡¡¡para el juez!!!*

21

La gallega Paca:
–*El otro día estuve en la jura de bandera de mi hijo, y no es pasión de madre, pero en el desfile todos llevaban el paso cambiado menos mi Manolito.*

22

Dos gallegos en París:
–*¡Joder! ¡Que el viento se te llevó la boina, Manolo!*
–*¡Jodeeeer! ¿Y ahora qué hago?*
–*Vamos a comprar una.*
Fueron a una tienda de sombreros.
–*¡Hola! Queremos una boine.*
–*Je ne comprends pas*

–*Se lo pronunciaré mejor: Que lo que queré es una boiné, para la cabecé.*
–*Excuse moi.*
–*Si mujer, una boiné para la cabecé.*
En ese momento Manolo se tiró un estruendoso pedo.
–*¡¡¡Joder Manolo!!! ¡Eres un cerdo! ¿Qué va a decir esta mujer?*
–*¡Venga ya! No sabe qué es una boina ¡mira si va a saber lo que es un pedo!*

23

–¿Tienes tú algo contra los negros?
–*Sí: spray*

24

–¿Cuál es el colmo de un pianista?
–*Que su hija se llame Tecla y su novio... la toque.*

25

El gallego Manolo Mueliro recibió una carta del colegio de su hijo comunicándole que había sido expulsado.
–*Pues a su hijo lo hemos echado por mear en la piscina.*
–No sea absurdo, mucha gente hace eso, incluso yo lo he hecho alguna vez.

–Sí, pero es que su hijo meó desde el trampolín.
–¿Y para qué está esa madera si no?

26

Celebraban un bautismo en la iglesia gallega y le entregaron el niño al cura, quien lo vio muy delgado y enfermo:
–*¡A este niño hay que ponerle oxígeno!*
–¡¡¡A este niño se le pone José como yo, que para eso soy su abuelo!!!

27

Le preguntan a un militar argentino:
–¿Estado civil?
–*¡¡De ninguna manera!!*

28

El hijo de Sara Lipstein tuvo su primera cita con una mujer. La madre, ansiosa, quería saber quién era la chica. Mientras el *nene* dormía revisó sus cosas y encontró un lápiz labial.
–*¡¡¡Helena Rubinstein!!! Menos mal que la chica también es judía.*

29

–¿Cómo le dicen al que no se baña?
–*Escalera mecánica,* porque tiene baranda de los dos lados.

30

El gallego Muleiro fue a comprarse un jacuzzi.
–*Muy bien son 2.500 euros.*
–¡¿Qué?! ¿No habrá otra cosa más barata?
–*Una tina.*
–Bueno, pues me la llevo.
–*Se la enviaremos a su domicilio en dos días.*
Pasó un mes y la tina no llegó.

Desesperado, escribió un telegrama:
"Mándenme mi puñetera tina de una puta vez, joder! Me prometieron que estaría en mi casa en dos días y vean lo que están tardando!"
El empleado del correo contó las palabras:
–Son 50 euros. Es que son muchas palabras. Debe ser cortito.
–Está bien, haré otro.
Y puso solamente una "i".
A la semana le llamaron por teléfono:
–*Señor Muleiro, usted nos ha mandado un telegrama pero no lo entendemos. Sólo tiene una letra.*
–¿Y qué letra es?
–*Una "i".*
–¿Que tipo de i?
–*I latina.*
–¡Pues eso, joder! *¿¿¿Y la tina* dónde está???

31

–Doctor, tengo como un picorcillo en el pene...
–*A ver... ¡Uy, malo, Paco! Siento comunicarle que tiene sífilis y no deberá hacerlo con su mujer durante un mes.*
–¡Bieeen! ¡Así tendré más tiempo para las otras.

32

Un turista en una barbería de Lepe pidió que lo afeitaran. Le tocó un barbero muy nervioso que le produjo varios cortes y lo hizo sangrar.
–¿Le hago algo más?
–Si quieres entra a matar.

33

–¿En qué se parece el pedo al teléfono móvil?
–*En que al momento que suena, nadie sabe de quién es.*

34

–Mami... en la escuela me dicen deforme.
–*No le des importancia, ahora cierra tus cinco ojitos y duérmete.*

35

El negrito Leroy encontró una lata de pintura blanca y se pintó completamente de ese color.
–*¡Mira, mamá: soy blanco! ¡Soy blanco!*
–¡Maldición, Leroy! Tú eres negro como el carbón y no debes olvidarlo jamás. ¡Ve ya mismo a quitarte esa pintura!
Leroy, al borde de las lágrimas, corrió hacia su padre:
–*¡Mira, papá! ¡Soy blanco! ¡Soy blanco!*

–¡Maldición, Leroy! ¿Eres tonto o qué? ¡Ya mismo te quitas esa pintura o te castigaré con mi cinturón!
–*¿Te das cuenta, papá? Hace apenas cinco minutos que soy blanco y ya empiezo a odiarlos con todas mis fuerzas, ¡negros hijos de puta!*

36

En la empresa de Garkakian. El propio Garkakian a uno de sus vendedores:
–*Javier, la empresa está orgullosa con todo lo que vendiste. Para premiarte por tus cinco millones de pesos vendidos, te vamos a dar un cheque por mil dólares. Y si el año próximo vuelves a vender lo mismo o más, te lo firmamos.*

37

Fabricaron en China un aparato para *atrapar ladrones en 5 minutos.* Instalaron uno en E.E.U.U. y *atraparon 1.045 ladrones en 5 minutos.* Instalaron otro en Japón y *atraparon 6.542 ladrones en 5 minutos.* Instalaron otro en la Argentina y *se lo robaron en 4 minutos.*

38

En el confesionario:
–Padre, he cometido el pecado de la carne.
–*Es grave, hijo mío. ¿Cuántas veces?*
–¡Padre!, yo he venido a confesarme, *¡¡¡no a fanfarronear!!!*

39

Dieguito Lileo, típico argentino pedante, fue al dentista.
Se acomodó en el sillón.

En el momento en que el dentista se inclinó para administrarle la anestesia, Dieguito lo agarró por los testículos.

–*Pero... ¿qué hace?*

–Vos no me hacés doler... yo no te hago doler.

40

–Hola, guapa. ¿Quieres bailar?

–*No.*

–Venga, ¿bailamos?

–*¡¡¡Te dije que no!!!*

–Joder, si ya te pones así ¡¿cómo te pondrás cuando te pregunte si quieres follar?!

41

Vincent Van Gogh pintó, en toda su vida, 72 cuadros. Según las listas de las compañías de seguros, *los judíos de los Estados Unidos poseen 536 de ellos.*

42

Era un político muy desalmado. Le hicieron un análisis de sangre. Resultado, *tipo de sangre: fría.*

43

–¿Qué puedo hacer con mis pecados, señor cura?

–*Ora.*

–Las once, pero... ¿qué puedo hacer con mis pecados?

44

–¿Qué haces, hijo?

–*¡Juego con lo que me sale de los huevos, papá!*

Ante semejante respuesta, el papá le dio una terrible bofetada (de ida y vuelta) ¡plas!, ¡plas!

–*¡Mami, mami! ¡¡¡No me compres*

más Kinder Sorpresa que papá me pega si juego con lo que traen adentro!!!

45

–Dígame, ¿por qué quiere estudiar agronomía?

–*Es que sueño con ganar un millón de dólares trabajando la tierra, como mi padre.*

–¿Su padre ganó un millón de dólares trabajando la tierra?

–*No, no. Pero él siempre soñó con eso...*

46

Dos gallegos compran un décimo de lotería.

–Si ganamos, ¿qué harás con tu parte, Paco?

–*¡Locuras! Me cambiaré las medias, al menos, tres veces al año.*

47

En la feria de arte, un turista elige un cuadro.

–Me gusta éste... Lo voy a llevar.

–*El señor ha hecho una excelente elección: esta tela me costó diez años de vida.*

–Caramba... diez años... Le debe haber dado un trabajo enorme.

–Nada de eso: la tela me tomó dos días para pintarla; el resto del tiempo fue el que tuve que esperar para venderla.

48

–Paco, cierra la ventana que afuera hace mucho frío.

–*¿Por qué? Si la cierro, ¿afuera empieza a hacer calor?*

49

–Doctor, mis hijos hablan con las plantas.

–*Pero eso no es una enfermedad, señora.*

–Es que les hablan muy mal de mí.

50

Ginecólogo con su esposa en la calle. Pasa una mujer con estilo prosti. Lo saluda muy efusivamente.

–Este... se trata de una mujer a quien conozco profesionalmente.

–¿Por *tu* profesión o por la de ella?

51

Durante un vuelo de reconocimiento por la selva, los tripulantes encontraron a un hombre de aspecto

verdaderamente lamentable.
–*Soy el sobreviviente del accidente del vuelo 333, ocurrido más o menos hace tres meses, tiempo en el que pude alimentarme sólo de raíces y Flores.*
–Y díganos: ¿cuántos eran los ocupantes de ese vuelo?
–*Pues verán... éramos el capitán Flores y yo...*

52

–¿Cuántos gallegos se necesitan para hundir un submarino?
–*Dos. Uno que llame a la puerta y otro que la abra.*

53

El gallego Pepe se encontró al Genio de la Lámpara.
–*Venga, dime qué quieres. Te concedo dos deseos.*
–Desearía que la polla me llegase al suelo.
¡Piiiiinc!
Y le desaparecieron las piernas.
–No quiero ver más pobreza en el mundo.
–¡Piiiiinc!
Y quedó ciego.

54

–¿Cuál es el colmo de la mala puntería?
–*Tirar al blanco y darle a un negro.*

55

Un matemático despistado llega a una fiesta de la Universidad y al entrar su mujer dice gritando:
–¡Ha llegado Batman! ¡Brindemos por Batman! ¡Brindemos por Batman!
–¿Batman? ¿Por qué me dices Batman? ¿Qué pasa?

–*Pedazo de despistado ¿no te has dado cuenta todavía de que llevas los calzoncillos por encima de los pantalones?*

56

Amor de lejos...
¡Felices los cuatro!

57

–En un video veinte marines le daban una brutal paliza a un niño iraquí de seis años. Bush vio el video y comentó: *¡Fue una pelea justa!*

58

–Este autobús está completamente lleno.
–Sí. No cabe duda...
Y duda se bajó del autobús.

59

La modelito le preguntó al famosísimo modisto:
–*¿Dime: a ti te gusta Xuxa?*
–¡Síííí!
–*¡Ah, genial, genial! Entonshe, no me la lavo.*

60

Mientras bañaba al bebé, le preguntó a su mejor amiga:

–¿A quién lo ves más parecido? ¿A mi marido o a mí?
–La verdad, al principio lo encontraba parecido a ti. Pero ahora que lo veo *desnudito ¡me parece que es igual a tu esposo!*

61

–¿Por qué los gallegos tienen sus universidades en el fondo del mar?
–*Porque en el fondo, en el fondo, no son tan idiotas.*

62

Si quieres tener tus fotos con marcos... ¿te las tomas en Chiapas?

63

–¿Por qué los elefantes tienen las rodillas arrugadas?
–*De tanto jugar a las bolitas.*

64

–¿Es verdad que si uno corre delante de un toro con una linterna encendida el toro no lo embiste?
–*Es verdad... especialmente si corres muy muy muy velozmente.*

65

–¿Por qué los elefantes tienen las orejas tan grandes?
–*Porque ahí guardan las bolitas.*

66

La profesora a la clase:
–Para mañana una redacción que contenga onomatopeyas.
Al día siguiente:
–A ver, Manolo, tu redacción.
–*Pues iba por el campo, vi una oveja que decía: ¡Beeeeee...!*
–Ahora, tú, Juanito.

–*El otro día mi perro hizo: ¡Guau!*
–Ahora, tú, Jaimito:
–*Pues el otro día estaba en un callejón estrecho y de frente venía un camión que ocupaba toda la calle, y yo dije: "O no, ma tropella".*

67

–¿Por qué los elefantes no se paran de manos?
–*Porque se les caen las bolitas.*

68

Roxana, la modelo, encontró la lámpara de Aladino, la frotó y dijo:
–*¡Quiero que me hagas rica!*
El genio la hizo tan pero tan pero tan rica, *¡que se la comió!*

69

–Paca, me he cortado el dedo.
–*Pues chúpatelo, Manolo.*
–Es que ¡no lo encuentro!

70

El gallego Muleiro era tan pero tan gordo que cada vez que iba al baño *el que hacía fuerza era el inodoro.*

71

–¿Qué hace una modelo cuando pierde interés en el sexo?
–*Ni idea.*
–Se casa.

72

–A ver, Jaimito: ¿cuántos habitantes hay en la Tierra?
–*Seis...*
–¡Nooo! ¡Muuuchos más!
–*Tres mil seiscientos cuarenta...*
–¡Muuuchísimos más!

–Cincuenta millones...
–¡No! ¡Muchííííííííííííísimos más!
–Bueno, ochenta millones...
–¡Nooo! Muchos más. Dime una barbaridad.
–*¿Una barbaridad? ¡Usted es una tarada, imbécil, estúpida, seño!*

73

La gallega Paca era tan pero tan gorda que cuando le tomaban una foto decía: *Continuará...*

74

–¡Vengo a quejarme! Usted me vendió un reloj que anda muy atrasado.
–*Tranquilo, muéstremelo.*
–Vale, pero vamos a tener que esperar veinte minutos hasta que llegue.

75

–Mira ¡cómo vienes! ¡Hecho un asco! Mira qué hora es: ¡las cinco de la mañana! ¡Y ni siquiera he dormido esperándote!
–*Y ¿tú qué crees, Pepa? ¿Que yo he dormido mucho, acaso?*

76

–¿Se puede saber adónde vas, Paca?
–*¡A una fiesta! ¿Por qué Manolo?*

–¿A qué hora vas a volver, Paca?
–*¡¡¡A la hora que me salga de los ovarios, joder!!!*
–¡¡¡Pero ni un minuto más!!!

77

Tomata y Tomate iban caminando por la acera. Cuando cruzaron la calle, a Tomate lo pisó un auto. Tomata pasó al lado y le dijo:
–*¡Chau ketchup!*

78

Para torcer las leyes *sólo hace falta estudiar derecho.*

79

El turco Alí le hacía el amor a su mujer. Ella gritó:
–*¡No, no! ¡Aaahh, aaah, aaaaah! ¡Por favorrrrrr! ¡Ahhh! ¡Noo! ¡Ahhhhhh!*
Entonces, él escupió y gritó:
–Toma tu pezón ¡histérica quejosa!

80

Manolo y Pepe pescaban.
De pronto, apareció una botella flotando. Al destaparla ¡un Genio!
–*Por haberme ayudado, te concederé un deseo.*
–¿Ah, sí? ¡Quiero que toda el agua del lago se convierta en cerveza!
Al instante, toda el agua se convirtió en cerveza.
–*¡Ahora sí que nos hemos jodido, Pepe! ¡Vamos a tener que orinar en el bote!*

81

El ginecólogo terminó de revisar a la actriz y llenaba la ficha.
–¿Edad?
–*42 años.*
–Estado civil: soltera, ¿verdad?

–No, doctor, yo me casé tres veces.
–¡No entiendo, señora! Acabo de revisarla y usted es virgen. ¿Cómo me dice que se casó tres veces?
–¡Ah, sí! Lo que pasa es que mi primer marido fue militar. Y usted sabe cómo son los militares: en cuanto están arriba no saben qué hacer. Después me casé con un liberal. Usted sabe cómo son los liberales: pura lengua. Y mi actual marido es menemista. Usted sabe cómo son los menemistas: en cuanto se descuida ¡se la dan por atrás y le rompen el culo!

82

Hay un ladrón y un policía.
–¿Quién es el malo?
–¡¡¡¡¡¡¡¡¡¡¡¡El chiste!!!!!!!!!!!!!!!

83

–¿En qué se parece un árbol a un hombre?
–En que a los dos se les para el pajarito.

84

–Papi, ¡vino una ola y te llevó el auto!
–Es imposible... ¡si yo tengo las llaves!

85

–¿Es usted soldado?
–No, yo soy de una pieza.

86

Sucedió en el Club Unidos de La Unión.
Fue un sábado de Carnaval.
El cantante Ricardo *El Banana* Valdez vociferaba un tango ante un público azorado.
Al pronunciar la última estrofa: *"y*

que el destino nos mate a los dos..."*, el pianista se puso de pie aterrado y exclamó:
–¡Les juro que el pianista no tiene la culpa!

87

El gallego Paco ve el momento exacto en el que le roban la cartera a una monja. Cuando el ladrón escapa con su botín, el gallego grita:
–¡¡¡Me decepcionaste, Batman!!!

88

No es lo mismo *"Tejidos y novedades en el piso de encima"* que te jodes, no ves nada y encima te pisan.

89

–¿Saben cuál es el mejor método anticonceptivo?
–No, ni idea.
–Es el método "Di Caprio".
–¿Cómo es?
–Te quedas helado aunque la chica esté mojada.

90

La Paca era tan vieja que cuando le pedí que se comportara de acuerdo a su edad, *se murió.*

91

¿Cómo les dicen a los políticos que carecen de humor?
Perros sin cola, porque nunca se sabe cuando están contentos.

92

Chacho Felipe Muñoz pasaba sus vacaciones anuales en Río de Janeiro.
Una tarde, en pleno Copacabana, sobre la avenida Barata Ribeiro,

comprobó que si no evacuaba inmediatamente, se mearía en los pantalones.
En medio de la calle, a mediodía y muy lejos de su hotel, buscó un árbol y...

–¡¡¡Ahhhhhhhhhhhh!!!
Pero, justamente en pleno chorro, pasó una solterona carioca:
–¡Puaajjj!¡Qué groseiro! ¡Qué groseiro!
–¿Groseiro?¿¿¿Y de largueiro qué tal???

93

El vasco Iñaki era tan pero tan feo que cuando nació lo metieron en una incubadora *con vidrios polarizados.*

94

–Lo felicito, señor, su prueba auditiva ha dado muy bien.
–Perdón, ¿cómo dice?

95

Primer acto: a la famosa cocinera Chichita de Erquiaga la echan de la capital de Austria.
Segundo acto: a Chichita de Er-

quiaga la echan de la capital de Austria.

Tercer acto: a Chichita de Erquiaga la echan de la capital de Austria.

¿Cómo se llama la obra?

Sal chichita de Viena.

96

Estaban dos langostinitos de tertulia y uno dice:

–*Estoy preocupado. Mi madre fue ayer a un cóctel y todavía no ha regresado.*

97

Si detrás de un gran hombre hay una gran mujer... *¿por qué no se enfrentan y conversan?*

98

Hace varios años, las esposas de los principales mandatarios del mundo intercambiaban la información de cómo le decían al pene en sus respectivos países.

La esposa de Tony Blair dijo:

–En Inglaterra, lo llaman *caballero*, porque se para cuando entra una *dama.*

La esposa de Boris Yeltsin:

–En Rusia lo llaman *patriota* porque nunca se sabe *si atacará por el frente o por la retaguardia.*

La esposa de Jacques Chirac:

–En Francia lo llaman *telón*, porque *cae después del acto.*

Y por último la esposa de Clinton:

–En Estados Unidos lo llaman *rumor*, porque *va de boca en boca.*

99

–¿Cómo se dice árbol en chino?

–*Té.*

–Y ¿cómo se dice bosque?

–*Tetetetetetete.*

100

Decía Muleiro:

–Yo amo a todas las rubias... *tengan el color de cabello que tengan.*

101

–¿Qué le dijo el chocolate a la leche caliente?

–*Por ti me derrito.*

102

Una zorra va corriendo rápidamente al baño y, por el otro lado, viene corriendo también rápidamente un pollito.

Al llegar se chocan y el zorro se disculpa:

–I am sorry.

–*I am pollito.*

103

Le habían enseñado a Carla, que era muy tonta, muy tonta, a jugar al truco.

–A ver, ¿qué tiene para el primero?

–*¡De todo! ¡El primero me vencen la luz, el teléfono, autónomos! ¡De todo!*

104

–Todo el mundo sabe que Madonna tienen los músculos bien tonificados. Ahora bien, ¿de cuál de sus músculos está más orgullosa?

–*Ni idea.*

–De su lengua.

105

–¿Cuál es el insecto menos ancho?

–*No sé.*

–Langosta.

106

–¿En qué se parece un soldado a la selva?

–*En que el soldado tiene casco y en la selva hay cascodrilos.*

107

–¿Cuál es el colmo de un pirata?

–*Abandonar su pata de palo por un patito de goma.*

108

–¿Por que los hombres tienen dos cabezas?

–*Una para poner los cuernos y otra para llevarlos.*

109

–¿Por qué los elefantes usan zapatillas blancas los lunes?

–*Porque van a hacer deportes.*

110

Dos monjas en motocicleta giran en una curva muy peligrosa. Las detiene el gallego Manolo, policía de tránsito.

–¿Cómo es posible que giren ustedes en esta curva sin dañarse? Todos se salen de la carretera aquí.

–¡Es que a nosotras nos acompaña el Señor!

–¿Tres en una moto? ¡Tienen una multa!

111

Le tomaban examen a Pepe Muleiro para ser guardabarreras.

–¿Tú qué harías si dos trenes se fueran a chocar?

–Poner una bandera o avisarles por radio para que se paren.

–¿Y si no tuvieras radio ni bandera?

–Llamaría a mi primo Manolo.

–¿Por qué?

–Porque Manolo nunca ha visto un choque de trenes.

112

–¿Por qué los elefantes no matan a Tarzán?

–Porque es él quien les vende las zapatillas.

113

–¿Qué hay que cambiarle al ciervo para convertirlo en otro animal?

–La letra "i" por una "u". Se transforma entonces en cuervo.

114

Poco antes de comenzar el partido, el árbitro gallego llama a un representante de cada equipo y les dice:

–El negocio es el siguiente: el equipo de La Coruña me dio cinco mil dólares para que facilitara las cosas a su favor. El equipo de Vigo me dio seis mil dólares para hacer la misma cosa. Para demostrarles que soy un juez honesto y que voy a arbitrar el partido con imparcialidad, le devuelvo al equipo de Vigo los mil dólares de diferencia.

115

Si los dentistas trabajaran de noche, *las muelas dolerían de día.*

116

El gallego Manolo trabajaba en un rascacielos y se cayó del último piso.

–¡¡¡Ziuuuuuuuuu!!! ¡¡¡Poffff!!!

Toda la gente de los alrededores se acercó.

Manolo se incorporó y dijo:

–¡Jo, menos mal que he caído de cabeza, que si no, me mato!

117

Me revientan los camiones.

El sapo

118

Dos novios se estaban casando y le dice el cura al novio:

–¿Acepta a esta mujer tanto en la salud como en la enfermedad?

Entonces la novia le dice:

–No lo comprometa tanto, que se va a arrepentir.

119

Un listo es una persona capaz de salir de una situación en la que *alguien inteligente jamás hubiese caído.*

120

Una mulata preciosa en una calle de Bogotá. De pronto, un grupo de quince hombres. Uno de ellos se le acercó:

–¡Oye, reina, te amo!

–Gracias por el piropo.

–No, que te amo *a violar entre todos.*

121

Había dos gauchos en el campo:

–Hijo, pasame el dulce.

–¡Vaa, tata!

–No, el de membrillo.

122

–Oye, y tú desde cuándo llevas gafas?

–Desde que maté una mosca de un manotazo.

–Pues no lo entiendo

–Es que no era una mosca, era un clavo.

123

–Vivimos en malos tiempos: Mi mujer ha comenzado a hacer economía. De ahora en adelante nos tendremos que arreglar sin las cosas que *yo necesite.*

124

Lo contó una modelito.

–Una chanchita le pregunta a su

madre: "Mamita, mamita ¿por qué tengo esta ranura aquí entre las piernas?" Y la chancha le contestó: "Y... porque si la tuvieses en la espalda serías una alcancía".

125

–¿Cómo se dice *striptease* en africano?
–*Sin bom ba chita.*

126

–¿Cuál es el colmo de una isla del Pacífico?
–*Tener habitantes violentos.*

127

–¿Por qué los elefantes no juegan a las cartas?
–*Porque son tromposos.*

128

–¿Qué le dijo el camello a su hijo cuando se enteró de que el camellito había perdido su moneda?
–*¡¡¡Joróbate!!!*

129

–Ah, sí... yo me estoy leyendo un libro de Anónimo.
–*¿Cómo de anónimo? ¡Si ése no es nadie, Paco!*
–Pero ha escrito muchos libros.

130

–¿Cuál es el colmo de un futbolista?
–*Meter un gol y errarlo en la repetición*

131

Decía la viejita Paca:
–Los hombres, aparte de tener una polla, también tienen un cerebro; lo

que pasa es que no se les nota porque *sólo tienen sangre para usar una cosa a la vez.*

132 - 136
Cinco casi verdades

En tiempo de guerra, *cualquier hoyo es trinchera.*

¡Qué dichosos los astrólogos! Se les cree si dicen una verdad entre cien mentiras, *mientras que otras personas pierden toda credibilidad si dicen una mentira entre cien verdades.*

No más medios de comunicación... *¡los queremos completos!*

En lo único que los médicos no se equivocan nunca *es en pasar la factura.*

El hombre razonable se adapta constantemente al mundo. El hombre no razonable persiste en querer adaptar el mundo a sí. *Por consiguiente, todo progreso depende del hombre no razonable.*

137

–Soy representante exclusivo en La Coruña de una transnacional pionera en tecnología de punta.

–*¿Algo que ver con la informática, Manolo?*
–No. Vendo *agujas.*

138

–¿Por qué lloras, Manolín?
–*Porque aquel gordo no se ha caído al subir al autobús.*

139

La gallega Maruxa era tan pero tan fea que jamás podía dormir: *cuando llegaba el sueño, salía espantado.*

140

–¿Cómo se dice en africano: "¿Por qué no comemos un sándwich de champiñones?"
–*Para panza propongo Bimbo con hongo.*

141

El flamante marido de la modelito:
–Está bien, Gianina, no te levantes que me quemo yo solo las tostadas.

142

Murió un argentino y al llegar al cielo habló con San Pedro.
–*¿Así que éste es el cielo? Se parece a la Argentina, ¿viste?, pero mucho más chico. Aquí hay fútbol ¿no, che?*
–Por supuesto, sígame y le mostraré. Llegaron a un campito lleno de gente. Un señor mayor se la llevó desde la media cancha, esquivó a todos los jugadores y anotó un gol espectacular.
–*¿Quién es ese señor?*
–Pues ése es Jesucristo.
–*¡¿Y qué se cree, Maradona?!*

143

Un diplomático perfecto
es aquel que conoce
un cubierto para pescado
sin necesidad de olerlo.

144

La pornografía es
una película francesa
hecha por gallegos.

145
Adivinancita

El sol la vida me da, *el sol la vida me quita,* a la gente hago preocuparse *y aunque el agua me da forma* en el aire suelo desaparecer.

La niebla

146

–Joven, ¿podría ser tan amable de ayudarme a cruzar la calle?

–*Sí, señora: sólo esperemos que cambie la luz porque está el semáforo en rojo.*

–¡Qué gracia! ¡Con la luz en verde puedo hacerlo sola!

147

–¿Cómo se dice hacer autostop en japonés?

–*¿Mitsubi? ¿Shi?*

148

–¿Qué se obtiene si se cruza una modelo con un gorila?

–*Ni idea.*

–Un gorila verdaderamente idiota.

149

Larga cola frente a una boletería para comprar las entradas a un recital rockero.

Una anciana se acercó a los primeros lugares. Los jóvenes reaccionaron:

–*¡¡¡Los ancianos al final, los ancianos al final!!!*

La viejita se adelantó unos pasos. Unas jovencitas gritaron:

–*¡¡¡Los ancianos al final, los ancianos al final!!!*

La viejita avanzó otro paso. Aquello fue un pandemónium. Todos gritaban:

–*¡¡¡Los ancianos al final, los ancianos al final!!!*

La viejita entonces se fue al final de la fila. Y desde allí les gritó:

–*¡¡¡Pues sí que están jodidos!!! ¡¡¡A ver quién les vende las entradas ahora!!!*

150

–Mamá... ¿qué es la amnesia?

–*¿Qué me preguntaste?*

–¿Y tú quién eres?

151

–¿Por qué son tan grandes las puertas de las iglesias en Galicia, Manolo?

–*Para que entre el Altísimo.*

152

En una esquina chocaron el triciclo del heladero y la motocicleta del repartidor de pizza.

El heladero quedó tendido en el asfalto.

El repartidor de pizza estaba desesperado.

–*¡Ay! ¡¡¡Maté al heladero!!! ¡¡¡No puede ser!!! ¡¡¡Por favor, dígame qué tiene para explicarles a los de la ambulancia!!! ¡¡¡Por favor, dígame qué tiene, heladero!!!*

El heladero abrió apenas los ojos y susurró:

–Chocolate, crema, frutilla, limón...

153

La gallega Paca era tan pero tan fea que cuando fue a casarse, el juez le preguntó al novio:

–*¿¿¿En serio la acepta por esposa??? ¡¡¡Repítalo cinco veces!!!*

154

–Mamá... ¿cuesta mucho dinero un frasquito de tinta roja?

–*No, hijo mío, eso es muy económico.*

–¡Qué bueno… porque se me derramó todo un frasco de tinta roja sobre tu vestido nuevo!

155

Un gallego va al médico con las orejas todas rojas, por lo que el médico le pregunta:

–Diga, buen hombre, ¿qué le ha pasado en las orejas?

–*Es que estaba planchando mi camisa cuando sonó el teléfono y, por error, tomé la plancha en lugar del teléfono y me la puse de lleno en la oreja.*

–Ya veo, pero eso con una oreja... ¿y qué pasó con la otra?

–*Es que el tipo volvió a llamar.*

156

–Hola, Pepe. Supe que ya no sales con la Paca.

–*Sí, no aguantaba más.*

–La verdad es que era un poco feuchita.

–*¿Feuchita? ¿Feuchita? Si será fea que la última vez que fuimos a una discoteca se me acercó un tipo y me dijo: "Disculpa, además de tu novia, ¿sabes si hay algún otro* retrete *en el local?*

157

–Una jirafa ¿puede dormir un día entero?

–*Es casi imposible, suele dormir de a períodos de 7 u 8 minutos.*

158

Las faldas cortas hacen que los hombres se comporten educadamente. *¿Han visto alguna vez a un hombre subir a un autobús antes que una chica con minifalda?*

159

–¿Qué le dijo la aceituna al escarbadientes?

–*¡Eres como una espinita que se me ha clavado en el corazón!*

160

–¿En qué se parece el dinero a la gasolina de los aviones?

–*En que se gastan "volando".*

161

El silencio no impone límites. *Los límites los impone la palabra.*

162

Mi mujer es un objeto sexual: *cada vez que me apetece hacerlo,* ella objeta.

163

–Mamá, ¿cuándo tendré los senos tan grandes como los tuyos?

–*Dentro de unos pocos años.*

–¡Qué lástima! ¡Los necesitaba para este sábado!

164

Estaban todos en una fiesta, y uno grita:

–*¡Bailen con gracia!*

Y Gracia bailó toda la noche.

165

El argentino Pablo Rivas visitó a su amigo el senador en el Congreso.

–Che, tengo que pedirte un trabajo para mi hijo. No sabe hacer nada. No estudia. Por eso me gustaría que trabajase un poco. ¿Podrías conseguirle algo?

–*¡Ningún problema! Que venga. Lo voy a hacer figurar como asesor pero no va a tener que hacer nada. Ganará 5.200 dólares por mes.*

–Me parece demasiado dinero para un pibe de 14 años.

–*Tenés razón. Le puedo conseguir un carguito de ayudante. Tiene que manejarme la computadora y le pagarían unos 2.200 dólares al mes.*

–Me sigue pareciendo mucho. ¿No hay otro laburo?

–*¿Sabés qué pasa? Trabajos de 500 dólares hay... pero para conseguirlos ¡hace falta un título universitario!*

166

–Papá, me he levantado con ganas de trabajar.

–*¿Y qué vas a hacer?*

–Acostarme, para que se me quiten.

167

El país no está en venta. Ya fue vendido.

168

Llegó el gallego Manolo a un sepelio y empezó a cantar:

–*¡Japi birdai tu yú... japi bir-*

daaaaaaai tu yuuuuuuuuu...!
—¡Oiga, oiga! ¡Más respeto para el difunto!
—*¡Caray! ¿Es un velatorio? ¡Con razón! ¡Ya me parecía mucho pastel para cuatro velitas!*

169

Entró una gorda muy, muy gorda al bar.
Cuando la vio, el gallego Muleiro gritó:
—*¡Acaba de entrar un tanque!*
La mujer le retrucó:
—¡Cállate cabrón, imbécil, infra-dotado!
—*¡Y es de guerra!*

170

—¿Cuál es la diferencia entre un taxidermista y un abogado?
—*Sencillo: el taxidermista se contenta sólo con tu piel.*

171

Si podemos mandar un hombre a la Luna *¿por qué no los mandamos a todos?*

172

Leyenda en la espalda de la camiseta de un motociclista...
"Si puede leer esto es que mi mujer se ha caído".

173

Manolo visita a su vecina, la gallega Pepa. La mujer está llorando porque su madre ha muerto. El hombre la consuela, le prepara café, y luego se marcha. Al día siguiente, vuelve el hombre a casa de la mujer y la encuentra nuevamente llorando.
—*¿Qué pasa ahora?*

—Es que acabo de hablar por teléfono con mi hermana. ¡Y me dijo que su madre también había muerto!

174

—¿Cuándo van los gallegos a buscar cajas en los gimnasios?
—*Cuando necesitan una caja fuerte.*

175

Primera escena: Una Barbie le pega a un Ken.
Segunda escena: Una Barbie le pega a un Ken.
Tercera escena: Una Barbie le pega a un Ken.
¿Cómo se llama la obra?
Muñeca brava.

176

—¿Cuántos tipos de pescados hay en el mar?
—*Ninguno. En el mar hay peces.*

177

Un jefe indio se va de incursión guerrera contra los enemigos de su tribu. Como la expedición durará varias lunas, deja a su hijo a cargo del poblado. Cuando vuelve:

—*Y dime, hijo, ¿qué ha ocurrido durante mi ausencia?*
—Sabio y valiente padre, tengo noticias buenas y malas.
—*Dime primero las malas.*
—El hombre blanco ha invadido nuestras tierras, y merodea por las praderas en manadas tan numerosas como las de los búfalos.
—*¿Y las buenas?*
—Los blancos tienen el mismo sabor que los búfalos.

178

En el confesionario:
—Mi novio me hizo tomar alcohol. *Dígame: ¿eso es pecado, padre?*
—Sí mi niña, ¡no sabes el terrible efecto que tiene el alcohol sobre tus piernas!
—*¿Se me pueden hinchar, padre?*
—No. ¡Se te pueden abrir, hija!

179

—Los gallegos han llegado al punto máximo de su estupidez...
—*¿Por qué?*
—Han solicitado ser la Sede Oficial de la Tercera Guerra Mundial.

180

Un gallego espiaba un campo nudista.
—*¿Qué ves, Manolo?*
—Un montón de gente.
—*¿Hombres, mujeres?*
—No lo sé: están todos desnudos.

181

Indio piel roja en el Registro Civil:
—Yo querer cambiar nombre porque ser muy largo.
—*¿Cómo se llama?*
—Yo llamarme Gran Nube Gris Que

Lleva Mensajes Por Todo El Mundo.
–¿*Y cómo se quiere llamar?*
–Simplemente, *Fax.*

182

–¿Cómo es posible que para venderme un simple ansiolítico me pida receta y para el arsénico no hace falta nada?
–*¡Hombre! ¡Pues porque el arsénico no crea adicción!*

183

–Papá, en el colegio han dicho que descendemos del mono.
–*Oye, Manolín: puede que tú desciendas del mono, pero yo no.*

184

–Mi padre es agitador de masas.
–*¿Político?*
–No, panadero.

185

–¿Por qué el correo no hace sellos con imágenes de abogados?
–*Porque la gente no sabría de qué lado del sello escupir.*

186

–Acusado, ¿por qué contradice usted su primera confesión?
–*¡¡¡Es que mi abogado me ha convencido de mi inocencia!!!*

187

–¿Cuáles son los cuatro animales que una mujer quiere tener?
–*Un Jaguar en el garaje, un visón en el ropero, un león en la cama y un burro que la mantenga.*
–¿Cuáles son los que realmente tiene?
–*Un Panda en el garaje, una piel de conejo en el ropero, un cerdo en la cama y el burro que la mantiene.*

188

El acusado era un empresario bastante turbio.
Lo acusaron de estafa.
El abogado lo llamó por teléfono después del juicio.
–*Le cuento que triunfaron la ley y la justicia.*
–Apele doctor, apele.

189 - 199
Once definiciones de amor

Amor: Enfermedad temporal que se cura con el matrimonio.

Amor: Esfuerzo que hace un hombre para ser satisfecho por una sola mujer.

Amor: Estado extraño que empieza con el noviazgo y termina con el matrimonio.

Amor: Único deporte que no se interrumpe por falta de luz.

Amor: Si el amor es ciego ¿por qué gusta tanto la ropa interior sexy?

Amor: Es aquello que comienza con un príncipe besando a un án-gel y acaba con un calvo mirando a una gorda.

Amor: Palabra de 4 letras, 2 vocales, 2 consonantes y 2 locos

Amor: Tontería hecha por dos.

Amor: Sentimiento que nos inspira los más grandes proyectos y nos impide realizarlos.

Amor: Sublimación del sexo que lo hace moralmente aceptable.

Amor a primera vista: Lo que ocurre cuando se encuentran dos personas poco exigentes y excepcionalmente apasionadas

200

Los gallegos Paco y Manolo Muleiro fueron a una función de circo.
–¡Qué linda es la trapecista, qué lindo cuerpo tiene, Paco!
–*Cuidado con el marido, que es "celoso".*
–¡Ah!... ¡Yo pensé que era el payaso!

201

Dos hermanos. Uno es inteligentísimo. Se graduó con honores y vive en los Estados Unidos.
El otro es un animal: no terminó el colegio y sigue viviendo en Galicia.
Todos los meses, el inteligente llama al bestia para ver cómo van las cosas.
–Hola, Manolo, ¿cómo estás?
–Bien, Peter, gracias. ¿Y tú?
–*Muy bien, gracias. Oye, cuéntame, ¿todo bien por allá?*
–Sí, sí, todo bien.
–*¿Tienes alguna novedad?*

–Se murió el gato.

–*¡Bestia! ¿Cómo me lo dices así? ¡¡¡Yo quería tanto a ese gato!!! Hubieras hecho lo siguiente para "suavizar" la noticia: el primer mes que te llamo, me dices que el gato está en el tejado, por ejemplo; al segundo mes, me dices que se cayó y que se quebró una patita; al tercer mes, me dices que lo van a operar y que los médicos dicen que hay pocas posibilidades de que sobreviva; y al cuarto mes recién me dices que el pobrecito murió. Pero ¡no así de golpe, bestia! ¿Has entendido, Manolo?*

–Sí, Peter, sí.

–*Vale. Ahora dime: ¿cómo está mamá?*

–Está en el tejado.

202

–*¡Camarero! Hay una mosca en mi sopa.*

–No se preocupe, pronto no va a estar más. ¿Ve la arañita en el borde del plato?

203
Adivinancita

¿Cuál es el instrumento que no tiene más que una cuerda?

La campana.

204

Los reclutas paracaidistas en su primer salto. El gallego Muleiro se tiró con tanta mala suerte que la anilla se rompió sin que se abriese el paracaídas.

Hubo un segundo de desconcierto. El sargento gritó desde el avión:

–*¡Tira de la anilla de emergencia, desgraciado!*

–¡¿Y dónde está?!

–*¡Al lado de los huevos!*

Muleiro se echó las manos al cuello y gritó:

–¡No la encuentro, no la encuentro!

205

–¿Qué hace un pingüino en el desierto?

–*¡Está perdido!*

206

–Manolito, ¿tú rezas antes de comer?

–*No, señorita, mi mamá es muy buena cocinera.*

207

–¿Cuál es el colmo de un jardinero?

–*Que su hija se llame Rosa Margarita Flores del Campo.*

208

–Mi hijo, en su nuevo trabajo, se encuentra como pez en el agua.

–*¿Qué hace?*

–Nada.

209

–Había un hombre encerrado en una habitación con tres puertas. Una salida estaba llena de agua y si abría la puerta se ahogaba. En otra había un tigre y en la tercera

unos cocodrilos muertos de hambre. ¿Por cuál salió?

–Por la tercera. ¿No habíamos dicho que los cocodrilos estaban *muertos* de hambre?

210

Muy tarde, como a las dos de la madrugada, llega Manolito a un restaurante. Están a punto de cerrar.

–¿Señor, le sobró pan?

–*Sí, me sobró bastante.*

–¿Para qué compró tanto?

211

Un abogado llegó a su casa y se encontró con un ladrón que intentaba abrir su caja fuerte.

–*¿Qué hace aquí?*

–Busco dinero.

–*¿De verdad?... Pues busquémoslo juntos, y si lo encontramos vamos cincuenta y cincuenta ¿de acuerdo?*

212

Un ciego le dice a otro:

–*¿Me prestas dinero?*

–Bueno. ¿Cuándo me lo vas a devolver?

–*Y... cuando volvamos a vernos.*

213

–¿Qué le pasó a tu amiguito, Manolito?

–*Lo picó un tiburón.*

–Los tiburones no pican, muerden.

–*Es que ¡lo picó en pedacitos!*

214

Después de varias semanas de intentos de resolver un problema científico, el jefe de la investigación miró a sus colegas y les preguntó:

—Señores, ¿conocen ustedes el antónimo de la palabra "¡Eureka!"?

215

—¿Se puede enterrar en Hong Kong a un tipo que vive en Texas?
—No, porque está vivo.

216

—¿En qué se parecen los cangrejos a los garbanzos?
—No sé.
—En que los cangrejos son moluscos y los garbanzos me lus como.

217

—¿Qué hacen un camello y un árabe en el polo norte?
—Fueron a dejar en su casa al pingüino perdido en el desierto.

218

Decía Muleiro:
—Para entender la forma de pensar de los militares, debemos comprender que les gusta conducir de día con muchas luces intermitentes de todos los colores.
Pero que en cuanto se hace de noche las apagan todas porque prefieren conducir a oscuras.

219

—Manolito, si tu papá le da 100 pesos a tu mamá, y luego le quita 50, ¿qué sucede?
—¡Una pelea terrible, seño!

220

—¿Por qué los buzos se tiran al agua hacia atrás?
—No sé.
—¡Pues porque si lo hicieran hacia adelante caerían dentro del yate!

221

—Manolito, ¿por qué no trajiste tu libro?
—Es que lo llevé al médico.
—¿Al médico? ¿Por qué?
—¡Porque tenía muchos problemas!

222

—¿Qué le dijo un cable eléctrico a otro cable eléctrico?
—Somos los intocables.

223

—Mamá, ¿los sapos usan gafas?
—No, Manolito.
—¡Entonces la abuela se cayó en la zanja!

224

—Mamá, hay un pobre señor gritando en la calle, ¿me das dinero para ese pobre hombre?
—Bueno, aquí tienes. Pero ¿qué grita el pobre hombre, Manolito?
—¡Helados! ¡Heladooooooooooos! ¡Riquísimos los helados!

225

Había una vez un pequeño que se sabía las tablas.
Había otro más grande que las rompía.

226

—Si tiras a un negro y a un judío al agua, ¿quién se salvaría?
—No sé.
—El judío. El negro se hundiría por las cadenas.

227

¡Disparen a discreción!
Y Discreción murió acribillado.

228

—¿Cuál es el colmo de un trompetista?
—Sufrir una trombosis.

229

Manolito llegó tarde al partido de fútbol y le preguntó a Paco:
—¿Cómo vamos?
—Perdemos 1 a 0.
—¡¡¡Árbitrooooo, ladrón!!!

230

—Mamá, ¿los limones tienen plumas?
—¡No, Manolito!
—¡Uy! ¡Entonces acabo de exprimir al canario!

231

—¿Cuál es el colmo de un ciego?
—Llamarse Casimiro, vivir en la ca-

lle *Buenavista* y decir: *"Nos vemos"*.

232

–*Manolito, ¿ya no tienes aquel perro tan bonito que te acompañaba todos los días al cole?*
–*Pues no.*
–*¿Y por qué?*
–*Porque pasó de grado.*

233

–*¿Qué es un arañazo?*
–*Pues una araña muy grande...*

234

Pepe Muleiro va a cantarle a su hijo antes de acostarse para que se duerma.
–*¿Lo crees necesario, papá? ¡Estoy tan cansado!*

235

–*¿Qué es un punto rojo en la esquina de una cocina?*
–*Un frijol castigado.*

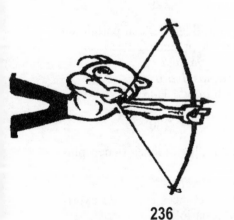

236

–¡Ha sido horrible! Justo hace unos minutos, en la calle hubo un accidente espantoso. Había un negro tirado en el asfalto desangrándose mientras se sujetaba los intestinos y pedía socorro. Suerte que yo sé algo de primeros auxilios.
–*¡Ah, sí? ¿Qué hiciste?*
–Me senté en la vereda y respiré lentamente para no desmayarme.

237

–Manolito, ¿qué te pasa?
–*Vengo de confesarme, y el padre me ha pedido de penitencia rezar tres padrenuestros.*
–¿Cuál es el problema?
–*¡Es que sólo me sé uno!*

238

–¿Cómo sabes que fue un gallego quien te mandó el fax?
–*Ni idea.*
–Tiene estampilla.

239

–*¿Por qué los irlandeses nunca beben agua?*
–*Porque quita la sed.*

240

–¡Mamá, mamá, en el colegio me dicen patón!
–*Cállate nene y guarda las zapatillas en el garaje.*

241

–Mamá, me voy de caza.
–*¿Te llevas la escopeta, Manolito?*
–No, ez que me voy de caza pada ziempre.

242

Aviso en un parque público:
"Se prohíbe montar en bicicleta, acostarse en la hierba, traer animales. Prohibido jugar a la pelota. No coma ni beba. No tire nada al suelo. *¡Recuerde que el parque es suyo!"*

243

El gallego Mulerio va por la calle con una bolsa llena de plátanos y un salero; va sacando los plátanos, los pela, les hecha sal y luego los tira.
–*¿Qué haces Mulerio?*
–Es que no me gustan los plátanos *con sal.*

244 - 247
Cuatro inventos inútiles

Las cerillas a prueba de fuego.

La linterna con batería solar.

Salvavidas de hierro.

Relojes de sol fosforescentes, para poder leerlos de noche.

248

–*¿Cómo puedes hablar con la boca llena, Muleiro?*
–Sé que no es fácil, por eso me entreno todos los días.

249

–¡Mamá, mamá! ¡Yo no quiero ir a Somalia!
–*Cállate y vuelve a meterte en el paquete de la Cruz Roja.*

250

El general Muleiro recorría el hospital para rendir tributo a los soldados mutilados. De pronto, vio a uno que no tenía orejas.
–A éste le cayó una bomba al lado y le saltó las dos orejas.
–Soldado, eso debió ser dolorosísimo, ¿qué es lo que sintió?

–*Pues, señor, lo primero, lo primero, sentí que no veía.*
–¿*Por el humo de la bomba?*
–*No, porque se me cayó el casco hasta la boca, ¡señor!*

251

–Existen montes quemados, sucios y descuidados, pero dime, ¿cuál es el monte más limpio?
–*El volcán, porque arroja cenizas, vomita fuego y después lava.*

252

En la guerra.
–Soldado ¿localizó al enemigo?
–*Sí, están delante, detrás, a la izquierda y a la derecha, ¡esta vez sí que no se nos escapan, mi capitán!*

253

–Abre las piernas que te voy a hacer una cosa muy bonita. ¡Es un regalo!

254

–Este año he follado el triple que el año pasado.
–*Eso no puede ser Paco, porque el año pasado no follaste nada.*

–Pues eso: este año *nada, de nada, de nada.*

255

–¿Cuántos cantantes de *country & western* hacen falta para cambiar una lamparilla?
–*Doce. Uno la cambia mientras los otros once cantan la grandeza de su gesto y la brevedad de la vida.*

256

–¿Cuál es el mexicano más delicioso?
–*Pancho-colate*

257

–¿Cómo se le dice a un argentino que se queja todo el día, mira deportes todas las noches por televisión y duerme casi todo el fin de semana?
–*No sé.*
–*Normal.*

258

–¿Qué es lo peor de ser un pedófilo?
–*Que te tienes que ir a la cama antes de las nueve de la noche.*

259

–Flanagan, aprieta el gatillo.
–*Miiiauuuuuuu.*

260

–¿Cuál es el pez que tiene más sobrinos?
–*El tioburón.*

261

–¿Por qué Moisés y los judíos estuvieron vagando por el desierto durante 40 años?
–*Porque a uno de ellos se le cayó una moneda.*

262

Había un perro gallego que cuando le gritaban: *"¡Ataque!"* se tiraba al piso y le daban convulsiones.

263

–¿Cuál es la diferencia entre el ejército y los boy scouts?
–*Los boy scouts están supervisados por adultos.*

264

–Todos se querían medir con él
–¿*Un tipo muy valiente?*
–Modisto.

265

Un coronel recibió un mensaje informándole que el padre de uno de sus soldados había muerto. Pero no sabía cómo decírselo.
Para su fortuna, uno de los sargentos, el gallego Paco, le alivió el trámite.
–*Usted no se preocupe, mi coronel, que yo tengo mucho tacto para estas cosas y me puedo encargar del asunto.*
El sargento llamó al soldado.
–*Recluta, López: hemos recibido una llamada notificándonos que su padre, su madre y todos sus hermanos, así como su abuela y el gato, han muerto en un accidente de tránsito. Además, como se es-*

trellaron contra una gasolinera y provocaron una gran explosión en el centro de Madrid, usted como único heredero se tiene que hacer cargo de las indemniza-ciones a las familias de los trescientos cincuenta y seis fallecidos en el accidente, que ascienden a unos cuatro mil millones de pesetas.

–¿¿¿Qué???

–Bueno, no, tranquilo, tranquilo. Lo de la deuda es una broma. Lo único cierto es que tu padre se ha matado. Es un alivio ¿no te parece?

266

–Cualquier mujer puede lucir atractiva.

–¿Cómo tiene que hacer?

–Tiene que quedarse calladita y parecer estúpida.

267

–Oye, Pepe, ¡qué hijo tan feo tienes!

–Es igual... ¡como lo quiero para el campo...!

268

Manolito era pobre. Muy pobre. El niño rico lo invitó a su cumpleaños. Manolito volvió de la fiestita repleto de moretones, rasguños y una herida cortante en la cabeza.

–¿¿¿Qué te pasó hijo???

–Nada papi... rompieron la piñata y a mí me cayó una video grabadora, un televisor, un fax...

269

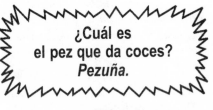

¿Cuál es el pez que da coces?
Pezuña.

270

–Oye ¿sabes qué es el ego?

–Pues no.

–Es ese pequeño argentino que todos llevamos dentro.

Un argentino que había escuchado la conversación se acercó ofendidísimo.

–¿Quién fue el boludo que dijo "pequeño"?

271

Tengo otro amigo que es medio alemán y medio polaco. *Odia a los judíos, pero no sabe por qué.*

272

–¿Sabes, Bernardo? No hay nada mejor que contar con un abogado que conozca la ley muy íntimamente.

–Sí hay algo mejor, Mariano: un abogado que conozca al juez muy íntimamente.

273

–¿Cómo manda una carta un gallego cuando no tiene una estampilla de 25 pesetas?

–Pone una estampilla de 35 y otra de 10 pesetas pero separadas por un signo "menos".

274

–¿Cuál es la ventaja de casarse con una mujer?

–Puedes estacionar en los lugares para discapacitados.

275

Fidel Castro, en medio de un encendido discurso:

–¡Aquí en Cuba nadie se acuesta sin cenar!

–Fidel, ¡yo no he cenado!

–¡Pues no te acuestes!

276

–Oiga ¿me da 10 condones?

–¿Sabe usted que caducan a los 5 años?

277

El sargento Muleiro a la tropa:

–¡Sileeennncio! ¡Cada vez que abro la boca hay un imbécil hablando!

278

Un domingo por la mañana, en una iglesia en Inglaterra, el cura hace la colecta y ve tres monedas de un penique entre los billetes, así que dice:

–¡Hombre! Hoy está entre nosotros un escocés.

Al fondo de la iglesia se oye tímidamente:

–*Oye, ¿le decimos que somos tres?*

279

–*¿Cómo se le dice a un* personal trainer *que no causa dolor ni cansancio?*

–Desempleado.

280

–¿Cómo se lo pone nervioso a un negro?

–*Ni idea.*

–Llevándolo a un remate.

281

–¿Cuál es la diferencia entre un argentino sabio y un argentino idiota?

–*No sé.*

–Ninguna. *Los dos creen que lo saben todo.*

282

–*¿Qué se consigue al cruzar un israelita con un palestino?*

–Alguien que se odia mucho a sí mismo.

283

El jeque árabe en la maternidad. Miraba por el vidrio de la nursery.

–*¿Cuál es el suyo?*

–Las tres primeras filas.

284

–Yo soy un tipo muy optimista en general. Fui muy optimista en particular cuando instalé mi video grabadora sin ayuda de un técnico. *Ahora veo las películas en la licuadora.*

285

Tengo un amigo que es medio judío y medio italiano. *Si no puede comprar algo con descuento, lo roba.*

286

–¿Cuál es el colmo de un albañil?

–*Llamarse Armando Paredes.*

287

–¿Cuál es la oficina de Mónica Lewinsky?

–*Debajo del escritorio de Clinton.*

288

–Oye, Pepe: ¿en qué se parecen un perro y un ginecólogo miope?

–*Ni idea.*

–En que los dos tienen las narices húmedas.

289

Dos gallegos en la mili, durante una marcha:

–*Mira, Manolete, un ligarto.*

–Pero ¡qué bruto eres! se dice legarto.

–*¡Qué se va a decir legarto! Es ligarto.*

–Ahí está el sargento, que es un hombre de mundo. Vamos a preguntarle a él.

–*Mi sargento, queremos preguntarle cómo se llama ese bicho verde que hay encima de esta piedra, ¿es ligarto o legarto?*

–Pues se dice *ligarto* o *legarto* indistintamente. Pero la palabra trénica es *sipiente.*

290

–¿Cómo se pueden matar 500 moscas a la vez?

–*Ni idea.*

–Le pegas a un etíope en la cabeza con una pala.

291

Al gallego Muleiro le dicen salvavidas de plomo porque te quiere ayudar pero te hunde.

292

Anuncio en el periódico:
"Se necesita camello para filmar una escena. Llamar al teléfono... Abstenerse por favor otros animales".

293

–Si besarse es contagiar gérmenes... *¿qué te parece si empezamos la epidemia?*

294

El gallego Manolo compró el libro "Torturas y placeres".

–*Paca, he leído este libro sobre sexo y dice que podría lamerte el coño. Pero, sabes, tu coño huele*

muy mal. ¿Por qué no vas y consigues algo?
—Pues hay desodorante con olor y sabor a frutilla, cereza, manzana y cien más; ¿con qué olor te gustaría a ti, Manoliño?
—¡Atún!

295

—¿Cómo se dice "encendedor" en japonés?
—Sakayama.

296

Fiesta en la embajada de Bosnia.
—¿Cuánto cuesta la entrada?
—Nada, es gratis. Pero para entrar, antes hay que matar a diez serbios y a un perro.
—¿Y por qué a un perro?
—Entra, adelante, eres uno de los nuestros.

297

—¿Qué hacen 200 nazis y 300 cabezas rapadas en el portal de Belén?
—Ni idea.
—Esperan a Baltasar.

298

—¿Cómo se dice "paraguas" en árabe?
—Panomojame.

299

Ayer me puse los lentes de contacto al revés y me vi a mí mismo.

300

—¿Cuáles son las manchas más difíciles de quitar de los calzoncillos de un niño?
—Pues el maquillaje de Michael Jackson.

301 - 320
Se leen igual al derecho o al revés
Veinte palíndromos

Dábale arroz a la zorra el abad.

A Mercedes ése de crema.

Así Ramona va, no Marisa.

Échele leche.

Luz azul.

Anita lava la tina.

Somos o no somos.

Ana, la galana.

Ana lleva al oso la avellana.

La ruta natural.

Ana lava lana.

Le avisará Sara si va él.

No bajará Sara jabón.

Así le ama Elisa.

Adela ya le da.

A ti no, bonita.

Sor Rebeca hace berros

Oirás orar a Rosario

Así Mario oirá misa.

Ateo por Arabia iba raro poeta.

321

Entran un blanco y un negro en un ascensor:
—¡¡Negro, con el pelo rizado, con los labios gordos y malolientes!!

—Si es una adivinanza... un coño, y si no ¡me cago en tu puta madre!

322

En el aeropuerto gallego:
—Déme Florida, sólo ida.
Cuando le tocó al gallego Pepe:
—Déme Nueva York, sólo York.

323

—¿En qué se diferencia el Club de John Bobbitt de todos los demás?
—No sé.
—El de Bobbitt no tiene miembros.

324

—¿Qué le dice Clinton a Hillary cuando acaba de hacer el amor?
—Querida: llegaré a casa en quince minutos.

325

En el campo, una tarde de mucho calor. El andaluz Paquirrín, con sed, le dice a Paquirri, su padre:
—Papá, ¡qué sé!
—Pues todo, hijo... ¡te lo he enseñado yo!

326

Dos negros maricas:
—¿Por qué no jugamos al escondite?
—Estupendo.
—Yo me escondo primero. Si me encuentras me das por el culo, y si no, estoy detrás de las cortinas.

327

Un becario entró a una empresa multinacional y el primer día llamó al comedor y dijo de mal modo:
—Quiero inmediatamente un café cortado, en vaso, sin azúcar y dos tostadas con mantequilla, ¡pero ya!

–¡Pedazo de idiota! ¡¡¡Se equivocó de extensión!!! ¿Sabe acaso a dónde llamó, imbécil?

–*No.*

–Al presidente de la empresa, ¡¡¡idiota!!!

El becario piensa unos segundos y le responde:

–*¿Y tú sabes quién carajo te está hablando, imbécil cornudo, pedazo de mierda y además gilipollas?*

–¡No!

–Menos mal ¡¡¡cabrón!!!

Y colgó inmediatamente.

328

–¿Cómo se dice *"violación"* en alemán?

–*Desvirggensen.*

329

–¿Cómo se dice *"te va a acompañar tu hermanito menor para que no estés sola con tu novio"* en alemán?

–*VerquenoEstrujen*

330

El santiagueño Pintos.

–*¿Tengo la bragueta abiertaaa?*

–No, la tienes cerradaaa.

–*Entonces meo mañana.*

331

–¿Qué es lo que jamás debes decirle a un negro leproso?

–*¿Me das una mano, negro?*

332

–¿Cómo meterías tres elefantes en un tintero?

–*Compraría unos prismáticos. Los daría vuelta. Los vería pequeños, pequeños, a los elefantes, y* con unas pinzas los metería en un tintero.

333

–¿Por qué las negras no pueden contar hasta 100?

–¡Porque al llegar al 69 se atragantan!

334

–¿Cómo se sabe que una modelo alcanza el orgasmo?

–*Cuando se le cae la lima de las uñas.*

335

–¿Por qué los gallegos usan pijama para andar en moto?

–*Para acostarse en las curvas.*

336

Era tan pero tan decente que cuando fumaba opio sólo soñaba con su mujer.

337

–¿Por qué es un delito en los Estados Unidos tirar por un barranco un coche con tres negros dentro?

–*No sé.*

–Porque caben cinco.

338

Llega a un bar un chico rengo, manco, con media oreja, bastante horrible y con una joroba impresionante.

–*¿Qué va a tomar?*

–Una copa de ese vino.

Se la toma de un trago y dice:

–¡Ahhh! ¡Qué malo este vino! ¡Pero me ha acomodado el cuerpo!

–*¡Cállate, cabrón, que te he visto entrar!*

339

El gallego Pepe tenía *tanta mala suerte* que le transplantaron el riñón de un tipo que se *meaba en la cama.*

340

La paz y el amor son lo más importante del mundo. La paz ya está hecha, ¡¡¡hagamos el amor!!!

341

–¿Por qué les puso Dios cerebro a los hombres?

–*Para que no se caguen en los desfiles como los caballos.*

342

Taller mecánico en La Coruña.

El turista preguntó:

–¿Cuánto cree que me costará reparar el coche?

–*¿Qué le ocurre a su auto?*

–No lo sé.

–*Entonces, cinco mil dólares.*

343

Los santiagueños pasan por ser los más holgazanes.

El Tranqui Pintos debajo de la higuera le pregunta a su compadre:

–*Oíme Carpincho, ¿tenés un cigarrillito que me regales?*

–Tengo ¡Pero vas a tener que venir a sacarlo del bolsillo de mi camisa...

–*¡Huuummmm! Para eso, mejor saco uno de mi bolsillo.*

344

El dinero no puede comprar
la felicidad.
*Pero te ayuda a buscarlo
en más lugares, más lejanos.*

–¿Cómo se sabe que estás
en un casamiento italiano?
–*El organista tiene un mono
con un platito para pedir limosna.*

346

–Mamá, ¿por qué papá tiene poco pelo?
–*Porque es muy inteligente.*
–¿Y por qué tienes tú tanto pelo?
–*¡Cállate y cómete la sopa!*

347

A la gallega María le dicen *"loro al hombro"* porque *te habla al oído y te caga por la espalda.*

348

El gerente al tipo que busca empleo.
–*Lo que pasa es que acá hay muy poco trabajo...*
–¡Justamente eso es lo que andaba buscando!

349

El gallego Manolo perseguía a un jabalí por el monte con claras intenciones de hacerle el amor.
–*Manolo, ¡verás que dentro de cinco minutos vas a darme la razón de aquello que te dije!*

–¿Qué fue lo que me dijiste, Paco?
–*¡Que necesitas gafas, Manolo!*

350

El gallego Manolo se encontró con el gallego Pepe que vestía un solo calcetín.
–Pepe, ¿qué ocurre?, ¿has vuelto a perder un calcetín?
–No, he encontrado uno.

351

Al gallego Paco le dicen *"huevo de nevera"* porque *está siempre parado en la puerta.*

352

–¿Cuál es la definición de sádico, Manolo?
–*Un proctólogo que guarda su termómetro en el freezer.*

353

Era tan pero tan ambicioso que cuando falsificó billetes de cien pesetas los hizo de trescientas.

354

–*Doctor, me duelen los riñones, la cabeza y el estómago.*
–A ver, quítese la ropa.
–¡Para qué! ¿No cree en mi palabra?

355

A la gallega María le dicen caja fuerte porque *le tocas la combinación y se abre.*

356

–¿Qué lleva usted en esa maleta?
–*Comida para mis conejos.*

El aduanero abrió la maleta que estaba llena de relojes.
–¿Con eso piensa alimentar a sus conejos?
–*Pues sí. Y le aseguro que si no les gusta esta comida, ¡no pienso darles otra!*

357

358

En plena noche, el gallego Muleiro paseaba por la plaza del pueblo.

Hacía como que estaba esparciendo algo por el pasto.
El guardia se le acercó.
–Hombre, ¿se puede saber qué está haciendo?
–Doy de comer a las palomas, ¿por qué?
–Pero ¿no ve que a esta hora no hay palomas?
–Lo sé, lo sé. Por eso es que hago como que tiro maíz.

359

–¿Cuál es la diferencia entre preocupación y pánico?
–Unos veintiocho días.

360

Al gallego Manolo le dicen *"gato de iglesia"* porque *lo mantiene el padre.*

361

–¿Te cuento un chiste bien rojo, bien rojo, bien rojo...?
–¡¡¡El tomate!!!

362

–María, ¡he lavado a los niños! *¿Tú recordabas que el más pequeño era rubio?*

363

Una frase de Camilo José Cela, puesta en boca de San Lorenzo cuando lo martirizaban en la parrilla a fuego lento:

"¡Darme la vuelta, cabrones, que tengo frío en los cojones!"

364

–¿Qué es rosado, húmedo y huele a pescado, Pepe?
–Ni idea, Manolo.
–Mi lengua.

365

Suelen hacer falta tres semanas para preparar un discurso *improvisado.*

366

–¿Cómo se le dice a un hombre con sólo medio cerebro?
–Presidente de los Estados Unidos.

367

El gallego Muleiro en el restaurante de lujo.
–¿Qué quiere decir eso de caviar?
–Son huevos de esturión...
–¡Ah! ¡Estupendo! Prepáreme un par... fritos.

368

Pensaba Muleiro:
–La tele es más interesante que las personas. De no ser así, *deberíamos tener gente en las esquinas de nuestras habitaciones.*

369

En el registro civil:
–¿Es usted casado?
–Sí, señor.
–¿Con prole?
–No señor, con Lupe.
–Prole, quiere decir hijos.
–Ah, sí. Tengo un prolo *y una* prola.

370

Era una familia tan pobre que tomaban los cereales con tenedor *para ahorrar leche.*

371

Al gallego Pepe le dicen *"león de circo"* porque *hay que castigarlo para que trabaje.*

372

–¿Por qué los elefantes no pueden ir al ejército?
–Porque tienen los pies planos.

373

–¿Por qué la Iglesia Católica permitiría que los curas se casen?
–Para que sepan cómo es realmente el Infierno.

374

Un mariquita fue al psicólogo.
–¿Hay algún antecedente de homosexuales en su familia?

–Sí, la verdad es que mi hermano también es homosexual... ¡Ah! Y mi padre también.
–*¿Alguien más?*
–Sí, ahora que lo pienso, mi tío también.
–*Dígame, en su familia, ¿a nadie le gustan las mujeres?*
–¡Síiiiiiií! ¡A mi hermana y a mi mamá, sí!

375

–¿Qué es redondo, rojo, blanco y está cubierto de moscas?
–*No sé.*
–Una pizza boliviana.

376

–Papá, ¿qué es la telepatía?
–Pues, cuando dos personas piensan a la vez la misma cosa.
–*¿Como tú y mamá?*
–No, hijo, eso sería casualidad.

377

Si en el primer intento no lo haces bien, *el paracaidismo no es para ti.*

378

–¿Cuantos yuppies hacen falta para cambiar una bombilla?

–*Dos. Uno llama al electricista mientras el otro prepara los martinis.*

379

–¿Cómo se meten cuatro elefantes en un 600?
–*Dos adelante y dos atrás.*
–¿Y un ratón?
–*No cabe, porque están los cuatro elefantes.*

380

–¿Por qué John Bobbitt filmó una sola película y no volvieron a llamarlo nunca más?
–*Ni idea.*
–Cada vez que el director gritaba –¡Corten!", el boludo salía corriendo.

381

En el bar de La Coruña.
–¿Qué le pongo al señor?
–*Al Señor una vela. A mí, una cerveza.*

382

El gallego Paco y su familia paseaban por los Alpes suizos:
–*¡Ay! Si no fuera por tanta montaña, ¡¡¡¡podríamos disfrutar de un paisaje hermoso!!!*

383

Era un tío tan pero tan alegre, que cuando iba a un velorio soplaba las velas y cantaba *"¡Cumpleaños feliz, cumpleaños feliz!"*

384

Primer acto: Un tipo se cae al río y se queda negro.
Segundo acto: Otro tipo se cae al mismo río y también se queda negro.

Tercer acto: Otro tipo se cae al mismo río y también se queda negro.
¿Cómo se llama la obra?
Río deja Neiro.

385 - 414
Treinta maldades que se le pueden decir a un hombre desnudo

Me he fumado porros más gruesos que eso.

¡Ayyy... qué ternura!

¿Ves? Por esto es que a la gente sólo se la juzga según su personalidad.

¡Ayyy... justo ahora me agarró un dolor de cabeza!

(Reír mientras lo señalas con el dedo)

¿Y si mejor sólo nos hacemos unos mimos?

¿Sabías que ahora hay cirugía para mejorar eso?

¿Puedes hacerlo bailar?

¿Me dejas que le pinte una carita?

¡Bah... y eso que tienes los pies re grandes!

Bueh... ya veremos cómo nos arreglamos con eso tan pequeñito.

Si lo aprieto...¿hace ruido?

¿Quieres que te diga la verdad?

¡Qué ternura... trajiste una varita de incienso!

Esto explica por qué necesitas tener un auto tan caro.

A lo mejor, si lo regamos... crece.

¿Por qué Dios me castiga así?

Bueno... al menos no me va a llevar mucho tiempo.

Nunca vi nada así antes... ¡menos mal!

¡Y bueh! ¡Ya que estamos en el baile, bailemos!

Pero... igual funciona ¿¿¿no???

¿¿¿Es una ilusión óptica???

A lo mejor se ve más grande con luz natural.

¿Y si mejor pasamos directamente a los cigarrillos?

¿Tienes frío?

¡Ja! ¡Sólo si antes me emborrachas mucho!

Se ve tan... ¡sin uso!

¿Y eso?

Qué bueno que tienes otros talentos...

¿Viene con inflador incorporado o es sólo así?

415

Cuando era adolescente, Manolo sufrió serios daños cerebrales: *lo*

golpearon con una servilleta de papel en la cabeza.

416

–*¿Cuál es el pronóstico del tiempo para esta tarde, don Pepe?*
–*Parcialmente lluvioso.*
–*¿Y para mañana?*
–*Parcialmente soleado.*
–*Dígame una cosa: ¿qué tal son sus pronósticos?*
–*Parcialmente acertados.*

417

Charla entre dos artistas plásticos:
–*Me anoté en un concurso de manchas y perdí.*
–*¿Quién ganó?*
–*Don Quijote. (De la Mancha)*

418

La primera ley de los economistas: Para cada economista existe un economista igual y opuesto.
Le segunda ley de los economistas: Ambos están equivocados.

419

–*¿Por qué los hombres tienen más estómago que cabeza?*
–*Porque es más fácil alimentarlos que educarlos.*

420

—¿Qué se obtiene si se alimenta a una vaca con un millón de dólares?
—*Leche muy rica.*

421

Radio Galicia:
–El delantero Muleiro, del Deportivo La Coruña, toma el balón y avanza rápidamente. Cruza la me-

dia cancha, se interna a toda velocidad, llega al área grande, entra al área chica, se acerca a la meta... y *¡la entrega a su portero!*

422

–*¿Por qué las mujeres tienen sólo dos neuronas?*
–*Una para bajarse las bragas y la otra para subírselas.*

423

En un bingo de Galicia:
–*¿Cuánto vale un cartón?*
–Dos euros.
–*Pues dame uno de Marlboro y otro de Camel.*

424

–¿Cuál es la diferencia entre George Bush y Mussolini?
–*Mussolini fue elegido.*

425

Si Bush es la respuesta, seguramente *la pregunta* era una estupidez.

426

Llegó un policía a una casa donde había una fiesta de gays. Apenas to-

caron la sirena, salió un maricón corriendo y se subió al carro policial.
–Y a ti, ¿qué te pasó que te subiste tan rápido?
–Es que el año pasado me tocó *ir de pie*.

427

–Camarero, ¿se ha dado cuenta de que lleva metido el pulgar en mi sopa?
–*No se preocupe, señor, ya estoy acostumbrado y no me quemaré.*

428

–¿Por qué el gallego regó *nada más que la mitad de su jardín?*
–*Ni idea*.
–Porque escuchó en la tele que había un *50 por ciento* de probabilidades de lluvia.

429

–*¿Con quién se casaría Mercedes?*
–Con un fabricante de coches.

430

En la ONU se conoce mucha gente fascinante.
Por ejemplo, el gallego Muleiro.
Solía llevar un uniforme púrpura*, hombreras* doradas*, sombrero* verde *con plumas* anaranjadas *y botines con* lentejuelas.

–Me encanta su uniforme. ¿En qué departamento está, Muleiro?
–*Soy del Servicio Secreto.*

431

–*¿Cómo se sabe que un hotel es gallego?*
–No sé.
–*Le roban las toallas a los huéspedes.*

432

–¿Por qué las mujeres de hoy no se quieren casar?
–*Porque no quieren cargar con el cerdo por 10 gramos de chorizo.*

433

Un borracho se subió al autobús.
–*Irá a parar a las puertas del infierno si sigue así.*
El borracho espantado:
–*¡Pare por favor! ¡Me equivoqué de autobús!*

434

Dos presos:
–*¿De cuántos años es tu condena?*
–Noventa y ocho.
–*La mía es de setenta y tres, así que déjame la cama que está más cerca de la puerta, yo voy a salir antes.*

435

–*¿Por qué el sexo es la democracia perfecta?*
–Porque goza tanto el de abajo como el de arriba.

436

–¿En qué se parece el acostarse con un hombre a una telenovela?
–*Justo cuando las cosas empiezan*

a ponerse interesantes, el episodio se acaba.

437

–¿Cómo se dice *"huérfano"* en chino?
–*Chin-Chu-Mamá, Chin-Chu-Papá.*

438

–¿En qué se parecen los hombres a las moscas?
–*Amanecen, se soban los ojos por 5 minutos y después joden todo el día.*

439

–¿En qué se parecen los hombres a los mocos?
–*Te molestan y te los quitas de encima, pero siguen apareciendo más.*

440

Un hombre entra en un bar y dice:
–Hola, ¿me pone una cerveza, por favor, camarero?
–*Oiga, pero ¿no ve la gente que hay? ¿Puede esperar un momento?*
El hombre, muy extrañado al ver que el bar estaba vacío, se sienta en una silla pensativo, y decide esperar. Al cabo de 10 minutos se levanta y dice:
–Perdone, ¿podría ponerme ya la cerveza, por favor?

–¡Pero hombre! ¿No puede ser amable y esperar? Tengo mucho trabajo, ¿no lo ve? ¡No puedo hacer todo al mismo tiempo!
El hombre, cansado de la historia, agarra un cenicero y lo lanza contra el camarero, quien pega un grito de dolor:
–Pero, ¿está loco? ¿Qué hace?
–¡Sí, claro! ¡Con toda la gente que hay en el local y usted tiene que acusarme justo a mí!

441

–Creo que estoy embarazada, doctor.
–¿Es que su marido no toma precauciones?
–Él sí, pero los otros no.

442

–Te preparé una carne ¡que se te va a derretir en la boca, Pepe!
–¿Qué? ¿Todavía no la descongelaste?

443

–Los pobres viven peor que los ricos y además tienen menos dinero.

444

Dos curas hablando:
–Padre Damián, con todos estos últimos cambios en la Iglesia, usted ¿cree que llegaremos a ver a los curas casados?

445

–¿En qué se parece un hombre a una papa?
–No sé.
–En que los dos están mejor bajo tierra.

446

–¿En qué se parecen las mujeres a los chorizos?
–En que cuando se calientan, chorrean.

447

–¿Qué hicieron los caníbales cuando terminaron de comerse al equipo de fútbol?
–Mandaron a calentar a los suplentes.

448

Hay quinientas velas encendidas en la iglesia pero se te apagan doce.
–¿Cuántas velas quedan al día siguiente?
–Las doce velas que apagaste. Las otras se consumieron.

449

–¿Cuál es el gran misterio acerca del hombre?
–Cómo puede envejecer y seguir siendo inmaduro.

450

La negra esperaba a su marido con una cena a la luz de las velas, música soft y súper seductora. El negro, apenas la vio, preguntó:
–¡Hey, baby! ¿De dónde sacaste esa blusa de paja?
–No es una blusa de paja. Me alisé el pelo.

451

En la entrada de un puente de un solo sentido: "Cuando esta señal está cubierta por el agua, el camino es intransitable".

452

–¿Qué le dice el teléfono al timbre?
–¡Uyyyy, sonaaaaaamooooooos!

453

–Camarero, hay una mosca muerta en mi sopa.
–Sí, señor, la verdad es que estos bichos nadan bastante mal.

454

Aviso en un hospital gallego:
"Trate con consideración a los empleados. Son más difíciles de conseguir que los enfermos".

455

Quisiera ser un "borracho famoso", no un alcohólico anónimo.

456

–¿Te imaginas, Manolo? Le mando un telegrama a mi mujer di-

ciéndole que vuelvo y, aún así, me la encuentro con un amante. ¡Qué puta!
–*No te precipites, Paco, tal vez no recibió el telegrama.*

457

La gallega Muleiro probó el whisky de su marido e hizo un gesto de asco:
–*¡No sé cómo te puede gustar esta porquería!*
–¿Ahora te das cuenta el sacrificio que tengo que hacer para emborracharme?

458

–¿Sabes, Pepe? Sospecho que mi padre no me quería.
–*¿Por qué dices eso, Paco?*
–Porque cuando yo era pequeñito, me llevaba a cazar con él, y recuerdo que siempre me decía: *"Te voy a dar un minuto de ventaja, ¡corre!"*

459

–¿Con quién se casaría Remedios?
–*Ni idea.*
–Con un boticario.

460

Hay numerosos aparatos mecánicos que incrementan el impulso sexual, especialmente entre las mujeres. El más eficaz es el *Mercedes-Benz 380SL descapotable.*

461

–¿Cómo sabemos que Dios es hombre?
–*Si Dios fuese mujer, el semen tendría gusto a chocolate.*

462

–Si un hombre sonríe todo el tiempo, seguramente está *vendiendo algo que no funciona.*

463

El gallego Muleiro era tan pero tan tonto que no compraba mesita de noche *porque no tenía dónde ponerla de día.*

464

–¿Por qué las mujeres dejan de menstruar después de los 40?
–*Porque necesitan guardar sangre para las várices.*

465

–¿Qué se obtiene si cruzas un gallego con un gorila?
–*Ni idea.*
–Una cosa que no necesita ropa interior en invierno.

466

–¿Cuál es la definición de "hacer el amor"?
–*Algo que la mujer hace mientras el hombre se la folla.*

467

–¿Qué haces aquí, borracho? ¿No perteneces a la Asociación de Abstemios del pueblo?

–*Sí, pero como estoy retrasado en las cuotas...*

468

–¿Cómo le dicen los etíopes al sexo oral?
–*Ni idea.*
–Cena.

469

–¿Cuál es el colmo de un borracho?
–*Que el hijo vaya alcoholegio.*

470

El gallego Pepe era tan pálido que cada vez que se descuidaba, *lo enterraban vivo.*

471

–¿Cómo se reconoce una bandera italiana en la guerra?
–*Ni idea.*
–Es toda blanca.

472

–Camarero, dígame ¿esto es cordero o pollo?
–*¿No lo puede distinguir por el sabor?*
–No.
–*¿Entonces por qué se queja?*

473

–Papá, ¿qué es un monólogo?
–*Lo que tengo yo con tu madre todas las noches.*

474

La Argentina del plan de ajuste. Al médico se le rompe un caño de la cocina. Llama al plomero.
–¡Son 200 pesos, doctor!
–*¡200 pesos! ¿Cómo puede ser?*

Yo cobro 20 pesos por una visita.
—¡Y claro, flaco! ¡Cuando yo laburaba de médico también cobraba 20 pesos!

475

—¿Cómo harías reír a Dios?
—¡Cuéntale tus planes para el resto de tu vida!

476

—¿*Cómo bautizan los narcos a sus hijos?*
—Ni idea.
—*Sicario Alberto, Narco Antonio, María de la Extradición, Coca Rubiera.*

477

—¿Por qué los hombres prefieren a las rubias tontas?
—*Porque buscan compañía intelectual.*

478

La gallega Paca se había casado con un negro para no pasar *las noches en blanco.*

479

El gallego Manolo se compró unos anteojos. Al día siguiente volvió a la óptica.
—*Buenos días. Quiero unos anteojos para leer.*
—¿Otros? Si ya le vendí unos ayer.
—*Sí, pero es que ésos ya me los he leído.*

480

Los machistas consideran tontas a la gran mayoría de las mujeres. Las feministas consideran tontos a la gran mayoría de los hombres. *¡Lo peor es que ambos tienen razón!*

481

—¿Qué hacen los padres etíopes cuando sus hijos cumplen un año?
—*Ni idea.*
—Ponen flores en sus tumbas.

482

—Tío, me han robado el abrigo de cuero que me vendiste el otro día.
—*Ya te dije que era de los que se llevaban.*

483

El padre de la muchachita recibe al novio por primera vez y le pregunta:
—*Así que quiere casarse con Laurita, pero antes dígame, ¿de cuánto dinero dispone?*
—De treinta mil dólares, señor.
—*¡Ah!, no está mal. Si los sumamos a los treinta mil que tiene mi hija...*
—Perdóneme señor, pero ésos ya están incluidos.

484

—¿Cuánto le cuesta a un loro aprender inglés?
—*Depende de lo que le cobre el profesor.*

485

Hampones argentinos.
—*Funes, te espero en la esquina dentro de 10 minutos.*
—¿Con qué objeto?
—*Y... traé un revólver.*

486

En un campo de golf un gallego busca una pelota. No la encuentra. Alguien intenta ayudarlo, y le pregunta:
—*Oiga, ¿cómo era su pelota?*
—Verde.
—*Pero ¿cómo se le ocurre usar una pelota verde para jugar al golf sobre el césped?*
—Es que así resulta muy fácil verla en los bancos de arena...

487

Diógenes en los juzgados con una lámpara.
—¿Diógenes, ¿qué haces?
—Pues nada, buscando un abogado honrado.
—¿Ah sí? ¿Y qué tal?
—Bien: todavía no me han robado la lámpara.

488

—¿Viste quién murió? ¡Menem!
—*Sí. Lo leí en el diario. Pero no pude averiguar quién es el otro que crepó con él.*
—¿Cómo es eso?
—*El título decía: Murió un gran político.*

489

Los argentinos son muy proclives a hacer citas *que jamás se cumplen.* Se encontraron en un bar, y al despedirse quedaron en verse nueva

mente *después de diez años.*
En el mismo bar.
A la misma hora.
Pasaron diez años.
El primero de los dos acudió al bar sin demasiadas esperanzas.
Sin embargo, allí estaba su amigo, esperándolo inclinado sobre la barra con un vaso en la mano.
Abrazos, besos.
Más abrazos, emoción.
–¡Qué grande, carajo! ¡Te acordaste de nuestra cita! ¿Sabés? Creía que después de tanto tiempo ya no te encontrarías en el bar.
–¿Encontrarme? Pero si *nunca salí de aquí.*

490

Dios creó al hombre y dijo:
–*Realmente puedo hacerlo mejor.*
Entonces creó a la mujer.

491

–¡¡¡Auxilio, socorro, llamen a los bomberooos se quema nuestra casaaaaa!!!
–¡¡¡Shhh!!! ¡Silencio, mi amor! ¡No hagas ruido!
–Pero ¿por qué?
–¡Porque vas a despertar a tu madre!

492

–¿Qué se piensa inmediatamente cuando se ve a un hombre bien vestido?
–*Que su mujer tiene muy buen gusto.*

493

–¿Por qué un tratamiento psicoanalítico es más breve con los hombres que con las mujeres?
–*Porque cuando hay que hablar*

de la infancia, los hombres todavía están en ella.

494

¿Cuál es el colmo de un ahorcado?
Tener un nudo en la garganta.

495

En una entrevista de trabajo le preguntan al gallego Paco:
–*Le molestaría tener como jefe a una mujer?*
–¡Para nada! Me sentiría como en casa...

496
Adivinancita

Gira, gira y no es trompo; *tiene animales y no es selva.*
Por unas cuantas monedas *te lleva a dar una vuelta.*

La calesita

497

–¡Acabo de estar con una modelo estupenda! ¡Qué piernas! ¡Qué tetas! ¡Qué culo!
–*¿Y de cara?*
–¿De cara? ¡¡¡Carísima!!!

498

–En cuestiones de amor te veo mal, Jacobo, es como que te vas desilu-

sionando, te desalentás, poco a poco vas perdiendo interés.
–*Es cierto, pero lo bueno es que aún conservo el capital.*

499

Juegan al golf Menem y Bush.
Los dos quieren dar imagen de juventud.
Como Bush no ve bien, le pide a Menem que diga dónde fue la bola.
–*¡Dejame a mí que soy un casi un niño y veo todo!*
Pega Bush.
–¿Y, Carlos? ¿Has visto?
–*Io te viá explicá: ver, la vi. Lo que pasa es que no me acuerdo adónde fue.*

500

–¿Por qué las modelos toman la píldora?
–*Ni idea.*
–Para saber qué día de la semana es.

501

"Y perdónanos nuestras deudas, como a nosotros *nos gustaría perdonar las de nuestros deudores".*

502

–La investigación del atentado a la AMIA avanzó mucho este año.
–*¿Cuánto?*
–Un año.

503

Muere Menem. Algunos obsecuentes discuten dónde enterrarlo.
–Debemos hacerlo en su ciudad natal con todos los honores.
–*¡En cualquier parte menos en Jerusalén!*
–Tendríamos que levantarle un

monumento frente al Obelisco.
—*¡En cualquier parte menos en Jerusalén!*
—Habría que buscarle un sitio en uno de los países más importantes del mundo.
—*¡En cualquier parte menos en Jerusalén!*
—Disculpá, ¿por qué siempre repetís *"en cualquier parte menos en Jerusalén"*?
—*Porque allí enterraron a un hombre que resucitó.*

504

—Manolito, ¿quieres que te cuente un chiste rápido?
—*¿Y cuál es la prisa?*

505

—Decime, Gerardo, ¿hay alguna manera de no perder dinero en Las Vegas?
—*Seguro que sí. Apenas bajas del avión caminas derechito, derechito hacia la primera turbina encendida que veas.*

506

Era un niño tan, tan, pero tan feo, que su mamá, en vez de ponerle talco, *le ponía cemento.*

507

—¿Por qué Elvis Presley está enterrado en el patio de atrás de su casa como si fuera un hámster?
—*No sé.*
—Estaba tan gordo que resultaba imposible tirarlo por el inodoro.

508

—¿Sabes, Roxana, que mandé mis datos para hacer una cita por computadora? Pedí alguien pequeño, gracioso, con buena apariencia, que le gustaran los deportes acuáticos y las actividades en grupo.
—*¿Y qué pasó, Déborah?*
—Me mandaron un pingüino.

509

—¿Es verdad que en esta zona uno puede encontrarse con caníbales?
—*¡En absoluto! Puede estar tranquilo, el último nos lo comimos la semana pasada.*

510
Trabalengüita

Un podador podaba una parra, *otro podador que por allí pasaba,* al primer podador le preguntó: *¿Qué podas, podador?* "Ni podo mi parra ni tu parra podo: *podo la parra de mi tío Porro".*

511

—¡Siempre me agredes, Manolo!
—*¡Eres una imbécil mentirosa, carajo!*

512

*En la copa de un árbol, había una vez un grupo de pichoncitos tratando de volar. Y entre ellos había una tortuga que se tiraba, movía las patitas tratando de volar y caía. Después subía otra vez y hacía lo mismo.
Entonces, el papá pájaro le dijo a la mamá pájaro:
—Me parece que vamos a tener que decirle que es adoptada.*

513

Suena el teléfono en la casa de Manolo:
—¡Hola, Manolo! Te llamo por la cortadora de césped.
—*¡Caramba, Pepe! ¡Qué bien se te escucha!*

514

—Hola, ¿está Chin Lu?
—*Chi, estoy chin lu, chin agua, chin gas.*

515

—¿Cuál fue la diferencia entre la boda de Elvis Presley y su funeral?
—*No sé.*
—Unos 65 kilos.

516

—¡Pobre mi hija! ¡Tuvo que separarse de su marido!
—*¿Qué le pasó, María Julia?*
—Pobrecita, ¡se casó con un cornudo!

517

—¿Sabes por qué las modelos tienen el cerebro grande como una nuez?
—*Ni idea.*
—Porque lo tienen inflamado.

518

Cena de Fin de Año:
—Vecino, ¿cómo prepara usted el

pavo para asarlo?
–*Simplemente le digo que la vida es corta, que nadie dura para siempre y que tiene una hora de vida.*

519

–Esto es demasiado trabajo ¿por qué no quemamos la nieve, Manolo?
–*¿Ah sí? ¿Y qué hacemos con las cenizas?*

520

–Doctor, ¡me ha mordido un perro en el dedo!
–*¿Y lo ha desinfectado?*
–No pude. Salió corriendo.

521

–*¿Cuántas moscas has matado ya?*
–Cinco hembras y tres machos.
–*Pero ¿cómo sabes el sexo?*
–Es que tres estaban en la boca de una botella y cinco en el espejo.

522

Se sube el telón y aparece una mujer gorda que se llama Paca, mete los dedos en un enchufe y recibe una gran descarga eléctrica.
Se baja el telón.
¿Cómo se llama la película?

El amperio contra Paca (por El imperio contraataca).

523

–Papá Noel fue Zambia y no les dejó ningún regalo a los niños pobres.
–*¿Por?*
–Dijo: para los chicos que no comen ¡no hay regalos!

524

En la familia del gallego Muleiro:
–*Papá, ¡soy tan listo! ¡Tan listo como tú! ¡¡¡Engañé al chofer del bus!!!*
–¿Cómo, hijo?
–*Le pagué y no me subí.*

525

–¡Pepe, qué casualidad! En este momento iba a tu casa a visitarte.
–*Mejor no vayas ahora, Manolo: no estoy.*

526

–¿Sabías que mi amigo Pepe Muleiro mandó su foto a un *Club de Corazones Solitarios?*
–*¿Y qué sucedió?*
–Se la devolvieron con una nota: "¡No estamos *tan* solos!"

527

El gallego Manolo Muleiro participó en un concurso de pintura representando a Galicia.
Su cuadro era una tela totalmente en blanco y le preguntaron:
–Muleiro, ¿qué nombre le ha puesto a su trabajo?
–*Caballos comiendo pasto.*
–Pero, ¿dónde está el pasto?
–*Pues se lo comieron los caballos.*

–¿Pero cuáles, que no los veo?
–*¡Hombre! Si ya se comieron el pasto, ¿para qué iban a quedarse?*

528 - 535
Ocho mensajes de contestadores telefónicos

¡Hola, habla Juan! Si llama de la compañía de teléfonos, ya les mandé el dinero. Si son mis padres, manden dinero. Si son de la oficina de asistencia económica, no me mandaron suficiente dinero. Si eres alguno de mis amigos, me debes dinero. Y si eres una mujer joven y bonita, no te preocupes *¡tengo un montón de dinero!*

¡Hola! Ahora no estoy en casa, pero mi contestador automático sí. Así que habla con él en vez de conmigo... espera el Biiiip.

Mi esposa y yo no podemos acudir al teléfono ahora mismo, pero si nos deja su nombre y número de teléfono, le devolvemos su llamada tan pronto terminemos.

¡Hola! Aquí Pedro y Lola. No podemos contestar al teléfono porque estamos haciendo algo que nos fascina. A Lola le gusta *pa'rriba y pa'bajo* muy rápidamente, y a mí me gusta *de ladito y suavecito.*

Así que deje su mensaje y le llamaremos cuando terminemos de *cepillarnos los dientes.*

¡Hola! Probablemente estoy en casa y trato de evadir la llamada de alguien que no me cae bien. Deja tu mensaje, y si no te devuelvo la llamada... *¡eras tú!*

Por favor deje su mensaje. No obstante, *tiene usted derecho a permanecer callado.* Todo lo que diga será grabado y será escuchado y usado por nosotros.

¡Hola! Soy José. Perdona que no pueda contestar a tu llamada ahora. Deja un mensaje, y espérame al lado de tu teléfono *hasta que yo te llame.*

Si es usted un ladrón, *seguramente estamos ahora en casa limpiando nuestras armas y no podemos atender el teléfono. Si no, seguramente no estamos en casa y puede dejar su mensaje.*

536

—¿Cuántos gallegos hacen falta para pescar en un lago helado?
—*Ni idea.*
—Seis. Dos para hacer el agujero en la capa de hielo y cuatro para meter el bote adentro.

537

Decía el gallego Muleiro cuando bebía de más:
—*Un beso dado a una mujer lo mismo puede conducir a la felicidad que al matrimonio.*

538

—¿Por qué las modelos no preparan jugos Tang?
—*Ni idea.*
—Porque no saben cómo meter los 2 litros de agua en el sobrecito.

539

Dos ovejitas jugaban al fútbol. De pronto el balón se fue lejos. Entonces una le dijo a la otra:
—*¡Beeeee!*
—No, beeeee tú.

540

—Déme una limosna, ¡por el amor de Dios!
—*¡Yo nunca doy limosnas en la calle!*
—¡Pues tenga mi tarjeta y mándemela a casa!

541

—¿Cuál es la diferencia entre un gallego y un cerdo?
—*Un cerdo tiene que emborracharse para comportarse como un gallego.*

542

—¿Qué tal, gallego?
—*Vendo artículos del hogar.*
—¿Estás de vendedor o te pusiste un negocio por tu cuenta, gallego?

—*Pues ninguna de las dos cosas. Estoy vendiendo todo lo que tengo en casa.*

543

—¿Por qué los elefantes no usan computadoras?
—*Porque les tienen miedo a los ratones.*

544

—*¿Y cuál es el animal de mayor suspensión?*
—*El resorteronte.*

545

Dos gallinas ven pasar un avestruz y una le dice a la otra:
—*¡Te apuesto a que ese gallo que pasó está tomando esteroides!*

546

—¿Dónde has estado este verano, Pepe?
—*En el Sahara.*
—¿Y encontraste mucha gente conocida?

547

La gallega Muleiro era tan imbécil que ponía *azúcar en la almohada para tener dulces sueños.*

548

Hubo un terrible
terremoto en Galicia.
Causó veinte millones
de dólares en mejoras.

549

–¿Por qué el zoológico de Mississippi contrató a su primer guardián negro?
–*El gorila necesitaba una transfusión de sangre.*

550

> Se ofrece grupo *"heavy"* para grabar *disco duro.*

551

–Hola, ¿hablo con el colegio?
–*Sí, señor.*
–Quería avisar que Rodrigo de cuarto grado no va a ir hoy a la escuela.
–*¿Quién habla?*
–¡¡¡Mi papá!!!

552

–Si no tienen liebre, ¿tendrán gato, al menos?
–*Señor, si tuviéramos gato, ¡ya le hubiésemos traído la liebre!*

553

–No soporto a la Pepa. Imagínate que le confié un secreto suplicándole que no lo contara, ¡y la muy imbécil no se lo ha contado a nadie!

554

Tres ratas en el bar.
La primera rata agarró su copa de tequila, la golpeó violentamente contra la mesa y gritó:
–*Soy la rata más fuerte de esta ciudad. Yo agarro todo el veneno de la casa, lo muelo con los* dientes y lo pongo en mi café para darle más sabor a mi día.
–¡Ja! ¡Eso no es nada! Yo agarro la trampa de ratones, la tiro al aire, le salto encima, hago pesas con ella y con la cola agarro el queso y me lo como para el desayuno... Todo, como parte de mi rutina.
La tercera dijo con voz muy calma:
–*Estoy harta de sus mentiras. Regreso a casa a follarme al gato...*

555

–No sabemos realmente qué va a estudiar mi hijo. Estamos indecisos entre la carrera de armas y la pintura.
–*Pues ¡que aprenda a pintar a pistola!*

556

–¿En qué se parece un pato a un elefante?
–*En que el pato* nada *y el elefante* nada que ver *con el pato.*

557

¿Cómo comprobar experimentalmente que $2 + 2 = 5$?
Consigue dos cuerdas, y haz en cada una de ellas dos nudos.
Ahora átalas juntas.
¿Cuántos nudos tiene el resultado?

558

–Dígame, ¿a qué se debe que haya llegado a una edad tan avanzada?
–*¡A que soy muy pobre y no tengo dónde caerme muerto!*

559

–Yo tenía una barba como la suya, pero cuando vi lo feo que me hacía, me la afeité.
–*Yo tenía una cara como la suya,* pero cuando vi lo feo que era, me dejé crecer la barba.

560

–Mi mujer dice que soy un perfecto imbécil.
–*Tienes suerte. Mi mujer no me encuentra perfecto ni siquiera en eso.*

561

–¿Por qué pide limosna?
–Porque llevo cinco años sin trabajo.
–¿Y no tiene nada a la vista?
–*¡Sólo me faltaría eso! ¡Que, además, tuviera algo en los ojos!*

562

Un oso y un conejo caminaban por el bosque. Peleaban. Cuando de pronto encontraron una Lámpara Maravillosa.
La frotaron y apareció el Genio, quien les concedió tres deseos a cada uno.
El oso pidió primero:
–*Yo quiero que todos los osos de este bosque sean hembras.*
–¡Concedido!
El conejo habló:
–*Yo quiero un casco de moto.*
–¡Concedido!

El oso, intrigado con el conejo, pensó unos segundos hasta que formuló su segundo deseo:

–*Para estar seguro, deseo que los osos de todos los bosques vecinos sean hembras.*

–¡Concedido!

El conejo solicitó su segundo deseo:

–*Yo quiero una moto Harley Davidson.*

–¡Concedido!

El oso, asombrado por los gustos del conejo, pidió su tercer deseo:

–*No quiero correr riesgos, quiero que todos los osos del mundo sean hembras.*

–¡Concedido!

El conejo arrancó en su moto y cuando estaba a 100 metros gritó su último deseo:

–*¡Que el oso sea maricón...!*

563

–¿Qué tal están tus hijos?

–*Pues mira, el mayor se ha casado, pero el pequeño está muy bien.*

564

–*Señor Muleiro, suba a la primera planta, por favor.*

Al cabo de unos minutos, al ver que no subía, volvieron a avisarle por el altavoz:

–*Señor Muleiro, por favor, suba a la primera planta.*

Señor Muleiro, baje del cactus y suba a la primera planta.

565

Peor que el acoso sexual es el ocaso sexual.

Bill Clinton

566

–¿Cómo se deja intrigado a un idiota por 24 horas?

–*La respuesta la publicaré aquí mañana a esta hora.*

567

–Cuéntamelo. Prometo que no voy a reírme.

–*¡Por eso no te lo cuento!*

568

–¿Hay vida inteligente en la Tierra?

–*Sí, pero sólo estoy de paso.*

569

–¿Cómo se llamaba el río Rhin antes que se inventara la electricidad?

–*¡Toc toc!*

570

–¿Sabes cuándo se inventó el baloncesto?

–*Después del balonquinto.*

571

En un pueblecito de Galicia, el médico paseaba con su amigo que había ido a visitarlo desde Madrid. De repente, un perro que pasó le dijo al doctor:

–*¡Buenos días, doctor!*

El amigo quedó atónito:

–¡Pero es sorprendente!

–*No es tan extraordinario. En un pueblo pequeño como éste se conoce todo el mundo.*

572

–¿Sabéis quién es la patrona de los informáticos?

–*Santa Tecla.*

573

Un asunto de divorcio. El juez se dirige al marido.

–¿Por qué quiere divorciarse?

–*Pues mire usted, yo me gané un viaje para dos a Bulgaria a través del Mar Negro. Llamé a mi mujer para preguntarle si quería ir.*

–¿Y entonces?

–*Completamente entusiasmada me respondió: "¡Encantada! ¿Quién habla?".*

574

¡Sonríe Manolo!
Dios disimula,
pero te ama.

575

–*Señor mendigo, ¿aceptaría un plato de sopa fría?*

–Sí, señora, le agradecería mucho.
–Bueno, vuelva más tarde que todavía está caliente.

576

–¿Cómo se dice *"tomar el té"* en paraguayo?
–*Merendeté.*

577

–*Sufrirás la miseria hasta los cuarenta años.*
–¿Y luego?
–*Luego te acostumbrarás a ella, ya verás.*

578

–Oye, Manuel, ¿es cierto que se murió una de tus dos hijas?
–*Lamentablemente, sí...*
–¡La puutaaa!
–*No, la otra...*

579

–¿Cómo se dice *"hacer el amor"* en japonés?
–*Saka Pone Pone Saka.*

580

Un día Caperucita Roja iba caminando por el bosque. De pronto, cayó la noche... ¡y la aplastó!

581

–¿Cuál es el lápiz que mata, Manolito?
–*Lapis... tola.*

582

–Soy un tipo muy liberado. Me encanta hacer el amor en público y lo hice en plena calle en todo el mundo menos en Buenos Aires.
–*¿Y por qué no?*

–*Porque me rompe las pelotas que cada argentino que pasa quiera decir cómo hacerlo mejor.*

583

–¿Qué hace McGiver con una oveja y un cocodrilo?
–Una camisa Lacoste.

584

–¿En qué se parecen un tren y una naranja?
–*En que el tren no espera y la naranja no es pera.*

585

En la vida, trato de hacer *todo* cronológicamente.

586

El papagallo *¿es el padre de los pollitos?*

587

–¿Qué debe hacer una persona cuando le duele el corazón?

–*Debe vendarse los ojos, ya que "ojos que no ven corazón que no siente".*

588

–¿Cuál es el mes más corto del año?
–*Mayo (sólo tiene 4 letras).*

589

Un loco en el manicomio le dice a otro loco:
–¿Por qué estás aquí?
–*Es que me gustan los pantalones cortos...*
–A mí también...
–*¿Fritos o a la plancha?*

590

–Papá, hay un señor en la puerta haciendo una colecta para una nueva pileta de natación.
–*Dale un vaso de agua.*

591

–¿Qué es un *circuito*?
–Es un lugar donde hay *payasuitos, elenfantuitos y caballuitos.*

592

–¿Cómo se dice *"cementerio"* en africano?
–*¡¡¡Mu cha tum ba!!!*

593

Muleiro al volante:
–Lo multo por ir a 140 kilómetros por hora.
–*¡¡¡Pero, oficial, si yo no sabía que había tantos kilómetros en una hora!!!*

594

–*Te cambio tu caballo por mi rifle.*
–Pero, ¡no es justo! Además, yo

tengo este caballo desde que era un potrillo.
–*Y yo este rifle desde que era revólver.*

595

–¿Por cuánto me compras a mi suegra?
–*¿A tu suegra? ¡Por nada!*
–¡De acuerdo, trato hecho!

596

–¿Qué hay detrás de una estrella?
–*Un sheriff.*

597

–Mamá, se acaba de morir la abuelita.
–*¡Joder! ¡Y todavía tenemos más de medio abuelo en la nevera!*

598

–¿Qué pide una jirafa en la barra, Pepito?
–*Un trago largo.*

599

–¿Qué te parece el camión que me he comprado, Pepe?
–*¿De cuántos caballos es?*
–No, ¡sólo mío, sólo mío!

600

Colabore con las autoridades... *¡Denúncielas!*

601

–*¿Tú sabes cómo ir a Madrid?*
–Pues, sí, muy fácil. Cojo el coche, pillo la carretera y voy leyendo los letreros que señalan para Madrid.
–*Pero yo no sé leer...*
–Es igual, tú sigue las flechas que están debajo de los letreros.

602

Morir es como dormir, *pero sin levantarse para hacer pis.*

603

–Oye, ¿cómo es tu mujer en la cama?
–*Pues no lo sé: porque unos dicen que es bastante buena y otros dicen todo lo contrario.*

604

Era tan pero tan flaco *que no tenía dedo gordo.*

605

–¿Cuál es el nuevo eslogan de American Airlines?
–*Lo llevamos hasta su oficina.*

606

–Todo lo que soy se lo debo a mi bisabuelo, el viejo Manolo Muleiro y Oleiros. Si aún viviera, el mundo entero hablaría de él.
–*¿Por qué?*
–Porque si estuviera vivo ¡tendría 140 años!

607

–Mi mujer se queja de que nunca la llevo a ningún lado.
–*Haces bien, ¿para qué molestarte? Yo a la mía la llevo a todas partes, y siempre consigue volver a casa...*

608

–Cariño, ¡qué bien hueles esta noche! ¿Qué te has puesto?
–*Calcetines limpios.*

609

–Carla, ¿vamos al restaurante de Paula?
–*Ay, no. Ahí ya no va nadie. ¡Está siempre demasiado lleno de gente!*

610

–Mami, ¿qué es un travesti?
–*¡Deja ya de molestarme y pregúntale a tu mamá, que yo soy tu papá!*

611

Si es temporada de turistas... *¿por qué no podemos dispararles?*

612

Jesús dijo:
–*¡Hermanos! Hoy vamos a meditar, así que tomen cada uno una piedra y vengan a caminar conmigo.*
Había hombres de todas las regiones del mundo.
Todos obedecieron.
Cada uno agarró una piedra grandísima y pesadísima. Manolo, el gallego, como nadie lo veía, agarró una piedra *chiquitísima.*
Con las enormes piedras al hom-

bro *(menos Manolo)* caminaron más de 100 kilómetros hasta que alguien preguntó:
—¡Jesús! ¿Podríamos descansar? ¿Tal vez, comer?
—*Bueno, hermanos. Siéntense y pongan las piedras a su lado.*
Entonces, las piedras se convirtieron en panes gigantescos y todos comieron hasta hartarse, *menos Manolo, que se quedó con una miguita diminuta.*
Pasaron los días y Jesús volvió a pedir.
—*¡Hermanos! Hoy vamos a meditar, así que tomen una piedra y vengan a caminar conmigo.*
Manolo, el gallego, agarró la más grande, la más pesada. Era casi una montaña. Después de 100 kilómetros fue Manolo quien dijo:
—¡Jesús! ¿Podríamos descansar? ¿Tal vez, comer?
—*Bueno, hermanos. Siéntense con sus piedras.*
—¡Jesús! ¿Vas a convertir las piedras en pan?
—*No hace falta. Hoy traje masitas.*

613

—¡¡¡Desvergonzado!!! ¡Ayer se hacía pasar por ciego, y hoy pretende hacer creer que es mudo!

—*Usted también se hubiese quedado muda si hubiese recuperado la vista como me ha pasado a mí.*

614

—Y para casarse con mi hija, ¿cuál es su situación, joven?
—*¡Desesperada!*

615

—Mami, ¿cuáles son las 70 cosas que sabe hacer una mujer?
—*El 69 y cocinar.*

616

—¿Cómo se dice *"ascensor"* en árabe?
—*Aliba-ba.*

617

—¿Cuál es el campesino más fuerte?
—*Conan El Deltractor*

618

—¿Y la monja más fuerte?
—*Sor-zenaguer*

619

—¿Cómo se dice *"diarrea"* en chino?
—*Taca Gao.*

620

—¿Qué es un hombre que se tapa los oídos con las manos y salta arriba y abajo tantas veces como puede?
—*Ni idea.*
—Un detector de minas gallego.

621

Comentaba Pepe Muleiro:
—*Mi esposa y yo ya hemos conseguido una perfecta compatibilidad*

sexual. Anoche nos dolía la cabeza a los dos.

622

—Ya he conseguido que mi novio me hable de matrimonio, después de haber estado saliendo seis años.
—*¿Ah, sí? ¿Qué te ha dicho?*
—Que tiene esposa y tres niños.

623

Soy una persona *profundamente superficial.*

624

—¡Mamá, mamá! Manolito me ha roto mi tren de juguete.
—*¡Eso no se hace, Manolito! ¿Cómo te lo ha roto, hijo?*
—No ha apartado la cabeza cuando se lo tiré.

625

—¿Cuántos ingenieros de IBM se necesitan para cambiar una bombilla?
—Dieciséis.
Dos hacen un estudio de la instalación del cliente.
Tres escriben los requerimientos técnicos.
Uno cambia la bombilla.
Cuatro escriben la documentación.
Dos hacen el control de calidad

según ISO 9000.
Tres quedan subcontratados para monitorear el funcionamiento de la bombilla en fase de pruebas.
Y el técnico comercial pasa la factura de millones.

626

—Estoy muy triste. Se murió mi perrito. ¡Justo ahora que estaba acostumbrándose!
—*¿A qué?*
—¡A no comer!

627

—Doctor, doctor, necesito un lavado de estómago,
—*¿Y usted cómo lo sabe?*
—Porque me froto y me salen bolitas...

628

—¡Abuelita, abuelita! *¿Me enseñas el pie que papá dice que tienes en la tumba?*

629

—¡Sí, Pepe! Estoy decidida a huir contigo. Pero papá dice que vendrá con nosotros porque *está harto de lavar los platos en casa.*

630

—¿Cómo se saca a un gallego de una bañera?
—*Ni idea.*
—Abriendo el grifo del agua.

631

—Doctor, mi nene de seis años tiene la manía de vaciar los ceniceros.
—*Bueno, señora, eso no implica ninguna fijación peligrosa. Al con-*

trario, puede indicar una definida inclinación por la higiene.
—¿De qué higiene me habla? *¡Vacía los ceniceros en la boca del gatito!..*

632

No me gusta tener a mi alrededor gente que siempre me da la razón. Me gusta que me digan sin ningún tipo de reparos lo que verdaderamente piensan *aunque les cueste el puesto.*

633

—Una limosnita para este pobre sordomudo.
—*¡Sinvergüenza, caradura, usted no es mudo!*
—¡Bueno, no grite que tampoco soy sordo!

634

Lo cierto es que los pueblos conviven como hermanos: *como Caín y Abel.*

635

Si desea tardar la mitad de tiempo en llegar a Madrid, *en lugar de salir desde París, salga desde Barcelona...*

636

—Según mis cálculos, el nuevo cometa pasará por la Tierra dentro de nueve mil millones de años.
—*¿Estás seguro? ¡No vayamos a hacer el ridículo!*

637

—Yo solía discutir mucho con mi mujer, hasta que un día me puse sus gafas.

—No lo entiendo.
—Es que cuando ves las cosas desde su punto de vista, resulta que algo de razón tiene.

638

La conciencia es una suegra cuya visita jamás termina.

639

—¿Por qué los animalitos de la selva siempre se quieren sacar de encima al elefante?
—*Porque es un pesado.*

640

—Mi padre era el borracho del pueblo. En general esto no es tan terrible. *Pero papá vivía en Nueva York.*

641

El gallego Manolo tenía un puestito de venta de hot-dogs frente al Citibank.
—*¿Qué tal, Manolo?*
—Trabajo.
—*¡Qué suerte! ¿Me prestas 50 dólares?*
—No se me permite.
—*¿Cómo que no se te permite?*
—Es que hice un arreglo con el ban-

co, ¿sabes? Ellos aceptaron no vender hot-dogs si yo prometía no hacer más préstamos.

642

En Israel:
—En caso de un ataque aéreo, ¿cuál sería el mejor lugar para refugiarse?
—*Un lugar donde después del ataque puedas decir:"¿Qué sucedió?"*

643

Un japonés le dijo a un chino:
—*¿No te da vergüenza que tu país haya sido conquistado por los ingleses?*
—*¿¿¿What???*

644

Lápida en cementerio judío:
"Aquí descansan los restos del fabricante de ropa interior David Filstein.
La venta continúa en todas las sucursales Filstein e hijos."

645

—¡Doctor Muleiro! Tengo agua en las rodillas, padezco gota y sufro cataratas. ¿Qué hago?
—*No se preocupe. Ya mismo le mando un plomero.*

646

Hardware: Aquello que puedes partir con un hacha.
Software: Aquello que sólo puedes maldecir.

647

—¿En qué se parece un informático a un portero de fútbol?
—*En que los dos piensan que tie-* nen el mejor equipo, pero lo único *que hacen es sacar cosas de la red.*

648

La felicidad es: *buena salud y mala memoria.*

649

Hardware: Aquello que acaba estropeándose.
Software: Aquello que acaba funcionando.

650

—*Mamá, ¿soy un oso polar?*
—Sí, claro. Eres un oso polar.
—*¿Estás segura, mamita?*
—Sí, claro. Estoy segura.
—*Entonces, ¿por qué tengo un poquitito de frío?*

651

Se produjo un accidente en las afueras de Lepe. Llegó la policía local: un sargento y un agente.
—*A ver, agente, escriba: un joven de 18 años muerto junto al vehícu-* lo infractor. Mano mutilada en el arcén...
—Sargento, arcén ¿es con "h" o sin "h"?
El sargento, tras pensarlo un instante, pateó la mano.
—*Agente, escriba: mano mutilada en medio de la carretera.*

652

Cada día aumenta el número de hombres que no quieren dar la cara, sino *todo lo contrario.*

653

—¿Por qué en Japón no hay árboles?
—*Porque los perros, cuando van a mear, hacen "¡Iiáááá!"*
(Al contar el chiste tienes que levantar la pierna y dar una patada estilo Bruce Lee).

654

—Querida, hay un vendedor en la puerta con un bigote.
—*Pues dile que yo ya tengo bigote.*

655

—¡No comas más pasteles que vas a reventar, Manolo!
—*Pues dame otro y apártate.*

656

Una pareja de enamorados gallegos paseaba por la orilla de un lago.
—*¡Fíjate, Paca, cuánta agua!*
—Sí, Manolo. ¡Y eso que sólo vemos la de arriba!

657

—¡Estoy harta de tus celos! ¿Es que acaso te crees que no me he dado cuenta de que últimamente me sigue un detective alto, rubio, con ojos verdes, muy agradable y *un poco tímido al principio*?

658

Un negro en la mercería:
–Hola, ¿me da calcetines "Punto Blanco"?
–*Si me da la gana, ¡puto negro!*

659

Macintosh: usted puede comprar un ordenador mejor, *pero no pagará más.*

660

–Doctor Muleiro, ¿qué es lo primero que hace cuando lo consulta un paciente que sufre falta de memoria?
–*Le cobro por adelantado.*

661

–¿Cómo sabrías si hay un elefante metido en tu cama?
–*Por su pijama, que tiene una "E" bordada.*

662

El Partido Demócrata le pidió a Mónica Lewinsky que hiciese una contribución para la campaña.
–*¡Yo ya contribuí en el Salón Oval!*

663

–¿Cuál es la diferencia entre un vendedor de automóviles y uno de computadoras?
–*El vendedor de computadoras no sabe cuándo miente.*

664

Un médico gallego visitó a un preso en la cárcel:
–Creo que sólo tiene un resfrío. Por lo tanto, le aconsejo que evite salir a la calle.

665

–¿Qué edad tiene usted, Manolo?
–*Veinticinco años.*
–Parece más.
–*Bueno, tendría que tener veintisiete, pero estuve enfermo dos años.*

666

–¿Por qué Bill Clinton le dio un mal mensaje a la juventud americana?
–*Nunca usó preservativo.*

667

–¿Cuál es el colmo del elefante?
–*Despertar y acostarse con trompa.*

668

–Madre, ¿los pollos maúllan?
–*No, Manolín.*
–Entonces el gato está dentro del horno.

669

Volveré
y seré un póster.
El Che

670

–*¿Por qué la esposa de Bill Gates quería divorciarse de él?*

–Porque en la noche de bodas descubrió qué significaban las palabras Micro y Soft.

671

La hiena a su marido:
–*¡Basta de risa, Juan! ¿No puedes tomarte nada en serio?*

672

–George Washington fue el padre de la Patria.
–*Bill Clinton podría ser el padre de sus nietos.*

673

–Mi novia dice que la tengo como un joystick.
–*¿Con la punta roja?*
–No, con los dedos marcados.

674

–¿Cuál es el colmo de un gallego?
–*Sentarse en la esquina de una mesa redonda.*

675

–¿Por qué el mejor corredor del mundo tiene complejo de *piojo*?
–*Ni idea.*
–Porque siempre *va a la cabeza.*

676

Organización de las Naciones Unidas.
Hace unos años registró un fracaso importante en una encuesta realizada, la pregunta era:
"Disculpe, ¿qué opina de la escasez de alimentos que afecta al mundo?"
Los motivos del fracaso fueron relacionados con dificultades de comprensión en las diferentes re-

giones del mundo:

En *Europa occidental* nadie entendía qué era *"escasez"*.

En *Europa oriental* nadie entendía qué significaba *"opina"*.

En *África* nadie entendía qué eran *"alimentos"*.

En los *Estados Unidos* nadie comprendía qué es *"afecta al mundo"*.

Y en *la Argentina* nadie entendía qué era *"disculpe"*.

677

Robinson Crusoe... *y lo atropellaron*

678

¡Así es!
La auténtica diferencia entre el hardware y el software es que el hardware se vuelve más rápido, pequeño y barato con el tiempo, mientras que el software se hace *más grande, lento y caro.*

679

Tres mujeres muy guapas caminaban por la calle.
El gallego Muleiro quedó idiotizado mirándolas.
—*Pero ¿qué te pasa a ti? ¿Qué coño quieres?*
—Ah, ¿puedo elegir?

680

—¿Cómo matarías a una manada de elefantes?
—Pintando a uno de rosa; se moriría de vergüenza y el resto de risa.

681

El gallego Muleiro se marchó a Venezuela para hacer fortuna. Veinte años después, regresó millonario. Al bajar del avión buscó a sus hermanos.
De pronto, se acercaron lentamente dos hombres de larguísima barba:
—*Pepe, ¿no nos reconoces?*
—¿Sois vosotros? ¡Pero si cuando me fui no teníais barba!
—Es que ¡como te llevaste la máquina de afeitar...!

682

—¿Cómo se dice *"espejo"* en chino?
—*Chi choi yo...*

683

—¿Cuál es el perro más impresionante?
—*El vol-can.*

684 - 700
Diecisiete
orgasmos femeninos

Asmática: ¡Uhh... uhhh... uhhh...!

Matemática: ¡Más, más, menos, más!

Religiosa: ¡Hay Dios mío, hay Dioooooooooooooooooos!

Suicida: ¡Ay me muero, me mato!

Homicida: ¡¡¡Si paras ahora, te matoooo!!!

Zoológica: ¡Venga mi macho, venga animalito!

Hincha de fútbol: ¡Y ya lo ve, y ya lo ve...!

Profesora de Inglés: ¡Ohhh yes! Ohhhh my God!

Negativa: ¡Nooo, nooooooooohhh!

Positiva: ¡Sí... sí... sí!

Pornográfica: ¡Asííí dámela hijo de putaaa!

Serpiente: ¡Sssssshh, ssshhh!

Profesora: Sí... eso... por ahí... muy bien... correcto... perrrrfecto.

Desinformada: ¿Qué es esto? ¿Por qué? ¿Qué me haces?

Geográfica: ¡Aquí, aquí, ahí, ahí!

Analista de sistemas: Ok, Ok, Ok.

Sensitiva: Lo siento venir... viene... huggggggg....

701

—No piense que he caído tan bajo. ¡Si viviese mi pobre Paca no tendría que pedir limosna!
—¿Por qué? ¿Era rica?
—¡No, era ella la que salía a pedir limosna!

702

Recital de los Rolling Stones en Río de Janeiro.
Hotel cinco estrellas.
—*Buenas tardes. ¡Necesito una habitación!*
—La capacidad del hotel está completa. No tenemos lugar disponible. Lo siento.
—*¿Y si viniese el Papa a ver a los Rolling?*
—Y... un cuarto tendríamos.

—Bueno, el Papa no va a venir. Así que queda su cuarto ¿okay?

703

—¿Qué es lo primero que dice un barrabrava cuando entra a un negocio?
—Ni idea.
—¡Arriba las manos!

704

—En París encontré a Paco con gripe; en Bruselas a Pepe resfriado; en Londres a Manolo acatarrado. *Ya ves: ¡el mundo es un pañuelo!*

705

Un elefante entra prepotentemente en un ascensor donde hay un ratoncito y dice:
—¿Qué piso?
—¡Mi coliiiiiiiiiiiiiiiitaaaaaaaaaa!

706

—¿Conocés el nuevo condón marca Bobbitt?
—No.
—Te hacen 50 por ciento de descuento.

707

—Queridos vecinos: España se ríe de nosotros porque nosotros somos

menos y ellos son más. Pero la historia está llena de casos en los que los menos han podido con los más. Ahí está el caso de David que mató a Goliat brusca y despiadadamente, con una moto.
—Pero..., señor alcalde, fue con una "honda".
—Bueno, la marca no es lo que importa.

708

Pensaba Muleiro:
Se dice que el perro es el animal más fiel que tiene el hombre. Entonces, *¿por qué si una mujer le es infiel al hombre se le dice perra?*

709

—Si yo pongo un cenicero encima de una mesa y mi mujer lo aparta, ¿quién está más loco?
—No sé.
—Yo: porque yo *lo-coloco*, y mi esposa *lo-quita*.

710

—¡Mamá, ya encontré la campera que perdí la semana pasada!
—¿Dónde estaba, Manolito?
—La llevaba puesta debajo de la camisa.

711

Te invitan a almorzar al palacio de la reina de Inglaterra y encuentras una cucaracha muerta en la gelatina. *¿Qué tenedor deberías usar?*

712

—¿Me puede dar mil pesos para tomar una cerveza?
—¡Mil pesos para tomar carveza! ¿Pero está loco?

—Quizá tenga razón, ¡pero es que hace tantos años que sueño con ir a Alemania a tomar una cervecita!

713

Era una chica tan pero tan *mona* que sólo *comía maníes*.

714

Paco y Manolo van caminando:
—Manolo, ¿Tú sabes cuántas personas caben en una manguera?
—No.
—Pues, ¡un chorro!

715

Si cárcel y prisión son sinónimos, *¿por qué no son lo mismo carcelero y prisionero?*

716

—¿Por qué los gallegos se masturban?
—Porque son fanáticos del autoservicio.

717

Había un pueblo tan pero tan pobre que en vez de tener *casa de putas tenía choza de pajas*.

718

—He visto la película *Atrapado sin salida*, un film muy premiado en todo el mundo, Paco.
—Yo también he estado en el cine,

pero no la pude ver, Pepe.
–¿Por qué?
–Porque fui atrapado sin entrada.

719

–¿Por qué los gallegos ponen ajo en las carreteras?
–Porque es bueno para la circulación.

720

–Paca, tengo una noticia buena y una mala. La buena es que he conseguido trabajo.
–¿Y la mala, Manolo?
–Comienzas el lunes, Paca.

721

El que sabe, sabe, y el que no sabe, *¡que aprenda!*

722

–¿Sabes, Manolo? ¡Nuestro amigo Pepe ha sido asesinado!
–Indudablemente el móvil del crimen debió ser el robo, pues Pepe tenía mucho dinero.
–Sí, pero lo tenía todo depositado en el banco.
–¡Ah, entonces no ha perdido más que la vida!

723

–¿Qué es el fútbol?
–Un juego con 22 jugadores, dos linesmen y 100.000 árbitros en la tribuna.

724

Van en un coche un ciego *(conduciendo)* y un tartamudo *(indicando)*, y se pegan un porrazo de la hostia. Entre los escombros aparece el ciego totalmente

lastimado y el tartamudo diciendo:
–La vi, la vi, la vi...
–¿Y por qué cojones no me lo dijiste?
–¡La-l-la virgen, qué qué qué hostia no-no-nos hemos da-da-dado!

725

–¿Por qué los gallegos construyen las casas redondas?
–Para que los perros no meen en los rincones.

726

En casa nos llevamos a las patadas. *Kung-Fu.*

727

–A los guardametas del fútbol les dicen *heladera.*
–¿Por?
–Trabajan tres minutitos y descansan veinte.

728

–¡A ver, chicos!: Escriban sobre el tema: "¿Qué haría si fuese millonario?".
Los estudiantes empiezan a escribir, excepto uno que permanece inmóvil, con la cabeza alta y mirando por la ventana.
Cuando termina el examen le entrega al profesor la hoja en blanco.
–¿Por qué no hiciste nada?
–Bueno, ¡hice exactamente lo que haría si fuese millonario!

729

–¡Mami, voy al agua!
–¡Abrígate, nene!

730

–¿Por qué está triste la familia Kelloggs?
–Porque sabe que chocó Crispis.

731

En una oportunidad le preguntaron a Einstein:
–¿Qué sería de los seres humanos sin las mujeres?
–Habría menos, muchos, muchos menos...

732

–¡Qué muebles recopados, loco! ¿De qué época son?
–De la época en que teníamos guita.

733

–¿Cómo se le dice al sueño de follarse animales muy muy grandes?
–Elefantasía.

734

Métanme la mano en cualquier lado, *menos en el bolsillo.*

735

Cristian, siete años. Micaela, cinco.
–Mica, ¡estoy muy enamorado de ti! ¿Quieres casarte conmigo?
–No creo que podamos. En nuestra

familia estamos acostumbrados a casarnos *entre nosotros:* mi abuelo se casó con mi abuela, mi papá con mi mamá, y así todos los demás.

736

Era un tipo con tanta pero tanta mala suerte que para suicidarse se arrojó al vacío... *y estaba lleno.*

737

–¿Por qué los argentinos no usan paracaídas?
–*Porque, de todas maneras, siempre caen mal.*

738

–A ver tú Manolo que sabes tanto de cocina... ¿Cómo se distingue un libro de cocina vegetariana de otro de cocina carnívora?
–*En el lomo. Si un libro de cocina vegetariana tiene lomo, es un fraude.*

739

–¿En qué se parecen una lujosa sala de bingo a una destartalada cabina telefónica?
–*En cualquiera de las dos es dificilísimo conseguir una triste línea.*

740

–Los niños siempre son muy inteligentes, ¿sabes Manolito?
–*Y entonces ¿por qué los adultos son tan tontos?*
–Será el resultado de la educación.

741

Habían robado en un local de ropa sport del shopping. Los ladrones se llevaron toda la mercadería.
Al día siguiente, el dueño puso un gran cartel en el frente que decía:

"¡Hasta los ladrones se visten en este local!"

742

–¿Qué cuernos te pasó esta vez, Manolo, que llegas borracho?
–*¿Quieres la verdad o una explicación razonable?*

743

Es una suerte que vayas a poca velocidad... *porque estás yendo en sentido contrario.*

744

En el bar a las 3 de la mañana:
–Me voy a escuchar un sermón.
–*Está bien que seas muy religioso, pero ¿dónde vas a escuchar un sermón a esta hora?*
–¡En mi casa!

745

–¡Eres un borracho idiota, Paco! ¡¡¡Hace ya tres noches que no vienes a dormir a casa!!!
–*¡Pero si no tengo sueño, Pepa, joder!*

746

El gallego Paco estaba sentado en un banco de plaza:
Un perro no hacía más que molestarlo. Muy respetuosamente, el gallego se dirigió a su dueña:

–*Señorita, ¿puedo pegarle una patada a su perro?*
–¿Por qué no se la da usted en los huevos?
–*¡Muy bien! En los huevos se la daré, ya verá usted.*

747

¿Y si combatiésemos la sobrepoblación *esterilizando a las cigüeñas?*

748

Conversaban los dos perritos.
–*Tendrías que consultar a un buen psicoanalista, Sultán.*
–¡De ninguna manera! ¡Me han prohibido *terminantemente subirme al diván!*

749

La mujer se parece a tu propia sombra: *si la persigues se va; si huyes de ella, te persigue.*

750

"Errar es humano", dijo el pato y se bajó de encima de la gallina...
"Perdonar es divino", dijo la gallina y salió corriendo detrás del pato.

751

–¡Hola! ¡Buenas! ¡Quería comprar una mosca!

–¡Pero si esto es una ferretería!
–Ya sé, pero como la vi en el escaparate.

752

Bebo porque cuando estoy sobrio tengo delirios peligrosos: *pienso que soy el Puma Rodríguez.*

753

–Mamá... no me esperes a dormir esta noche.
–*¿Por qué, hijo?*
–Porque ya llegué.

754

–Mamá, ¿la luz se come?
–*¿Por qué me preguntas eso, hijo?*
–Porque ayer papá le dijo a la criada: *"¡Apaga la luz y métetela en la boca!"*

755

–Papá, te traje el auto del taller. Te lo dejaron como recién salido de fábrica.
–*¿Tan bien trabajan?*
–No, sin una gota de gasolina.

756

–Paco, amigo mío, ¿qué te pasó en el ojo que lo traes morado?

–¡Ay! Es que comí mucho...
–¿Pero qué tiene que ver?
–...¡mucho más de lo que podía pagar!

757

–¿Cuál es el único anticonceptivo aceptado por los judíos ortodoxos?
–*El embarazo.*

758

–¿Qué hace un arquitecto con un orinal?
–*¡Un pis-ito.*

759

–Abuelito, ¿de dónde vengo yo?
–De un repollo, Paquito.
–¿Y yo, abuelito?
–Te trajo la cigüeña, Pepita.
–Pepita mira a Paquito y dice:
–¿Qué? ¿Se lo decimos?

760

–Estoy buscando apoyo.
–*Poyo, poyo, ¿dónde estás?*

761

–¿Por qué a Paco lo llaman Tapón de Corcho?
–*Ni idea.*
–Porque cuando no está tirado en el suelo o metido en la basura, está pegado a la botella.

762

Como Abraham sospechaba que su esposa la Rebe tenía un amante, llegó sorpresivamente a la casa.
Revisó minuciosamente el cuarto.
Finalmente, abrió el armario.
Allí estaba el amante.
–*¿Me puede decir hombre, qué hace usted aquí?*

–*¿Y qué quiere? ¡En algún sitio tenía que ponerme!*

763

–¿Hola? ¿Es el 321-8291?
–*No. Aquí no tenemos teléfono.*

764

Para el optimista, el vaso está medio lleno.
Para el pesimista, el vaso está medio vacío.
Para el ingeniero, *el vaso es dos veces mayor de lo necesario.*

765

Anorexia judía: *La hija no come nada y la madre se muere...*

766

El mago Galerita subió al autobús.
–*¡Muy buenas tardes! Voy a molestar la atención de los señores pasajeros para ofrecerles ¡un fabuloso truco de magia!*
Los pasajeros ni lo miraron.
–*¿Ah... los señores pasajeros son del estilo indiferente? Muy bien. Entonces voy a hacer que este autobús se levante. Uno... dos... tres ¡arriba!*
Y el autobús ¡se levantó dos metros del suelo!
–¡Bájelo! Bájelo, por favor!
–*No. Tendrán que bajarlo ustedes porque no creyeron en mí.*
–¿Qué tenemos que hacer?
–*Soplar todos juntos. Soplen bien*

fuerte y el autobús volverá al suelo ¡Mi-la-gro-sa-men-te!
Todos soplaron y el autobús bajó.
–¡Sensacional! ¡Otro! ¡Otro truco!
–*Muy bien. ¿Ven a aquel viejito de la última fila? Voy a hacer que se le levante la perinola. Uno... dos... tres ¡arriba!*
Y la *"perinola"* del viejito se levantó.
–¡Ohhhh! ¡Ahhhh! ¡Bravo!
Entonces, emocionadísimo, el anciano gritó:
–*¡¡¡Juro que mataré a cualquiera que sople, cabrones!!!*

767

Si pudiese elegir ¿qué preferiría? ¿Ser usted mismo o ser alguien exactamente igual a usted?

768

–¿Por qué plantan en Galicia los olivos junto al mar?
–*Para que les salgan las aceitunas con sabor a anchoa.*

769

–¿Es verdad que tu papá está en la cárcel?
–*Sí, pero no sé por qué: ¡si todo lo que roba se lo lleva a mi mamá!*

770

El típico ingeniero despistado iba caminando por el campus cuando un estudiante lo paró y le hizo un par de preguntas.
–Bueno, pues esto era todo, muchas gracias.
–*De nada. Hasta mañana.*
–Adiós.
Tras una breve pausa, el profesor le gritó:
–*¡Eh! Oye, perdona, ¿podrías de-cirme hacia dónde iba cuando nos encontramos?*
–Sí, claro, por supuesto:iba en esa dirección
–*¡Ah, entonces ya he comido!*

771

Un estudiante gallego de computación enseña un programa al profesor y le pregunta:
–*Profesor, ¿dónde está el error? ¿¿¿En qué parte del código está el error???*
El profesor miró el programa, luego miró fijamente al gallego, movió la cabeza lentamente de izquierda a derecha y dijo:
–En tu ADN.

772

–Pero decime, flaco, ¿no ibas a viajar por el mundo hasta donde te alcanzara la guita?
–*¡No, che! Te dije que iba a viajar por el mundo hasta que me alcanzaran por lo de la guita.*

773

–¿Sabés cómo le dicen a la profe de lengua? Luz roja.
–*¿Por?*
–Porque nadie la puede pasar.

774

–¿Cómo se detecta a un espía argentino?
–*Ni idea.*
–Es el que lleva un distintivo que dice: *"Soy el mejor espía del mundo, ¿pasa algo?"*

775

–Perdone, señora, esto es para una encuesta: ¿su marido se fuma un cigarrillo entre polvo y polvo?
–*¿Entre polvo y polvo? ¡Cartones enteros se fuma!*

776

Un lepero alemán llegó para casarse.
–*¿Qué? ¿Vas a hacerte la casa?*
–Sí, he traído 300.000 marcos.
–*¡Pues ya va a tener ventanas tu casa, macho!*

777

–Paco, ¿recuerdas a Manolo? Se fue a América con un par de zapatillas y volvió con 20 millones.
–*¿Y para qué quiere tantas zapatillas ese muchacho?*

778 - 787
Las diez peores cosas que pueden decirse en un funeral

Le estoy poniendo alcohol al ponche, para alegrar las cosas.

¡Oigan! ¡Creo que acabo de ver el cuerpo moverse...!

Bueno, ésta es la primera vez que el abuelo ha estado rígido en veinte años...

(A la viuda) Bueno, ahora estás oficialmente soltera. ¿Tienes pla-

nes para el viernes en la noche?

(A los niños) Esténse quietos, o los enterraremos con él.

Te cambio el reloj que heredé por los palos de golf que heredaste.

En realidad no conozco al muerto, sólo vine por la comida gratis.

Ya era hora. Me estaba cansando de sus quejidos.

¿Todavía no termina el funeral? Me voy a perder el partido de fútbol...

El maldito tiene suerte de estar muerto: todavía me debe veinte mil...

788

–Hija, lo siento, no puedo darte la comunión vestida así.
–*Pero, padre, yo tengo el derecho divino.*
–Y el izquierdo también, hija. Pero no puedo, no puedo.

789

Cuando la modelito María Pía sintió que se le quemaba la comida, corrió hasta el baño, *abrió el botiquín y sacó Hawaian Tropic.*

790

–Cada una de sus respuestas debe ser oral, ¿de acuerdo? ¿A qué escuela fue usted?
–*Oral.*

791

El auto del vasco Patxi volcado en la ruta, con las ruedas hacia arriba.

Pasó la patrulla caminera:
–*¿Qué le ha sucedido, hombre? ¿Ha volcado?*
–¡No, joder! ¡Lo he puesto así para vaciarle el cenicero!

792

Fue el alcalde a inaugurar un nuevo polideportivo en Lepe y en conmemoración *cortaron la red de la pista de tenis.*

793

–¡¡¡Ey, oiga!!! ¡Si ese perro no deja de ladrar me voy a volver loco!
–*Yo también: porque no es un perro, es un gato.*

794

–¿Qué hacen las jirafas que no hacen otros animales?
–*Ni idea.*
–Jirafitas.

795

–Oiga, ¿está el señor en casa?
–*Sí, pero cuando el señor está, no recibe a nadie.*
–Bueno, pues ya volveré otro día que no esté.

796

–¡Paca, Paca! Mira si será moderna esta casa que he ido a mear y al abrir la puerta la luz se encendió

sola. Y al cerrar la puerta, la luz se apagó sola nuevamente.
–*¡Bestia, animal! Otra vez fuiste a mear en la nevera.*

797

–*Mami, en la escuela me dijeron reiterativo.*
–¿Sí? ¿Quiénes?
–*Diego, Martín, Martín, Diego, Diego, Diego, Martín, Martín.*

798

Dos amigos leperos:
–*¿Cenamos juntos esta noche?*
–Vale, ¿a qué hora voy a tu casa?

799

Éste es un chiste gráfico; ponte la mano cubriéndote la cara, mientras dices :
–*Camarero, creo que este pulpo está un poco crudo.*

800

–*Yo sabía que tú eras un donjuán antes de que nos conociéramos. ¿Con cuántas mujeres has estado?*
–Las suficientes, querida.
–*¿Cuántas?*
–Es que no quiero irritarte.
–*Que no, que es sólo curiosidad.*
–Bueno, déjame que cuente: una, dos, tres, cuatro, cinco, seis, siete,

tú, nueve, diez, once, doce.
(Si se cuenta este chiste, debe acompañarse de los gestos de contar, señalarla, y seguir contando).

801

–¿Cuántos leperos hacen falta para llamar por teléfono?
–*Dieciséis: uno para meter el dedo en el disco y quince para girar la cabina.*

802

–Querido, ¿has pensado alguna vez quién de los dos morirá primero?
–*¡Jamás! Pero cuando suceda yo me iré a vivir a París.*

803

–¿Para qué se suben los gallegos a la torre más alta del pueblo y tiran bolígrafos al vacío?
–*Para hacer "aeroBic".*

804

–Mami... el abuelo se tambalea.
–*¡Dispárale de nuevo entonces, niño imbécil!*

805

–Paco, ven conmigo a la calle a tirar la basura.
–*¿Para qué, María?*

–Para que los vecinos vean que salimos juntos alguna vez.

806

–¿Por qué los leperos plantan las naranjas de 3 en 3?
–*Para recoger Trinaranjus.*

807

El gallego Muleiro conoció a una mujer en una bulliciosa discoteca:
–*¿Quieres venir conmigo a Miami, hermosa?*
–Soy lesbiana.
–*No te preocupes, yo te consigo el pasaporte.*

808

–¿Por qué los gallegos limpian las ventanas con preservativos?
–*Para que no entre el polvo.*

809

–¿Por qué en Lepe los semáforos están a tres o cuatro metros más alto que lo normal?
–*Para que no se los salten.*

810

–Mami ¿no crees que el abuelo merece un entierro digno?
–*¡Cállate y tira la cadena!*

811

–Si un hijo mío se hace policía, y yo me hago ladrón, tendría que echarlo de casa. Porque *¿qué razón hay para que un ladrón proteja a un policía?*

812

El gallego Muleiro va caminando por la plaza con un gato en los bra-

zos y se encuentra a un amigo.
–*¿Araña?*
–Pero ¡qué tonto eres, joder! ¿Cómo va a ser una arañar si sólo tiene cuatro patas?

813

El gallego Muleiro era tan pero tan pobre que para darse consuelo y sentir que estaba comiendo carne *se mordía la lengua...*

814

–¡Mira!: una pulga inglesa
–*¿Cómo sabes que es inglesa?*
–Porque me la he sacado de la ingle.

815

–¿Cómo hacen la leche en polvo los de Lepe?
–*Rallando las vacas.*

816

–Oiga, ¿por qué viene usted a tomarse el café con una viga en el hombro?
–*Es que el médico me ha dicho que tome el café cargado.*

817

La hormiguita no podía cruzar un caudaloso río:
–*Oye, elefantito, ¿me harías el fa-*

vor de pasarme al otro lado?
–Claro, hormiguita.
El elefante la cruzó.
–*Gracias, elefantito.*
–¡Qué gracias ni gracias! ¡Bajate la braguita!

818

–Buenas tardes, quiero comprar un par de zapatos...
–*¿De qué color?*
–¡Si será bruto, hombre! ¡¡¡Los dos del mismo!!!

819

El gallego Paco en la farmacia del pueblo:
–*VicVaporup*
–¡Viva!

820

–¡Papá! ¡Tres niños me han pegado!
–*¿Y tú te has vengado, Pedrín?*
–Pues claro que me he vengado. ¡Si no *me vengo*, me matan!

821

Los gallegos Paco y Pepe, borrachos:
–*No sigas bebiendo que te estás poniendo borroso.*

822

–¿Cómo se hace para reconocer a un explorador gallego?
–*Es el que lleva sobrecitos de agua deshidratada en la mochila.*

823

–¿Cuál es el hombre que más desea que llueva?
–*El ciego. Porque siempre está diciendo "si yo viera".*

824

825

Los dos gallegos en el techo de sus camiones picaban un puente para agrandarlo cuando los sorprendió la Guardia Civil.
–*¿Qué están haciendo?*
–Agrandando el túnel porque el techo del camión no nos cabe.
–*No, hombre, tienen ustedes que desinflar las ruedas.*
–Pero si por donde no entra es por el techo, las ruedas caben perfectamente.

826

–*¿Cómo estás, Paca?*
–Estoy preocupada... ¡no sé si mi marido me seguirá queriendo cuando sea canosa!
–*¿Y por qué no? ¿Acaso no te quiso cuando eras rubia, cuando eras morena, cuando eras castaña, cuando eras pelirroja...?*

827

–¿Por qué no hay leche fría en Galicia?
–*Porque no les cabe la vaca en la nevera.*

828

¡Qué desagradable resulta caerle bien a la gente que te cae mal!

829

–¿Cómo está mi esposo, doctor Muleiro?
–*A menos que haya complicaciones, está a punto de morir, señora.*

830

–Está clarísimo. Las cartas no mienten. Su marido será rubio, de buen cuerpo, adinerado e inteligente.
–¡Ah, sí! ¿Y qué hago con el gordo, feo, granoso y borracho que tengo en casa?

831

–¿Sabes? La Paca vivía muy preocupada por saber dónde pasaba las no-

ches su marido. ¡Necesitaba saberlo!
–*¿Y llegó a descubrirlo?*
–Sí. Una noche se quedó en casa y vio que era allí donde estaba su marido.

832

Dijo Muleiro:
–*Lo que podríamos hacer es dormir mucho para que nos pasen las horas más rápidamente.*

833

–¿Cómo arreglan "los bollos de los coches" los gallegos?
–*Soplando por el tubo de escape.*

834

–Mamita ¿cómo se reproducen los caballos ?
–*No sé, nene porque tu padre es un cerdo.*

835

Las *tres* mejores cosas de la vida son: *una buena copa antes y un buen cigarrillo después.*

836

–¡Qué cara tienes Paco! ¿Te ha ocurrido algo?
–*Es que me he separado.*
–Vea, a no preocuparse, es una buena decisión. Ella te engañaba y sa-

lía con varios hombres, no era mujer para ti.
–*Manolo, de quien me he separado es de mi socio.*

837

Dos leperos miraban al cielo:
–¡Mira! *El avión del rey.*
–Estás equivocado. El avión del rey lleva dos motociclistas delante y dos detrás.

838

Muleiro filósofo:
–*La fe puede mover montañas... pero no los muebles.*

839

–¿Cómo se le dice a un chino que recibió una patada en los huevos?
–*No sé.*
–Amarillo chillón.

840

Si será modesto Pepe Muleiro que *¡se cree inferior a sí mismo!*

841

–¿Qué harías, querida, si yo tuviera que morir?
–*Lloraría, cariño. Sabes que siempre lloro por nada.*

842

–¡Eres incapaz de darme una satisfacción, Manolo! ¡Incluso has dejado de fumar y beber *para que ya no pueda prohibírtelo!*

843

David fregaba con agua y jabón el preservativo en el baño del albergue transitorio. Terminaba de follar

con su mucama.
–*Pero señor, ¿qué hace con el preservativo?*
–Lo lavo. Después lo enrollo y lo tengo que dejar como antes.
–*Está loco, un preservativo no vale nada, se tira.*
–¡No puedo tirarlo!... ¡Es del club!

844

–¿Qué hace el marido cuando su esposa le pide que sea más cariñoso?
–*Consigue a dos amiguitas.*

845

–Cuando llueve, los buenos se mojan más que los malos.
–*¿Por?*
–Porque los malos les sacan los paraguas.

846

–He decidido subirle el sueldo, pero no diga una palabra a nadie.
–*¡Quédese tranquilo, jefe! ¡No se lo diré ni a mi mujer!*

847

En el manicomio, el loco había dibujado en el suelo un círculo y en medio del círculo un punto. Luego, entró al círculo, se detuvo en el punto durante unos momentos, y des-

pués salió de él. Así varias veces.
–¿Qué hace?
–Cuando estoy cansado de estar en casa, me voy al centro.
–¡Ah! Entonces, ¿me harías un favor? La próxima vez que vayas al centro ¿me comprarías unas pastillas para la tos?

848

–Al morir, Pepe Muleiro le dejó todo lo que tenía a un asilo.
–¿Qué le dejó?
–Sus doce hijos.

849

–¿Por qué se ponen las mujeres gallegas la mano en forma de visera a la altura de las cejas?
–Porque es la nueva sombra de ojos.

850

El alcalde a su secretario:
–Dentro de dos semanas, para la feria del pueblo, quiero que toque una banda de música. Pero una banda en condiciones.
A las dos semanas llegó la banda con el director y sus trajes elegantes.
–¿Está todo a su gusto, señor alcalde?

–Todo está muy bien, pero a ése de la varita me lo quitas que lo único que hace es distraerme a los músicos.

851

–Doctor, mi niño no me habla, ¿qué puedo hacer?
–Calma, señora, lávele la cara y verá cómo aparece la boca.

852

–¿Qué obtienes cuando encuentras 50.000 marines en el fondo del océano?
–Ni idea.
–Un buen comienzo.

853

–Soldado, ¿de dónde es usted?
–Del sur.
–¿Del sur de dónde?
–Del sur de América.
–¿De qué país?
–De la Argentina.
–¿Y por qué tardó tanto en decirlo?
–Es que van a creer que me estoy mandando la parte, ¿viste?

854

–Señora, su hijo llora mucho, ¿no?
–Sí. Y fíjese: este que le voy a dar es el octavo puñetazo para que se ría, y nada.

855

La gallega Paca Muleiro era tan pero tan fea que cuando mandó su foto por correo electrónico... ¡la detectó el antivirus!

856

Un lepero en el médico:
–Doctor, tengo el estómago sucio.

–Y usted ¿cómo lo sabe?
–Porque me froto la barriga y me salen pelotitas.

857

–Hoy me quedé sin desayunar porque cuando bajé, el perro se había comido todo lo que había preparado mi madre.
–¿Y tu madre qué hizo?
–Enterró al perro.

858

–¿Cuál es la diferencia entre una mujer de nieve y un hombre de nieve?
–Las bolas de nieve.

859

–Mami... ¿puedo hacer el amor con mi amiguita?
–No.
–¿Por qué no, mamá?
–¡¡¡Porque no, Susana!!!

860

–¿Cómo se le dice a un boliviano que lava el burro en su propio corral?
–Ni idea.
–Ejecutivo.

861

–¡Oye, Pepe! ¿Es verdad que tu mujer no tiene boca?
–No la necesita: ¡habla hasta por los codos!

862

El primer partido de baloncesto en la historia de Lepe. Cada vez que el árbitro pitaba falta personal, el entrenador local metía un nuevo jugador.
Llegado un cierto punto del partido, el entrenador visitante advirtió

que había 25 jugadores leperos.
–Pero, hombre, ¿no ves que sois 25 y nosotros cinco?
–Lo sé, pero si a mí el árbitro me dijo que falta personal, yo ¿qué voy a hacer?

863

–Pero, señor, este boleto es a Rosario y el autobús va a Mar del Plata.
–¿Y a mí qué me dice? ¡Dígale al que conduce!

864

–¿Cuál es la diferencia entre "disolución" y "solución"?
–Disolución es meter a un hombre en una bañera llena de ácido, y solución sería meterlos a todos.

865

–Paca, ¿sabías que Pepe es homosexual?
–¡Imposible! ¡Si ni siquiera terminó la escuela primaria!

866

–¿Por qué los leperos tienen la coronilla calva?
–Porque cada vez que beben agua en el inodoro se les cae la tapa encima.

867

–¡Por supuesto que practico el sexo seguro! He puesto una baranda alrededor de la cama.

868

Una madre de Lepe estaba bañando a su hijo, agarrándolo de las orejas mientras permanecía el resto del cuerpo en el agua.

–¡Señora! ¿Qué está haciendo? No lo agarre por las orejas.
–¿Qué quieres? ¿Que me queme?

869

En el bar de Pepe Muleiro:
–¿Qué hace allí agitando las manos?
–Espanto las moscas de la torta.
–¡Deja las moscas en paz! La gente cree que son pasas de uva.

870

–¡No quiero que mi hija esté toda la vida con un idiota!
–¡Lo comprendo, señor! Por lo tanto, cuanto antes me la lleve, mejor.

871

No es lo mismo "Ana va a la prueba" que "prueba la banana".

872

El mayordomo Jeremías al marqués.
–¿De dónde viene el hijo de puta del señor marqués?
–De comprarme un aparato para la sordera, Jeremías, ¡¡¡estás despedido!!!

873

–Hijo, cuando cumplas quince años, si fumas quiero que tú mismo me lo digas.
–Tranquila, mamá, yo dejé el tabaco a los ocho años.

874

El gallego Pepe llegó a su casa al amanecer. Borrachísimo y con manchas de lápiz de labios.
Lo esperaba su mujer en la puerta.
–Supongo que habrá una razón

para que llegues a las seis de la mañana, ¿no?
–Pues sí, el desayuno.

875

–¿Por qué en el techo de los coches policías de Galicia hay una bañera?
–Por si se quiere bañar la sirena.

876

–Como veníamos atrasados tomé un taxi y al llegar le dije al taxista: "Estaciónese sobre la derecha".
–¿Y?
–El hijo de puta me ha despedazado los dedos.

877

Dime con quién andas y te diré quién es el otro.

878

–¡Juan, corre, que tu mujer se está acostando con otro!
Juan se levantó corriendo y volvió a los diez minutos.
–¡Coño! ¡Realmente me habías asustado! ¡Es el mismo de siempre!

879

Un tipo muy borracho entró en un bar, sacó el pito y lo apoyó en la barra.

–¡Será hijo de puta! ¿Cree que esto es un baño?
–No. Y con modales como los suyos jamás lo será.

880

Manolo Muleiro en el prostíbulo:
–¡¡¡Papá!!! ¿¿¿Qué haces tú aquí???
–¡¡¡Joder!!! ¡Por tan poco dinero me dio no sé qué despertar a tu madre!

881

La monjita sorprendió a un alumno haciendo una travesura. Mientras le pellizcaba la mejilla le dijo:
–¡Los niños malos no van al cielo!
–Y las monjas a las que los dedos les huelen a semen, tampoco.

882

Se dicen cosas tan bonitas sobre la gente en sus funerales que realmente me entristece pensar que voy a perderme el mío sólo por unas horas.

883

Un lepero ganó 400 millones de pesetas en la Lotería de Navidad y un locutor de televisión le preguntó:
–Bueno, y ahora ¿a qué va a dedicar usted los primeros millones?
–Yo, a pagar deudas.
–Sí, pero ¿y los otros?
–Los otros ¡que esperen!

884

–¡Coño, José! ¡Cómo tienes ese ojo!
–Lo tengo morado, ¿verdad?
–¡Como una ciruela!
–Me lo ha dejado así mi novia, la Asunción, por agarrarle una teta.
–¡Joder, qué tipa más delicada! Eso es cosa de todos los días entre una joven pareja de enamorados...
–Sí, ¡pero yo se la agarré con la puerta del auto!

885

–¿Por qué las gallinas quieren tanto a sus pollitos?
–¡Porque les han costado un huevo, joder!

886

–¿Sabes, padre? La maestra hoy nos pidió que le prestáramos atención.
–Usted no me le presta nada de nada. ¿Me ha entendido?

887

Van dos granitos de arena por el desierto, y uno le dice al otro:
–¿Sabes? Creo que nos siguen...

888

Primer acto: un león intenta atacar a un mono, pero se van juntos de la mano.
Segundo acto: el mismo león intenta atacar a un rinoceronte, pero se van juntos de la mano.
Tercer acto: el mismo león intenta atacar a un elefante, pero se van juntos de la mano.
¿Cómo se llama la obra?
El gay león.

889

–¿Por qué las judías sólo fifan con hombres circuncisos?
–No sé.
–Porque quieren 20 por ciento de descuento en todo.

890

–¿Por qué los gaiteros caminan mientras tocan?
–¡Para alejarse del ruido!

891

La modelo gallega siempre llevaba una pata de conejo... ¡y la otra normal!

892

–¿Qué usan los bolivianos para el olor a sobaco?
–Ni idea.
–Raid.

893

–Déme algún polvo para los ratones. Necesito que sea suave, que no deje residuos, que no manche y que deje un lindo perfume.
–¿Se lo envuelvo para regalo?

894

Estaba el ejército de maniobras en las afueras de Lepe y un tanque se disponía a cruzar una charca. El jefe de la compañía le preguntó a

un lepero que trabajaba cerca del lugar:
–La charca ¿es muy profunda?
–No.
El militar entonces mandó al tanque que continuara. Llevaba un par de metros caminando por la charca cuando se hundió totalmente.
–Pero ¿no me había dicho que no era muy profundo?
–Es que esta mañana había visto aquí unos patos y el agua les llegaba a la cabeza.

895

–¿Cómo hacen los cubitos de hielo en Lepe?
–Beben agua y luego meten la cabeza en el frigorífico.

896

–¿Qué sale si cruzas un irlandés con un judío?
–Ni idea.
–Un borracho que consigue comprar su licor a buen precio y al por mayor.

897

–¡Arriba las manos! ¡Entrégame tu dinero!
–¿Usted sabe quién soy?
–No, sinceramente no tengo la menor idea.

–Bueno, para que se entere, soy el diputado Muleiro.
–Entonces entrégame "mi" dinero, desgraciado.

898

La vida de Pepe Muleiro:
–A mí me crió mi madre sola. Mi padre murió cuando yo tenía ocho años. Al menos eso es lo que él me contó la semana pasada.

899

–¿Cómo se distingue a una matrona italiana en un campo repleto de vacas?
–Ni idea.
–Es la que no tiene cencerro.

900

–¿Cómo se llama el chino más rápido?
–Tiiiiiiiiiiiiiiiiiiinnnnnnnnnnnnnn.

901

–¿Cuál es el animal más viejo de todos?
–La vaca, porque todavía está en blanco y negro.

902

Manolo en la zapatería.
–Oiga, esos zapatos me gustan. Calzo 44, pero déme aquéllos, los marrones, talle 38.
–¿Cómo? ¿No dice que calza 44?
–Déme el 38 y no discuta.
El zapatero obedeció a Manolo, que luego de una lucha feroz se puso el zapato. Y fue hacia la puerta del local. El comerciante estaba asombrado.
–Disculpe, ¿me puede explicar por qué calzando 44 se lleva un talle 38?

–¡Joooder! Mi mujer se ha ido y me ha dejado. Tengo dos hijas: una prostituta y la otra se acuesta con el cura. La única satisfacción que tengo en la vida es llegar a casa y ¡quitarme los zapatos!

903

–Yo cuando me peleo con mi marido lo amenazo con irme a la casa de mi mamá.
–¡Pues yo lo amenazo con que mamá venga a vivir con nosotros!

904

Vendo zapatos baratos con pequeña imperfección: tacón adelante.

905

Pepe Muleiro es tan pero tan avaro que cuando invita a tomar un café a una mujer, le juega la cuenta a una pulseada.

906

Pepe y Manolo conversaban. De repente, Manolo se tiró un tremebundo pedo:
¡Puuuuuuurrrrrtrtrtrrtffffffff!
–Anda, Manolo, ¿por qué te has tirao ese pedo tan largo?
–Es que si me lo tiro a lo ancho se me revienta el culo, joder.

907

Si me meto el enchufe de
la antena del televisor en la nariz,
*¿podré ver mis
pensamientos en la pantalla?*

908

–¿Para qué metió
la modelo el dedo en su vaso?
–*Para ver si el cóctel que le
había preparado era suave.*

909

Eran gallegos y siameses, de esos que están pegados por la cabeza. Decían que conocían a todo el mundo y que eran muy amigos del presidente.
Un día el presidente fue al pueblo. Saludó a todos. A ellos, no.
–*¿No eran ustedes tan amigos del presidente? Pasó al lado de ustedes y ni siquiera les dio la mano.*
–Es que quizá no nos reconoció.

910

–*Mira, papá, una avioneta.*
–Que no, hijo, que es un avión.
–*Que es una avioneta.*
–No, que es un avión, eso que lleva ahí abajo son las ruedas.

911

El gallego Pepe Muleiro llegó al pueblo con una bolsa al hombro.
–*¡Oye, Pepe! ¿Qué llevas ahí?*

–Unas gallinas.
–*Si acierto cuántas llevas, ¿me puedo quedar con una?*
–Pues, ¡estoy tan seguro de que no vas a acertar que si lo haces te puedes quedar con ambas!

912

–¡Deja ya de preguntarme si mi secretaria es hermosa, Paca! Ella *también se pasa el día preguntándome lo mismo de ti.*

913

–¡Ni te imaginas la cantidad de locos sueltos que hay por la calle!
–*A mí me da igual: ¡como soy invisible!*

914

Dos psicoanalistas argentinos.
–¡Hola! ¿Cómo me va?
–*A vos bien, ¿y a mí?*

915

La gallega Paca despertó a su marido, el gallego Muleiro, que estaba roncando.
–*¡Harías menos ruido si cerraras la boca!*
–¡Lo mismo digo, Paca! ¡Lo mismo digo!

916

–¿No es usted la señorita Londeiros, hija del banquero multimillonario Londeiros? ¿No? Perdone, *por un momento pensé que me había enamorado de usted.*

917

El encargado de una obra mandó al gallego Pepe a abrir una zanja, para lo que le había dado un pico

y una pala. A la media hora:
–*¿Por qué no estás abriendo la zanja?*
–Es que se le ha olvidado decirme *dónde enchufo el pico.*

918

El lepero le preguntó al demonio en el infierno:
–*¿Dónde están las mujeres?*
–Aquí no hay mujeres.
–*¡Sí, claro! Y los cuernos esos te los has ganado en una tómbola, ¿no?*

919

Había una pastelería en Galicia tan pero tan sucia que hasta el *cabello de ángel tenía caspa.*

920

Era un cazador tan pero tan malo que cuando salía a cazar, las liebres en lugar de huir *le pedían autógrafos.*

921

Pepito y María fueron a cortar naranjas. Cuando María regresó a su casa, su mamá le preguntó:
–*¿Cómo te fue, María?*
–Bien, mamá... Pepito y yo fuimos

a cortar naranjas. Yo me subí al árbol a cortarlas y Pepito se quedó abajo recogiendo las naranjas que yo le arrojaba.

—Pero, *qué tonta eres, María. ¿No te das cuenta de que Pepito te vio los calzones?*

—No, mamá. Porque antes yo fui más inteligente y *me los quité.*

922

—Yo venía a pedir la mano de su hija y *cualquier* cosa con la que quisiera usted contribuir...

923

—¿Qué usa Superman después de bañarse?

—*Superfume.*

924

—¿Para qué le echan azúcar a los cerdos en Galicia?

—*Para sacar jamón dulce.*

925

Dos gallegos encontraron una escopeta de dos cañones. No sabían para qué servía y comenzaron a examinarla. Uno se puso los cañones en los ojos.

—*Mira, parece un anteojo.*

—Pues aquí hay una palanquita. La apretó y le estalló en los ojos al primero. El segundo le dijo:

—No pongas esa cara que ¡yo también me he asustado!

926

—*¿No lo conozco de algún sitio?*

—Sí, le di clases de piano a su hija, señor juez.

—*¡Treinta años de cárcel!*

927

—El superrápido para Nueva York ¿a qué hora sale?

—*¡¡¡Ya!!!*

928

El gallego Pepe en la estación.

—*¿Puede darme un billete para Villegas?*

—Lo siento, se me han terminado. Pepe se da vuelta:

—*Lo siento, Villegas, pero no tienes boleto.*

929

Hay una nueva computadora modelo *Bill Clinton:* viene con un disco rígido de 23 centímetros *pero no tiene memoria.*

930

—Mami, ¿de verdad es de mala suerte casarse en martes?

—*¡Claro! ¿Por qué habría de ser una excepción el martes?*

931

Un lepero apostó que su Mercedes era capaz de ir a Barcelona en dos horas. Dos horas más tarde el lepe-

ro llamó de Barcelona diciendo que iba para allá de vuelta. Pero recién pasados los tres meses apareció.

—*¿Por qué has tardado tanto?*

—¿Qué creen? ¿Que mi coche corre igual para adelante que hacia atrás?

932

La dueña de una elegantísima mansión dio un traje de su marido a un mendigo.

—*Tiene un agujero en la manga, pero remendarlo es cuestión de dos minutos.*

—No se preocupe: no tengo prisa. Lo pasaré a buscar en media hora.

933

Manolito va por primera vez a la escuela.

—*¿Tú en qué viniste Manolito?*

—Pues en mi burro.

Todos los niños comenzaron a reírse de Manolito. Se burlaban y reían.

Al día siguiente, la maestra le preguntó a todos:

—*María ¿en qué viniste?*

—En la Ferrari de mi padrino...

—*¿Y dónde está ahora?*

—Corriendo carreras...

—*A ver, Christian ¿en qué viniste?*

—En el Mercedes de mi madre.

−¿Y dónde está ahora?
−Camino del aeropuerto, para buscar a mi padre.
−¿Y tú, Manolito? ¿En qué viniste hoy?
−Yo en una enorme limusina...
−¿Y dónde está ahora?
−Ahí afuera, comiendo pasto...

934

−¡Apilar los barriles!
...y Pilar murió aplastada por los barriles.

935

−¿Cuál es el colmo de un matemático?
−Plantar un árbol y que salga con raíz cuadrada.

936

−¿A que no adivinas qué tengo adentro del puño?
−... ¿Un elefante?
El del puño cerrado pone cara de fastidio y replica:
−Sí, bueno, pero ¿de qué color?

937

Una señorita entró corriendo, muy excitada, al barcito de la esquina.
−¡Ay, don Mariano, mi chihuahua está matando a su perro!

−¡Pero no puede ser, querida! El mío es un doberman.
−¡Precisamente, don Mariano! Lo tiene ¡atravesado en la garganta!

938

Llega un pintor famoso y le propone a Muleiro:
−Te doy cien euros si dejas que te pinte.
−Pues no.
−Te doy doscientos.
−Pues no, señor.
−¿Te parece poco dinero?
−No es eso... pero despúes ¿con qué me quito la pintura?

939

Sin saber que era renga, el gallego Manolo sacó a bailar a una gallega de aspecto tímido.
−¿Bailas?
−No, porque no tengo pareja...
−No te preocupes, para eso estoy yo.
−¡No, gilipollas! ¡No tengo pareja la pierna...!

940

Un viejito va al otorrinolaringólogo porque no oye nada, nada. El médico lo revisa, le mete una pinza en el oído y le extrae un supositorio, y el viejito al verlo exclama:

−Ahora me doy cuenta de por qué no encontraba mi audífono.

941

Dijo Willy Muleiro:
−A todas las mujeres honestas que conozco no las he visto en mi vida.

942

En Galicia, las botellas tienen abajo una leyenda que dice: Ábrase por el otro extremo.

943

−¿Se imaginan un mundo sin hombres? No habría crímenes y estaría lleno de mujeres gordas y felices.

944

−Señora, la situación con su marido es muy grave, lo más seguro es que se le quede paralizado todo un lado del cuerpo.
−Rápido, pásenle la polla al otro lado.

945

Este cuentito lo escribió el bestia del gallego Manolo:
Va un negro conduciendo. Tiene un accidente con tanta mala suerte que se le corta la polla, sale volando y cae en el cielo.
Un angelito que volaba por allí, recoge la polla y la mira intrigado.
Como no sabe qué puede ser, decide llevársela a Jesucristo.
Éste la contempla fijamente y al no entender qué era aquello, decide dejársela a su madre María.
Ésta la toma. La mira por un lado y por el otro; la sopesa en las dos manos y exclama:

–Bueno, ¡si no fuera por el color, yo diría que es el Espíritu Santo!

946

–¿Cuál es el helado más duro?
–*Heladoquín.*

947

Obra de Teatro Argentino:
Primer acto: yo.
Segundo acto: yo.
Tercer acto: yo.
Cuarto acto: yo.
Quinto acto: yo.
Sexto acto: yo.
Séptimo acto: yo.
¿Cómo se llama la obra?
Las siete Maravillas del Mundo.

948

Alzheimer judío: *Uno se olvida de todo, menos de la culpa.*

949

Es un delantero muy, muy ofensivo
–*¿Goleador?*
–No, insulta a los rivales.

950

–¿Qué le dijo el timbre a un dedo?
–*Si me tocas, grito.*

951

–¿De dónde es el Papa?
–*No sé.*
–De Japón: es el *"Sumo"* Pontífice.

952

Después de visitar a su marido, la gallega Paca fue a hablar con el director de la cárcel.
–*Quiero que le den a mi Pepe un trabajo más descansado.*

–Pero señora ¿más descansado que pegar etiquetas?
–*¿Pegar etiquetas? ¡Pues él me ha dicho que durante toda la noche tiene que excavar un enorme túnel!*

953

¡Traté de tener sexo y fueron los peores *seis minutos de mi vida!*

954

–¡No hay seriedad en este país! ¡La semana pasada me volvieron treinta cheques sin fondos!
–*¿Y qué vas a hacer?*
–No firmo más cheques...

955

–¿Por qué los hombres le ponen nombre a su picha?
–*Para saber quién toma sus decisiones.*

956

Hay unas estampillas con la figura de Marilyn Monroe.
Cuando le pasas la lengua te sientes como un Kennedy.

957

–¿Qué es una barbaridad, Manolo?
–*No sé.*

–Pues mira: te la agarras con una mano y a continuación pones la otra. *Todo lo que sobra, es una barbaridad.*

958

–¿Cuál es el colmo de la rebeldía?
–*Vivir solo y huir de casa.*

959

–¿Por qué los coches mexicanos tienen los volantes pequeños?
–*Para que se puedan conducir estando esposados.*

960

–¿En qué se diferencian los Estados Unidos y un circo?
–*Los payasos no manejan el circo.*

961

–¿Cuál es el colmo de un conductor de autobús?
–*No sé.*
–Que su mujer esté fuera de línea.

962

–Mamá, ¿puedo ir a jugar con el niño del piso de arriba?
–¡*No, Manolito, sabes perfectamente que ese niño no me gusta!*
–Entonces, ¿puedo ir a pegarle?

963

–¿Tuvo éxito la conferencia sobre la pesca de la sardina?
–*¡Un fracaso! ¡Sólo han ido cuatro gatos locos!*

964

–¿Y tu mujer?
–*Se fugó con mi mejor amigo.*
–Si tu único amigo soy yo.
–*No, desde que se fugó con él, mi mejor amigo es él.*

965

–¿Cómo te das cuenta de que una modelo es paranoica?
–*No sé.*
–Le pone un condón al vibrador**.**

966

–¿Podrían hacerme un traje de noche?
–*Im-po-si-ble. Nuestro taller cierra a las ocho.*

967

–¿Cuál es el colmo de un gallego?
–*No sé.*
–Perder el único dedo de frente que le quedaba.

968

–Mamá, ¿es verdad que Cristóbal Colón era judío?

–*No... si hubiera sido judío, América se habría llamado Esther, ¡¡¡como su mamá!!!*

969

–Convócame una reunión para el viernes.
–*Señor alcalde, ¿viernes es con "v" o con "b"?*
–Aplázala para el lunes.

970

Se vende afrodisíaco para moscas. No las mata. Pero después, con la pala, las puede matar *de dos en dos.*

971

–¿Cómo les pegan los leperos a los niños?
–*Ponen la correa en el suelo y golpean al niño contra ella.*

972

–Papá, el termómetro ha bajado.
–*¿Cuánto, hijo?*
–Dos metros, se cayó al suelo y se rompió.

973

¿Para qué echar a perder una buena cena *con una gran propina?*

974

Pepe Muleiro va a un restaurante. Encuentra un pelo en la sopa.
Arma un escándalo monumental y se marcha ofendido.
El dueño del restaurante lo sigue y lo ve entrar en un prostíbulo de quinta categoría.
Llega hasta la habitación donde está Muleiro y lo encuentra con la cabeza metida entre las piernas de una puta sucísima.

–*¡Gallego hijo de puta! ¿Me armaste un quilombo porque encontraste un pelo en los fideos y mirá lo que estás haciendo!*
–Un momentito: ¡que si en este coño encuentro un fideo también organizo aquí un escándalo de órdago, gilipollas!

975

–¿Cómo se dice *"diarrea"* en japonés?
–*Kagasawa.*

976

Reunión de científicos de todo el mundo.
Los franceses:
–Nosotros trabajamos con una técnica muy depurada en trasplantes de manos. A un hombre que se había cortado ambas, le hicimos un trasplante, y a los dos meses ya estaba en condiciones de valerse por sí mismo y buscar trabajo.
Los alemanes:
–Nosotros, muy depurados en trasplantes de ojos. Tomamos a un ciego, le hicimos un trasplante y a los quince días ya podía buscar trabajo.
Los argentinos:
–Nosotros agarramos hace cinco años a un negrito en la Rioja y lo

trasplantamos a la Casa de Gobierno. *Ahora está buscando trabajo más de la mitad del país.*

977

Algunas de nosotras nos estamos convirtiendo en el hombre con el cual *nos encantaría casarnos.*

978

–Mi mujer no me comprende, ¿y la tuya?
–*¡No lo sé, Manolo! ¡Nunca me ha hablado de ti!*

979

–¿Cómo se conocieron Hillary y Bill Clinton?
–*Ni idea.*
–En el secundario salían los dos con la misma chica.

980

–¿Aquí quién manda, Paca?
–*Aquí mando yo.*
–Pues mándame dos botellitas de cerveza ¿vale?

981

–Doctor, ¿cree que debo cambiar de aire?
–*Desde luego, porque tiene usted un aire de idiota increíble.*

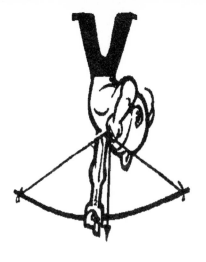

982

Joven aficionado a la pesca solicita *señorita con lombriz solitaria.*

983

–*Papá, ¿me resuelves el problema de matemáticas?*
–No hijo, no estaría bien.
–*No importa: intentalo de todas formas.*

984

Al gallego Muleiro le dicen *"fotógrafo de avión"* porque *toma siempre de arriba.*

985

–Quiero divorciarme de mi esposa, señor juez.
–*¿Cuál es la causa?*
–Me dijo idiota.
–*¿Y cómo fue eso?*
–Pues así: ella estaba follando en

nuestra cama con el cartero. Yo entré y dije "Pero ¿qué hacés?, y ella me dijo: ¿*"No lo ves, idiota?"*

986

Las esposas de dos funcionarios se cruzan en la calle.
–¿Qué te parece mi anillo nuevo? Me lo regaló Carlos. ¡Jamás adivinarías cuánto pagó por él!
–*¡La mitad!*

987

–¡Pepe! ¡Tú no sabes cuánto vale una mujer como yo!
–*¡Pero sé cuánto cuesta, Paca!*

988

–Nueva York es como vivir dentro del cerebro de Stephen King *durante un derrame.*

989

–Woody Allen quiere hacer la segunda parte de Atracción Fatal. *Piensa titularla Atracción Fetal.*

990

–¿Por qué las azafatas de Air Galicia están siempre tan cansadas?
–*Porque corren todo el tiempo de un lado al otro del avión mostrando fotografías de nubes.*

991

Se encontraron dos burros que hablaban.
–*Hola, ¿cómo estás? A mí me va súper bien: me contrataron en un circo. Tengo buen sueldo, tarjetas de crédito, lo último en autos deportivos. Soy la estrella principal.*

–A mí me va muy mal. Me contrató un vendedor de gaseosas y me paso todo el día vendiendo gaseosas con dos cajones al hombro, los niños se me suben y me golpean...
–*Pero ¡qué bruto eres! ¿Por qué no hablas y así le demuestras que hablas y que no eres un burro cualquiera?*
–¡Estás loco! ¿Qué quieres? ¿Que encima me obliguen a gritar *¡Coca Colaaaaaa, a la rica y refrescante Coca Colaaaaaaaaaaaaaaaaaaaaaaaaaaaaaaaaaaaaaaaaaa!?*

992

–¡Dios!: ¡Soy el Manolo! Dime Dios: ¿Por qué me has engañado? Te pedí un número para las quinielas y perdí.
Truenos, relámpagos. Una voz desde las alturas
–*¡Pero Manolo! Te dije que miraras las nalgas de tu mujer. Yo escribí un 7 en cada cachete de su culo. ¿Tú jugaste al 77?*
–¡¡¡Coooñooo!!! ¡Y yo jugué al 707!

993

–Me duele mucho el hombro. Creo que debería ver a un doctor.
–*No, Pepe: hay una computadora en la farmacia que puede detectar cualquier enfermedad mucho más rápidamente y más barato que un médico.*
–¿Y cómo es eso?
–*Simplemente tienes que poner una muestra de tu orina: la computadora diagnosticará tu problema. Además te dirá qué puedes hacer para solucionarlo. ¡Y sólo cuesta un dólar! ¿No te parece maravilloso?*
Pepe llenó un frasco con orina y fue a la farmacia.

Encontró la computadora y puso la muestra de orina dentro de un embudo que sobresalía de la máquina. Después depositó un dólar en la ranura.
La computadora comenzó a hacer ruidos, a encender y apagar varias luces. Una pequeña pausa y por una ranura salió un papel que decía:
Usted tiene hombro de tenista. Frote su brazo con agua bien caliente y sal. No haga esfuerzos físicos de magnitud. En dos semanas va a estar mucho mejor.
Decidió que alguna trampa habría. Inmediatamente se le ocurrió ver si podía engañar a la máquina.
Mezcló entonces agua del grifo, un poco de excrementos del perro y un poco de pis de su hija y de su mujer. Para terminar, se masturbó cuidadosamente y puso su semen en la mezcla.
Metió el dólar. ¡Luces, sonidos! Y la máquina imprimió el siguiente análisis:
Su agua es demasiado impura. Cómprese un purificador.
Su perro tiene parásitos. Dele vitaminas.
Su hija es drogadicta. Intérnela

en un instituto de rehabilitación.
Su esposa está embarazada. No
es suyo, consiga un abogado.
Y si no deja de masturbarse ¡¡¡ja-
más se le va a curar ese hombro!!!

994

La gallega Pepa fue herida de bala
en un bailongo.
–*¿Usted fue herida en la reyerta?*
–No, señor comisario.
–*¿Cómo que no? Si a usted la*
traen del hospital por la herida.
–Sí, fui herida pero no donde usted
dice.
–*¿Y dónde entonces?*
–A mí me hirieron entre el culo y la
reyerta.

995

El gallego Paco toma una copa junto al gallego Manolo en la taberna.
De pronto, se abre la puerta y entra un jabalí de cuatrocientos kilos
al galope.
El jabalí corre por la pared, trepa
por el techo, recorre toda la barra,
pide un vaso de coñac, se lo bebe,
corre otra vez por la barra, sube al
techo, baja por la pared, galopa

hacia la puerta y desaparece.
–¡Jooooder! ¿Has visto eso, Manolo?
–*Pues siiiiii...¡se ha marchado sin*
pagar!

996

Por un problema de salud, al galle-
go Muleiro le cortaron los huevos.
Al tiempo, decidió buscar trabajo
en una fábrica.
Le hicieron la entrevista.
–¿Tiene algún problema físico?
–*Pues sí: me faltan los testículos.*
–Muy bien. El horario es de 9 a 16,
pero usted se puede ir a las 14.
–*¿Por qué?*
–Porque de 14 a 16 aquí todos se
rascan las pelotas.

997

Los gallegos Manolo y Paco se
proponen cruzar a nado el Canal
de la Mancha.
Se lanzan al agua, y meta que va,
nadan una pila de tiempo.
Después de horas, ya casi alcanzan las costas inglesas.
–*¡Manolo, no doy mas! ¡Estoy*
muy cansado, me duele todo!

–Aguanta, hombre, que ya falta
poco! Valor!
Y siguen nadando... Al rato:
–*¡Manolo, que no doy más! ¡Me*
muero! ¡Ya no siento las piernas!
–Aguanta, hombre, ya falta poco.
Mira, Paco: estamos a cien metros
de la costa. Hazlo por mí, Paco:
¡acompáñame, que yo también estoy rendido!
–*¡No, Manolo, que no doy más!*
Lo lamento por ti: hice todo lo
que pude, pero no aguanto... No
aguanto más... ¡¡¡Yo me vuelvo!!!

998

Una novia gallega debe vestir algo
viejo, algo nuevo, algo usado, algo
azul, algo naranja, algo lila, algo con
puntillas, algo rojo, algo marrón, algo
negro, algo desflecado, algo...

999

–¿Entonces, Paco? ¿Ella ha aceptado tu proposición de matrimonio?
–*¡Pues claro! Pero me ha dicho*
que tenga un poco de paciencia.
–¿Y eso?
–Me ha dicho que soy el último hombre con quien desearía casarse.

El mono comenzó a hacer ejercicios en la barra del *Jungla Gym*. *Con cada flexión, resoplaba:*
–¡Uno... para arrancarle la cabeza al león! ¡Y dos... para arrancarle la cabeza al tigre! ¡Tres... para arrancarle la cabeza al elefante...!
De repente, el mono miró hacia atrás: todos los animales de la selva estaban contemplándolo. Entonces siguió:
–Y cuatro... ¡¡¡porque hoy me levanté hablando tonterías!!!

1001

El gallego Manolo era tan bruto que una vez en un avión *en pleno vuelo* le robó la billetera a otro pasajero *y salió corriendo.*

1002

Un tipo enorme en el mostrador de *Informes:*
–¿Do-dónde que-queda la-la *sección hom-hombres?*
El empleado lo mira sin contestar.
El gigante vuelve a preguntar:
–¿Do-do-dónde que-queda la-la-la sec-sección hom-hombres?
El empleado tras del mostrador no dice nada.
El grandote se aleja enfadado.

Otro cliente, que estaba atrás del gigante, en la cola, le reclama:
–*Pero ¿por qué no le contestó a ese señor?*
–Si-si-si le con-con-con-tes-to me-me mata a go-go-go-gol-pe-pes.

1003

–Doctor, tengo anorexia.
–*Pero ¿qué dice Muleiro? ¡Si mide 1,60 y pesa 110 kilos!*
–Pues yo me miro al espejo y me veo gordo...

1004

–¡Soldado! Vaya a regar las plantas del coronel.
–*Pero está lloviendo, mi sargento.*
–Es igual, póngase un impermeable.

1005

En la radio gallega, se escucha el reporte meteorológico:
–*...y hoy no sabremos qué día hará, porque con la niebla que hay no se puede ver nada.*

1006

–¿Cómo se dice "arregla puertas" en inglés?
–*Arregladoor.*

1007

Primer día de Pepe Muleiro como carcelero: Le acompaña el director de la prisión.
–*En este módulo hay individuos realmente duros ¿cree que podrá manejarlos, Muleiro?*
–¡Pues claro! Y si no, *que se vayan.*

1008

–Buenas noches caballero, tengo que entrar al concierto.

–*¿Tiene usted la entrada?*
–No, ¡es para darle un mensaje urgente a un amigo!
–*Pero no tiene entrada...*
–Es sólo para darle un mensaje.
–*Está bien. Entre y salga, pero ¡que yo no lo pesque escuchando la música!*

1009

En el bar.
–Señor, se ha olvidado de pagar.
–*¡Naturalmente! Yo bebo para olvidar....*

1010

–Mamá, en la escuela me dicen que soy un interesado.
–*¿Quién te lo dijo, hijito?*
–¡Si me das veinte dólares te lo digo!

1011

–Papi, mi hermanita ha prendido la computadora.
–*Déjala, hijito, que tu hermanita juegue un ratito.*
–Está bien, papá, pero como el fuego llegue a tu cuarto, es tu problema.

1012

–*Manolito, vete al huerto a buscar unas lechugas.*
Al rato, volvió Manolito sin las lechugas.
–*Pero, ¿dónde están las lechugas?*
–No las he traído porque estaban todas verdes.

1013

Una vez un elefante y una hormiguita fueron al cine, pero encontraron sólo un lugar desocupado. En

tonces la hormiguita se sentó sobre las rodillas del elefante.
A media película, le dijo:
–*Si ya te cansaste, elefantito, puedes sentarte en mis rodillas, ¿eh?*

1014

–¿Con quién se casaría Socorro?
–*Con un salvavidas.*

1015

Los machos no usamos profilácticos, directamente *las mandamos a plastificar.*

1016

–Papá, ¿me comprás una batería?
–*No, vas a hacer mucho ruido y no voy a poder trabajar tranquilo.*
–No te preocupes, tocaré sólo cuando estés durmiendo.

1017

–Hola, hola, ¿hablo con el número 204-1369?
–*No. Es el 963-1402.*
–¡No lo puedo creer, otra vez agarré el teléfono al revés!

1018

–¿Por qué las cucarachas son negras y chiquitas?

–*Porque si fueran grandes y grises, serían elefantes.*

1019

Pepe Muleiro era tan pero tan feo, que cuando nació el doctor lo tiró al agua y gritó: *"Si nada, es cocodrilo".*

1020

–Paca, ¿sabes qué le dijo la papa a la remolacha?
–*Ni idea.*
–¡Chau, dulce!

1021

–¿Qué es el capital y qué es el trabajo?
–*¿Puedo poner un ejemplo? Supongamos que mi padre le pide prestadas cinco mil pesetas. Esto sería el capital. Ahora supongamos que usted las quiere cobrar. Esto sería el trabajo.*

1022

–¿Quién se comió el pastel que estaba aquí?
–*¡Fue Manolito, mamá!*
–¡No es cierto, mami!
–¡Sí, es cierto!
–¡No, no es cierto, qué mentirosa

eres... si tú ni me viste cuando me lo comí!

1023

–¿Qué te ha dicho el médico Pepa?
–*Pues ahora no recuerdo si me ha dicho que tengo los ovarios jodidos o que me han jodido varios.*

1024

–¡¡¡Felices Fiestas!!! ¡¡¡Feliz Navidad!!! y próspero...
–*Hombre... disculpe... ¡pero estamos en pleno mayo!*
–¿En mayo? ¡¡¡Mi mujer me mata!!! ¡Nunca había llegado tan tarde!

1025

–Me encanta bailar. Yo, llevo el baile en la sangre, ¿sabes, Paca?
–*Entonces debes tener muy mala circulación porque me parece que todavía no te ha llegado a los pies, Manolo.*

1026

–¿Cómo se dice *"náufrago"* en chino?
–*Chinchu lanchón.*

1027

–¿Cuál es el país que primero ríe y después explota?
–*Ja-pón.*

1028

–*¿Sabes, querido, me miro en el espejo y me veo tan vieja... Tengo arrugas en la cara, los ojos todos rodeados de horribles patas de gallo. Tengo las piernas gordas y los brazos flojísimos. Anda... sé bueno y cariñoso, dime algo positivo

que me haga sentir mejor...*
–Bueno, mi amor... No te preocupes: por suerte, la vista no te falla...

1029

–¡Paco, ensilla mi caballo porque me voy!
Pasan diez minutos.
–¿Paco, ya le pusiste la silla al caballo?
–*Ya se la puse, patroncito... pero el caballo no se quiere sentar.*

1030

–Pepe, ¿dónde estuviste? ¡Tanto tiempo sin verte!
–*Estuve internado en una clínica donde te quitan las ganas de fumar.*
–¡¡¡Pero si estás fumando!!!
–*Sí, pero sin ganas.*

1031

–¿Cómo reconoces a un gallego en un salón de clases?
–*Es el único que cuando el maestro borra el pizarrón, él borra su cuaderno.*

1032

¿Qué le dijo una serpiente a otra? ¡Eres una arrastrada!

1033

–No sabía que ustedes eran parientes lejanos de vuestros vecinos, Paco.
–*Pues sí. Nuestro perro es hermano del de ellos.*

1034

–¿Sabías que los basureros de la ciudad de Nueva York ganan 55.000 dólares al año?
–*¿Ah sí? Entonces, ¿cómo puede

ser que las calles están tan sucias?
–¿Te parece que un tipo que gana 55.000 dólares al año va a andar por ahí levantando basura?

1035

Una señora pregunta al carpintero:
–¿Me podría hacer una mesita de noche?
–*Lo siento, señora, de noche no trabajo.*

1036

Dos hombres se encontraban realizando la mudanza de los libros de una biblioteca.
–¡*Qué imbéciles estos tipos de la biblioteca!, ¿no?*
–¿Por qué?
–*Porque ya que hicieron una nueva biblioteca, hubieran comprado libros nuevos.*

1037

–¿Saben por qué a Tarzán le gusta Chita?
–*Porque está muy mona.*

1038

–Pepe, ¿se puede saber por qué me has traído a este hotel tan viejo, sucio, lleno de cucarachas y otras alimañas que tiene las flores podridas y repleto de manchas de humedad?
–*Es que quería sentirme como en casa, Paca.*

1039

El gallego Pepe compró un vagón para usarlo como casa de fin de semana.
Una tarde llegó Paco y lo encontró frente al vagón, fumando.
–*¿Por qué no entras a tu vagón, Pepe?*
–Porque adentro dice: *Prohibido fumar.*

1040

–¿Cómo se dice en inglés Super-hombre?
–*Superman.*
–¿Y hombre araña?
–*Spiderman.*
–¿Y vendedor de alfombras?
–*Musulmán.*

1041

Dos mexicanos van cabalgando por el desierto:
–¡*Que viva Pancho Villa!*
–¡Que viva!
Al segundo día:
–¡*Que viva Pancho Villa!*
–¡Que viva!
Al tercer día:
–¡*Que viva Pancho Villa!*
–¡Que viva!
Al cuarto día:
–¡*Que viva Pancho Villa!*
–¡Que viva! ¡Pero no tan lejos!

1042

Un famoso empresario recibe una llamada que le dice:
–*Tengo un caballo que sabe can-tar, hablar, recitar poemas...*
El empresario, riéndose, le dice:
–¡Pero eso es imposible! ¿Quién habla?
–*¡Pues, el caballo!*

1043

Se encuentran dos bebés en el arenero y la bebé le dice al bebé:
–Oye, me regalas un chocolate.
–*¡No!*
–Si me das un chocolate, te doy un beso.
–*¡Uy no!¡Y con amenazas, menos!*

1044

Al regresar de su trabajo, Muleiro se sentó a la mesa. Su esposa, muy atenta, le preguntó:
–¿Te sirvo?
–*A veces.*

1045

Un cazador se iba de safari. Otro, de más experiencia, le dijo:
–*Si te encuentras con un león, per-sígnate, reza, y después te tiras al suelo, y el león no te hará nada.*
El hombre fue a la selva, se encontró con un león, se puso a rezar y se tiró bruscamente al suelo.
El león se puso a rezar y el hombre gritó:
–¡Milagro, milagro!
El león le respondió:

–¿Milagro? ¿De qué milagro habla? ¡Yo siempre rezo antes de comer!

1046

–Una manzanita se puso a jugar al póker.
–¿Y?
–Y... ¡la pelaron!

1047

–Manolo, anota mi teléfono: tres cuarenta y seis nueve cero cuatro siete.
Y Manolo anotó: 46 46 46 0 0 0 0 0 0 0 0 7 7 7 7.

1048

Descubrieron el gen de la timidez. Podrían haberlo encontrado antes, pero ¡estaba escondido detrás de otros genes!

1049

–A ver, niños, ¿quiénes son más inteligentes? ¿Los animales o los seres humanos?
Al fondo del salón, una pequeñita levanta la mano emocionadísima porque conocía la respuesta.
–¡Los animales, maestra!
–¿Por qué dices que los animales son más inteligentes que los seres humanos?
–Porque cuando le hablo a mi pe-rrito, sí me entiende, pero cuando él me habla a mí, yo no puedo entenderle.

1050

¿Quiénes son los que más se odian?
Los ciegos. Porque no se pueden ni ver.

1051

Preguntaba el gallego Muleiro:
–Si el aire es más puro en el campo, entonces ¿por qué no construimos allí las ciudades?

1052

–¿Cómo se dice "Mono paseando con perro en la playa" en chino?
–King Kong con can en Cancún.

1053

–¿Puede usted sumar todos estos números 88888888 de manera que el resultado sea 1.000?
Es como sigue: 888 + 88 + 8 + 8 + 8 = 1.000.

1054

–Solucioné el problema de los ladrones. En casa ya no entran más. Compré a Nerón.
–¿Un perro enorme?
–No, un zorrino así de chiquito.

1055

–¿Qué es lo que cura y no es cura?
–El médico.

1056

–¡Camarero, una mosca, una mosca!
–Cálmese. Eso es normal en lugares como éste.

–Será normal, pero la mosca que yo digo se acaba de llevar en la boca mi pollo con ensalada.

1057

–Me habías dicho que tu personaje en la obra era importantísimo Manolo. Pero lo único que haces es entregar una carta.
–¡Pero es una carta certificada!

1058

¿En qué se parece un sauce a un zapato?
En que el sauce llora, y el zapato con-suela.

1059

–¡Por más que lo intente, no consigo vivir con cinco mil dólares al mes!
–¿Por qué?
–Porque sólo gano mil.

1060

Muleiro era tan pero tan vago que no pudo escaparse del cemento rápido y han hecho una plaza a su alrededor.

1061

El hijito camello preguntó:
–Mami, ¿por qué tenemos estas patotas?

–¡Ay, mi bebé! Pues muy sencillo: son para no hundirnos en la arena del desierto.

–¡Ah!, oye, ¿y por qué tenemos estas pestañotas?

–Ay, chiquito mío, pues para proteger nuestros ojos del fuerte sol y de la arena del desierto.

–¡Ah! Mami ¿por qué tenemos esta jorobota?

–Oh, queridito, pues en la joroba acumulamos grasa y líquidos para soportar muchos días en el desierto sin agua ni comida, así podemos tener grandes jornadas de trabajo, para eso nos sirve.

–¡Ah! Oye, mami... y entonces, ¿qué diablos hacemos tú y yo en un zoológico?

1062

–Farmacéutico, dice mi mamá que le mande cinco rollos de gasa.

–¿Se lastimó?

–No, si los va a necesitar para disfrazarse de momia.

1063

–¿Saben cómo se mete una vaca en una nevera?

–Pues muy simple, se abre la puerta, se mete la vaca y se cierra la puerta.

–¿Y un caballo?

–Más simple aún, se abre la puerta, se saca la vaca, se mete el caballo y se cierra la puerta.

1064

–Mamá, mamá... Mis zapatos nuevos tienen un agujero.

–Estás loco, ¿cómo van a tener un agujero?

–Sí, sí, por donde meto el pie.

1065

¡Dejen de sacarme el cuero! La vaca.

1066

–Tú, ¿te mantienes limpio, Manolito?

–Hombre, claro. Yo me doy un baño cada dos meses. Lo necesite o no.

1067

Pepe entra a un bar:

–Oye Paco, ¿me puedes prestar dos euros para un tomar un café?

–Un café vale un euro.

–Es que pensaba invitarte.

1068

Mi marido el Manolo está en cama con síntomas de asfixia.

–¿Qué ha dicho el médico, Paca?

–Pues que no vuelva a hacerle yo el nudo de la corbata.

1069

En un juicio dice el fiscal:

–Miren al acusado, su mirada horrible, su frente estrecha, sus ojos hundidos, su apariencia siniestra.

Y el acusado interrumpe:

–Pero bueno, ¿van a juzgarme por asesino o por feo?

1070

–¿Cómo se llama el pez que ladra?

–Lenguau guau.

1071

–¿Cuál es el animal que es dos veces animal?

–El gato, porque es gato y araña.

1072

–Camarero, ¿tiene usted ancas de rana?

–Sí, señor.

–Pues ¡brinque hasta la cocina y tráigame el pollo que encargué hace una hora!

1073

–Ring, ring...

–¿Hola?

–Buenos días, ¿puedo hablar con Jaime?

–No creo, sólo tiene dos meses.

–Bueno, no importa, esperaré...

1074

–¿Cómo se dice "¡oh!" en africano?

–¡Zambomba!

1075

–¿Por qué echaron al oculista del pueblo del gallego Manolo?

–Por sostener las lentillas con alfileres.

1076

–¿Qué te ha dicho el médico?

–Que sólo fume después de hacer el amor.

–¿Y por qué toses tanto?
–*Porque ahora me fumo tres paquetes diarios.*

1077

–¿Cómo se llaman los hijos de los mastodontes?
–*Menostodontes.*

1078

El capitán le dice marinero Pepe Muleiro:
–*En caso de naufragio, ¿salvarías a los pasajeros o a mí?*
–A mí.

1079

La tía Paca era tan pero tan fea, que *la atropelló un coche y quedó mejor.*

1080

–¿Cuál es el país que nunca tiene nada que hacer?
–*Pakistán.*

1081

Entra el sodero a la casa y le dice a la señora:
–¿Soda?
–No, estoy con mi *madido.*

1082

–¿Qué tomas, Paquito?
–*Unas pastillas para reactivar mi memoria, ya he mejorado mucho.*
–¡Uy, qué bien! ¿Y cómo se llaman?
–*La verdad, no me acuerdo.*

1083

A un pueblo del Oeste llega una carreta y un tipo con pinta de charlatán empieza a hacer propaganda de una poción, que supuestamente le conserva joven a pesar de que tiene trescientos años.
Un campesino se acerca dudando a uno de sus ayudantes.
–Oiga, ¿de verdad que este tipo ha vivido trescientos años?
–*Mire, no lo sé, yo sólo llevo doscientos trabajando con él.*

1084

¿Por qué los Picapiedras festejaban Navidad si vivían en *una época antes de Cristo*?

1085

Pepe Muleiro acude al despacho de su jefe.
–Señor, debe usted subirme el sueldo, porque le advierto que hay tres compañías que andan detrás de mí.
–*¿Ah, sí? ¿Puede decirme cuáles?*
–Pues la del teléfono, la del agua y la de la luz.

1086
Adivinancita

¿Qué es, qué es del tamaño de una nuez; que sube la cuesta y no tiene pies?

El caracol.

1087

–Doctor, soy incapaz de decir *Constantinopla.*
–*¿Cómo?*
–Que soy incapaz de decir *Constantinopla.*
–*Pero si lo dice perfectamente.*
–¿De verdad, doctor?
Se fue de la consulta.
Llegó a su casa.
–María, vete al Constantinopla y

saca dos cervezas bien frescas, ¡vamos a celebrar que ya estoy bien!

1088

–Almirante, veo quince carabelas aproximándose.
–*¿Una flota?*
–No, flotan las quince.

1089

–¿Cómo se dice *"el perro come un donut"* en ruso?
–*Troski Maska Roska.*

1090

–Farmacéutico, dice mi mamá que le mande cinco rollos de gasa.
–*¿Se lastimó?*
–No, si los va a necesitar para disfrazarse de momia.

1091

–*Buenas...*
–Buenas. ¿Qué desea?
–*¿Me podría hacer un corte de pelo con una patilla de tres centímetros y la otra rapada, con el flequillo en forma de montaña rusa, un dibujo en forma de estrella de doce puntas en todo lo alto y atrás casi sin un pelo?*
–No, lo siento, señor, eso es imposible.
–*¿Y cómo te las arreglaste para*

hacérmelo así la última vez que vine, pedazo de imbécil?

1092

Pasó una moto y atropelló al gallego Paco.
—*¡Inclínenme!*
Dos o tres curiosos trataron de incorporarlo.
—*Por favor, ¡inclínenme!*
Hasta que apareció el gallego Manolo.
—*Pero ¡no sean bestias! Hagan lo que el hombre pide. Inclínenlo: ¡llévenlo a una clínica!*

1093

—*¿Cuál es el colmo de un fantasma?*
—*Curarse el hipo con un susto.*

1094

Las mujeres consideran que guardar un secreto es simplemente *no decir quién se lo dijo.*

1095

—Pero ¿¿¿cómo puedes hablar con la boca tan llena, Manolo???
—*Sé que no es fácil. Por eso me entreno todos los días.*

1096

—Dime, hijo, ¿todavía no te entregaron tus calificaciones?

—*Sí, pero le presté mi boletín a Pablo para que le diera un susto a su papá.*

1097

En un manicomio un loco le dice a su doctora:
—*¡Mi compañero no para de hacer la ametralladora!*
—*¿Y te molesta el ruido que hace?*
—*No, lo que no me gusta es el olor a pólvora que deja.*

1098

—*¿Por qué los gallegos ponen avispas en la comida?*
—Para que *pique más.*

1099

—¿Por qué ponen ajos en las principales calles de Galicia?
—*Para mejorar la circulación.*

1100

—Camarero, ¿qué tiene de entrada?
—*Una puerta de vidrio.*

1101

No soy un completo inútil... *por lo menos sirvo de mal ejemplo.*

1102

—¡Hombreeee! ¡Manolo, tanto tiempo! Me han comentado por ahí que tu mujer te ha puesto los cuernos, que tu hijo está en la cárcel y que tu hija es prostituta.
—*¿Y tú? Con esas zapatillas que usas ¿qué?*

1103

—¡Camarero, tráigame un terrón de azúcar!
—*¿Otro más, señor? ¡Pero si ya ha pedido ocho!*
—Sí, pero los meto en el café *¡y se me deshacen, los condenados!*

1104

¿Cómo estornuda un leñador?
¡¡¡Acháááá!!!

1105

—Usted, que no es cura, ¿podría decir misa?
—*Sí: "misa".*

1106

¿Cuál es el pez más amargado?
El pez-imista.

1107

—Mamá, en el colegio me llaman bobita.
—*No, hija, lo que pasa es que tienes la cabeza llena de pájaros...*
—¡Ahhh! ¡Quítamelos! ¡Quítamelos!

1108

Si la montaña viene hacia ti, *¡corre!,* es un derrumbe.

1109

Los gallegos Manolo y Pepe se ganan dos lechones en una rifa:
—*¿Cómo vamos a hacer para diferenciarlos, Manolo?*

–Simple: tú le cortas el rabo al tuyo y listo.

Lo hacen y meten a los cochinillos en el corral, pero éstos se pelean, y ambos se quedan sin rabo.

–*Bueno, córtale un pedazo de oreja al tuyo.*

Lo hacen, pero al meterlo al corral, nuevamente se pelean y el par de cerditos se queda sin un pedazo de oreja. Harto de lo sucedido, Pepe recomienda:

–Mira, para no confundirnos, el tuyo es el blanco y el mío es el negro, ¿vale?

1110

–¿Cuál es el colmo de los colmos?

–*Que un mudo le diga a un sordo que un ciego los está espiando entre los pelos de un calvo.*

1111

Dos sabios:

–Estoy trabajando en un nuevo invento, un aparato llamado "astravarius".

–*¿Para qué sirve?*

–No lo sé, todavía no lo he terminado.

1112

Pablito iba para la escuela, pisó una cáscara de banana, se cayó y se quebró una pierna.

–¿Qué hay que aprender de esto, Manolito?

–*¡Que no hay que venir a la escuela, seño!*

1113

–Un coche negro, con las luces apagadas, con las ruedas negras, paseando por una carretera negra, se

cruza con un gato negro, y no lo atropella. ¿Por qué?

–*¡Porque es de día!*

1114

–¿Sabes cómo dejar intrigado a un cerdo?

–*No. Ni idea.*

–Mañana te lo digo.

1115

–Ayer mi perro se tomó un litro de gasolina pensando que era agua. Empezó a correr por toda la casa. Hasta que paró de golpe.

–*¿Se murió?*

–No. ¡¡¡Se le acabó la gasolina!!!

1116

–Señor, ¿le traigo *tabasco*?

–*No, gracias, no fusmo.*

1117

–Hola ¿con la casa de la niña caprichosa?

–*¡No, no y no!*

1118

Primer acto: Indiana Jones cruza la calle y lo pisa un auto.

Segundo acto: Indiana Jones cruza la calle y lo pisa un auto.

Tercer acto: Indiana Jones cruza la calle y lo pisa un auto.

–¿Cómo se llama la obra?

–*Indiana Jones y la última cruzada.*

1119

Manolito, de cinco años, y Pepito, de cuatro.

–*¿Sabes, Manolito, que hay un nuevo bebé en casa?*

–¿Es niño o niña?

–*Pues no lo sé, aún no lo han vestido.*

1120

–¿Cuál es el colmo de un campeón de saltos de altura?

–*Tener la moral por el suelo.*

1121

Era una familia tan pero tan pobre, que no tenían ni hambre.

1122

–¿Cuál es el colmo de un canguro?

–*Perder su dinero en la bolsa.*

1123

–¿Qué les dijo el instructor de la escuela de kamikazes a sus alumnos?

–*Presten mucha atención porque voy a hacerlo sólo una vez.*

1124

Si quieres saber como está el tiempo, tienes que dejar el perro afuera.

Si queda mojado, es porque está lloviendo.
Si queda empapado, es porque está lloviendo muy fuerte.
Si tiene pedazos de hielo en el cuerpo, es porque está granizando.
Si queda con el pelo parado, es porque hay un viento muy fuerte.
Y si le queda muy caliente el cuerpo, es porque hace mucho calor.
Si quieres saber cómo está el tiempo, tienes que dejar siempre al perro afuera.

Cariñosamente, el gato.

1125

–¿Cuál es el colmo de un bombero?
–*Apagar un incendio con galletitas de agua.*

1126

–¿Cómo se dice *"pelo sucio"* en chino?
–*Chinchampú.*

1127

El gallego Pepe se presentó en la comisaría para denunciar la desaparición de su esposa.
–¿*Cuánto tiempo hace que ha desaparecido?*
–Diez años.

–¡Diez años! ¡Joder, ha tardado usted mucho en avisarnos!
–Es que no me atrevía a creerlo...

1128

La gran Muleiro:
–*Oye Josefa, salgo de caza, y como a lo mejor volveré tarde, aquí te dejo ya el conejo.*

1129

–¿Hola? ¿Bomberos? ¡¡¡Mi casa se quema!!! ¡¡¡Mi casa se quema!!!
–*¡Tranquilícese! ¿Cómo hacemos para llegar a su casa?*
–¡Qué pregunta! ¡Vengan en ese camión grande, rojo, con la sirena, que tienen!

1130

Comía Pepa con su novio el gallego Manolo en un restaurante. De pronto, vio una cucaracha en su plato.
–¡Por favor camarero! ¡¡¡Quíteme este animal de aquí!!!
Y el camarero sacó a patadas al novio.

1131

Era tan pero tan avaro, que le mostraba el pan a su hijo y le decía: *"¡Es el monstruo! ¡Buuuuuuuuuuu!".*

1132

–Mamá, ¡me duele la barriguita!
–*Ve al baño, hijita.*
–¡Pero, mami, en el baño *también* me duele!

1133

–Hola, ¿hablo con el gerente del banco? Soy Pepe Muleiro y llamo porque acabo de perder la chequera.

–*Eso es bastante grave. Tenemos que hacer la denuncia.*
–¡Tranquilo, hombre! Al que encuentre la chequera no le va a servir de nada.
–¿*Por qué?*
–Hombre, porque los había firmado todos.

1134

–¿Qué le dijo Tarzán a un ratón?
–*¡Tan pequeño y con bigotes!*

1135

El lobo sorprende a Caperucita en medio del bosque:
–*Caperucita... ¿adónde vas?*
–¡¿Y a ti qué te importa?!
–*Vaya... ¡cómo ha cambiado el cuento!*

1136

–¿Y qué le dijo el ratón a Tarzán?
–*¡Tan grandote y con pañal!*

1137

–Doctor, ayúdeme, ¡veo elefantes azules por todas partes, todo el tiempo!
–*¿Ha visto ya a un psicólogo?*
–¿No acabo de decirle? ¡Sólo veo elefantes azules!

1138

–Oye, ¿y qué sabes de los hermanos siameses?
–*Ah, pues mira, se han ido a vivir a Inglaterra una temporada.*
–¿Y eso? ¿Cómo ha sido?
–*Es que el de la derecha quería aprender a conducir.*

1139

–Hola, buenas, venía a pedir la mano de su hija.
–*¿Cuál? ¿La mayor o la menor?*
–¡Ah! ¿No tiene las dos manos iguales?

1140

–Oye, Manolo ¿por qué todos llevan casco en tu pueblo?
–*¡Hombre! Porque se rompió la cuerda del campanario y el monaguillo tiene que tirar piedras para que suenen las campanas.*

1141

–¿Cuál es la fruta preferida de Pedro Picapiedra?
–*¡¡¡La guayabadabadabaduuuuuuuuuuuuuuuuuuuuuuuuuuu!!!*

1142

–De una vez para siempre, ¿quién manda en esta casa...? ¡¡¡Vamos, contesta, Paca!!!

–*Manolo, créeme que te quedarás mucho más contento si no intentas averiguarlo.*

1143

–Doctor: se me cae el cabello. ¿Qué puede darme para no perderlo?
–*Una caja de zapatos.*

1144

–¿Cómo es posible que se haya bebido el veneno que había en la botella y no se haya muerto, Pepe?
–*¡¡¡Es que yo no sabía que eso era veneno!!!*

1145

–Por favor, ¿me puede decir cuál es la Calle Mayor?
–*No lo sé. Nunca las he medido.*

1146

–¿Cuál es el colmo de un carpintero?
–*Tener un perro que le mueva la cola.*

1147

–¿Cómo se le llama a una persona que se muere lentamente de frío?
–*Friolenta.*

1148

–Le tengo malas noticias: según sus análisis, le quedan diez de vida.
–*Doctor, ¿diez qué? ¿Diez meses, diez años?*
–No, señor: 10, 9, 8, 7...

1149

–¿Por qué los animalitos de la selva siempre se quieren sacar de encima al elefante?
–*Porque es un pesado.*

1150

Primer acto: pasa un chicle en una moto.
Segundo acto: pasa el mismo chicle en otra moto.
Tercer acto: pasa el mismísimo chicle en otra moto.
–*¿Cómo se llama la obra?*
–Motochicleta.

1151

El otro día fui al médico y me habló de usted.
–*¿Y qué le dijo?*
–Que ya que teníamos un poco de confianza podíamos tutearnos.

1152

Conversa el padre con el DT del equipo:
–¿Y qué le parece mi hijo en el equipo?
–*Es un jugador muy prometedor.*
–¿Es muy bueno?
–*No. ¡Hace años que me viene prometiendo jugar mejor!*

1153

Los chinos comen muy pocas grasas y tienen menos ataques al corazón que los ingleses o los norteamericanos.
Los franceses comen muchas gra-

sas y tienen menos ataques al corazón que los ingleses o los norteamericanos.

Los japoneses toman muy poco vino tinto y tienen menos ataques al corazón que los ingleses o los norteamericanos.

Los italianos toman mucho vino tinto y tienen menos ataques al corazón que los ingleses o los norteamericanos.

Conclusión: Tomá y comé lo que quieras. Lo que te mata es hablar en inglés.

1154

En el bar del gallego Manolo.
–*Un café sin crema, por favor.*
–Disculpe señor, pero crema no tenemos. ¿Podría ser sin leche?

1155

–¿Cómo reconoces a un gallego en una discoteca?
–*Es el único que lleva walkman.*

1156

Pepe llega a su casa al amanecer, lo espera su mujer en la puerta.
Él está borracho y con manchas de lápiz de labios en la camisa.
–*Supongo que hay una razón*

para que llegues a las seis de la mañana...
–Pues sí, quiero el desayuno.

1157

–¿Cómo se dice *"perdido"* en chino?
–¿One toy?

1158

Hotelito en Galicia:
–*¡Podría haberme dicho que la habitación estaba llena de moscas!*
–¡Joder, hombre, suponía que ya se daría cuenta solo!

1159

–¿Cómo reconoces a un gallego en un funeral?
–*Es el único que lleva regalos.*

1160

En el cuartel:
–*¡Mi cabo, no cabo!*
–¡¡Se dice quepo, recluta!!
–*Pues no cabo, mi quepo.*

1161

–Pepa, dile a tu hijo que deje de imitarme.
–*¡Niño! ¡Deja de hacer el idiota!*

1162

Me compré un par de *zapatos de cocodrilo*, pero tuve que devolverlos.
–*¿Por qué?*
–Porque mi cocodrilo *tiene cuatro patas.*

1163

¿Sabes cuál es la diferencia entre horrible y terrible?
Horrible es cuando estás en la pla-

ya con tu suegra y una ola se la lleva, y terrible es cuando otra ola te la devuelve.

1164

–Doctor, tiene que ayudarme. Estoy bajo mucho estrés, estoy perdiendo mi paciencia con la gente.
–*Cuénteme su problema...*
–Se lo acabo de decir, reverendo imbécil, tarado, idiota!

1165

–¿Cuál es el colmo de un caballo atropellado?
–*Ser pura sangre.*

1166

Un boxeador medio loquito padece de insomnio y se lo dice a un amigo.
–*¿Y has probado a contar hasta quedarte dormido?*
–Sí, pero ¡es que al llegar a 8 me levanto de la lona!

1167

–¿Por qué a los gallegos no les gusta subirse a la planta alta de los buses de dos pisos?
–*Porque el piso superior no tiene chofer.*

Apriete aquí y vea qué pasa en la página 344

1168

–¿Qué insecto gana todas las competiciones?
–*El piojo. Porque va siempre en cabeza.*

1169

–Ayer me mordió un perro.
–*¿Te pusiste algo?*
–No. Le gustó así como estaba.

1170

–Dis-dis-di-di-dis-cul-cu-cul-pe, ¿dón-dón-dón ddee que queda el co-co-colegggio pppa pa-ra tar tar-tamudos?
–*¿Para qué quiere ir al colegio, si tartamudea usted muy bien?*

1171

Un hombre muy tímido entra a una cafetería.
–Me da... me da... un café...
–*¿Solo?*
–Bueno, déme dos.

1172

Un zorro inglés va por el bosque y tropieza con un burro español. El zorro dice:
–I am sorry.
El burro contesta:
–*I am burri.*

1173

Llegó un chinito a un aeropuerto. Le preguntaron:

–¿Cómo se llama usted?
–Estornudo.
–¿Cómo que estornudo? ¿Me está tomando el pelo? ¡Hágame el favor de decir bien su nombre!
–¡Aa Chú!

1174

–¿Cuál es el colmo del romanticismo?
–*Tirar la cadena del inodoro y escuchar plácidamente el murmullo de las aguas.*

1175

–¿Cómo se dice "hombre delgado" en chino?
–*Fla ku ching.*

1176

–¿Qué has hecho, Manolo, idiota? ¡Has roto el jarrón del siglo XVI!
–*¡No se preocupe, hombre! ¡Que ya era muy viejo!*

1177

–¿Es usted casado?
–*No. Soy viudo.*
–¡Caramba! ¿Desde cuándo?
–*Y... desde que se murió mi mujer.*

1178

–¿Cómo le dice un chino a un avión?
–*Alibaba.*

1179

Pareja de gallegos en coche. Estacionaron a un costado del camino, en las afueras del pueblo. Cuando el gallego comenzó a besarla y acariciarla, la mujer le interrumpió.

–Yo sé que debí mencionarte esto antes, pero tengo que decirte que soy prostituta, y cobro 2.000 pesetas para tener relaciones.
El gallego Pepe le pagó y continuó. Al rato, después de un cigarrillo, el Pepe estaba muy tranquilo, mirando el cielo, y la gallega le pregunta:
–*Bueno, ¿qué? ¿nos volvemos?*
–Mira, yo sé que debí mencionarte esto antes, pero tengo que decirte que en realidad soy taxista, y el viaje de vuelta al pueblo te va a costar 2.500 pesetas.

1180

–Oye, Pepe, ¿es verdad que te entiendes con mi mujer?
–*Bueno, a veces te metemos los cuernos, ¡pero de ahí a entendernos!...*
–Pues sí, ¡es muy difícil entenderse con mi mujer!

1181

–Oye Manolo, ¿tú sabes cómo se le llama a alguien que era un obseso sadomasoquista, anal psicópata, putero, eyaculador precoz, bisexual, nocturno, y que se hizo una operación de cambio de sexo para ser una lesbiana pederasta, hipocondríaca, coprofílica reprimida, neurótica con síndrome premens-

trual crónico, pero el cirujano se equivocó durante la operación y lo convirtió en un vampiro bestialista necrofílico, impotente, histérico, adicto al sexo oral durante la menstruación?
–¿Y todo esto a qué viene, Paco?
–Es que el otro día estaba rellenando un impreso y en la casilla para el sexo sólo había sitio para una letra, así que no supe qué poner.

1182

Cuando llueve los buenos se mojan más que los malos.
Porque los malos les sacan los paraguas.

1183

–Camarero, por favor, quite el dedo de mi filete!
–Bueno, bueno, pero si se vuelve a caer, no me eche la culpa.

1184

–¿Cuál es la sal que peor huele?
–*La sal pargatas.*

1185

Un famoso conferencista gallego comentaba:

–No me importa que la gente mire el reloj mientras hablo. Lo que me saca de quicio es que se lo lleven al oído para saber si anda y lo sacudan.

1186

El gallego Manolo le arrancó la lengua al perro que cuidaba su casa *porque le dijeron que perro que ladra, no muerde.*

1187

–Pepe, ve al almacén de Manolo y dile que me mande cinco pesos de huevos.
Llega Pepe al almacén:
–Don Manolo, dice mi mamá que si tiene huevos le mande cinco pesos.
–Toma hijo, llévaselos a tu madre. Pero dile que ¡ésa no es forma de pedir dinero!

1188

–¿Cuál es el colmo de un bombero?
–Tener una mujer ardiente.

1189

–Esta puerta no se abre.
–Intenta al revés.
–erba es on atreup atsE.

1190

–Oye, Manolo: ¿tú sabes que cuando nazca nuestro niño necesitaré mamadera?
–Tú tranquila, mujer: jamás te faltará madera en la chimenea.

1191

Entran dos chicos al aula, y la maestra le dice a uno de ellos:

–Alumno, ¿por qué llegó tarde?
–Es que estaba soñando que viajaba por todas partes, conocí muchísimos países, y me desperté un poco tarde.
–¿Y usted, alumno?
–¡Yo fui al aeropuerto a recibirlo!

1192

–¿Cómo se dice *"pobre"* en africano?
–Ponga ponga.

1193

En el café.
Un señor muy tímido pide un café:
–Por favor, ¿podría tomar... un café?
–¿Solo?
–Bueno, déme... dos.

1194

–¿Dígame?
–¿Es el 1111-1111?
–Sí, señor.
–Por favor, páseme con Atila.

1195

Había muerto Paco Muleiro. Al enterarse, su amigo argentino Pablo, vuela a La Coruña para asistir al velatorio.
Pablo ve junto al cajón un tarro enorme lleno de crema para la cara. Cada uno de los asistentes, luego de darle el pésame a la madre de Paco, introducía la mano en el pote y resueltamente embadurnaban al difunto Paco.
Pablo, por respeto, hizo lo mismo

pero se acercó cuidadosamente a la madre y en voz baja le preguntó:
–¿*Por qué la gente está untando crema a Paco? ¿Fue por alguna petición especial o... es una tradición acá en Galicia?*
–¡Joder..., pero bueno! ¿Usted no sabía que Paco pidió que lo *cremasen*?

1196

–¿Qué hay entre Córdoba y Sevilla?
–*Una "y"*.

1197

–Pues entre pitos y flautas en el cumple de mi hijo me he gastado 5.000 dólares.
–¿*Y eso?*
–Pues ya ves, 2.500 en pitos y 2.500 en flautas.

1198

–¿Por qué los mexicanos no pueden jugar al billar?
–*Porque se comen los tacos.*

1199

El ladrón entra en un *McDonald's* con una pistola:
–*Déme todo el dinero, una cocacola grande, un whopper, y una* bolsa grande de papas fritas. ¡Y rápido, o me pongo nervioso!
–Sí, señor. ¿Lo va a comer aquí o se lo envuelvo para llevar?

1200
Trabalengüitas

El amor es una locura, *que ni el cura la cura,* que si el cura la cura, *es una locura del cura.*

1201

–¿Sabías que van a subir el subte Manolo?
–*¡Ya era hora! ¡Así no habrá que bajar tanta escalera!*

1202

–Señora, su hijo le sacó la lengua al mío.
–*Bueno, son cosas de chicos.*
–Serán cosas de chicos, pero la lengua no aparece.

1203

Un hombre *verde* caminaba por un camino *verde*, contando chistes *verdes*.
Paró frente a una veterinaria *verde* y compró un loro *verde*.
Luego, mientras caminaba por una calle *verde*, lo atropelló un auto verde. ¡Entonces llegó la Cruz *Roja* y arruinó el chiste!

1204

–¿Por qué los perros aúllan en el desierto?
–*Porque no hay árboles, ¡¡¡sólo cactus!!!*

1205

En la panadería:
–¿*Me da un pan?*
–¡Tendrá que ser duro!
Lo toma por la solapa, le da un par de bofetadas y le dice:
–*¡Dame un pan, imbécil, tarado, idiota!*

1206

–¿Qué animal tiene cara de verdura?
–*El cara-col.*

1207

–¿Cómo se detecta a un espía argentino?
–Es el que lleva un distintivo que dice: *Soy el mejor espía del mundo, ¿pasa algo?*

1208

–¡Por última vez le digo a usted que no, Manolo!
–*Bueno, entonces, ¿nos casamos?*

—Pero ¿no ha oído lo que le he dicho?
—*Sí: me ha dicho que era la última vez que me decía usted que "no".*

1209

—Me he tropezado con el Presidente de la Sociedad Protectora de Animales y me ha tratado como a un perro.
—*¿Como a un perro?*
—Sí, ha sido muy amable conmigo.

1210

—¿Por qué a los niños gallegos no les dejan usar el encendedor?
—*Para que no enciendan el televisor.*

1211

—¿Por qué las sardinas son un pescado tan idiota?
—*No sé. ¿Tú por qué crees que son idiotas, Manolín?*
—Pues porque se meten en una lata llena de aceite, la cierran y dejan la llave afuera.

1212

En África, en medio de un río, Pepe luchaba cuerpo a cuerpo con un cocodrilo. Estaba a punto de matarlo cuando la Paca gritó desesperada:
—*¡Pepe, deja ir al cocodrilo! ¡He cambiado de idea! El bolso lo quiero de gamuza.*

1213

—¡Creo, López, que usted se merece una recompensa! ¿Qué le parecería un puesto en una tienda de Córdoba?
—*No sé. Es que en Córdoba sólo hay mujeres idiotas y futbolistas...*

—¡Oiga! ¿Qué dice? ¡¡¡Mi madre es de Córdoba!!!
—*¡No me diga! ¿Y en qué equipo juega?*

1214

El que madruga encuentra todo cerrado.

1215

—A pesar de mis 92 años, todavía trabajo.
—*¿Qué hace, abuela?*
—Cuido a una ancianita.

1216

—¿Cómo se dice *"sirvienta"* en ruso?
—*Petra traslascoba.*

1217

Era tan pero tan feo, que los ratones le comieron el documento y *le dejaron la foto.*

1218

—¿Por qué en invierno los cazadores gallegos usan botas blancas?
—*Para no dejar huellas en la nieve.*

1219

—Antes de venir aquí, ¿visitó a otro médico, Pepe?

—*No. Fui a ver al farmacéutico.*
—¿Al farmacéutico? Eso prueba la falta de sentido común de la gente. ¿Y qué le dijo ese estúpido?
—*Pues que viniera a verlo a usted.*

1220

—¿Cómo se saca un elefante de una lata de salchichas?
—*Leyendo las instrucciones.*

1221

—*¿Sabes en qué se parece un hombre a un helicóptero?*
—No tengo ni idea.
—*El hombre tiene sesos. El helicóptero se sostiene.*

1222

—¡Otra vez tarde, Pepe! ¿¿¿Todavía no sabe a qué hora empezamos a trabajar aquí???
—*Pues la verdad, no, jefe. Como cada vez que llego ya han empezado...*

1223

—Paco, cierra la ventana que afuera hace mucho frío.
—*¿Por qué? Si la cierro, ¿afuera empieza a hacer calor?*

1224

—Tú, en un concurso de tontos, ¡te quedas con el segundo puesto!
—*Y ¿por qué no el primero?*
—¡¡¡Por tonto!!!

1225

Un tipo pescando en una playa.
Se le acerca otro por detrás y se queda mirándolo pescar.
Pasa una hora y el hombre no se mueve del lugar. Pasa otra hora y el hombre sigue allí, tieso. Una

hora más y el hombre que no se mueve.

El pescador lo mira de reojo.

Pasa otra hora y sigue sin mover un dedo mientras lo mira pescar.

Una hora más.

Otra hora y sigue allí. El pescador ya está nervioso.

Pasan tres horas más y el tipo sigue firme: no se va.

Hasta que el pescador decide marcharse. El tipo seguía mirando. Entonces aquél le pregunta:

–¿Le gusta la pesca?

–No, no tengo paciencia.

1226

El pedo en la vida del hombre.

A los 20 *vive al pedo*.

A los 30, *en pedo*.

A los 40 *a los pedos*.

Y a los 50 *de pedo*.

1227

–Camarero, ¿el pescado viene solo?

–*No, señora, se lo traigo yo.*

1228

Se enfrentaban dos luchadores de sumo. Uno gordo y bajo y otro más alto y delgado.

Empezó la lucha. El más pequeño quedó debajo. Vio algo colgando y en ese mínimo segundo pensó:

–*¡Ésta es la mía!*

¡Y efectivamente *era la suya*!

1229

Cuando los *trabajadores* se juntan, *juegan al fútbol*.

Cuando los *gerentes* se juntan, *juegan al tenis*.

Cuando los *directores* se juntan, *juegan al golf*.

Conclusión... *cuanto mayor es tu cargo más chicas son tus pelotas.*

1230

–¿Cuál es el mejor remedio para el dolor de corazón?

–Pues, vendarse los ojos, porque *ojos que no ven, corazón que no siente*.

1231

–¿Cuánto hay desde aquí hasta el próximo pueblo?

–*Unos diez kilómetros.*

–¿A pie o en auto?

1232

El gallego Paco era muy bruto.

–*Ayer al salir del cine vi a tres tipos pegándole a un gordito y estaba allí yo... ¿me meto... no me meto... me meto... no me meto... me meto? Total que al final decidí meterme...*

–¿Y?

–*Y... entre los cuatro le pegamos ¡una paliza!*

1233

Una modelo tomaba clases de golf. Pero no acertaba con la forma de agarrar el palo.

– Katia: debes agarrarlo como si se tratara del pene de tu amante. ¡Esoooo! Bien. Ahora está mucho mejor. ¡Muy bien! *¡Muy bien! ¡Eso es! Ahora prueba sin metértelo en la boca...*

1234

–¿Sabés, Pepe? A mi hijo le hemos puesto gafas.

–*¡Pues vaya nombre que habéis elegido...!*

1235

Valeria posaba para unas fotos en el muelle. Tropezó. Cayó al agua.

–*¡Me hundo, no sé nadar!*

–¡Haz como los perros, Valeria! ¡Haz como los perros!

–*¡Guau, guau, guau! ¡Guau!*

1236

Larguísimo viaje en tren. Muy aburrido. El gallego Paco quería entablar algún diálogo con su vecino de asiento.

–*Disculpe, amigo, ¿le puedo ofrecer un trago?*

–No. Tomé una vez. No me gustó. ¡No lo hago nunca más!

Al rato...

–*Disculpe, amigo, ¿le puedo ofrecer una gaseosa?*

–No. Tomé una vez. No me gustó. ¡No lo hago nunca más!
Pasó otro rato.
–*Disculpe una vez más, ¿le puedo ofrecer un cigarrillo?*
–No. Fumé una vez. No me gustó. ¡No lo hago nunca más!
Una hora después.
–*Disculpe mi amigo, pero ¿le gustaría jugar conmigo una partidita de ajedrez?*
–No. Jugué una vez. No me gustó. No lo hago nunca más. ¡Pero mi hijo, que está allá enfrente, él juega ajedrez!
–*Hijo único... me imagino...*

1237

El gallego Muleiro era tan bruto que pensó que una orquesta de cámara era *un grupo de Kodak, Nikon y Minolta.*

1238

–¡Que tengas un buen día querida!
–*¡Sabes que odio que me digas qué tengo que hacer!*

1239

Déborah estaba en la fila para entrar al banco.
La tocaron en el hombro:
—*Perdone: ¿ésta es la cola?*
—No, más abajo.

1240

Un hombre conduce un coche, baja por una carretera de montaña retorcida y escarpada.
Una mujer, también al volante, sube por la misma carretera.
Cuando se cruzan, la mujer saca la cabeza por la ventana y grita:
–*¡¡¡Cerdoooooooo!!!*
El hombre enojado saca también la cabeza por la ventana y contesta:
–*¡¡¡Vieja idiota!!!*
Cada uno sigue su camino.
Cuando el hombre tuerce por la curva siguiente, se encuentra con un cerdo en medio de la carretera. Instintivamente gira el volante para esquivarlo. El coche rueda por la ladera y se estrella en el valle...
–*¡¡¡Ah!!! si los hombres escucharan alguna vez a las mujeres...*

1241

–Estoy hecho polvo: mi novia me ha dejado, Manolo...
–*Bueh, no te preocupes, verás que pronto encuentra a otro gilipollas.*

1242

Dos gallegos en el ascensor:
–*¿Usted se ha echado un pedo?*
–Claro que sí. ¿O cree que *siempre* huelo así de mal?

1243

–¿Cómo se le llama a un pato con cuatro patas?
–*Deforme.*

1244

Coche último modelo. Era tan moderno que tenía una radio a pedido.
Si el conductor decía:
–Joan Manuel Serrat.
La radio inmediatamente difundía:
–*Tu nombre me sabe a hierba de la que crece en el pradoooooo.*
Si el conductor decía:
–Luis Miguel.
La radio:
–*No sé túúúú, pero yooooo...*
Y así con todos los autores.
Una tarde, el conductor tomó mal una curva y no pudo evitar que se le escapase un grito desesperado.
–¡Uyyyy! ¡¡¡Nos vamos a la mierdaaaa!!!
Y la radio:
–*A continuación se escuchará la palabra del excelentísimo señor presidente.*

1245

–¿Qué le dijo un pato a otro?
–*Estamos empatados.*

1246

Un grupo de amigos charlando en un bar.
De pronto, entró una bella joven llorando:
–*¡Manolo! ¡Estoy embarazada! ¡Voy a suicidarme ahora mismo!*
–¿Y? ¿Qué les parece mi chica? No sólo folla bien, sino que además ¡sabe perder!

1247

–¿Por qué los franceses comen caracoles?
–*Porque no les gusta la comida rápida.*

1248

Un indio con la oreja pegada al suelo anunció:
–Carreta blanca, cuatro grandes

ruedas, dos caballos negros, un caballo blanco, cinco vaqueros, tres mujeres, dos hombres. Llevan cerveza en barriles. Cinco barriles.

–*¿Cómo puedes saber todo eso sólo escuchando?*

–Es que acaban de pasarme por encima.

1249

–Ya he conseguido que mi novio me hable de matrimonio, después de haber estado saliendo seis años.

–*¿Ah, sí? ¿Y qué te ha dicho?*

–Que tiene esposa y tres niños...

1250

–María, el médico me ha dicho que tengo 24 horas de vida. Dime la verdad. ¿Me has engañado alguna vez?

–*¿Y si no te mueres?*

1251

El último día de clases, los alumnos llevaron regalos a la maestra.

El hijo del florista le entregó un ramo de flores. La hija del panadero, una bonita caja de bombones.

El hijo del dueño de la licorería se acercó cargando una caja grande y pesada.

Al recibirla, la maestra se dio cuenta de que un poco de líquido se escurría por la base. Con el dedo recogió una gota del líquido y lo probó.

–*¿Es vino?*

–No.

–*¿Champán?*

–No.

–*Me rindo. ¿Qué es?*

–¡Un perrito!

1252

–Paco, ¿en qué se parecen una sandía y un melón?

–*En que con ninguno de los dos se puede hacer dulce de membrillo.*

1253

Si usted no es ladrón, político, empresario o banquero, ¡cuidado!: Puede ir preso en cualquier momento.

1254

Dice la policía:

–No corran. Lo único que van a conseguir es llegar cansados a la cárcel.

1255

El gallego Pepe va a una peluquería.

Mandan al aprendiz para que lo afeite. El aprendiz empieza a dar unos tajos impresionantes. Al cabo de un rato, el gallego Pepe solicita:

–*Oiga, por favor, ¿no tendrá otra navaja?*

–*¿Ésta no corta bien?*

–*Sí, hijo. ¡Pero es para defenderme!*

1256

–¡Joder, Pepe! Me han violado, ¡hostias! ¡Me han violado!

–¿Y cómo ha sido, Manolo?

–Me incliné para coger las llaves y ¡zas! me dieron por el culo.

–*¿Y tú qué hiciste?*

–Pues nada, ¡joder! Apretar el culo y ¡a la comisaría!

1257

El gallego Paco era tan bestia que no lo dejaban salir del país *para poder aumentar el producto bruto interno.*

1258

–*Mi mujer es tan imbécil que se compró un auto y no sabe manejar.*

–Eso no es nada. Mi mujer es tan estúpida que abre los envases de yogurt en el supermercado porque en la parte superior dice "abra aquí".

–*Eso no es nada, la otra vez mi mujer viajó a Miami. Se llevó una caja de condones... ¡y no tiene pene!*

1259

Se venden estuches para guardar *campanas dobladas.*

1260

–Querido, cuando nos casemos, compartiré contigo todas tus desgracias y problemas.

—¡Pero si no tengo desgracias ni problemas!
—He dicho *"después"* que nos casemos.

1261

—A ver ¿cuál es el colmo de un astroauta?
—*Quejarse de no tener espacio.*

1262

Deje volar su imaginación: ¡Fume dinamita!

1263

Llamada a urgencias:
—*¡Vengan rápido! ¡Mi marido ha tenido un accidente! ¡Ha sido atropellado por una apisonadora!*
—*¿Dónde se encuentra ahora mismo?*
—En la calle Mayor, números *21, 23, 25 y 29.*

1264

El presidente de la compañía entra por la mañana en su limusina.
—*Hombre, conductor nuevo. Y dígame, ¿cómo se llama?*
—Carlos, señor.
—*Muy bien, pero yo no acostumbro llamar a mis empleados por el nombre de pila, ¿sería tan amable* de decirme cuál es su apellido?
—*Como quiera: me llamo Carlos Cielo Querido.*
—Ya... bueno, pues empiece a conducir, *Carlos.*

1265

Era tan bruto que para vender una lata de pintura *le ponía un auto encima.*

1266

—Dígame, ¿cuánto vale la Barbie rockera?
—*Treinta dólares señor.*
—Bien ¿y la Barbie enfermera?
—*Treinta dólares.*
—¿Ah sí? ¿y la Barbie deportista?
—*Lo mismo que las otras Barbies, señor: treinta dólares.*
—Y digame: la Barbie policía, ¿cuánto me costaría?
—*También treinta dólares.*
—Todas igual... ¡qué bien! ¿Y la Barbie divorciada?
—*Quinientos dólares, señor.*
—¿Quééé? ¿¿¿Quinientos dólares???
—*Sí señor. Es que ésta viene con el auto de Ken, la heladera de Ken, el televisor de Ken, la casa de Ken...*

1267

Tomaban examen para incorporar soldados al Ministerio de Defensa.
—¿Cuánto es cinco más cinco?
Sin dudar un segundo, el candidato gritó:
—*¡Diez, señññññorr!*
—Tienes conocimientos y agresividad. Vas a Ejército.
Pasó otro.
—¿Cinco más cinco?
El candidato sacó una minicom- *putadora y rápidamente calculó:*
—Diez...
—¡Hummm! Técnica y precisión: a Aeronáutica.
Tercer candidato.
—¿Cinco más cinco?
—*Siete para usted, tres para mí.*
—¡Muy bien! Contratado: va *a la Cámara de Senadores.*

1268

Consejo del presidente Bush a sus colaboradores:
—*No se trata de ganar o perder... se trata de a quién se le echa la culpa, ¿entendido?*

1269

El Papá Noel argentino:
—¡Santa Claus! ¿Qué haces aquí si apenas es 25 de marzo?
—*Lo sé, preciosa, pero tu hijo me pidió un hermanito para Navidad y me gusta ser muy puntual, ¿sabes?*

1270

En una autopista argentina.
—Eh, che, ¿qué pasa? ¿Por qué hay tanto despelote?
El hombre que viene caminando le responde:
—*Bueno, no vas a poder creerlo, pero Carlos Menem está sentado en la mitad de la autopista a la altura*

del puente sobre el Riachuelo y dice que no soporta estar fuera del poder después de tanto tiempo, así que amenaza con rociarse con nafta y prenderse fuego a sí mismo si la gente no junta firmas para que le devuelvan el título de presidente... entonces yo empecé una colecta para terminar con este lío.
–¿Cuánto conseguiste hasta ahora?
–*Y, ¡¡¡como 2.000 litros!!!*

1271

–¿Por qué lloras chinito?
–Es que mi señola fue al hotel del flente y se alojó allí.
–*Pero ésa no es razón para llorar. Todo el mundo se aloja en los hoteles.*
–Sí, pelo es que mi señora se *alojó* del octavo piso.

1272

Un reciente estudio estadístico ha reflejado un hecho alarmante: *el 95 por ciento de los políticos se declaran ateos.*
Tras un análisis detallado de la muestra se ha llegado a descubrir la causa: les resulta imposible creer que después de esta vida *pueda existir otra vida mejor.*

1273

Faltan 24 horas para las elecciones. Bush le comunica al pueblo que no piensa dejar el poder.
¿Cómo se llama la película?
Aterroriza como puedas.

1274

Las dos modelitos están fumándose un porro. Después de algunas pitadas...
–¿Sabés qué, María? Voy a com-

prar toda la fábrica de Coca Cola, el Banco de la Nación y la Isla de Skorpios.
La otra agarra el porro, pega algunas pitadas.
–Mffff, shnn... ¿sabés qué, Dolores? No vendo.

1275

No me merezco este premio. Pero tengo artritis y *tampoco me la merezco.*

1276

–¿Cuántos gallegos harían falta para reemplazar a Bush?
–*No sé.*
–Uno.

1277 - 1317
Cuarenta y un epitafios

"Sin comentarios".

"Por favor, no molestar".

"Esto es lo que le pasa a los chicos malos". (Alfred Hitchcock)

"Espero que Cristo cumpla su palabra".

"Con amor de todos tus hijos, menos Ricardo que no puso para la lápida".

"Hoy dices de mí lo que mañana dirán de ti: Ha muerto" (En

la puerta del cementerio de las Calzadas de Mallona en el barrio bilbaíno de Begoña).

"A mi marido, fallecido después de un año de matrimonio. Su esposa con profundo agradecimiento".

"Aquí yace mi mujer, fría como siempre".

"Señor, recíbe a mi esposa con la misma alegría con la que yo te la mando".

"Aquí yace mi marido, al fin rígido".

"Aquí yaces, esposo, y haces bien. Tú descansas yo también".

"Ya estás en el paraíso, y yo también".

"Perdonen por mi polvo".

"Necesité toda una vida para llegar hasta aquí".

"Si queréis los mayores elogios, morios".

"Aquí descansa mi esposa, aquí ella reposa; ¡Aleluya! ¡Aleluya!"

"Fallecido por la voluntad de Dios y mediante la ayuda de un médico imbécil".

"¡Ahora estás con el Señor! Señor ¡cuidado con la billetera!"

"Sólo le pido a Dios que tenga piedad con el alma de este ateo".

"Escribir sobre uno mismo es muy incómodo, así que

mejor voy a apoyar el cuaderno sobre el escritorio".

"Por fin dejé de fumar".

"Aquí sigue descansando..."

"Dejadme en paz".

"Aquí yace Molière el rey de los actores. En estos momentos hace de muerto y de verdad que lo hace bien".

"Si no viví más, fue por que no me dio tiempo".

"Siempre decía que los pies la estaban matando pero nadie la creyó".

"No sé qué hago aquí".

"¡Les dije que estaba enfermo!"

"Desde aquí no se me ocurre ninguna fuga".
(Johann Sebastian Bach)

"No estoy de acuerdo".

"Game over".

"The End" Buster Keaton.

"Buen esposo, buen padre, mal electricista casero".

"¡Una tumba! ¡La ilusión de mi vida!"

"Estuve borracho muchos años, después me morí".
Scott Fitzgerald

"Aquí yace uno en contra de su voluntad".

"Aquí yace Isabelita, que por ser tan buena y no querer,

se fue para la otra vida con muy poquito placer".

"Ya sé que fui uno más, pero me cago en la estadística".

"Estos días se me están haciendo eternos".

"Jo... es que estoy de muerte... ja ja ja..."

"¡No grite! ¡Estoy muerto, no sordo".

1318

–¿A que no saben por qué los hombres son como los diplomas?
–Porque tardas años en conseguir uno, y una vez que lo tienes no sabes qué hacer con él.

1319

La indiferencia, ciertamente, llevará a la humanidad a la decadencia, pero *¿a quién le importa?*

1320

La persecución de los judíos por parte de Hitler se había vuelto tan insoportable que dos de ellos decidieron asesinarlo.

Los dos judíos se apostaron armados en un lugar por el cual pasaría el Führer.
Pero Hitler se retrasaba... se retrasaba...
–¡Recemos para que no le haya pasado nada grave! Imagínate que se haya muerto ¡no podríamos matarlo!

1321

Un japonés fue al pedicuro. El pedicuro le dijo:
–Ojo de gallo.
El japonés le contestó:
–Cala de culo.

1322

Dijo el presidente:
–El año próximo será de gran consumismo.
–Pero ¡si la crisis nos está matando a todos!
–Por eso. El año que viene todos seguirán con su mismo *sueldo,* con su mismo *coche,* con su mismo *traje...*

1323

En la parada del autobús una muchacha le pregunta al galleguito.
–Joven, ¿pasa por aquí el 27?
–¡Ay no, ese día no puedo, viajo a Miami! ¿Qué le parece el 26?

1324

–¿Qué tal te fue en tu cita con esa mujer que conociste y que era tan bonita?
–Bien en un 50 por ciento, Manolo.
–¿Cómo?
–Yo fui; ella no.

1325

En clase.
A ver Manolito, presta atención y piensa: Si tienes 240 manzanas en

una mano y 350 en la otra mano qué tengo?

–¡*Pues tiene unas manos enoooo oooooooooooooooooooooooooo oooooooooooooooooooooooooo oooooooooooooooooooooooooo oooooooooooooooooooooooooo oooooooooooooooooooooooooo oooooooooooooooooooooooooo oooooooooooooooooooooooooo oooooooooooooooooooooooooo oooooooooooooooooooooooooo oooooooooooooooooooooooooo oooooooooooooooooooooooooo oooooooooooooooooooooooooo oooooooooooooooooooormoo oooooooooooooooooooooooooo oooooooooooooooooooooooooo oooooooooooooooooooooooooo oooooooooooooooooooooooooo oooooooooooooooooooooooooo oooooooooooooooooooooooooo oooooooooooooooooooooooooo oooooooooooooooooooooooooo oooooooooooooooooooooooooo oooooooooooooooooooooooooo oooooooooooooooooooooooooo oooooooooooooooooooooooooo oooooooooooooooooooormes!*

1326

Aerolíneas gallegas:
–¡*Azafata! Ésta es la peor carne que he comido en mi vida. ¿Es que no* saben cómo servir un buen plato? ¡Tráigame otro inmediatamente!
–¿Es para llevar o para comer aquí?

1327

–¿Qué significa atinada?
–*Palabra que usa Santa Claus para los niños malos: ¡a ti nada!*

1328

–¿Cuál es la diferencia entre una mujer que hace el amor con un hombre común y una mujer que lo hace con un ciego?
–*La mujer que lo hace con un hombre común dice "¡Ay! ¡Ay! ¡Ay!" y la que lo hace con un ciego dice "¡Ahí! ¡Ahí! ¡Ahí!".*

1329

–¿Por qué la rueda de repuesto del Land Rover se encuentra en el capot?
–*Para que no se "land roven".*

1330

En las aerolíneas de Galicia son tan pero tan gallegos que en lugar de películas *proyectaban las colitas de los filmes que pasan en las otras compañías.*

1331

–¡*Mira, papá, un avión macho!*
–No, pequeño, aquello son las ruedas.

1332

Sonó el teléfono a las seis de la mañana. Manolo había estado de juerga toda la noche.
–*Voy para casa, Paca.*
–Bueno, parece que al fin has de-cidido que el hogar es lo mejor, Manolo.
–*No necesariamente, Paca: es el único lugar que está abierto a esta hora, ¡joder!*

1333

–¿Sabe usted quién es la persona más vieja de aquí?
–*Que yo sepa... ahora nadie. Porque la más vieja murió la semana pasada.*

1334

Las aerolíneas gallegas son tan pero tan gallegas que cobran alquiler *si alguien usa el oxígeno de las mascarillas.*

1335

–A Bush le dicen Tampón.
–¿*Por?*
–Está en el mejor lugar, en el peor momento y listo para cualquier deporte.

1336

Dos marineros gallegos habían naufragado.
Desde hacía más de un mes, se encontraban en una isla desierta. Se aburrían.

–¿Jugamos a las adivinanzas? A ver si adivinas quién soy... Se trata de una gran diva del cine. Soy rubia con grandes ojos verdes. Tengo noventa y cinco de pecho, cincuenta de cintura y unas piernas larguísi-mas... ¿quién soy?
–¡No sé, ni me importa! ¡¡¡Abrázame ya!!!

1337

–Suspenda la búsqueda de mi esposa, comisario.
–¿La ha encontrado?
–No, he reflexionado.

1338

Eran gallegos y gemelos.
–¡Qué parecidos son ustedes!
–Sí, somos tan iguales que a veces no sabemos cuál es el de barba.

1339

En el restaurante:
Manolo acababa de comer como una bestia.
–¿Desea la cuenta el señor?
–No, gracias; no quiero nada más.

1340

Es tan pero tan mala la comida en las aerolíneas gallegas que las aza-fatas piden a los pasajeros que se ajusten los cinturones en la boca.

1341

Un productor televisivo a su esposa la modelo:
–Querida, tengo que decirte algo: conocí a un tipo en el canal y... bueno... quiero comunicarte que tengo un amante gay.
–Pero ¿por qué? ¿Por qué con un gay?¿Qué tiene él que *yo no tenga*?

1342

–¿Te has fijado en esa chica del vestido rojo? ¡¡¡Es horrible!!!
–No seas bestia, ésa es mi hermana.
–¡Disculpa! ¡No me di cuenta de que se parecía a ti!

1343

"El problema de los ateos no es que no creen en Dios, *es Dios quien no cree en ellos.*"

1344

Los de las aerolíneas gallegas sirven dos comidas: una durante el vuelo y *otra durante el tiempo que hay que esperar el equipaje.*

1345

Un servicio telefónico de consuelo para ateos.
–¿Cómo es?
–Uno llama y no contesta nadie.

1346

Cuando Dios creo a Adán, este le pidió una compañera perfecta: alguien inteligente, agradable, sexy, divertida...
–Claro que te la puedo hacer... pero eso te costará un brazo y una pierna.
–¡Hmm!... ¿Y qué podrías darme por una costilla?

1347

–¿A dónde vas, Manolo?
–A darme un viaje de LSD.
–¡Vale! ¡Pero a las once en casa! ¿Has entendido?

1348

–Doctor, no siento mi pierna.
–¡Bah!, normal: ¡si le hemos cortado el brazo!

1349

–¿Cuántos gerentes de la tele hacen falta para cambiar una lámpara?
–Ni idea.
–Dos. Uno para subirse a una silla y cambiar la lámpara y el otro para sacarle la silla al que se subió.

1350

–Manolito. ¿cuál es el oficio de tu mamá?
–Mi mamá es sustituta.
–No, Manolito. Querrás decir *prostituta.*
–No. La prostituta es mi tía, pero cuando no sale a trabajar mi mamá la sustituye. Es sustituta.

1351

Dijo Muleiro:
El mayor espectáculo de
mi pueblo es ir a ver cómo suben
al tren los que se van.
Es que *no tenemos estación.*

1352

Más de Muleiro:
**Nuestro pueblo eligió
un nuevo jefe de Policía.
Su primera acción fue** *arrestar*
al jefe de Policía anterior.

1353

En algunas aerolíneas gallegas no sirven almuerzo. Aterrizan junto a un McDonald's y gritan: *¡Quince minutos para comeeeeer!*

1354

Manolito trataba de aprobar Historia.
—*En la antigüedad, para hacer fuego, golpeaban dos piedras y en cuanto saltaban las chispas, arrimaban un papel.*

1355

—¿Por qué hay gente que despierta a otros para preguntar *si estaban durmiendo*?

1356

Un señor quiere pasar por una cueva llena de leones muertos de hambre.

—¿Cómo debe pasar?
—*Por encima... ¿no les dije que están muertos?*

1357

—Abuelita, abuelita, cierre los ojos.
—*Pero, ¿por qué me pides esto?*
—Porque mi papá dijo que cuando usted cierre los ojos, todos vamos a ser felices.

1358

—¿En qué se parecen un pato al que se le amputó la pierna y un pato viudo?
—*En que los dos perdieron la pata.*

1359

El maestro enfadado:
—¿Por qué no viniste ayer?
—*Es que se murió mi abuelo.*
—Está bien, pero ¡que no se vuelva a repetir!

1360

—¿Cómo se dice *"olor a transpiración"* en zulú?
—*Tu tufo me tumba.*

1361

—¿Cómo es una bola de bowling gallega?
—*Ni idea.*
—Un ladrillo con tres agujeros.

1362

—¿Qué hacen las jirafas que no hacen otros animales?
—*Jirafitas.*

1363

—¡Camarero!, ¿podría repetir el postre, por favor?

—*Por supuesto, señor.*
—¡El postre, el postre, el postre...!

1364

Pensaba Muleiro:
—Lo mismo que ocurre con el dinero, ocurre con la gasolina de los aviones: *se gastan volando.*

1365

—Doctor, creo que necesito anteojos.
—*Estoy de acuerdo. Pero no puedo ayudarlo: esto es un banco.*

1366

El sheik árabe llama a su harem por teléfono:
—Aquí habla tu marido. *¿Quién está del otro lado?*

1367

—¡Camarero! ¿Esto es todo lo que tiene para comer?
—*No. En cuanto llegue a casa me comeré una pata de cordero.*

1368

Pepe aprende golf.
—*Profesor, es importante, ¿cómo hago para acertar en un tiro lar-*

go? Allí está la Pepa y quisiera...
–Desde aquí no lo intentes. No sabes lo difícil que resulta desde tan lejos acertarle a toda la cabeza.

1369

–¿Cómo llaman los chinos a los bomberos?
–*No sé.*
–¡Por teléfono!

1370

–¿Cómo se dice *"resfrío"* en chino?
–*Tu Moko Te Sale.*

1371

–¿Cómo se dice *"resfrío curado"* en chino?
–*Tu Mokos Ta Seko.*

1372

–¿Cuál es el colmo de un ajedrecista?
–*Participar como peón en la construcción de una torre.*

1373

Dos gallegos juegan al golf. Uno de ellos le pega un pelotazo a un jugador situado en el otro extremo del campo.

Cuando se acercan, ven que este hombre está muerto, con la pelota incrustada en la nuca y la cabeza cubierta de sangre:
–¡Dios mío! ¿Y ahora, qué hago, Iñaki?
–Pues, yo intentaría sacar la pelota del hoyo con un hierro del nueve.

1374

–Disculpe, doctor Muleiro, ¿usted qué hace cuando tiene diarrea?
–*Pues, me paso el día cagando, señora.*

1375

–¿Y qué tal te fue con el dentista Manolo? ¿Te ha dolido?
–*¿Que si me ha dolido? ¡Me ha sacado siete dientes!*
–¡Siete? Pero si sólo tenías una caries!
–*Ya, pero es que no teníamos cambio.*

1376

–¿Qué le dijo una estatua a otra?
–*¡Qué cara de piedra tienes!*

1377

–¿Cuál es el colmo de un tenista?
–Ser *raquítico.*

1378

Los gallegos Pepe y Manolo asaltaron un banco.
Encerraron a todo el mundo en un baño y se fueron directamente a la sala de las cajas de seguridad. Allí, Manolo forzó la cerradura del primero. Al abrirlo, exclamó.
–¡Pepe, ven acá! Este cofre no tiene dinero. ¡Está lleno de yogurt!
–Manolo, si lo guardaron aquí debe ser un yogurt muy bueno. Pues comámoslo todo ¡joder!
Después de comerlo todo, Manolo partió para forzar el segundo cofre.
–¡Coño! ¡Yogurt de nuevo! ¿Y ahora, Pepe?
–Y bueno Manolo, comámoslo también.
Y los dos comieron hasta que no aguantaban más, entonces Manolo fue hacia el tercer cofre y lo abrió.
–¡Puta que lo parió! ¡Yogurt otra vez! Pepe ¿a qué porquería de banco me has traído, que sólo tienen yogurt?
–Manolo... pues ahí lo dice bien claro: "Banco de Semen"...

1379

–¿Cuál es el colmo de un jockey?
–Tener una fiebre *galopante.*

1380

–Usted le pegó a su mujer con una plancha. ¿Cómo puede justificarlo?
–*Tiene arrugas.*

1381

El gallego Manolo iba de vacaciones en su automóvil con su familia. Su suegra gritaba y gritaba. Moles

taba. Era insoportable. El gallego ya estaba poniéndose nervioso. Hasta que detuvo el auto. Se bajó, abrió el maletero y le dijo a su suegra:
–*¡Vale! Venga adelante con nosotros.*

1382

–¡Mira, papá, un avión macho!
–*No, pequeño, aquello son las ruedas.*

1383

–¿Por qué los conductores de televisión gallegos se ponen siempre tres o más abrigos?
–*Porque van a salir al aire.*

1384

–Mamá, en el colegio me llaman egoísta.
–*Pues diles que ¡mierda para ellos!*
–No, ¡para mí, para mí, para mí!

1385

–*¿Cuál es el colmo de un jardinero?*
–Padecer *tuberculosis.*

1386

–¿Por qué los gallegos construyeron una cancha de fútbol de 72 kilómetros?
–*Porque se enteraron de que iban*

a jugar contra los del "resto del Mundo".

1387

–¿Quieres casarte conmigo, María, mi amor?
–*Sí, pero primero debes hacerte el examen del sida, Pepe.*
–Pero, ¿por qué? ¿No me quieres?
–*Sí, pero me caso contigo sólo si te haces el examen.*
El Pepe decidió hacerse el examen del sida.
El resultado dio negativo. Enseguida se lo llevó a su novia.
Se casaron. Después de una semana de casados:
–Oye, María, ¿por qué me pediste que me hiciera el examen del sida?
–*¡Hombre! ¡Pues porque esa porquería no me la pegan a mí dos veces!*

1388

¡Ring, ring!
–Oiga ¿es el 987 909 234?
–*No, se ha equivocado.*
–Pero ¡yo he marcado bien!
–*Pues ¡habré sido yo que descolgué mal!*

1389

Decía el gallego Manolo:
–*Prefiero tener cuernos que colesterol. Por lo menos puedo comer de todo.*

1390

El gallego Paco salió de vacaciones con su lora.
Cuando fue a pasar el control de Migraciones, el guardia le dijo:
–*Si la lora viaja viva debe pagar*

100 dólares. Si viaja muerta, 12 dólares.
Paco se quedó un momento pensativo. Intervino entonces la lora:
–Anda, ¡paga rápido los 100 dólares y ni pienses gilipolleces!

1391

En el almacén:
–Buenas tardes, Manolo. ¿A cuánto están los huevos?
–*A dos dedos del culo, como siempre.*

1392

–¡Hola Pepe! Adelante, pasa. ¡Tú ya conoces a mi adorable esposa!
–*¡Ah!, pero ¿es que tienes dos?*

1393

–¿Sabías que Batman es especialista en caligrafía?
–*¿Por qué?*
–Porque vive en Ciudad Gótica.

1394

Para beber tranquilo, el gallego Paco se fue al cementerio.
Ya había bebido bastante. Al pasar junto a una tumba tropezó y se le rompió la botella de vino.
Paco echó a llorar desconsoladamente por la botella.

Una mujer que pasaba por allí, al verlo arrodillado y llorando junto a la tumba, le preguntó:
—¿Familiar?
—*No, de litro. Pero ¡igual!*

1395

—La Paca tiene el clítoris como un carozo de aceituna.
—*¿Por lo duro?*
—Por lo chupado.

1396

—Oye, Pepe: ¿qué animal cambia de sexo después de hacer el amor...?
—*Pues, ¡la ladilla!*

1397

—Déme algún polvo para los ratones.Necesito que sea suave, que no deje residuos, que no manche y que deje un lindo perfume.
—*Muy bien. ¿Se lo envuelvo para regalo?*

1398

Era tan pero tan fea, que la única vez que la silbaron *se dio vuelta y la pisó un tren.*

1399

—Mi amor, ¿crees en el amor a primera vista?
—*Lógico. Si te hubiera mirado dos veces no me habría casado...*

1400

Camionero gallego. Carretera. Cartel:
"Cerveza y polvo 500 pesetas"
—Buenas, venía por lo de la oferta de cerveza y polvo.
—*Muy bien. Pero, como compren-* *derá, por ese precio no podemos dejar que elija usted a la chica.*
—Bueno, es igual. Yo me conformo con poca cosa.
El gallego entra en la habitación. Hay allí un travesti más feo que chino chupando un limón:
—Oye, machote, quiero avisarte que no tengo clítoris...
—*Bueno, es igual: sírveme una Heineken.*

1401

Manolo despertó de la anestesia.
—*¡Doctor, no puedo sentir mis piernas! ¡no puedo sentir mis piernas!*
—¡Hombre, claro! ¡Si acabo de amputarle los brazos, joder!

1402

El gallego Manolo creía que *"comida sana"* era cualquier comida que él comía antes de *su fecha de caducidad.*

1403

Desperfectos en un avión de Aerolíneas Gallegas.
—*¡Su atención por favor! Les habla el capitán Pepe Muleiro: ruego a las personas que sepan na-* *dar que se sitúen en el lado izquierdo del avión. Las que no sepan, en el derecho.*
Cinco minutos más tarde, aterrizaje forzoso en medio del océano.
—*¡Su atención por favor! Les habla nuevamente el capitán Pepe Muleiro: los del lado izquierdo saldrán por la rampa de escape. Los del lado derecho se quedarán en sus asientos con los cinturones puestos. Aerolíneas Gallegas agradece a los pasajeros del lado derecho por habernos elegido. Lamentamos no contar con ustedes para próximos vuelos. ¡Buenas tardes!*

1404

—Tía Paca, ¿para qué te pintas?
—*Para estar más guapa.*
—¿Y tarda mucho en hacer efecto?

1405

Entró el gallego Pepe en la comisaría:
—*¿Podría ver al que robó en mi casa ayer?*
—¿Y para qué lo quiere ver?
—*Para saber cómo entró sin despertar a mi mujer.*

1406

Manolo se pegaba con un martillo en la polla sobre la vía del tren.
—¿Estás loco, Manolo? ¿Qué haces?
—*¡Es que siento un placer enorme!*
—¡Jodeeer! ¿Cuándo sientes placer?
—*Cuando le erro.*

1407

En el bar del pueblo del gallego Muleiro:
Alguien se tiró uno de esos *pedos*

terriblemente *hediondos.*
Todos sacaron sus pañuelos.
El manquito Paco, comenzó a gritar desesperado:
–¡No sean hijos de putas, no me dejen oler a mí solo!

1408

–¿Cómo tocan las campanas en la iglesia gallega?
–¡Moviendo la torre!

1409

Pepe está tan pero tan flaco que *le hacen las radiografías con una vela.*

1410

–¿Cómo se dice control antidóping en japonés?
–Meo tubito.

1411

Era un hombre tan pero tan *honrado* que encontró un trabajo *¡¡¡y lo devolvió!!!*

1412

–¿Me puede dar mil dólares para tomar una cerveza?
–¡Mil dólares para tomar cerveza! ¿Pero está loco?
–Quizá tenga razón, ¡pero es que hace tantos años que sueño con ir a Alemania a tomar una cervecita!

1413

Adán y Eva en el paraíso.
–Adán, ¿me amas?
–¿Tengo otra alternativa?

1414

Dos hermanos, nada fanáticos de la limpieza, se quitan los zapatos.
El menor dice:
–¿Viste tus pies? Están más sucios que los míos.
–Claro, Manolito. Yo soy dos años más grande que tú.

1415

–¿Qué le dijo el lápiz a la lámpara?
–Apaga la luz, que estoy con una mina.

1416

El amor es ciego... pero los vecinos no. *¡Corre las cortinas, imbécil!*

1417

–¿Por qué el presidente Bush pierde a veces el avión presidencial?
–No sé.
–Se olvida el número de vuelo.

1418

Un guarda controlando billetes en un tren...
–¿Cómo viaja usted en primera clase si su billete es de tercera?
–Comodísimo, jefe. Realmente ¡co-mo-dí-si-mo!

1419

–¡Amor, he dejado el cigarrillo!
–Mi vida, ¡¡¡qué bueno!!! Para ello se requiere mucha fuerza de voluntad.
–Sí, sí, sí. Pero ayúdame a encontrarlo ¡antes de que se incendie la casa!

1420

–¿Para qué se comió una llave el gallego?
–Para que se le abriera el apetito.

1421

–¿Por qué el lechoncito anda siempre con la cabeza baja?
–No sé.
–Porque le da vergüenza que su madre *sea una verdadera puerca.*

1422

Después de estacionar su auto la gallega Paca le pregunta a su marido, el gallego Muleiro:
–Mi vida, ¿quedé muy separada de la acera?
–¿De cuál de las dos?

1423

Éste es un joven que heredó una fortuna de un tío que murió al caerse por un precipicio mientras hacía alpinismo.
En el funeral le preguntaron:
–¿Estaban muy unidos?
–Hombre, tanto como unidos no,

pero estábamos lo suficientemente cerca como para darle el empujón.

1424

El mexicano Pancho llegó a una taberna:
–¿Quién quiere pan y queso?
Un mexicano enorme, como de dos metros y 120 kilos le responde:
–¡Pues yo!
Pancho sacó la pistola y le disparó:
–¡Pan! Y queso *te sirva de experiencia.*

1425

–Tía Pepa, ¿qué estás haciendo?
–Mira Manolito, me estoy probando un nuevo color de lápiz labial, ¿qué te parece?
–Levántate un poco el bigote, para verlo bien.

1426

–Te vendo un caballo.
–Y yo para qué quiero un "caballo vendado".

1427

–¡Doctor Muleiro! Tengo agua en las rodillas, padezco gota y sufro de cataratas. ¿Qué hago?
–No se preocupe. Ya mismo le mando un plomero.

1428

Dos gallegos alquilaron un bote y se fueron de pesca.
–Pero mira, ¡qué buen lugar hemos encontrado!
–Hagámosle una cruz en el piso al bote: de esa manera mañana volvemos al mismo lugar, ¿vale?
–Manolo, ¡vaya que eres tonto...! ¡Con razón luego los argentinos hacen chistes...! ¡Hacer una marca en el bote es inútil! ¿Qué crees? ¿Que mañana te darán el mismo?

1429

–¿Qué le pasa a una ostra hembra cuando el agua en que vive se enfría demasiado?
–Se transforma en macho.

1430 - 1434
Cinco piropitos geniales

Es verdad que se necesita el corazón para vivir, *pero más te necesito a ti, que lo haces latir.*

Tu madre fue pastelera *porque un bombón como tú no lo hace cualquiera.*

El día que no te veo, para mí no sale el sol, *y si sale no me alumbra como me alumbra tu amor.*

Cómo quisiera ser una nena *para jugar con esta muñeca.*

Si Valeria es una Mazza, *¡vos sos una confitería!*

1435

–Me han vendido un perro muy barato porque no tiene patas.

–¿Qué nombre le pusiste, Paco?
–Ninguno, hombre. ¿Para qué le voy a poner nombre si cuando lo llamo no puede venir?

1436

El gallego Muleiro:
–¡Cómo cambia la lengua castellana! ¡Con lo que me costó aprender a decir pilícula y ahora le dicen flim.

1437

–¿Cuál es el té que toman los que miran las estrellas?
–El te-lescopio.

1438

–Un barco iba lleno de presos tontos. A mitad de camino, el barco se hundió.
–¿Por qué?
–Porque los presos hicieron un túnel para escaparse.

1439

–¿Cuál es el colmo de un ciego?
–Enamorarse a primera vista.

1440

–¿En qué se diferencian *un estudiante y el río?*
–En que el estudiante *se levanta para ir* al cole y el río sigue su curso *sin dejar el lecho.*

1441

En una llamada telefónica gallega:
–Por favor, operadora, quiero hablar con Francia.
–De acuerdo, dígame su número de teléfono y lo llamo en un momento.
–¿Y yo qué sé cuál es mi número?

121

–Pues, ¿cuál va a ser?, ¡¡¡el del dial, burro!!!
–¡Ah, bueno! Entonces 1-2-3-4-5-6-7-8-9-0.

1442

–Anoche estuve en la fiesta del Día del Barrendero.
–¿Cómo lo festejaron?
–Con el baile de la escoba.

1443

–¿En qué se parecen la tiara, el delantal, el tabaco, el timón y la venda?
–No sé.
–En que la tiara es para el Papa, el delantal para la Pepa, el tabaco para la pipa, el timón para la popa y la venda para la pupa.

1444

–Mariano, parece que quieres más al perro que a mí.
–¡Que no, tonta, que os quiero igual!

1445

–¡General, hemos perdido la guerra!
–Bueno, por favor, vaya y búsquemela.

1446

Un cazador se va de safari y contrata al famosísimo guía gallego Pepe Muleiro.
Al cabo de diez días, el cazador advierte que están caminando en círculos:
–¿Estamos perdidos?
–Me parece que sí.
–Yo creí que usted era el mejor guía de África.
–Sí, bueno, pero creo que ahora estamos en Australia.

1447

Nunca hice dinero a manos llenas.
Venus de Milo

1448

Paseaba Paca con su hijo por el parque. Una señora le da una galleta al pequeño.
La madre, enfadada, pregunta:
–¿Qué se le dice a la señora?
–¡Tacaña!

1449

Va uno por la calle gritando:
–A un peso, a un peso...
–Oiga, ¿usted qué vende?
–Nada, pero ¿a que es barato?

1450

Diálogo mexicano:
–Mira, por ahí viene mi padre.
–¿Por dónde, manito?
–Es el que está montado en el burro aquel.
–Hay tres en ese burro.
–Pues el que lleva el sombrero mexicano y el poncho.
–Los tres los llevan.

–Pues el del bigote negro y la pistola al cinto.
–Los tres tienen bigote y pistola. Entonces el mexicano, cabreado, saca la pistola, dispara y dice:
–¡El que se retuerce, manito!

1451

Una señora a la portera de su piso:
–¡Oh! ¡Qué feliz sería si tuviese un hijo!
–¿No tiene ninguno?
–¡No! ¡¡¡Tengo ocho!!!

1452

El tipo iba conduciendo a 120 por hora. Había pasado tres semáforos en rojo. Lo paró la poli.
–Supongo que tendrá mucha prisa, ¿no?
–¡Muchíííííííma! ¡Llego tarde a mi examen de conducir!

1453

Un piloto en mitad de un vuelo, gritándole al copiloto:
–¡Oh cielos! ¡Mira esa luz! Nos hemos quedado sin combustible! ¡Nos vamos a matarrrrrrrrrrrrr. ¡Uy! ¡Qué tonto!¡Pero si es la luz que indica que están oyéndonos los pasajeros!

1454

Dos mercaditos volando.
Un mercado mira al otro y le dice:
–Pero los mercados no vuelan.
–Es que nosotros somos supermercados.

1455

–Papá, hoy salvé a la maestra de una broma que le iban a gastar unos niños.
–¿Ah, sí? ¿Y cómo fue eso?

–Ellos le habían puesto tachuelas en la silla, y cuando se iba a sentar yo le saqué la silla.

1456

–¿Por qué los perros gallegos salen siempre ladrando a los coches?
–*Porque huelen que en el baúl hay un gato.*

1457

–Si yo pongo un plato encima de la mesa y mi mujer lo aparta, ¿quién está más loco de los dos?
–*Yo, porque yo loco loco, y mi mujer lo quita.*

1458

La gallega Paca era tan estúpida que cuando tenía que tomar la ruta 4 *¡tomaba dos veces la 2!*

1459

–Me han dicho que te has comprado un coche. ¿De qué color es?
–*¡¡¡¡¡¡¡¡¡¡¡¡Es amarillo!!!!!!!!!!!!!*
–¿Por qué chillas tanto?
–*Porque es amarillo chillón.*

1460

–¿Cómo se dice *papel higiénico* en japonés?
–*Kitakakita.*
–¿Y cuál es la mejor marca?
–*Kakitaketoka kakitakekita.*

1461

–¿Qué tienen las arañas en la punta de sus patas?
–*Uñas.*

1462

–¿Qué te ha dicho el médico?
–*Por suerte nada grave, que se me ha quemado una neurona.*
–¡¡Cómo que nada grave?!
–*Que mejor, así tienen más sitio las otras.*

1463

–*¡Camarero, una mosca en mi sopa!*
–*Señor, éste es un lugar decente. Eso no es una mosca, es una Tabanus diplodocus basurarum.*

1464

–Oye, mira, Manolo, hay una araña en el techo.
–*¿Y qué esperas? ¡Písala, písala, písala!*

1465

En el colegio.
–*Manolito, ¿por qué has llegado tarde?*
–No he llegado tarde. Es que el timbre ha sonado antes de que yo entrara.

1466

–*¿Así que su esposa lo envió a verme por su afición a las medias?*
–Así es, doctor. Me encantan las medias de lana...
–*Pero eso es normal, hombre. A mí también me gustan las medias de lana.*
–¿Sí, doctor? ¡Qué bueno! Y díga-me: ¿usted las come con aceite y vinagre o con limón?

1467

–Papá, hay un señor en la puerta haciendo una colecta para una nueva piscina.
–*Dale un vaso de agua.*

1468

Era tan pero tan estúpido, que en las olimpíadas ganó dos medallas de oro.
Una por estúpido y otra por si la perdía.

1469

–¿Adónde mandarías a vivir a tu perro?
–*¡A Cucha Cucha!*

1470

Con todo el dinero que ganan los jugadores de fútbol, ¿por qué persiguen todos la misma pelota en vez de comprarse una para cada uno?

1471

–¿Qué le dice un semáforo a otro?
–*No me mires que me estoy cambiando.*

1472

Un grupo de gallegos se va a cazar. Al rato dos de ellos se separan del resto y se pierden. Tras unas cuantas horas:
–*¿Qué te parece si disparamos, a ver si nos oyen?*
–¡Buena idea! ¡Disparo yo!
Una hora mas tarde:
–*No creo que nos hayan oído, ¿por qué no vuelves a disparar?*
–Bueno... ¡Vale!

Llegada la noche:
–¿Por qué no disparas otra vez?
–No puedo: se me han acabado las flechas.

1473

La gallega María era tan pero tan discreta que nunca supo quiénes eran los padres de sus hijos.

1474

–¿Por qué se suicidó el libro de matemáticas?
–Porque tenía demasiados problemas.

1475

–¿Qué resulta de la mezcla de un mono con un pato?
–Un monopatín.

1476

–Oye, Manolo ¿por qué el Papa es siempre hombre?
–Pues muy sencillo: sonaría muy mal que al presentarlo dijeran: "¡Ante ustedes, su Santidad la Mama!"

1477

Dos amigos se encuentran y le dice uno al otro:
–El año pasado estuve en la Plaza de España de Barcelona y había por lo menos cien mil palomas.
–¿Mensajeras?
–No, no te exagero.

1478

–¿Cuál es el colmo de un perro?
–Tener un amo con malas pulgas y que muerda.

1479

Dos muertos camino del Purgatorio se ponen a hablar:
–¿Y tú de qué has muerto?
–Yo por la bebida.
–Sí, es que el alcohol es muy malo.
–¡Pues imagínate el aguarrás!

1480

–¿Qué haces, Manolito?
–Le escribo una carta a la abuela.
–Muy bien, ¿y por qué escribes tan lentamente?
–Es que ella no puede leer muy rápido.

1481

–Doctor, creo que soy una gallina.
–Ajá... ¿y desde cuándo tiene este problema?
–Desde que era un huevo.

1482

Dos elefantes se encuentran en el andén del tren:
–¿Te pasa algo, Flaquito?
–¡Shhhh, no me descubras! ¡Me colé sin que me viesen!

1483

El gallego Manolo va por la carretera conduciendo. De pronto, lo detiene la policía:
–Buenos días señor, lo hemos estado vigilando desde que pasó el último pueblo, y hemos observado que respeta todas las normas, se detiene en todos los semáforos, y conduce correctamente. Tráfico ha puesto un premio al mejor conductor y se lo vamos a dar a usted.
–No, pero si yo no tengo licencia de conducir.
La gallega Paca, su esposa, interviene entonces:
–No le haga caso, que está borracho como una cuba.
Y la suegra comenta:
–No, si ya sabía yo que con un coche robado, no íbamos a llegar muy lejos.

1484

La gallega Muleiro llegó a la oficina con un espléndido abrigo de pieles.
–¿Cómo lo has conseguido?
–Ha sido muy simple. Ayer por la noche conocí a un señor que me invitó a cenar y luego a su casa para beber una copa de champaña. En su casa, abrió un armario que estaba lleno de abrigos de piel, y me dijo que escogiera uno de ellos; yo escogí el de visón.
–¿Y qué tuviste que hacer?
–¡He tenido que acortarle las mangas!

1485

–Y tú, Manolito, ¿qué quieres ser de grande?
–¡Yo quiero ser un imbécil, seño!
–¿Qué?
–¡¡¡Quiero ser un imbécil!!!
–¿Y por qué?
–Porque mi papá siempre está diciendo: "Mira el auto que tiene ese

imbécil, mira qué mujer más linda tiene ese imbécil, qué suerte tiene ese imbécil..."

1486

Deserción.
El recluta gallego Manolo Muleiro ha desertado del servicio militar alegando que *"ninguna Diana le tocaba la trompeta"*, como le habían prometido.

1487

A un gallego lo detiene la policía y le dice:
–*Déme su nombre y apellido.*
–¿Está loco? ¿Y yo después cómo me llamo?

1488

–¿Por qué los gallegos se depilan la cabeza?
–*No sé.*
–Para no tener ni un pelo de tontos.

1489

–Pero, señor Muleiro, ¿qué hace? ¿en qué está pensando? ¿Cómo se le ocurre atravesar el lobby del hotel en pijamas?
–*¡Es que soy sonámbulo!*
–Aquí no está permitido pasearse en pijama, sea cual fuere su religión.

1490

–¿Sabías que la Paca canta de oído?
–*¡Ah! Ya me parecía que con la boca no podía producir sonidos semejantes.*

1491

El jefe llamó a su empleado y le dijo:
–*Apuesto que te gustaría verme muerto, sólo para tener el pla-*

cer de escupir en mi tumba.
–¡De ninguna manera... por favor! ¡Odio tener que hacer colas!

1492

–¿Cómo se dice *vaca helada*?
–*Res-frío.*

1493

Un borracho entra en un bar, se pone en el centro de la barra y dice:
–*A mi derecha son todos unos imbéciles y a mi izquierda son todos unos tarados.*
–Eh… ¡que no soy ningún imbécil!
–*¡Claro, tú deberías estar a la izquierda!*

1494

–¿En qué se parecen un tren y un plátano?
–*En que el tren no espera y el plátano no es pera.*

1495

–¿Aquí cargan baterías de coches?
–*Así es.*
–¿Me cargarían por favor ésta hasta mi coche? ¡Es pesadísima!

1496

–¿Cuántas veces se ríe un gallego cuando le cuentan un chiste?
–*Tres. Cuando se lo cuentan. Cuando se lo explican. Cuando lo entiende.*

1497

El gallego Pepe fue detenido por la policía.
–*¡A ver! ¿Dónde está su licencia de conducir?*
–¡Pero no me digan que me la han

perdido! ¡Si ustedes mismos me la quitaron la semana pasada!

1498

Un borracho llega a su casa y su mujer le dice:
–*Pepe, parece que vienes muy "cargado".*
–Desde luego... no iba a hacer dos viajes ¿no?

1499

–¡¡¡Oye, Manolo, mira, una gaviota muerta!!!
Manolo, mirando hacia el cielo:
–*¿¿¿Dónde??? ¿¿¿Dónde???*

1500- 1518

Diecinueve señales de que tendrás un mal día

Te despiertas boca abajo, y lo primero que ves es asfalto.

Te pones el sostén al revés, y te queda mejor.

Llamas a Prevención de Suicidios, y te ponen en espera.

Ves a los equipos de noticieros esperando en la entrada de tu oficina.

La bocina de tu auto se traba y sue-

na constantemente mientras vas detrás de una banda de motociclistas en la autopista.

Quieres ponerte la ropa que usaste en la fiesta de anoche, y no está.

Tu pastel de cumpleaños colapsa por el peso de las velas.

Enciendes el televisor y en todos los canales muestran rutas para escapar de la ciudad.

Tu hermano gemelo olvidó tu cumpleaños.

Tu esposa se despierta amorosa, pero tú tienes un terrible dolor de cabeza.

Tu jefe te dice que no te molestes en quitarte el abrigo.

El pajarito que canta en el jardín es un buitre.

Te despiertas y los frenos de tus dientes se han enredado entre ellos.

Tu cita a ciegas resulta ser tu ex.

Te pones los lentes de contacto en el mismo ojo.

Tu esposa despierta y te dice *"Buenos días, Juan"*, y tu nombre es Jorge.

Te das cuenta de que tienes un tampón en tu oreja, y no puedes encontrar tu lápiz.

Tu perro de juguete te gruñe.

Te despiertas y descubres que tu cama de agua se reventó, y luego recuerdas que no tienes cama de agua.

1519

La televisión es como la bolsa de Papá Noel, *un lugar muy pequeño pero donde cabe mucha gente.*

1520

–En mi último viaje a la Antártida me encontré rodeado de montañas de hielo. De pronto, apareció un feroz lobo marino. Entonces me trepé a una palmera.
–*¿Cómo? ¡Si en la Antártida no hay palmeras, Muleiro!*
–Ya sé, pero ¿qué querías que hiciera?

1521

–¿Por qué las sardinas son un pescado tan idiota?
–*No sé. ¿Tú por qué crees que son idiotas, Manolín?*
–Pues porque se meten en una lata llena de aceite, la cierran y dejan la llave afuera.

1522

–¿Qué es lo primero que hace un niño al nacer, Pepe?
–*¡Pues aumentar la familia, joder!*

1523

Primer acto: Horacio hace un pozo en la playa.
Segundo acto: Horacio hace un pozo en el camping.
Tercer acto: Horacio hace un pozo en la plaza.
¿Cómo se llama la obra?
Horacio Cabak.

1524

–¿Por qué el mar nunca se seca?
–*Porque no tiene toalla.*

1525

–¿Cómo se consigue que un guitarrista de rock deje de tocar?
–*Poniéndole una partitura delante.*

1526

Pepe Muleiro va a una tienda donde venden mascotas.
Le atiende un vendedor cubano.
–Señor, ¿cuánto vale el perrito?
–*Oye chico, el perrito vale quince dólares.*

126

–¿Y la tortuga, cuanto vale?
–*Oye chico, la tortuga vale diez dólares.*
–¿Y la cacatúa?
–*Oye chico, la caca-mía no la vendo.*

1527

Sale una pareja de novios del cine y la chica le dice al chico:
–*Pepe, ¿te ha gustado la pajita que te he hecho?*
–¿A quién? ¿A mí?

1528

–Déme algún polvo para los ratones. Necesito que sea suave, que no deje residuos, que no manche y que deje un lindo perfume.
–*¿Se lo envuelvo para regalo?*

1529

–Me dices que tienes un montón de deudas, que te han quitado el coche, que se te quemó la fábrica y aun así ¿duermes como un bebé?
–*Claro, me despierto cada tres horas y lloro, lloro, lloro.*

1530

–Me parece que a ti no te gusta mucho trabajar, Manolo.
–*Claro que me gusta.*
–¿Y entonces por qué no trabajas?

–*Bueno, uno no se puede dar todos los gustos en vida...*

1531

–¿Cómo llamaría a un baterista gallego que tiene sólo la mitad de cerebro?
–*Superdotado.*

1532

–Doctor, doctor, quisiera unos anteojos con vallas.
–*¿Con vallas?*
–Sí. ¡Es que tengo los ojos saltones!

1533

–¿En qué se parecen la soja y el vibrador?
–*Ambos son sustitutos de la carne.*

1534

–¡Camareeeeeroooo, hay una mosca verde en mi sopa!
–*Perdón, el señor ¿la quería madura?*

1535

Era un cazador tan pero tan malo que cuando salía a cazar, las liebres en lugar de huir *le pedían autógrafos.*

1536

A la mañana siguiente de la noche de bodas:
–Juan... ¿por qué no haces café? *¿O tampoco eso sabes hacer?*

1537

Un ciempiés muy muy asustado tocaba desesperadamente a la puerta de su casa.
–*¡¡¡Papi, ábreme la puerta que un pollo quiere tragarme!!!*

–Espera un momento, hijo. Me pongo los zapatos ¡y ya te abro!

1538

–¿Cuánto tiempo hace que no te bañas?
–*Pues... sólo hace un par de semanas.*
–¿Hace 15 días? ¡Qué asco!
–*No. Hace sólo un par de Semanas Santas.*

1539

El gallego Pepe era tan bruto que su viejo le dio dinero para el almuerzo y al mediodía ¡se lo comió!

1540

–¿Qué le dijo el camello asiático al camello africano?
–*¡Nos han jorobado!*

1541

–¿Cuál es el colmo de un astrónomo?
–*Darse martillazos en la cabeza para ver las estrellas.*

1542

–¿Por qué eres tan alto?
–*Porque a mi madre se le antojó un poste de teléfono.*
–Eso no tiene nada que ver; a mi madre se le antojó un disco rayado y a mí no me ha pasado absoluta

mente nada, a mí no me ha pasado absolutamente nada, a mí no me ha pasado absolutamente nada, a mí no me ha pasado...

1543

A un mariquita se le había quedado el auto al borde de la carretera por falta de gasolina.
Pasó otro automovilista y le gritó:
–¡¡¡¿¿¿Te lo empujo???!!!
–¡Okey! ¡Re-encantado! Pero, ¿¿¿qué hacemos con el auto???

1544

Tras varios años atormentado por su secreto, el marido se armó de valor, repleto de culpas y confesó:
–Querida mía: debo decirte que ¡¡¡tengo una amante!!!
–¿Y por qué no me la presentas y salimos los cuatro?

1545

–Oiga, señora, la mermelada que me vendió ayer salió mala.
–Bueno, hija, yo la vendo, ¡pero no la educo!

1546

Un matrimonio va al médico y éste, tras examinar a la mujer, le dice al marido:

–La verdad es que no me gusta el aspecto de su esposa.
–¡Ni a mí! Pero es que su padre es rico.

1547

–¿Sabéis cómo se puede sacar un moco con cinco dedos, eh? Pues se ponen los cinco dedos alrededor de la nariz y se le grita:
–¡Sal, estás rodeado!

1548

Noticias:
Atleta gallego llegó a La Coruña, procedente de las últimas Olimpíadas, con tres medallas de oro. Le sorprendió la policía y tuvo que devolverlas.

1549

–¿Cuál es el colmo de Papá Noel?
–Que todos los chicos crean en él, y su mujer no.

1550

El gallego Muleiro era tan estúpido que detuvo a 200 personas por portación de armas largas en un desfile de la policía.

1551

Un país de África.
Terrible plaga de monos depredadores.
Los animales estaban acabando con las cosechas y las fuentes de trabajo.
Para exterminarlos, solicitaron la cooperación de la ONU.
Los Estados Unidos enviaron un ejército de 1.000 marines.
Rusia envió 1.500 tropas de elite.
España mandó a un gallego bigo-

tudo con su perro y su escopeta.
Al final del primer día, hicieron cuentas.
El ejército de los Estados Unidos: 2.000 monos muertos.

1552

La gallega Pepa era tan fea que un día alguien le gritó en la calle: ¡Feísima! y ella respondió: ¡Piropeador!

1553

–¿De dónde vienes, Manolo?
–Del hospital.
–¿Y cómo estás?
–Pues me quitaron los huevos.
–¿Cáncer?
–Colesterol...

1554

–¡Camarero! ¡Déme un refresco con hielo!
–Aquí tiene, Paco.
–¡Pues no! Pensándolo bien, preferiría tomar una cerveza. Sí, cámbiemelo por una cerveza helada.
Paco se tomó la cerveza y se dirigió hacia la puerta.
–¡Ey, Paco! ¡Que se va sin pagar la cerveza!

–Pero ¡si la he cambiado por un refresco!
–Pues, ¡págueme el refresco!
–¡Pero si yo no me he tomado ningún refresco!

1555

Un hombre llega a pedir trabajo en una farmacia; el administrador le dice:
–Le puedo dar el empleo pero si usted habla inglés.
–Claro, yo hablo inglés.
–Demuéstrelo y atienda a ese cliente que está entrando.
–Buen día¿Hay ampolletas?
–Welcome, mister Polletas, I am Manolo.

1556

Le preguntaron a Einstein:
–¿Cómo puede ser que Alemania haya sido cuna de sabios y genios pero también de Hitler?
–*Ocurre que cuando Dios hizo Alemania, decidió que los alemanes tuvieran otras características.*
Ser buenos.
Ser inteligentes.
Ser nazis.
Después pensó que dos características eran suficientes.

Por eso los que *son nazis* y son buenos *no son inteligentes.*
Los que *son nazis* y son inteligentes *no son buenos.*
Los que son *buenos e inteligentes* no son nazis.

1557

–¿Qué le dice un gusano a otro gusano?
–*Me voy a dar una vuelta a la manzana.*

1558

–¿Qué es un moño?
–*Un añimal que come bañañas.*

1559

–¿Cuántos años tienes, Pepita?
–*Ocho.*
–¿Y qué harás cuando seas como tu madre?
–*Un buen régimen.*

1560
Adivinancita

De doce hermanos que somos, el segundo yo nací. Pero soy el más pequeño, ¿cómo puede ser así?
–¿Quién soy?

El mes de febrero.

1561

Pepe Muleiro entra en una librería y le pregunta al librero:
–¿Tienen algo de Hemingway?
–Sí, *"El viejo y el mar".*
–Pues deme... *"El mar"*

1562

¡Riiiing! ¡Riiiing!
–Hotel Manolo's. Buenas tardes, habla Manolo, ¿en qué lo puedo ayudar?

–¿Cuánto cuestan las habitaciones?
–Pues depende del tamaño y la cantidad de personas que sean.
–¿Se aceptan niños?
–*No, señor: sólo efectivo y tarjetas de crédito.*

1563

–¿Cuál es la palabra más larga del mundo?
–*Arroz, porque empieza con A y termina con Z.*

1564

–Doctor, puedo predecir el futuro y adivinar qué va a pasar.
–¿Cuándo empezó a sentir eso, Manolo?
–El lunes que viene.

1565

–¡Hola, Pepe! ¿Por qué estás tan triste?
–Pero, ¿cómo? ¿No sabías, Manolo? Se murió mi esposa...
–¡Qué coincidencia! Te vas a reír: ¡la mía también!

1566

–Si usted va a la cama nueve horas antes de tener que levantarse y su esposa quiere tener dos horas de sexo, ¿cuánto tiempo podrá dormir?

–*Ocho horas y cincuenta y seis minutos. ¿A quién le importa lo que ella quiera?*

1567

–¿Por qué el perro lleva un hueso en la boca?
–*Porque no tiene bolsillos.*

1568

–A los diputados les dicen: "Hijos de Disney".
–¿Por?
–Muchos están dibujados.

1569

–¿Cuál es el colmo de un electricista?
–*Tener una esposa que se llame Luz y que se le vaya.*

1570

–Cuando amanece, la modelito famosa se pone triste.
–¿Por?
–La noche acaba y ella no.

1571

–¿Así que naufragó el barco ese en el que viajabas, Manolo?

–*Pues sí. Y hubo mucha discriminación ahí...*
–¿Por qué?
–*Porque todos los de la tripulación sólo salvaban a los del plan "Viaje ahora y pague después".*

1572

–¿Cómo matarías a una manada de elefantes?
–*Pintando a uno de rosa; se moriría de vergüenza y el resto de risa.*

1573

–*¡Papi, papi...! ¿Tú estás a favor del desarme?*
–*¡Claro, hijo!*
–*¡Ah...! ¡Es que te desarmé la computadora!*

1574

–Oye, ¿tú por qué estás tan gordo?
–*Porque nunca discuto.*
–¡No será por eso!
–*Bueno, pues no será por eso.*

1575

–¿Cuándo irán las mujeres a la Luna?
–*Cuando haya que barrerla.*
–¡Y cuándo irán a Júpiter?
–*Cuando acaben con la Luna, Mercurio, Venus, Saturno...*

1576

Y recuerden:
No es lo mismo *"una mona muy chica"* que *"una chica muy mona".*

1577

–*¿Hola? ¿Habla Paco?*
–Ése soy yo.
–*Paco, soy el Pepe. Oye, regresa cuanto antes al pueblo. No te lo vas*

a creer. Por aquí pasó un terrible huracán y se llevó tu casa.
–Ja, ja, ja... pero eso es imposible, Pepe.
–¿Por qué?
–¡Hombre, pues porque tengo la llave de mi casa en el bolsillo! Ja, ja, ja...

1578

–*Dos vacas están pastando, una es más grande que la otra. ¿Cuál será el macho?*
–Ninguna, porque las dos son vacas.

1579

–¿Por qué los chistes de modelos son tan idiotas?
–*No sé.*
–Para que ellas puedan entenderlos.

1580

–*¿Qué se puede llevar en un bolsillo roto sin que lo pierdas?*
–El agujero.

1581

–A ver, Manolito, dime ¿cuáles son los Reyes Godos?
–*Isabel y Fernando, señorita.*

–¿Y entonces los Reyes Católicos?
–*Melchor, Gaspar y Baltasar.*
–¿Y entonces los Reyes Magos?
–*Los padres, señorita, los padres...*

1582

–Camarero, hay una cucaracha muerta en mi ensalada. Quiero que venga el encargado.
–*Le aseguro que eso no servirá de nada, señor, el encargado también le tiene asco a las cucarachas.*

1583

–¿Por qué crees que muchos israelitas piensan que estaría bien tener una mujer vicepresidenta?
–*No sé.*
–Porque se le podría *pagar menos.*

1584

–Me han robado la cazadora de cuero que me vendiste el otro día.
–*Ya te dije que era de las que se llevaban.*

1585

–¿Qué hace un policía gallego en la playa frente al mar?
–*Espera una ola criminal.*

1586

–¿Por qué los gallegos nunca cantan bingo?
–*Porque no se saben la letra.*

1587

–No te veo bien, Manolo.
–*¿Sabes, Pepe? Todas las mañanas, cuando me levanto, siento un terrible dolor de cabeza.*
En eso interrumpió la esposa del Manolo:
–*Y eso que yo, antes de que se le-vante, siempre le digo: "¡Primero los pies, Manolo! ¡Primero los pies!"*

1588

1589

Se encuentran dos amigos y le dice uno al otro:
–*He soñado que ganaba veinte millones de dólares como mi padre.*
–¿Tu padre gana veinte millones de dólares?
–*No, también lo sueña.*

1590

–Doctor, ¿cómo se encuentra mi hijo, el que se tragó una moneda de cincuenta centavos?
–*Sigue sin cambio.*

1591

–Estás en una habitación con Osama bin Laden, Adolf Hitler y Enrique Iglesias... tienes un arma, pero sólo dos balas. ¿Qué haces? ¿A quién le disparas?
–A Enrique Iglesias dos veces... para estar seguro.

1592

Sube el telón: un perro mordiéndole el muslo derecho a un hombre.
Baja el telón.

Sube el telón: está el mismo perro mordiéndole el mismo muslo derecho al mismo hombre.
Baja el telón.
–¿*Cómo se llama la obra?*
–Re-mordimiento.

1593

–¿Cuál es su problema?
–*Desde hace dos años sueño siempre que juego para Boca.*
–¿Y nunca sueña otras cosas? ¿No sueña con mujeres?
–*¡No, doctor! Jugando de guar-dameta, como yo juego, un momento de distracción ¡haría perder a mi equipo!*

1594

–¿Es completamente automática tu nueva lavadora, Paca?
–*Completamente automática no, Pepa. Desgraciadamente hay que apretar un botón.*

1595

–¿Saben por qué mataron a Kung Fu?
–*Porque lo kunfundieron.*

1596 - 1605
Los diez "carajo" más importantes de la historia universal

–¿Cuándo *carajo* va a parar esta lluvia? *(Noé, año 4314 a.C.)*

–¿Cómo *carajo* se te ocurrió eso? *(Su mamá a Pitágoras, año 126 a.C.)*

–¡*Carajo*, qué calor! *(Juana de Arco, 1431)*

–¿Cuándo *carajo* vamos a llegar? *(Cristóbal Colón, año 1492)*

–¿Cómo *carajo* quieren que pinte el techo? *(Miguel Angel, año 1566)*

–¿Qué *carajo* tomaste, Julieta? *(Romeo, año 1595)*

–¿De dónde *carajo* salieron tantos indios? *(General Custer, año 1877)*

–¿Cómo *carajo* no entienden esto? *(Einstein, año 1938)*

–¡Vamos, Mónica! ¿qué te pasa? ¿Quién *carajo* se va a dar cuenta? *(Bill Clinton, año 1997)*

–¡Qué *carajo* se va a parecer Irak a Vietnam! *(Bush, todo el tiempo)*

1606

–¿Cómo te das cuenta de que un gallego ha estado bebiendo del inodoro?
–*Ni idea.*
–Su aliento ha mejorado.

1607

Pepe Muleiro llegaba de un viaje a África, y fue a pasar por la Aduana.

Detrás de él caminaba un elefante con un pedazo de pan en cada oreja.
–*¿Algo para declarar?*
–Este bolsito.
–*¿Algo más?*
–No, eso es todo.
–*¡Cómo que es todo! ¿Y ese elefante que viene con usted?*
–¿Y desde cuándo uno tiene que declarar un sándwich?

1608

Las últimas instrucciones a la nueva mucama gallega:
–*Tomamos el desayuno a las ocho en punto.*
–Muy bien. Pero si yo no estoy a esa hora, señora, no me espere, ¿eh?

1609

–¡Qué aburridos son ahora los programas de la tele!
–*Abuelo, ésa no es la tele, estás mirando el microondas.*

1610

–¿Por qué los elefantes no van en bicicleta?
–*Porque no tienen dedo meñique para tocar el timbre.*

1611

–¿Por qué el equipo de fútbol vasco no ha subido a la primera división?
–*Porque apenas ha aprendido a sumar.*

1612

Pasó un camión. Aplastó al sapo.
–*¡Pobre sapo! ¿Por qué los sapos morirán de esa manera, con las patas hacia arriba, Paco?*
–Pues es muy simple, Manolo.

Cuando un sapo ve que un auto va a aplastarlo se pone de pie y le grita al conductor: *"¡Para, para, para!"*

1613

Me encantaría conocer a una mujer que tuviese la cabeza muy bien puesta sobre sus hombros... *¡odio los cuellos!*

1614

–¿Cuál es el colmo de un granjero?
–*Decirles piropos verdes a los tomates para que se pongan colorados.*

1615

–¿Por qué las mujeres les ponen cuernos a los hombres?
–*Para que no sean animales indefensos.*

1616

–¿Cuál es el mejor nombre para una mujer?
–*Dora. Como en lavaDora, limpiaDora y secaDora.*

1617

–Manolito, dime el nombre de un descubridor.
–*Usted, profesor.*
–¿Por qué yo?

–*Porque cada vez que usted pregunta algo, descubre que no sabemos nada.*

1618

El gallego Paco era tan pero tan *idiota* que *se cortó una oreja* porque la *tenía repetida.*

1619

–*¿En qué se diferencia un argentino de un terrorista?*
–*En que el terrorista tiene al menos algunos simpatizantes.*

1620

–*A ver, Lucas: dame un ejemplo de ángulo.*
–*¿Ángulo? Ehhh... La parte más sucia de mi habitación.*

1621

–*¡María, lava a los niños!*
–*¿Para qué? ¡Si los reconozco por la voz!*

1622

Tarde de sol. Discutían los loquitos. Uno gallego y otro argentino. Manolo, subido en un banco, gritaba:
–*¡Soy el Mesías! ¡He venido a salvaros! ¡He venido a repartir paz y alegría! Dios me ha encargado que os diga...*
–*¡Pará, pará, pará un cachito!, que yo no te encargué un carajo! Si querés hablá por vos, pero a mí no me metás, ¿está claro?*

1623

Una viejita va al médico clínico, que le pregunta:
–Dígame, ¿cuánto pesa?
–*Ochenta con los lentes puestos.*
–¿Y sin los lentes?
–*No lo sé. Sin los lentes no veo la balanza.*

1624

Dos amigos se encuentran y uno de ellos ha engordado mucho:
–*Oye, ¿pero no me dijiste que te ibas a poner en forma?*
–Sí, en forma esférica.

1625

Jesús en la Última Cena. Después de los postres, le entregaron la cuenta. Cristo echó mano a la cartera. Entonces saltó Judas:
–*¡No,no! ¡Invito yo! ¡Hoy cobré!*

1626

–¿Sabes Manolo? Mi mujer tiene un virus en el oído. El doctor dice que no me acueste con ella porque podría quedarme sordo.
–*Habla un poco más fuerte, Pepe, que no te oigo.*

1627

Un pastor está con su rebaño y el perro.
Una oveja le dice:
–*Vaya calor, ¿no?*
El pastor, asustado por oír hablar a la oveja, sale corriendo a toda velocidad, y el perro detrás de él.
Cuando se cansa de correr se sienta. El perro le dice:
–*¡¡¡Vaya susto que nos ha pegado la oveja, ¿verdad, compañero?!!!*

1628

El gallego Manolo vivía aislado en los montes.
Fue al pueblo para tomar el autobús que lo llevaría a Madrid...
Al subir, vio que toda la gente estaba agarrada a la barra para no caerse.
Manolo, asombrado, los apartó, le pegó un tirón a la barra, la arrancó y les dijo:
–*¡Joder! Es que no podíais ¿o qué?*

1629

Un atracador entra en un Burger King con una pistola en la mano:
–*Déme todo el dinero, una Coca-Cola grande, un whopper y una bolsa grande de patatas fritas. ¡¡¡Y rápido, o me pongo nervioso!!!*

–Sí, señor. ¿Lo comerá aquí o se lo envuelvo para llevar?

1630

El gallego Muleiro perdió la pierna derecha en la guerra.
Desde entonces... siempre se levanta con *el pie izquierdo*.

1631

Tras examinar a un paciente, alcohólico crónico, el médico le dijo:
–*No encuentro la razón de sus dolores de estómago pero, francamente, creo que esto se debe a la bebida.*
–Bueno, entonces volveré cuando esté usted sobrio.

1632

Un hombre con los dos brazos mutilados entra a un bar.
–*Camarero ¡déme una copa por favor! ¡Pero le ruego que la ponga en mis labios hasta que yo termine de beber!*
Y así, copa tras copa, el hombre bebió varias.
–*Ahora saque el dinero de mi cartera y cóbrese las bebidas y regálese una propina del 20 por ciento*

y luego ponga mi cartera en mi bolsillo, por favor.
El camarero, obedientemente, hizo todo lo que le pidió.
–*Disculpe, camarero, ¿dónde están los urinales?*
–El más cercano ¡está a 300 metros!... en el restaurante de esa esquina.

1633

–¿Cuáles son las diez palabras que jamás querría oír un español?
–*No sé.*
–Che, shoy tu nuevo veshino. Esteee, ¿me preshtás el teléfono?

1634

Era un flaquito *tan pero tan cabezón* que cuando se agarró una insolación se acabó el verano.

1635

–¿Por qué te encerraron?
–*Por no borrar la huellas de la caja fuerte.*

1636

Discutían un gallego y un argentino:
–*Ustedes los gaitas son todos unos cagones, viejo.*
–Anda, que vosotros los argentinos

¡si hasta habéis perdido la guerra de las Malvinas!
–*Pero, ¿qué decís, bolú? ¡Nosotros no perdimos! ¡Salimos segundos!*

1637

Era tan pero tan flaca, que cuando metía los dedos en el enchufe, *la electricidad le erraba la patada.*

1638

–¿Por qué las modelos no usan clips?
–*Ni idea.*
–Porque los clips no traen instrucciones de cómo usarlos.

1639

–¿Qué gusto tiene la sal?
–*¿Sal fina o sal gruesa?*

1640

–¿Por qué los gallegos ven el canal codificado con mierda de vaca en la cabeza?
–*Porque es sólo para* abonados.

1641

Un guardia se acerca al banco de la plaza donde duerme un mendigo.
–Oiga, amigo, ¿sabía que van a

clausurar esta plaza?

–¿¡¡¡Cómo??? ¿Voy a tener que dormir en la calle?

1642

–Por favor, necesito dos supositorios y un vaso de agua.

–¿Un vaso de agua? No te lo pensarás tragar ¿no?

–¡Claro, imbécil! ¿O qué quieres? ¿Que me los meta en el culo?

1643

–Oye, Paco, el tabaco no es tan malo como dices. Mi abuelo fuma como un murciélago, y ya tiene 90 años.

–Pues si no fumara, tendría por lo menos 110.

1644

Si los coches-patrulla tienen sirena, *¿por qué las sirenas no tienen coches-patrulla?*

1645

–Oye, Manolo, ¡qué bonita está la luna!

–¡Ésa no es la Luna, Pepe! ¡Ése es el Sol!

Discuten acaloradamente durante un rato. Para ver quién tiene razón, detienen a otro gallego que pasaba por allí.

¿Nos podría decir a nosotros si ésa es la Luna o el Sol?

–Sinceramente, no le puedo contestar porque ¡yo no soy de aquí...!

1646

–¿Por qué los gallegos ponen calculadoras encima del televisor?

–Para *multiplicar la imagen.*

1647

En el bar:

–Oye Manolo, ¿por qué bebes tanto?

–Bebo para olvidar, para olvidarme de todo.

Al rato, Manolo estaba saliendo del bar y su amigo le advirtió:

–Eh, Manolo, te olvidas las llaves de tu casa!

–¡Maldición! ¡Detesto cuando pasa eso!

1648

El gallego Paco salió con las vacas, pasó el tren y mató a seis animales.

–¡Tuvimos buena suerte y mala suerte, patrón!

–¿Qué suerte?, ¿no ve que hay seis vacas muertas?

–Sí. Porque el tren vino de frente. Si hubiera venido de costado ¡las mataba a todas!

1649

–¡Taxi! Por favor, dé cien vueltas a esta manzana.

Después de unas sesenta vueltas y ya cansado, el taxista detuvo el coche.

–¡Vamos, rápido! ¿No ve que estoy apurado?

1650

El gallego Pepe vendió su coche a un forastero por 30.000.000 de pesetas.

Obviamente, le pagaron con un cheque sin fondos. Jamás pudo cobrar el dinero. Pero comentaba:

–No lo habré cobrado ¡¡¡pero se lo vendí caríííííííííísimo!!!

1651

–¿Cuál es el colmo de un *restaurante?*

–Cerrar para comer.

1652

—Pepito Muleiro, ¿por qué le pegas a Paquito?

—Porque me lambió la comida.

–No se dice "me lambió". Se dice "me lamió".

–*No, señorita, me la lambió; si me la hubiese miado lo mataba.*

1653

–¡Argentinos! Tengo una buena y una mala noticia.
La buena: hemos pagado la deuda externa.
La mala: *tenemos quince días para desalojar el país.*

1654

–Oye Pancho, ¿por qué vienes tan enfadado?
–*Es que me tomé un taxi para ir a la casa de un amigo que vive muy lejos y no estaba.*
–Pero eso no es razón para que te enfades tanto.
–*De haber sabido que no estaba, habría ahorrado el taxi.*
–¿No hubieses ido?
–*Habría ido...¡pero a pie!*

1655

Era una madre tan pero tan alta, que una vez se le cayó el hijo de los brazos y cuando lo levantó del suelo *ya había tomado la primera comunión.*

1656

–Manolo, ¿has oído que los gallegos somos los más inteligentes del mundo?
–*No sólo del mundo. ¡Del extranjero también!*

1657

–Doctor, quiero que me recete píldoras para evitar el embarazo.
–*Pero ¡si usted tiene 75 años!*

¿*Cómo cree que...?*
–Es que me ayudan a dormir.
–¿*De verdad? ¿Usted duerme mejor tomando la píldora?*
–No, no es para mí. Es que se las pongo a mi nietecita de quince años en la Coca-Cola, y ¡viera lo bien que duermo!

1658

–Juan nunca me ha hecho sentir mujer.
–*No desesperes, Rodolfo, no desesperes.*

1659

En el cine del pueblito gallego, la *guapa* está muriendo en los brazos del *bueno.*
Y desde el fondo se oyó:
–*¡Fóllatela ya, idiota, antes de que se enfríe!*

1660

–¡¡¡Señora, su hija es muy muy fea!!!
–*¡Es que la belleza la tiene por dentro!*
–Entonces ¡¡¡pélela!!!

1661

–*Me han dicho que van a sacar el dinero de circulación. Y debe ser*

verdad. *Yo conozco a varios que ya no lo tienen.*

1662

–¿Dónde pescaste esa gripe, Pepe?
–*Ayer soñé que era botella y dormí* destapado.

1663

–¿Qué está más cerca de Bilbao? ¿La Luna o Córdoba?
–¿*Tú eres gilipollas? ¿Ves Córdoba desde aquí? No, ¿verdad? Entonces... ¡la Luna está más cerca!*

1664

–¿Cómo manda un gallego un fax confidencial?
–*En un sobre cerrado.*

1665

–A París Hilton le dicen cucaracha.
–¿*Por?*
–Porque la matan a polvos.

1666

–Tengo un amigo que se llama Gaspar, pero siempre le decimos Par.
–¿*Y eso para qué lo hacen?*
–Para ahorrar el Gas.

1667

–¿Duele mucho la noche de bodas, Paca?
–*Verás: es como una muela picada. Te duele... pero no quieres que te la saquen...*

1668

–¿Por qué los gallegos no practican el esquí alpino?
–*Porque todavía no han encontra-*

do la manera de subirse al pino con los esquís puestos.

1669

Un marinero se acerca a un tipo con cara verdosa que está vomitando sobre la barandilla del barco, le da una palmada en la espalda y le dice:
–*¡Ánimo, hombre! ¡Nadie se ha muerto de un mareo!*
–Es posible, pero ahora mismo lo único que me mantiene vivo, ¡es la esperanza de morir pronto!

1670

El gallego Manolo era tan pero tan delicado que antes de comprar un coche *estudió solfeo para tocar el claxon.*

1671

Por favor ¿me podría dar un billete para Barcelona?
–*¿También de vuelta?*
–Bueno, pensándolo mejor, démelo sólo de vuelta porque estoy pensando si ir o no.

1672

En un estadio, el vendedor de gaseosas le vendió una Coca-Cola al galleguito Manolito.
Al rato, pero del otro lado del estadio, el vendedor se encontró de nuevo a Manolito. Le preguntó:
–*¡Anda, chaval! ¿No estabas del otro lado?*
–¡Es que me trajo la ola!

1673

–¡Mira qué reloj me regaló mi novia, Pepe! Da la hora, los minutos, los segundos, la fecha, es alarma, cronómetro, tiene luces.

–¡Hostia! ¡¡¡Cuántas cosas, Manolo!!!
–Pues, sí. Además me dijo que podía bañarme con él. Pero ¡no le he encontrado el botón que larga el agua!

1674

Jura el nuevo ministro. Habla ante el gabinete completo.
–*Todos mis esfuerzos estarán encaminados a destruir la corrupción y aplastar a los coimeros.*
–¡Traidor!

1675

–¿Estoy hablando con la carnicería?
–No, es la zapatería.
–¡Perdón, me equivoqué de número!
–*No importa, tráigalo y se lo cambiamos.*

1676

–Camarero, lo he llamado cinco veces. ¿No tiene orejas?
–*Sí, señor, ¿fritas o en vinagre?*

1677

El obispo echándole la bronca al cura gallego, muy bruto, de pueblo:
–*Que te pongas vaqueros en vez de sotana, ¡vale! Que te pongas camisas hawaianas, ¡vale! Que te pongas un arito en la oreja izquierda, ¡vale! Que te hagas una coleta con el pelo que tienes ¡vale! Pero que en Semana Santa pongas un cartel de "Cerrado por defunción del hijo del jefe", ¡eso sí que no, coño! ¡Eso no!*

1678

–Yo soy del sexo débil.
–Pero ¿qué dices? ¡Si tú eres Manolo!
–Sí, pero después del primero me canso.

1679

–*¿Cómo está tu familia, Pepe?*
–*Todos bien.*
–*¿Todos vivos?*
–*No, uno trabaja.*

1680

–Paco, dime, ¿cómo abre una lata un policía gallego?
–*Se acerca la lata a la boca y grita: "¡¡¡Policía!!! ¡¡¡Abra!!!".*

1681

–Doctor, mi mujer y yo queremos tener un hijo.
–*¿Y cuál es el problema?*
–Que ya tenemos diecinueve.

1682

El patrón al mayordomo:
–*¡Sócrates, venga rápido!*
–Enseguida voy, señor.
–*¿Por qué no acudió cuando toqué la campanilla?*
–Es que no la escuché, señor.
–*Pues bien, de ahora en adelante cuando no oiga la campanilla, deberá venir de inmediato a avisarme.*

1683

Mi barrio es tan duro
que nadie te pregunta la hora.
Simplemente te roban el reloj.

1684

Muleiro:
Algunos dicen que el perro
es el mejor amigo del hombre. Yo digo
que son los libros. *Uno no tiene que sacarlos*
a pasear tres veces al día ni recoger
lo que va cagando por ahí.

1685

A los 15 años: *El hombre es como el Tercer Mundo; lo hace todo mal y a mano, pero tiene mucha imaginación.*
A los 25 años: El hombre es como los Estados Unidos; tiene mucha potencia, pero todo se le va en aparentar.
A los 35 años: El hombre es como Andorra; un pequeño escaparate con cierta independencia.
A los 45 años: El hombre es como Mónaco; se lo juega todo.
A los 55 años: El hombre es como la Unión Europea; se enfrasca en reformas imposibles.
De los 65 años en adelante: El hombre es como Inglaterra; vive de sus tradiciones, de su orgullo y de su gloria.

1686

—¿Cómo se sabe que una escuela del Bronx es verdaderamente dura?
—*No sé.*
—En el laboratorio de ciencias los alumnos practican abortos.

1687

Bush, reunido con algunos de sus hombres.
De pronto, el presi se levantó violentamente.

—¿Le pasa algo, señor presidente?
—Es que me agarraron ganas de cagar.
—*¿A quién?*

1688

—Oye, Pepe, tenemos que llamar al carpintero para que arregle las goteras del baño.
—*Pero ¿estás loca, Paca? ¿Para qué? Si las goteras funcionan perfectamente.*

1689

—*¿Por qué los gallegos se bañan con la puerta abierta?*
—Para que no los espíen por la cerradura.

1690

Dos hombres se encontraban realizando la mudanza de los libros de una biblioteca.
—*¡Qué imbéciles estos tipos de la biblioteca! ¿no?*
—¿Por qué?
—*Porque ya que hicieron una nueva biblioteca, hubieran comprado libros nuevos.*

1691

—*No puedes hablar en serio acerca de casarte con Mertxe.*
—*¿Por qué?*
—*Porque ha salido con todos los hombres del pueblo.*
—Bueno, el pueblo todavía es pequeño.

1692

—¿Sabes Paco? Tengo un cuadro de Jesucristo en la cabecera de mi cama. Cuando hago el amor, Jesucristo aplaude.

—Pues mira Manolo: yo en la cabecera de mi cama tengo un cuadro de la *Última Cena de los Apóstoles.*
—No me digas que te aplauden.
—*¡No! eso no es nada. ¡Me hacen la ola!*

1693

—*No corras tanto Pepe. ¡En cada curva tengo que cerrar los ojos!*
—¡Ah! ¿Tú también?

1694

—Joder, Pepe, ¿dónde vas con ese enorme barril?
—Pues al doctor...
—*¿Por qué vas con el barril ese?*
—*Es que me dijo que volviera con la orina al cabo de seis meses.*

1695

Doscientos chinos jugaban al fútbol en una cabina de teléfono.
De pronto se escuchó:
—*¡¡¡Goooooool!!!*
Entonces el guardameta gritó:
—Claro, coño, ¡me habéis dejado solo!

1696

—*¿Cómo se distingue a un gallego en una tienda de ropa para hombres?*

–Es el único que devuelve tres docenas de corbatas porque todas le aprietan.

1697

–*Hola Pepe, ¿adónde vas?*
–A cortarme las patillas.
–*¿Qué?... ¿Luego vas a caminar con los huevillos?*

1698

Decía Muleiro:
–Todo pez que lucha contra la corriente, *muere electrocutado*.

1699

–¿Adónde van las hormigas cuando salen del jardín, Pepe?
–*No lo sé, Manolo.*
–Pues a la primaria.

1700

El gallego Paco se dedicaba a cultivar melones.
Le iba bastante bien. Pero una pandilla de chicos se metía en su huerto y le robaba los melones.
Paco decidió que tenía que hacer algo para detenerlos.
Así que planta un cartel en mitad del huerto.
El cartel decía:
"Uno de estos melones está envenenado".
Los chicos dejaron de robarle melones. Pero unos días más tarde los chicos pusieron un cartel que decía:
"Dos de estos melones están envenenados".
Tuvo que tirarlos todos.

1701

Decía Muleiro:
–Comprendo cómo hacen los científicos para calcular las distancias a las estrellas, pero *¿cómo hacen para averiguar sus nombres?*

1702

Roban al gallego Muleiro en la madrugada. Le quitan casi todo.
–¡Dame tu celular!
–*¡Vale! Anota: 014304516.*

1703

En el colegio, con la maestra.
–*Vea, señorita: mi hijo es un superdotado.*
–¿La verdad? No se nota.
–*¿No se nota? ¿No se nota? Pepito, ven y muéstrale a la señorita la tremenda polla que tienes. ¡Ven, muéstrale!*

1704

–Disculpe señor: ¿podría pintar sus ovejas?
–*¡No, coño! ¿Cómo voy a hacer luego para vender lana si usted me las pinta?*

1705

En el dentista.
–¿Cuánto cuesta la extracción?
–*Con dolor 5.000 pesetas. Sin dolor 2.000.*
–Oiga, ¿no será al revés?
–*No, no, se lo aseguro.*
–Bueno, pues que sea sin dolor.
El dentista dio un par de tirones
–¡Aaaaaaaaaaahhhhhhhhhh! ¡Ajjjhh!
–*Perdone, pero como insista con esos gritos ¡se la voy a tener que cobrar con dolor!*

1706

–Mami, ¿puedo salir a jugar?
–*¿Con esa mancha en la camisa?*
–No, con el vecino del tercer piso.

1707

–¿Cómo se llama un elefante experto en problemas de la piel?
–*Paquidermatólogo.*

1708

En pleno vuelo, un motor del avión de Aerolíneas Gallegas comienza a fallar:
–*¡¡¡Horror!!! ¡¡¡Nos hemos quedado sin combustible!!! grita el piloto.*
–¡Ohhh no!... ¿Y ahora cómo bajaremos?

1709

Los gallegos Paco y Manolo fueron por primera vez a un partido de fútbol. Ni se enteraban de qué iba la cosa. Al cabo de un rato se per-

cataron de que todo el campo estaba insultando al árbitro:
–¡Cabrón, malnacido, hijoputa! ¡No eres peor porque no te entrenas!
–Oye, Paco, ¿a quién le están diciendo eso?
–Al de negro, Manolo.
–¡Ah!, no me extraña, lleva media hora en el campo y todavía no ha tocado la pelota.

1710

–¿Sabes cuál es la diferencia entre una pizza muy aromática y hacer el amor?
–No.
–¿Quieres cenar conmigo?

1711

–¡Mi cielo!, ¿qué hora es?
–¡Dentro de diez minutos serán las ocho, querida!
–Sí, pero yo quiero saber qué hora es ahora, no dentro de diez minutos.

1712

–¿Has cambiado de coche? Ahora es rojo y antes lo tenías blanco...
–No, es el mismo. Lo que pasa es que se me calienta un poco.

1713

Un hombre va con un pato bajo el brazo:
–Pero, ¿qué hacés con ese cerdo?
–¿Estás ciego? ¿No ves que es un pato?
–¡No, si hablaba con el pato!

1714

–Camarero, ¡tráigame una sopa!
Cuando la sirven, Manolo mira el plato, revuelve repetidamente la sopa y empieza a quitarse la ropa. Queda totalmente desnudo y parado encima de la mesa.
–Pero ¿¿¿qué le pasa??? ¿Está loco?
–No... es que voy a bucear a ver si encuentro carne, verdura o algún fideo... algo.

1715

Manolo estaba ocupadísimo: tenía más trabajo que el veterinario de los "101 dálmatas".

1716

Pregunta de un marciano a un argentino:
–¿Hay vida inteligente en la Tierra?
–Sí, pero sólo estoy de paso.

1717

Cartel:
Píldoras de la felicidad. Mil pesos.
–¡Pero si es una caja de aspirinas!
–Sí, pero si me compra una caja, ¡ni se imagina la felicidad que me daría!

1718

¿Sabés, Pepe? El otro día estaba leyendo un poema larguísimo que hablaba de todas las cosas. Cuando me cansé de leerlo cerré el libro, y entonces me di cuenta de que era un diccionario.

1719

–¿Cómo sabrías si hay un elefante metido en tu cama?
–Por su pijama, que tiene una "E" bordada.

1720

–¿Cuál es el país que nunca saben si lo van a ir a visitar?
–Irán

1721

El gallego Paco era tan pero tan idiota que pagó 100 dólares para que una gitana le tirara las cartas y después, encima, lo obligó a levantarlas.

1722

–¿Cuál es la diferencia entre una convención de modelos y Marte?
–No sé.
–Podría haber vida inteligente en Marte.

1723

–¿Por qué se divorciaron los gallegos Paco y Pepa?

–Porque tuvieron gemelos y el marido no creía que el segundo fuera suyo.

1724

–Oye, Paco, ¿por qué llamas *El Imbatible* al guardameta de vuestro equipo si cada partido pierden al menos por cinco goles?
–¡Ah, eso! Pues le decimos El Imbatible *porque no tiene huevos.*

1725

–¿De qué hay que llenar una caja fuerte para que pese menos?
–De agujeros.

1726

–¿Qué le pasa a una vaca cuando se come un vidrio?
–La leche sale cortada.

1727

–McGyver, ¡vienen cien tanques!
–Tranquilo, no te preocupes... ¡¡¡Tengo un clip!!!

1728

Aeropuerto.
–¡Hola, Paco! ¿Qué haces aquí?
–Espero el avión que llega el domingo de Miami.

–Pero ¿te has vuelto loco? ¡Si hoy es viernes!
–Lo sé, pero es que el domingo *no puedo venir.*

1729

–¿Cuál es el colmo de una enfermera?
–Ponerle curitas al café cortado.

1730

–Adivina qué es: tiene ojos y no ve, tiene pico y no pica, tiene alas y no vuela, tiene patas y no camina, ¿qué es?
–Un pajarito muerto.

1731

–Manolito, ¿tú sabes adónde van los niños derrochadores que no guardan el dinero en la alcancía?
–Sí, señorita; a los jueguitos, al cine... a todas partes.

1732

–¿Cómo llama Bush a los que leen *Sports Illustrated*?
–No sé.
–Intelectuales.

1733

En pleno juicio de divorcio, habla la esposa:

–Señor juez, ésta fue mi versión de la historia. Ahora le voy a contar *la de él.*

1734

Un hombre fue a una entrevista para trabajar en un circo. Habló con el director.
–Bueno, ¿qué es lo que hace exactamente?
–Imito a los pájaros.
–No me interesa...
Y el hombre se fue volando.

1735

–¿Sabes cuál es el juego predilecto de los magos, Paco?
–Ni idea...
–¡Pues el truco!

1736

–Mi papá hizo una escalera que llega al sol.
–Mi papá encendió un cigarro con el sol.
–¡Mentira! ¿Cómo lo hizo?
–¡Se subió en la escalera que hizo tu papá!

1737

Había una vez una bala perdida... *y se puso a llorar.*

1738

–¿Cuál es la diferencia entre un árbol y un borracho?
–Que el árbol empieza en el suelo y termina en la copa y el borracho comienza en la copa y acaba en el suelo.

1739

–¿Saben por qué un escocés muy avaro nunca compra una heladera?

143

—*Porque no puede estar completamente seguro de que la luz se apaga después de que cierra la puerta.*

1740

Una vaca borracha daba tumbos por el desierto.
Cuando comenzó a recuperarse de la borrachera, miró a su alrededor y, totalmente alucinada, exclamó:
—*¡Jo! ¡Me he comido todo el césped!*

1741

—Desde que asumió este gobierno, la venta de televisores se triplicó.
—*Verdad: yo tuve que vender el mío.*

1742

—¿Qué es un gallego sobre un burro?
—*Un gallego de dos pisos.*

1743

—¿Cómo transmiten el sida los gallegos?
—*Por Radio Galicia.*

1744

Manicomio. Un loco sentado boca abajo canta una canción. De pronto, se detiene.
Otros locos lo dan vuelta, y el loco vuelve a cantar.
Todos empiezan a silbar y patalear.

—*¿La verdad? ¡Nos gustaba muchísimo más del lado A!*

1745

—¿Qué hace una mosca que sigue derecho?
—*Se recibe de abogada.*

1746

—¿Por qué las vacas no pueden comer vidrios?
—*Porque se les corta la leche.*

1747

¿Cómo puedo saber cuántas vidas *le quedan a mi gato*?

1748

El gallego Manolo es tan, pero tan bestia, que cada vez que compra un condón, como le queda pequeño, *le corta la punta.*

1749

El gallego Manolo era tan bobo que lo invitaron a una fiesta con muchas minas *y no fue porque tenía miedo de pisarlas y que estrellasen.*

1750

—*¿Por qué no vino ayer a trabajar?*
—Es que me sentía muy mal y creí que me moría.
—*Pero ¡lo vieron que iba andando en bicicleta!*
—Es que iba a llamar al médico.

1751

Durante la Segunda Guerra Mundial, a alguien se le ocurrió la idea de estudiar dónde habían sido tocados los aviones al volver de sus misiones, para reforzar bien esos puntos.
Comenzaron a hacer estadísticas sobre el tema.
Al analizar los resultados, notaron un pequeño detalle: *lo que había que reforzar eran las zonas que recibían más balazos en los aviones que no volvían de sus misiones.*

1752

—Madre, ¿puedo salir a jugar con mi hermanito?
—*¡Vaaaale! Pero ¡cuidado! ¡No rompas el frasco!*

1753

El gallego Paco era tan bruto que se creía que gastar plata era *raspar una moneda contra la pared.*

1754

—Tía María, ¿de dónde vienes?
—*Del salón de belleza.*
—Estaba cerrado, ¿verdad?

1755

En Galicia se organizó el *Campeonato Mundial de Masoquismo.* Al final de varias pruebas sólo queda

ron cuatro: *un chino, un americano, un ruso y el gallego.*
Prueba final: Quien aguante más latigazos.
Pasó el chino y comenzaron los latigazos.
Luego de 10 minutos el chino aguantó 555 latigazos y pidió:
–*¡Por favor, no me peguen más!*
Pasó el americano y comenzaron los latigazos.
Luego de 30 minutos, fueron 1.125 latigazos.
–*¡Basta! ¡No me peguen más!*
Pasó el ruso, comenzaron los latigazos y luego de 45 minutos fueron 2.000 latigazos.
–*¡Ya no más! ¡Ya no más!*
Pasó el gallego. Comenzaron los latigazos.
Pasó una hora y el verdugo se cansó y cambió de mano. Eran 2.500.
Pasaron otros 30 minutos y ya eran 3.500. La tribuna se animó y comenzó a gritar:
–*¡¡¡Dale mudo, dale mudooo... dale mudo, dale mudo, dale muuuuuudoooo!!!*

1756

Muleiro conducía borracho con su mujer a las cuatro de la mañana:
–Muleiro ¡ten cuidado!

–¡Tú tranquila, que yo controlo!
–¡Pepe, Pepe, cuidado, una curva cerrada!
–¿Y qué creías? ¿Que a las cuatro de la mañana iba a estar abierta?

1757

–¿Por qué los vascos dicen frases muy crudas?
–*Porque no les gustan las frases muy hechas.*

1758

–*Pepe Muleiro se vestía tan mal que le decían Caja Fuerte.*
–¿Por qué?
–*No había quién le encontrara la combinación.*

1759

–¿Por qué los gallegos guardan los diarios en la heladera?
–*Para tener las noticias frescas.*

1760

Era tan tan pero tan cabezón, que le tenían que tejer los pulóveres puestos.

1761

Un meloncito estaba hablando con un huevito. El meloncito le dijo al huevito:
–*Yo, de grande, voy a ser un gran melón.*
Y el huevito se puso a llorar...

1762

Había una vez un tomate y una lechuga cruzando la calle.
Un camión atropelló a la lechuga.
Cuando el tomate fue a verla al hospital el doctor le dijo:
–*Lamento comunicarle que su*

amiga la lechuga ha quedado en estado vegetal.

1763

Dos vascos decidieron clavarse clavos en la cabeza para distraerse un poco.
–*¿Te hago daño?*
–¡Hombre! Cuando se te escapa el martillo, un poco.

1764

–¡Camarera, en la sopa hay una mosca!
–*Pues se habrá comido usted la otra, porque había dos.*

1765

El ejército ruso: 3.500 monos muertos.
Estados Unidos: 4.500 monos.
El gallego bigotudo: 5.000 monos muertos.
Los generales de los ejércitos ruso y americano, desesperados.
¿Cómo era posible que un gallego bigotudo pudiera matar tantos monos?
Enviaron a un grupo de espías para averiguarlo. Al siguiente día...
Rusia: *5.000 monos.*
Estados Unidos: *6.500 monos.*
El gallego bigotudo: *8.500 monos, dos espías de Estados Unidos y tres espías rusos.*
Después de una semana con simi-

lares resultados, decidieron encarar al gallego:

–Por el bien de este país, díganos, ¿cómo lo hace?

–Fácil. Mi perro está entrenado para matar a los monos destrozándolos a mordiscones. Yo sólo me subo a un árbol, sacudo las ramas y mono que cae ¡zas! mono que muere.

–Y entonces ¿para qué quiere la escopeta?

–¡Ah! La escopeta es para matar al perro por si me caigo del árbol...

1766

–¿Qué estás buscando, Antxón?

–Mis gafas.

–¡Pero si las tienes puestas, hombre!

–¡Gracias! ¡Ya casi me iba sin ellas, joder!

1767

Una bomba cayó en Galicia, y hay una noticia buena y una mala.
La buena: no hay heridos.
La mala: sólo muertos.

1768

Los gallegos Pepe y Paco compraron un taxi.
Pasaron semanas y no levantaron

absolutamente ni un solo pasajero. Después de dos meses, Pepe se hartó.

–¡Vale: ya estoy harto de esperar a que suba alguien! De ahora en más, tú vas atrás y yo manejo. ¡A ver si nos cambia un poco esta puta suerte, joder!

1769

–Doctor, a pesar de la operación ¡aún me arde el estómago!

–¡Caramba! ¡Ahora recuerdo dónde dejé mi encendedor!

1770

¿Por qué decirle "no" a la homosexualidad?
El sexo, como la tele, debe gozar de varios canales.

1771

–¿En qué se diferencian un manicomio y una guitarra?

–En que en el manicomio están "sujetas las locas" y en la guitarra "las cuerdas".

1772

En el restaurante:
–Un café corto.
–No tenemos cambio.

1773

El maestro sorprendió a varios alumnos arrojando bolígrafos "Bic" por la ventana.

–¿Qué están haciendo?

–Ya lo ve: practicando "aero-bic".

1774

El gallego Manolo es tan bruto que hace estas bromas:

–María, tengo una mala y una bue-

na noticia que darte... La mala es que se murió tu padre.
La mujer arrancó a llorar.

–Y la buena es... ¡que es mentira!

1775

En una exposición:

–¿A usted le gusta la pintura?

–Mucho ¡pero más de un tarro me empalaga!

1776

Una actriz de teatro para chicos en una entrevista de un programa de tele, sábado a las 14.30, en pleno verano.

–Yo nunca tuve problemas de dinero. Ahora, problemas de falta de dinero, miles.

1777

–Camarero, este pollo tiene una pata más corta que la otra.

–¿El señor quiere el pollo para comérselo o para bailar con él?

1778

–¿Qué es un tomate con una capa?

–Un Súper Tomate.

–¿Y una pera con una capa?

–Súper Pera.

–¡No! Una pera imitando a Súper Tomate.

1779

–Comisario, vengo a denunciar la desaparición de mi esposa.

–¡*Muy bien! ¿Tiene alguna foto para ponerla aquí?*
–¡Sí, aquí tiene una!
–¡*Ajjjj! ¿De verdad quiere que la encontremos?*

1780

–¿Por qué los chinos no pueden mover este dedo pulgar?
–*Porque es mío...*

1781

Una excursión de bizcos recorre Santiago de Compostela. El guía gallego les dice:
–*Si miran a la izquierda, a la derecha podrán ver la catedral.*

1782

–¿Cuál es el peso ideal de un gallego?
–*Alrededor de 2 kilos... incluida la urna.*

1783

–¿Por qué los vascos hacen fiestas en la cumbre del monte?
–*Porque les gusta celebrar las cosas por todo lo alto.*

1784

Diez millones de chinos cantaban el himno de China.
El director del coro detuvo el canto para decirle a uno de ellos:
–*A ver, tú, el vigésimo noveno de la fila cuatro mil, deja ya de mo-*

ver los labios y canta!
–Bueno, pero después no me eche la culpa si el coro sale desafinado...

1785

El gallego Pepe entra muy decidido al bar.
–*A ver: ¿quién se cree muy gallito, aquí?*
Todos se quedan callados.
–¡¡¡*Repito!!! ¿Quién se cree gallito aquí?*
Un vaquero de dos metros de estatura se para amenazadoramente a su lado.
–Yo. Yo me creo muy gallo ¿¿¿por qué???
–*Porque necesitaría que me despertase a las cinco y media, ¿puede ser?*

1786

–¿Cómo hacen los gallegos para sacar la leche descremada de las vacas?
–*Las ponen a dieta.*

1787

–Padre, se ha perdido la burra.
–*Gracias a Dios que no estoy yo arriba. Porque si estuviera sobre la burra, yo también estaría perdido.*

1788

–¿Sabes cómo descubrir a un chino entre mil japoneses?
–*No, ¿cómo?*
–Preguntando quién se siente solo.

1789

Un ciego entra a un supermercado con su perro guía.
Cuando llega al centro del supermercado lo agarra por la cola y empieza a revolearlo.

Entonces se acerca una persona y le pregunta:
–*¿Qué hace?*
–Nada, aquí... echando un vistazo.

1790

–¡*Mi paracaídas no se abre! ¡Menos mal que el vendedor me dijo que me devolvería el dinero si no funcionaba!*

1791

La esposa de Pepe Muleiro:
–Pepe, tengo una buena y una mala noticia para darte.
–*Bueno, empieza.*
–Me voy de casa.
–*¿Y cuál es la mala?*

1792

En el restaurante del gallego Manolo.
–*Un menú, por favor, mozo.*
–Sírvase. Como puede ver, el menú tiene de todo, ¿qué le traigo?
–¡*Tráigame uno más limpio!*

1793

–¡He inventado el aparato del siglo! He inventado un dispositivo que salvará miles de vidas. Cuando a un pa-

racaidista no se le abra el paracaídas, mi invento lo salvará.

−¡Maravilloso, Manolo! ¿Cómo es el invento?

−El paracaidista se arroja al vacío con un gancho. Si el paracaídas no se abre ¡¡¡clack!!! lo engancha.

−¿Dónde lo engancha?

−¡Pero bueno! ¿¿¿Tengo que inventarlo todo yo???

1794

−¿Por qué siempre ponen en el examen la única pregunta que tú no has estudiado?

1795

Si nadar es tan bueno para la figura... ¿Por qué las ballenas son tan gordas?

1796

El mexicano Robiroso Zapata, conocido como Ándale Piecito, dormitaba su interminable siesta.

Robiroso estaba junto a su perro. De pronto, un conejo del desierto pasó corriendo a cien kilómetros por hora.

El conejo dejó una polvareda descomunal.

A las cuatro horas de haber pasado el conejo, el perro levantó la cabeza. Después de bostezar largamente, hizo:

−¡Guauuu!

Robiroso levantó muy lentamente una mano y le dijo:

−¡Tranquilo, Rayo!

1797

−Oye, Manolo ¿por qué todos llevan casco en tu pueblo?

−¡Hombre! Porque se rompió la cuerda del campanario y el monaguillo tiene que tirar piedras para que suenen las campanas.

1798

−Doctor, que se le ha roto el brazo a mi chico.

−Vamos a tener que ponerle yeso.

−Oye, ¡ponle mármol, que tengo para pagar!

1799

La maestra les pidió a los alumnos que escribieran una carta como si fueran los presidentes de una importante empresa. Todos se pusieron a escribir inmediatamente, excepto Jaimito.

−¿Por qué no estás escribiendo tu carta, Jaimito?

−¡Porque estoy esperando a mi secretaria!

1800

−Buenas tardes. Necesito un remedio para el hipo.

Pepe Muleiro, el farmacéutico, saltó sorpresivamente sobre él con un trapo y le pegó tres o cuatro trapazos por la cabeza.

−Entiendo que puede ser un buen remedio, pero la que tiene hipo, Muleiro, es mi esposa.

1801

−¿Cómo se llama la parte del cuerpo de la mujer entre el coño y el culo?

−No sé.

−Frontón: porque es donde rebotan las pelotas.

1802

−¿Qué le dijo Drácula a una momia?

−¿Quieres ser mi momia?

1803

El diputado jamás tenía tiempo para estar en su casa. Pero un día su esposa se enfermó y tuvo que hacerse cargo de algunas tareas del hogar. Por ejemplo, bañar a su hijito.

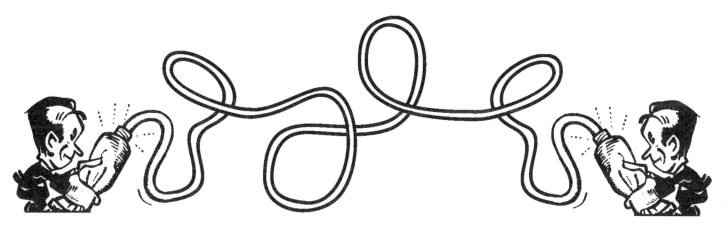

–¿Has visto cómo también podemos arreglarnos sin mamá?
–*Sí, papá. Pero mamá antes de meterme en la bañera me saca los pantalones, los zapatos, las medias...*

1804

Primer acto: un dinosaurio tomando drogas.
Segundo acto: el mismo dinosaurio tomando drogas.
Tercer acto: una vez más el dinosaurio tomando drogas.
–*¿Cómo se llama la obra?*
–Dino a las drogas.

1805

–¡Hola! ¿Doctor?
–*Sí. Con él habla.*
–Mi sobrino se ha tragado una lapicera.
–*Voy enseguida... Pero, ¿qué ha hecho usted mientras tanto?*
–Estoy escribiendo con un lápiz.

1806

–*Vamos a jugar a adivinar animales. Si adivinas el animal que te voy a describir te doy 100 pesos. Y si no lo adivinas me das 1.000 pesos.*
–Bueno.
–*Es un animal que corre por la tierra, vuela por el aire y nada por debajo del agua.*
–No lo sé. Toma los 1.000 pesos. ¿Qué animal es?
–*Toma los 100 pesos: yo tampoco lo sé.*

1807

Partido de fútbol. Veinte millones de chinos contra otros veinte millones de chinos.
Se acerca un chinito y pregunta:
–*¿Puedo entrar?*
–No. Tienes que armarte tu propio equipo.

1808

–¿Cómo puedes saber si un elefante acaba de utilizar el ascensor?
–*Por el olor a cacahuete.*

1809

–Mamá, yo quiero ser monja.
–*Te he dicho mil veces que es imposible, Manolo.*

1810

Un tipo, con un abrigo negro, las solapas levantadas y gafas de sol, a las doce de la noche, llamaba al timbre del portal de una casa:
–*Sí, dígame.*
–Las palomas vuelan al amanecer.
–*¿Sí?*
–Que las palomas vuelan al amanecer.
–*Oye, imbécil. Te he dicho cincuenta veces que el espía vive en el quinto C.*

1811

¿Para qué se levantan los hombres en la noche?
Un *20 por ciento* se levanta a tomar agua.
Un *30 por ciento* se levanta a hacer pipí.
Y un *50 por ciento* se levanta para irse a su casa.

1812

La mamá de Manolito tiene cinco hijos: *Ya, Ye, Yi y Yo, ¿quién falta?*
Pues... ¡Manolito!

1813

–¡Tienes que ver, Paco, lo que es ese médico! *¡Una eminencia!*
–*¿Te ha curado?*
–¿Que si me ha curado? ¡Ha hecho un milagro conmigo, Paco! ¡Sin recetas, sin pastillas, sin tratamientos!
–*¡Venga, Manolo, cuenta, cuenta!*
–Verás: yo no podía ponerme dere-

cho. La cabeza se me iba hacia adelante... Se me hundía en el vientre; no podía enderezarme. Andaba con la espalda curvada como un anciano decrépito. Así durante meses.

–¿Cómo hizo para curarte de manera tan milagrosa?

–Un genio. Es un genio. Me miró, Paco. Sólo me miró y a los diez segundos, ¡estaba yo curado, joder!

–¿Qué hizo, coño?

–Sólo me dijo: "Manolo: no vuelva a abrocharse el botón del pantalón en el ojal del cuello de la camisa". Y ya me ves...

1814

–A mi esposa le digo *Bombón*, porque es muy dulce.

–Yo le digo *Margarita*, porque le encantan los cócteles.

–Yo a la mía le digo *Tesoro*, porque todo el mundo me pregunta *de dónde la desenterré*.

1815

–¡Su atención... por favor! Se recuerda a los integrantes del grupo gallego que, por favor, no tiren miguitas de pan en la pista de aterrizaje... ¡los aviones bajan solos!

1816

El gallego Muleiro buscaba algo en la calle.

–Oiga, ¿qué hace?

–*Estoy buscando mis llaves.*

–¿Por dónde se le perdieron?

–*Por allá.*

–¿Y por qué las busca acá?

–*Porque acá hay luz.*

1817

¿Por qué será que cuando un hombre le dice cosas sucias a una mujer se lo llama *"acoso sexual"*, pero cuando una mujer le dice cositas sucias a un hombre por teléfono a éste *le cuesta 1,99 dólar el minuto?*

1818

–¿Cómo se sacan los gallegos un moco con cinco dedos?

–*Ponen los dedos alrededor de la nariz, como sujetándola, y gritan: "¡Sal!, ¡estás rodeado!"*

1819

El gallego Paco y el gallego Pepe subieron a un autobús repleto de marineros.

–Oye, Paco, creo que nos hemos subido a un barco.

–Pues no, Pepe: es un autobús. En la esquina siguiente suben otros cinco marineros.

–¿Ves? Es un barco.

–Te digo que es un autobús.

–*Para que veas que es un barco, me voy a tirar por la borda.*

Pepe saltó y se rompió la cara contra el suelo.

–¿Has visto que era un autobús, Paco?

–No. Es un barco. Pero arrójate por el otro lado porque por aquí hay piedras.

1820

Pepe Muleiro acababa de enviudar. Fue a la farmacia para pesarse.

Cuando estaba a punto de subirse a la balanza, el farmacéutico le dijo:

–*Muleiro, ¡lo acompaño en su pesar!*

–No, gracias, me peso solo.

1821

> Había una vez un chicle que pecó, y como castigo lo dejaron pegado.

1822

–¿Por qué los caníbales no comen gemelos?

–*Porque los repiten.*

1823

–Camarero, en mi café he encontrado ¡una gasa y vendas!

–¡Hombre, claro: es por si la leche se corta!

1824

Una modelito en la carretera. Acababa de romperse su autito. Se detuvo un convertible nuevo. El conductor era joven y guapo. Luego de besarse, él dijo:

–Tengo que contarte algo.

–¿Qué?

–Soy casado.

–¡Ay, me asustaste! ¡¡¡Pensé que el convertible no era tuyo!!!

1825

En una conversación íntima entre dos ballenas, le dice la ballena macho a la ballena hembra:

–*Varios países, decenas de organi-*

zaciones ecologistas, millones de personas luchando por la supervivencia de nuestra especie y tú me dices que ¡¡¡hoy te duele la cabeza!!!

1826

El gallego Manolo odiaba tanto a su suegra que cuando ésta se murió, hizo escribir en la lápida: *R.I.P., R.I.P. ¡HURRA!*

1827

–¿Tiene hijos grandes, Manolo?
–*Pues, sí. Tengo uno tan pero tan grande que ya es más viejo que yo.*

1828

–Mamá, ¿por qué sacudes al bebé?
–*Porque me olvidé de sacudir el remedio.*

1829

–¿Qué harías si un tigre atacase a tu suegra?
–*Como es el tigre quien ha comenzado, no saldría a defenderlo. ¡Que se las arregle él solo!*

1830

Si el vino es líquido, ¿cómo puede ser seco?

1831

El recién ingresado en el hospital contempla la poca comida que le dan, debido al severo régimen que le indicaron.
Se toma parsimoniosamente la pequeña taza de consomé, las dos hojas de lechuga y los 25 gramos de pollo a la plancha.

Al acabar le dice a la enfermera:
–¿Me puede traer una estampilla, por favor?
–*¿Una estampilla? ¿Para qué?*
–Es que me gusta leer un poco después de comer...

1832

–¿Cómo se puede librar de las cucarachas un hombre soltero?
–*Se dedica a buscar la cucaracha perfecta para él.*

1833

–¿Qué tal, cómo te va?
–*Acá andamos, enviudé y estoy solo con mis 12 hijas.*
–¿Y les das de comer a las 12?
–*No, a la 1.*

1834

–¿Es el 111 11 11?
–*Sí.*
–¡Tiene un teléfono que parece un peine!

1835

El Papa recibió en audiencia al obispo de Sevilla.
Entró el obispo en la sala, resbaló y fue deslizándose por el suelo hasta llegar a la altura del sillón del Papa. Éste lo recibió con una sonrisa:
–¡*Buona sera!*
–Sí, buena cera, ¿pero no cree su Santidad que han puesto mucha cantidad?

1836

A la vuelta de un viaje a Londres, el intendente del pueblo gallego sacó un bando:
–*En vista del éxito que tiene este sistema en Londres, este año todos los coches circularán por*

la izquierda... y si esto sale bien, el año que viene también lo harían los camiones.

1837 - 1857
Definiciones de Muleiro

Acumular: Juntar una gran cantidad de mulas.

Aferrarse: Agarrarse de un fierro.

Aforrar: Dar un golpe con un neumático.

Africano: Negro canoso.

Anchoa: Animal marino de gran amplitud.

Anegar: Desmentir que haya habido alguna inundación.

Anhelar: Desear la llegada del invierno.

Anonimato: Matar a un desconocido.

Aplomo: Compostura que se mantiene aún después de recibir un balazo.

Armatoste: Tostador de gran volumen.

Autodidacta: Persona que aprende a hacerse su propio auto.

Avena: Cereal inyectable.

Averración: Hacerlo con una ave.

Barroco: Estilo de arte cuyo origen se remonta a la época de las lluvias.

Buhardilla: Extraño animal, cruce de búho y ardilla que habita en los desvanes.

Cochino: Oriental desaseado.

Confundir: Meter al horno el metal equivocado.

Compostura: Amantes que se mantienen en la misma posición al ser sorprendidos.

Consuelo: Alivio que siente el paracaidista al tocar tierra.

Contraloría: Entidad encargada de fiscalizar la captura de loros.

Contravenir: Desobedecer la orden de acercarse.

1858

Diferencia entre hombres y mujeres:
Los hombres siempre quieren ser los *primeros en la vida de una mujer.*

Las mujeres, en cambio, quieren ser las *últimas en la vida de un hombre.*

1859

¿Cómo se dice?...
¿"La yema del huevo es blanca" o "las yemas de los huevos son blancas"?
De ninguna manera: La yema del huevo es amarilla.

1860

—Sólo escucho las súplicas de los pobres que me llaman la atención.
—¿Cuáles son?
—Los que no piden nada.

1861

Nueve de cada diez médicos están de acuerdo en que *uno de cada diez médicos es un idiota.*

1862

—Pepe, me acabo de comprar un aparato para la sordera que es una maravilla, me lo puedo meter en la oreja y nadie se da cuenta.
—¡Uy, qué bueno! ¿Y cuánto te ha costado?
—Las dos y cuarto.

1863

—¿Por qué al mejor corredor del mundo le dicen piojo?
—Porque siempre va a la cabeza.

1864

—¿Por qué los soldados en el Far West llevaban tijeras en las alforjas?
—Para cortarle la retirada a los indios.

1865

—¿Qué personaje del circo vive en un décimo piso y sube cinco en ascensor y los restantes por escalera?
—Un enano, porque no llega al botón del décimo piso.

1866

—A mí me gustaría alguien que entendiera la economía mixta.
—¿Qué tipo de economía mixta, ministro?
—Un sistema donde tú ganas en un año lo que yo me gasto en una noche.

1867

—Oye Pepe, ¡llevas los zapatos al revés!
—¡No me jodas, Paco! ¿Qué sabes tú hacia dónde voy yo?

1868

—Cuando un pobre tiene un problema recurre a un rico.
—¿Y por qué cuando un rico tiene un problema no recurre a un pobre?
—Seguramente por orgullo.

1869

El judío Goldemberg era el hombre más rico del pueblo.
Como había nevado, resbaló y cayó al agua. No sabía nadar. Estaba a punto de ahogarse.
Casi todo el pueblo corrió a ayudarlo.
—¡Déme la mano!¡Déme la mano que lo saco!
El millonario no sacó su mano.
—Déme aunque sea la punta de un dedo y lo saco, Goldemberg.
Ni la punta del dedo.
Ya estaba a punto de ahogarse.
Hasta que se acercó un forastero. Se arrodilló en la orilla, murmuró unas palabras que nadie pudo oír y Goldemberg estiró el brazo y se agarró del desconocido.

Un murmullo de admiración recorrió el pueblo.
Alguien se atrevió a preguntar al forastero:
—¿Cómo logró que Goldemberg le diera la mano?
—Muy sencillo. A un rico jamás hay que decirle dame. A un rico hay que decirle toma. Le dije *"toma mi mano"* y la tomó.

1870

—Oye, Paca, ¿tú sabes cómo se llaman los habitantes de *San Sebastián*?
—Bueno, ¡¡¡todos no!!!

1871

—Mi papá me regaló un perro salchicha.
—¡Qué lindo! ¿Y qué nombre le pusiste?
—Pancho.

1872

—¿Cómo le dicen al gobierno?
—*Gran Hermano, porque cada semana se va uno.*

1873

Espléndida tarde de sol. Discutían los loquitos en el hospicio gallego. Manolo, subido a un banco, gritaba:

—¡Soy el Mesías! ¡He venido a salvaros! ¡He venido a repartir paz y alegría! ¡Dios me ha encargado que os diga...!
El argentino gritó disgustado:
—Pará, pará un poquito. ¡Yo no te encargué un carajo! Hablá por vos, *pero a mí no me metás, ¿está claro?*

1874

¿Por qué los relojes que tienen manecillas no tienen piececillos?

1875

—¿Por qué la sartén se va de vacaciones? ¿Y por qué la olla no?
—*Porque la olla no tiene un mango.*

1876

Es tan bruto que para tomar sopa de letras necesita *un traductor.*

1877

—¿Está usted cualificado para proporcionar una muestra de orina?
—*Lo he estado desde mi más tierna infancia.*

1878

—¡Papi, esta tumba no tiene ninguna inscripción! Sólo una cruz. ¿Por qué?
—*Seguramente el muerto no sabía firmar.*

1879

El capitán tartamudo a la conquista de América:
—*Cu-cu-cuando yo-yo-yo diga ti-ti-ti-tierra, os tiráis to-to-todos al*

agua y a na-na-nadar hasta la co- co-costa.
Al cabo de un rato:
—Ti-ti-ti....
Y se tiraron todos al agua.
—¡Ti-ti-ti-tiburones!

1880

—¿Por qué no puede llover dos días seguidos en Florida?
—*Porque en medio hay una noche.*

1881

—Estoy desesperada, Pepa. Mi marido el Manolo quiere que todas las noches follemos cinco o seis veces. Y ya no puedo más.
—Verás, Paca: tú debes decirle que tienes la menstruación, y así lo detendrás.
La mujer llega a su casa, y a los cinco minutos aparece el Manolo:
—*¡Venga, Paca: a la cama, que hoy lo vamos a hacer toda la noche!*
—Verás Manolo, es que tengo la regla.
—*¿La regla? ¡Qué bien! ¡¡¡La semana del culito!!!*

1882

—¡Mamá, mamá, en el colegio me dicen pies grandes!
—*Termina de comer y déjate de decir pavadas, que tienes que ir a apagar el fuego.*

1883

Una enfermera mientras lleva en la camilla al paciente, camino del quirófano:
—*Pero, ¿por qué tiembla tanto?*
—Es que he oído a la otra enfermera: decía que la operación de apendi-

citis es muy sencilla y que no había por qué estar nervioso y que todo iba a salir bien.
−*Pues claro, todo eso se lo dijo para tranquilizarlo porque es verdad.*
−¡No, no! ¡Lo que pasa es que no me lo decía a mí, sino al cirujano!

1884

Primer acto: un té solo en una isla.
Segundo acto: un té solo en una isla.
Tercer acto: un té solo en una isla.
−¿Cómo se llama la obra?
−*La isla del té-solo.*

1885

−¿Cuál es el colmo de un conjunto musical?
−Tener *conjun*tivitis.

1886

−¿Por qué los ladrones de coches gallegos van siempre con un camión lleno de maderas y vigas de hierro?
−*Para hacer "el puente".*

1887

Había una vez una pareja bailando en una fiesta, cuando de repente a la mujer se le escapó un pedito. Muerta de vergüenza le dice a su acompañante:

−*¡Perdóneme, pero que esto quede entre nosotros!*
Pero el hombre agitando las manos dijo:
−¡Nooo, que circule, que circule!

1888

−María, mi jefe me mandó a la mierda.
−*¿Y tú que has hecho, Pepe?*
−He venido aquí inmediatamente.

1889

En la farmacia del gallego Manolo.
−*Déme medio kilo de polvo para matar a las cucarachas.*
−¿Para llevar?
−*¡Nooo! ¡Si quiere le traigo las cucarachas!*

1890

−Pero mamáááá... ¡sopa de porotos otra vez!
−*Manolito, la verdad es que no te entiendo: el lunes te gustó la sopa de porotos, el martes también te gustó la sopa de porotos, el miércoles y el jueves te gustó la sopa de porotos; el viernes te gustó la sopa de porotos. La semana pasada te encantó la sopa de porotos... Pero hoy, de repente, la sopa de porotos no te gusta más. ¡Anda ya! ¡No me jodas y come tu sopa de porotos!*

1891

Era una aldea perdida en el interior de Galicia.
Un día llegó un helicóptero cargado de científicos de todo el mundo para estudiar el grado de bestialidad de estos gallegos.
Apenas vieron el helicóptero, los gallegos comenzaron a dispararle

pensando que se trataba de un enorme insecto volador que les comería las cosechas.
Mientras todos descargaban sus escopetas, el alcalde, el hombre más inteligente del pueblo, trataba de detenerlos a los gritos.
−*¡No disparéis! ¡No seáis brutos! ¡No seáis brutos! ¡Cogedlo vivo!*

1892

En el cole.
−A ver, Manolito ¿cuál es el índice de mortalidad en Ghana?
−*Humm... ¿una muerte por persona?*

1893

−¿Por qué las vacas gallegas dan leche, Manolo?
−*¡¡¡Porque les sale de las tetas!!!*

1894

Un tipo quería hablar con el diablo. Llamó por teléfono.
−¿Hablo con el demonio?
−*No, con el de corbata.*

1895

Un cazador avanzaba por la selva cuando de pronto se encuentra rodeado de caníbales. Había caníbales por detrás, por delante, por todas partes.
−*¡Estoy liquidado!*
De repente se abre el cielo y se oye una Voz:

–No, todavía no, ¡¡¡lo que usted tiene que hacer es correr, golpear al jefe, quitarle la lanza y matar a su hijo!!!

Y se cierra el cielo. El hombre rápidamente corre, golpea al jefe, le quita la lanza y mata a su hijo.

Se abre el cielo de nuevo y se oye nuevamente la Voz que le dice:

–¡Ahora sí, estás liquidado!

1896

–¿Qué le dice un oído al otro?

–Tanto tiempo dando cera y nunca brillamos.

1897

Pepe Muleiro era tan pero tan tacaño que un día estaba soñando que tomaba un café y se despertó de golpe para no pagarlo.

1898

–¿Qué hacen los hijos del multimillonario Donald Trump en Navidad?

–Ni idea.

–Se sientan en las rodillas de Papá Noel y le preguntan qué quiere que le regalen.

1899

Primera escena: Una piña va a una discoteca sin pagar.

Segunda escena: Una piña va a una fiesta, no paga.

Tercera escena: La misma piña va a un circo, y no paga.

–¿Cómo se llama la obra?

–Piña colada.

1900

Era tan pero tan feo, que a los tres meses aprendió a caminar... porque nadie lo alzaba.

1901

–¿Cuál es el colmo de un fumador?

–Ni idea.

–Que lo entierren con un cajón negro, largo y con filtro.

1902

–¿Qué le dijo un calvo a otro calvo?

–Peleemos, ¡pero sin tirarnos de los pelos!

1903

Era tan pero tan chiquito, que cuando murió, en lugar de ir al cielo... se fue al techo.

1904

–¿En qué se parece una cueva a un frigorífico?

–Ni idea.

–En que la cueva tiene estalactitas y estalagmitas y el frigorífico esta latita de atún, esta latita de anchoas...

1905

–¿Cómo se dice "descalzo" en chino?

–Chin chinela.

1906

El condenado estaba a punto de ser ejecutado:

–¿Cuál es tu último deseo?

–Ah sí, pues que si me pudiesen ahorcar por la cintura, porque del cuello siento como que me ahogo.

1907

–Había dos flanes en la cocina, Mateo, ¿por qué ahora hay sólo uno?

–Es que no vi el otro, mami.

1908

Van dos gallegos por un desierto y le dice uno al otro:

–Oye, tú.

Y le dice el otro:

–¿Quién, yo?

1909

Un poco de cultura:

–Una jirafa ¿puede dormir un día entero?

–Es casi imposible, suele dormir de a períodos de 7 u 8 minutos.

1910

–No puedes negar que eres de la familia. Tienes la boca de tu papá y las orejas de tu mamá, Manolito.

–Sí, y tengo las zapatillas de mi hermano.

1911

–¿Sabes, Manolo? Me gustaría tener a mi mujer aquí, otra vez.

–¿Te abandonó, Paco?

–No, nada de eso. La cambié por una botella de Coca Cola.
–¿Y la echas de menos?
–No. Pero ahora tengo sed otra vez.

1912

El gallego Muleiro era un tipo realmente bestia.
Una vez trabajó en una tienda de animales y la gente preguntaba todo el tiempo:
–¿Cuánto va a crecer?

1913

–¿Cuál es el colmo de una piña "colada"?
–Que la saquen de la cola.

1914

Dos árabes excavaban en el Sahara. Después de dos horas:
–¡Estoy harto! ¡Siempre más petróleo! ¡Siempre más petróleo! ¿Es posible que no logremos encontrar esa maldita agua?

1915

–¿Cómo te va, Pedro?
–Más o menos. Fui al psicoanalista. Me dijo que estaba loco. Le dije que quería una segunda opinión. Me dijo: "Muy bien. ¡Y además es feo!".

1916

–Oye Pepe, ¡qué bonita medalla de oro tienes!
–Pues sí, me la gané en una carrera.
–¿Cómo es eso?
–Pues muy sencillo: yo corría adelante, los seis policías corrían detrás y ninguno me pudo alcanzar.

1917

–Manolo, ¿por qué vas a todas partes con tu esposa?
–Para no tener que darle el beso de despedida.

1918

–¡Llegas tarde, Paco! ¿Es posible que jamás puedas ser puntual? ¡Incluso a nuestra boda llegaste tarde!
–¡Sí, pero no lo bastante! ¡No lo bastante!

1919

–Estoy muy mal porque engaño a mi mujer, Paco.
–¿Qué tal está la mujer con la que la engañas?
– No, Paco, tú no comprendes. Ella se acuesta con otro y yo lo sé. Pero le hice creer que no lo sé... por eso te digo que la engaño a mi mujer.

1920

–¿Cuál es el animal más evidente?
–El gato. Porque salta a la vista.

1921

–Hola. El contestador automático de Pepe está estropeado; ésta es su heladera. Por favor, deje su mensaje y me lo pegaré con un imán.

1922

Mil chinos juegan alegremente al baloncesto en un ascensor. Uno de ellos grita:
–¡Pásala, pásala, que estoy solo!

1923

En la mili:
–¡Presenten armas!
–Mi capitán, aquí le presento a mi fusil. Fusil, aquí te presento a mí capitán.

1924

La gallega Paca al Manolo:
–¿Éstas son horas de llegar? ¡Son exactamente las 5:32 de la madrugada!
–¿Y la temperatura?

1925

–Yo lo tenía todo: dinero, una casa maravillosa, un coche estupendo, el amor de una mujer fabulosa, y de

pronto, ¡pum! todo se fue a pique.
–¿Qué sucedió?
–Mi mujer lo descubrió.

1926

En la iglesia dice el cura:
–A ver, los invitados de la novia que se pongan a la derecha y los del novio a la izquierda.
Todos se colocan, excepto ocho personas que se quedan en medio.
–Ahora que estos ocho vengan conmigo y a los demás ¡buenas tardes!, porque esto es un bautizo.

1927

–¿Y de qué murió su esposo?
–Cayó en un barril de vino de 5.000 litros.
–¡Qué muerte tan espantosa la de su marido!
–No vaya a creer: ¡alcanzó a salir cinco veces a orinar el muy maldito!

1928

La joven mucama dejó la casa porque la señora no estaba conforme con su trabajo.

–¡Soy mucho más atractiva que usted, y sé besar mucho mejor que usted, por eso me ha despedido! ¿No es cierto?
–¿Quién te dijo eso?, ¿mi marido?
–¡No! ¡Su chofer!

1929

–¿En qué se parece un toro a otro toro?
–En todo.

1930

–Mamá, estoy embarazada.
–Pero hija, ¿cómo ha podido ocurrir eso? ¿Qué te dije yo acerca del sexo, María?
–Que tomase medidas. ¡Y eso he hecho! ¡Tomé medidas y me quedé con la más grande!

1931

–Camarero, esta sopa está fría.
–¿Cómo lo sabe, si aún no la ha probado?
–Porque la mosca está tiritando.

1932

–En la ciudad de Nueva York, en un coche viajan un mexicano, un puertorriqueño y un negro. ¿Quién va conduciendo?
–¡¡¡La Policía!!!

1933

–¿En qué se diferencian un niño negro y un niño blanco?
–En que si al niño blanco le pones alitas parece un ángel y si se las pones al niño negro parece un murciélago.

1934

–¿Cuál es la definición de verdadero dolor?

–Saltar de un rascacielos de cuarenta pisos y engancharte un párpado en un clavo saliente.

1935

La gallega Paca, enfermera, empujaba la camilla.
El paciente, palidísimo, acojonado, casi lloraba:
–Por favor, ¿podría llevarme a Emergencias?
–¡Ya le he dicho antes que no! El doctor ha dicho que a la morgue, y es ¡a la morgue!

1936

–Pepe, ¿cómo es posible que me hayas engañado? ¿Cómo no me di cuenta antes?
–Bueno, Paca, ¡es que quería que fuera una sorpresa!

1937

–¿Qué tal el auto con cambio automático que compraste? ¿Funciona bien?
–Pues, el auto trabaja de día solamente. Cuando lo pongo en la D de "día" funciona muy bien. Pero cuando lo pongo en la N de "noche" ni se mueve.

1938

Nuestro pueblo
es tan pequeño que sólo
tiene dos calles:
la *Calle Principal* y
la *Calle No Principal.*

1939

Dijo Muleiro:
Cuando jugaba al fútbol me
conocían como *Piernas Locas*.
Hasta que a los 14 años aprendí
a ponerme los pantalones
con el cierre adelante.

1940

–¿Si van un negro y un blanco a la nieve, cual llega primero?
–*El negro, porque tiene cadenas.*

1941

Había una vez un par de esqueletos y uno le dijo al otro:
–¿Vamos a asustar gente?
–*¡¡¡Sí!!! ¡Vamos!*
Al rato salió uno de los esqueletos cargando una lápida.
–¿Y para qué llevas esa lápida?
–*Tal como está la situación, es mejor salir con documentos.*

1942

–¿Qué es una lata?
–*La mamá de los latoncitos.*

1943

–¿En qué se diferencian un blanco con delantal blanco de un negro con delantal blanco?
–*En que el blanco es doctor y el negro es heladero.*

1944

–¿Sabías, Manolo, que todos los condones llevan un número de serie?
–*Pues no, no lo sabía.*
–¡Ja! Otro que nunca ha tenido que desenrollarlos del todo.

1945

Le pasó a Muleiro:
—Me gané a mi mujer en un programa concurso de la tele. Estaba toda vestida de blanco. ¡Yo me puse contentísimo! ¡Creí que me había ganado una heladera!

1946

–¿Por qué los gallegos cierran cuidadosamente las puertas de las iglesias tanto al entrar como al salir?
–*Para que no se vuele el Ave María.*

1947

Pepe Muleiro visitó al gallego Paco que trabajaba en una santería:
–Llegaste justo. Quédate 10 minutos aquí que voy hasta el banco, por favor, Pepe.
–*Estás loco, ¡yo de esto no entiendo nada!*
Se queda solo. Al momento, aparece un cliente.
–Buenas. Quisiera una cruz.
–*¿Cómo la quiere señor? ¿Común o con el equilibrista?*

1948

Se realizaba una reunión en un ayuntamiento. Varios grupos políticos de diferentes países habían decidido organizar un concurso de *aficionados a la corrupción.* De pronto, entró el concejal argentino:
–¡¡¡Che, yo también quiero jugar!!!

–Lo sentimos pero éste es un concurso para amateurs y *¡¡¡tú eres profesional!!!*

1949

Dos vecinas hablando en una plaza.
–*Dime, Paca, ¿tú cómo haces para reconocer a los gemelos? ¡Son idénticos!*
–¡Oh, son muy distintos! Al primero que veo *le doy una bofetada. Si protesta, es Alfonsito; pero si llama a su padre es Robertito.*

1950

–¿Sabías que Manolo murió en el ring?
–*No sabía que era boxeador.*
–Pues no lo era. Pero se electrocutó al tocar el timbre.

1951

El gallego Manolo entra en un prostíbulo:
–*¿Cuánto cuesta aquí acostarse con una mujer?*
–Depende del tiempo.
–*Pues... digamos que llueve.*

1952

–Malas noticias, ¡se ha muerto la madre de Manolo!
–*¡Nooo! Y ahora ¿quién se lo dice?*
–No te preocupes, ya veré cómo se lo digo suavemente.
Al rato, llegó Manolo.
–Ven, quiero decirte algo... ¿qué sucedería si algo malo nos pasara?
–*No digas eso. ¿Qué nos puede pasar?*
–Uno nunca sabe. Dime, ¿qué preferirías: que se muriera tu mamá o que se muriera la mía?
–*No digas eso, ¡cómo que se mue-*

1958

ra mi mamá o la tuya! Ninguna. No juegues.

–No, pero ¿si tuvieras que escoger?

–En ese caso, que se muera la tuya.

–¿Ves? Por ser tan mala persona, *¡se murió la tuya!*

1953

–¿Cuál es el colmo de un bombero?

–Querer besar sólo las bocas de incendio.

1954

El gallego Muleiro era tan pero tan gallego, *que creía que los Jeep 4x4 tenían 16 ruedas.*

1955

–¡Permiso mi sargento! ¿Los lagartos vuelan?

–¡No seas ignorante! ¡Los lagartos no vuelan!

–Perdone mi sargento, pero el Coronel ¡dice que sí vuelan!

–¿Ah, sí? Bueno, vale: pero vuelan muy, muy bajito.

1956

–¿Qué diferencia hay entre un burro y un gallego?

–El burro no puede subir escaleras.

1957

El Sindicato Gallego de Bomberos presentó sus demandas.

La primera decía: *"Si no nos aumentan el sueldo, no haremos más trabajo a domicilio".*

1959

El gallego Manolo, que tiene un día súper sexual, le echa diez polvos seguidos a su mujer:

–Manolo, ¡eres un monstruo!

–¿Y tú? ¡Tú sí que eres fea, joder!

1960

El gallego Manolo era tan pero tan bruto que cuando le dieron un formulario y le dijeron "Márquelo con una cruz", *el muy bestia se persignó.*

1961

–¿Este televisor se vende en cuotas?

–Sí, señor.

–¿Y tiene memoria?

–¡Claro, hombre! Apenas se olvide usted de pagarme una cuota ¡se lo quito!

1962

El piloto de Aerolíneas Gallegas, en mitad de un vuelo, le grita a su copiloto:

–¡Oh cielos! ¡Mira esa luz! ¡Nos hemos quedado sin combustible! ¡¡¡Nos vamos a matar!!!

–Capitán, ¡ésa es la luz que indica que nos están oyendo los pasajeros, joder!

1963

El gallego Pepe era un superborracho. Un día llegó a su casa con una borrachera aún más terrible de

SE VENDE

lo habitual y su mujer se echó a llorar.

–Pepe, ¡me vas a enterrar! ¡Me vas a enterrar!

–*Sí, claro ¡como para cavar estoy yo en este momento!*

1964

–¿Por qué los gallegos no juegan al yo-yo?

–*Porque no les gustan los juegos muy intelectuales.*

1965

–¿Cómo se reconoce a un gallego en una orgía?

–*Es el único que lleva pijama.*

1966

–Oye, Paco, ¿tú crees en Dios?

–*¿En qué Dios?*

–Joder, Paco, ¿en cuál va a ser? En el de "Me cago en..."

1967

–Manolito, ¿por qué miras el televisor apagado y tirado en la cama?

–*Para no tener que levantarme después a apagarlo, mamá.*

1968

–Oye, Paco, ¿sabes que por ahí dicen que dos de cada tres palabras que decimos los gallegos son insultos?

–*¡No jodas, carajo!*

1969

El gallego Manolo se acercó a la gallega Paca en la discoteca:

–¿Baila, señorita?

–*No, entra justita...*

1970

–Manolo, te he traído un regalo. Pero no sé cómo lo vas a tomar...

–*Dámelo, no seas vergonzoso... ¡Qué bien! ¡Una botella de vino fino! Pero... ¡no se puede abrir!*

–Por eso te decía, Manolo: ¡No sé cómo lo vas a tomar!

1971

–¿Cuál es la diferencia entre un negro y un homosexual?

–*Ni idea.*

–El negro no tiene que decirle a su madre que es negro.

1972

–Doctorciño, año tras año quedo embarazada y doy a luz un niño.

–*¿No se cuida de ninguna manera, Marutxa?*

–Sí. Mi marido y yo usamos preservativos, pero parecería que no funcionan. ¡Y eso que los tejo yo misma!

1973

Un forastero llegó al pueblo de Pepe Muleiro. Se dirigió al primer habitante que encontró:

–*Buenas tardes. ¿Sabe dónde puedo encontrar a Antonio Asensio Pizarro?*

–Hombre, así por el nombre... pues no. Verá usted: aquí todos nos conocemos por el mote. ¿Sabe cuál es el mote que tiene?

–*Sí, le dicen "el Colgantes".*

–¿El Colgantes? ¿Dice usted el Colgantes? Pues sí: ¡ése soy yo!

1974

–¿Qué necesita un hombre para ingresar en la policía?

–*Dos fotos y ser muy bruto.*

–Y un gallego ¿qué necesita?

–*Dos fotos.*

1975

–¿Tú sabes por qué los pintores dibujan siempre a los angelitos riéndose, Pepe?

–*Por la gracia del Señor.*

1976

El gallego Manolo trabajaba en una fábrica envasadora de pepinos. Llegó una tarde a su casa hecho polvo.

–*Tengo algo importante que contarte, Paca: hoy sentí un impulso irrefrenable en la fábrica. De repente, tuve unas ganas enormes de meter la polla dentro de la picadora de pepinos ¡y no pude contenerme!*

–¡Por Dios! ¿Y qué te ha pasado?

–*Me han despedido.*

–No, quiero decir ¿qué ha pasado con la picadora de pepinos?
–¡Ah! Pues a ella también la han despedido.

1977

–Manolo, ¿tu abuela entiende de mecánica?
–No, ¿por?
–¡Como está debajo del autobús...!

1978

Un negro en un callejón oscuro y de noche. De pronto, le cortan el paso veinte neonazis. Se acerca el líder.
–Hoy estamos de buen humor, toma este dado, lo tiras y si sacas de 1 a 5 te damos una paliza.
–¿Y si saco un 6?
–Pues vuelves a tirar.

1979

–¡Manolo, tu hijo se está comiendo el diario!
–No importa. ¡Es el de ayer!

1980

–Doctor, tengo una anomalía sexual que me preocupa, ¿sabe usted?
–Explíqueme, Pepe.

–Pues verá: es que todo el mundo dice que echa un polvo, pero a mí lo único que me sale es un liquidillo blanco...

1981

–¿Qué te pasa? ¿Por qué lloras?
–Me acaban de diagnosticar que tengo Sida.
–Tranquilo, no llores. Ponte todas las noches una mascarilla de barro.
–¿¿¿Y con eso me voy a curar, Manolo???

–No. Pero vas a ir acostumbrándote a la tierrita.

1982

–Flor, ¿sabes qué se consigue cuando tienes dos bolas en la mano?
–Sí, claro: ¡la más completa y absoluta atención de un hombre!

1983

El gallego Manolo entró al restaurante con su perro Pepe. En la puerta del local había un letrero enorme: "No se permiten animales".
El dueño del restaurante le señaló el cartel.
–Oiga, ¿sabe usted leer?
–¡Pues claro!
–¿Y?
–¿¿¿Quién está fumando???

1984

–¿Me da un chicle?
–¿Bazooka? ¿Bang?
–¡Está bien! ¡Estoy muerto! Ahora: ¿me da un chicle?

1985

En la plaza de toros. Sale un toro miura con unos cuernos tan grandes como dos ramas de árbol. Un

gallego se levanta y grita:

–¡*Yo sé de uno que tiene los cuernos más grandes que ese toro!*

Se oye entonces una voz, entre el público, que exclama:

–¡Y yo me voy a cagar en tu puta madre, Manolo!

1986

–¿Cuál es el peor consejo que se le puede dar a una modelo?

–*Ni idea.*

–Sé tú misma.

1987

Sale Manolo corriendo semidesnudo de un hotel que está incendiándose. Se acerca a uno de los bomberos:

–¿*Has visto una pelirroja con unas tetas grandotas y un tremendo culo?*

–No.

–*Bueno, si la ves, te la puedes follar porque yo ya le pagué.*

1988

La ex modelo se ganaba la vida vendiendo una línea de cosméticos casa por casa. Tenía una técnica infalible para que la atendieran

Cuando aparecía la dueña de casa, le decía:

–¡*Ni se imagina lo que vi en el dormitorio de su vecina! ¿Puedo entrar y contárselo?*

1989

Una señora pasa a buscar a su hija en el *Rolls Royce* por un elegantísimo colegio.

–¡¡¡*Pero Mamá!!! ¿Por qué me pasaste a buscar en el Rolls? ¡Esto es ostentación! La próxima vez ven como todo el mundo: en el Mercedes.*

1990

Muleiro en el médico. Se quita los zapatos y aparecen sus pies cubiertos con una gruesa capa de suciedad.

–*Lo primero que tiene que hacer es lavarse esos pies con jabón y un cepillo de raíces.*

Muleiro pasa al servicio, y comienza a lavarse hasta que grita:

–Mire, doctor: ¡¡¡*deditos como en las manos!!!*

1991

Van dos modelos caminando por la playa.

De pronto, pasa un pájaro y caga sobre la cabeza de una de ellas.

–*Déborah, ¿qué tengo en la cabeza?*

–Mierda.

–*No, yo digo por fuera, en el pelo.*

1992

Hacía más de una hora que el gallego Muleiro estaba sentado en un bar mirando la copa sin beberla cuando llegó un alto y gordo camionero y se bebió el contenido de la copa de un solo trago. Muleiro se echó a llorar.

–*Vamos, hombre, ¡no es para tanto!*

–No, no es eso. Es que hoy ha sido el peor día de mi vida. Prime-

ro, llegué tarde al trabajo y me despidieron. Luego, robaron mi coche. Caminé hacia mi casa y vi a mi mujer con otro hombre. Vine aquí y, cuando por fin iba a terminar con todo esto, llegó usted, ¡y se bebió todo mi veneno!

1993

Simultáneamente, dos hombres muy jóvenes se encuentran en extremos opuestos del mundo.
Uno camina sobre una cuerda *tendida entre dos enormes rascacielos.*
El otro está *recibiendo sexo oral de una anciana de 93 años.*
Los dos *piensan lo mismo.*
¿Qué están pensando exactamente? Piensan:
—¡¡¡No debo mirar para abajo!!!
¡¡¡No debo mirar para abajo!!!

1994

El gallego Muleiro en el sanatorio.
—Doctor ¿qué tengo?
—Un problema cardiovascular, divertículos en el cólom, una úlcera en el estómago, mal funcionamiento del hígado, alta tensión y alguna deficiencia renal. Pero hoy la ciencia lo cura casi todo.

Entonces, Muleiro comentó por lo bajo:
—Paca, yo creo que este médico me oculta algo.

1995

—Yo te aseguro, Vanina, que cuando un tipo le abre la puerta del auto a su esposa eso quiere decir dos cosas: *o es nuevo el auto o es nueva la esposa.*

1996

Tiene más trabajo que el veterinario de los *101 dálmatas.*

1997

La noche antes de la boda.
—Mira hijo: tú, mañana, después del banquete de bodas, coges a tu mujer y te la llevas al hotel. Al pie de la escalera la coges en brazos y la subes a la habitación para que vea que los gallegos somos unos caballeros. Cuando la hayas metido en la habitación, bajas por las maletas y las subes

todas de un viaje, para que ella vea que los gallegos somos una raza fuerte. Cuando hayas subido las maletas, te metes en el cuarto de baño y te duchas, para que ella vea que los gallegos somos una raza limpia. *Cuando te hayas duchado, te desnudas, la desnudas a ella, os metéis en la cama y, cuando estéis así, te haces una paja, para que ella vea que los gallegos somos una raza independiente.*

1998

—A usted, ¿qué rango le gustaría alcanzar en el ejército, recluta Muleiro?
—¡General!
—¿General? Pero, ¿está loco?
—No, ¿por qué? ¿Hace falta?

1999

El gallego Paco era gangoso. En el comedor de su fábrica un compañero se sentó a su lado y él le dijo:
—¡Jopa!
—¡Sí, ya sé que es sopa! (y al tomar una cuchara se requetequemó la lengua).
—¡Te dije 'e joparas!

2000

Paco, domador de fieras, era tan valiente que metía el brazo en la boca
del tigre y lo llamaban *"El Audaz"*...
Ahora le dicen *"El Manco"*.

2001

Bush fumándose un puro cubano.
–Pero señor presidente, con lo que
odia usted a los comunistas, ¿cómo
puede fumar un cigarro cubano ?
*–¡No, no! Lo que estoy haciendo
es quemarles la cosecha.*

2002

*El gallego Muleiro, que tenía mu-
cho dinero, decidió dedicarse a via-
jar por el mundo. Como primer via-
je se fue a Hungría, y cuando vol-
vió se encontró con su amigo Paco.*
–¿Qué tal tu viaje por Hungría?
–Pues todo muy bonito.
–¿Y Budapest?
–Una ciudad preciosa.
–¿Qué tal con las magiares?
–Pues... bien...
Cuando se despidió se fue a su casa,
tomó el diccionario, buscó la palabra
"magiares" y leyó *"mujeres natu-
rales de Hungría"*, así que pensó:
¡Vaya, he quedado en ridículo!
Su siguiente viaje fue a Portugal.

A su regreso se volvió a encontrar con su amigo.

–Hombre, me dijeron que te fuiste a Portugal.

–*Pues sí, tenía ganas de ver ese país.*

–Y ¿cómo es Lisboa?

–*Una ciudad preciosa, su puerto, la zona monumental.*

–Bueno, ¿y cómo eran las lusas?

–*¡Eh! Dentro de su entorno, ¡bien!*

Al llegar a su casa tomó el diccionario para buscar la palabra *"lusas"*: *"Mujeres naturales de Portugal".*

–*Vaya, he vuelto a hacer el ridículo, pero en la próxima no fallaré.*

Como siguiente destino se fue a Egipto.

–¿Adónde fuiste esta vez?

–*Me fui a Egipto.*

–¿Qué tal las gentes de allí?

–*Amables, pero intentan sacarte el dinero vendiéndote baratijas.*

–Y ¿qué tal las pirámides?

–*¡Putas!... ¡Muy, muy putas!*

2003

–Después de quince años de casados, querida, tengo que confesarte algo: soy daltónico.

–*Tranquilo: yo soy negra.*

2004

–Mi marido es impotente. ¿Qué puedo hacer?

–*Enviarme una foto suya y a lo mejor puedo solucionarle el problema.*

2005

–Pronto saldrá a la venta un libro de dietas para adelgazar firmado por *Elizabeth Taylor.* Viene ilustrado con fotos de ella de *Antes y Después, Antes y Después, Antes y Después, Antes y Después, Antes y Después, Antes y Después...*

2006

–¿Sabés cómo te dicen en el barrio? ¡Te dicen Iglesia Abandonada!

–*¿Y por qué?*

–¡Porque ya no tenés cura!

2007

¿Qué le dijo una iguana otra iguana? **Somos iguanitas.**

2008

Noche de bodas:

–*Manolo, tengo que confesarte que no soy virgen.*

–Ni yo San José, pero tampoco hemos venido a aquí a armar un pesebre, ¿no?

2009

–Hace dos días que tengo depresión posparto.

–*Pero, Paco, eso sólo les ocurre a las mujeres.*

–Sí, pues anteayer casi le parto la cara a Manolo, y estoy deprimido por el casi.

2010

–¿Qué llevas en ese paquete?

–*Un regalo para una chica.*

–¡Ah! ¡Un amorcillo!

–*¡No, una morcilla!*

2011

–¿Cómo hace el pollito para salir de su huevito?

–*¡Realmente a mí lo que me gustaría saber es cómo ha hecho para entrar!*

2012

Si crees que la conciencia es lo que vale, *te la vendo por 342.345.600 dólares.*

2013

–¿http://www//int/63/ww?

–*Sí.*

–Por favor ¿podría buscar a mi hijo Manolito que lleva navegando por Internet desde hace tres semanas y aún no ha regresado?

2014

Se murió una mujer que había llevado una vida muy pecaminosa y, sin saber cómo, se encontró en las puertas del cielo, con San Pedro invitándola a pasar.

–*No, yo no tengo derecho a pasar porque fui muy pecadora y supongo que todo lo que hice debe estar en mi expediente.*

–Aquí no llevamos expediente. Pasa hija y sígueme.

Lo empezó a seguir por los jardines celestiales, cuando de pronto vio a varias mujeres, maldiciendo, con gestos de rabia y tirándose de los pelos.

–Y ellas, ¿quiénes son?

– Ellas son las inocentes doncellas que nunca pecaron y que también creían que aquí llevábamos expedientes.

2015

El manco llevaba el reloj en el muñón, pero se le caía.

–Paco ¿por qué no lo cambias de muñeca?

–¿Ah, sí? ¿Y con qué le doy cuerda?

2016

–¿Cuál es el primo músico de James Bond?

–Trom Bond.

2017

En el ring:

–¿Vieron que me tiré cuando me dijeron? Me tiré entre el cuarto y el quinto.

–Sí, pero ¡no te dijimos que te tiraras en el descanso, imbécil!

2018

Una pareja joven, con un niño de cinco años, estaba ya cansada de que el pequeño los interrumpiera mientras hacían el amor.

–Mira, Paquito, tu mamá y yo vamos a hablar de nuestras cosas en nuestro dormitorio. Sé un niño bueno, asómate a la ventana de tu cuarto y cuéntanos lo que veas, ¿de acuerdo?

El nene comenzó:

–Hay una señora paseando a su perro... un autobús rojo está pasando... los vecinos de enfrente están teniendo sexo otra vez.

–¿Cómo sabes tú eso?

–Es que el hijo pequeño de ellos también está asomado a la ventana ¡haciéndose el tonto como yo!

2019

–Oye, Paco, el frío de Galicia ¿es seco?

–Hombre, ¡si no llueve...!

2020

¡Amo a la humanidad!
Lo que me
revienta es la gente.

2021

–¿Cuántas materias le faltan al Manolín?

–Una: la materia gris.

2022

Sólo hay una cosa más lenta que la mujer de uno vistiéndose... y es la mujer de otro desnudándose.

2023

–¿Por qué los sicilianos son capaces de cambiar a su mujer por un tacho de basura?

–Ni idea.

–Porque el tacho huele mejor y tiene el agujero más pequeño.

2024

¡Último momento! Policía gallego con doble personalidad ¡muere en defensa propia!

2025

–¿Por qué los gallegos llevan limpiaparabrisas en el vidrio de atrás?

–Por si llueve a la vuelta.

2026

Los sordomudos se masturban sólo con una mano. Con la otra, gimen.

2027

–¿Cómo se dice “Estoy sediento” en rumano?

–Merescu refrescu.

2028

–¿Qué le pasó a tu pelo? Parece una peluca.

–Es una peluca.

–¡Ay, mi amor! ¡Jamás lo hubiera dicho! ¡No se te nota nada!

2029

En una encuesta que se realizó con las mujeres norteamericanas, ante la pregunta:

–¿Se acostaría usted con el presidente Clinton?

El 86 por ciento contestó:

–¡No otra vez!

2030

El gallego Muleiro se fue un día a la peluquería.

Tardó ¡siete años en volver a su casa!
Lo recibió su esposa:
–¡¡¡Pepeee!!! ¿Dónde te metiste?
¡Me dijiste que ibas a la peluquería!
Muleiro juntó las puntas de los dedos de la mano y contestó:
–Es que estaba ¡así de lleno!

2031

–Paco, imagínate que estás atado a las vías del ferrocarril, sin nadie que pueda ayudarte. De pronto, ves aparecer una locomotora a toda velocidad, ¿qué harías para escapar?
–*No sé tú, Pepe, pero yo dejaba de imaginarlo.*

2032

El Gallego Muleiro se apretaba la polla mientras gritaba:
–*¡Venganza, venganza!*
–¡Qué haces, Pepe! ¡Vas a lastimarte! ¡Ya la tienes morada!
–*¡Venganza, venganza!*
–¿Estás loco o qué?
–*¡No! Ayer quise follar y ésta ¡no se paró! ¡Ahora quiere mear y yo no la dejo! ¡Venganza, coño!*

2033

–Oye, Muleiro, ¿adónde vas con esa carretilla llena de tierra todos los días?

–*¡Calla coño! ¿No ves que me estoy robando un terreno?*

2034

El gallego Paco ha conseguido que la gallega Pepa se acueste sobre el césped en la plaza del pueblo con el claro propósito de follársela.
Paco se baja los pantalones pero justo en ese momento aparece el guardia:
–¿Qué hace con los pantalones abajo?
–*Ehhhh... estoy orinando.*
–¿Y esa mujer que está en el suelo?
–*¿Ve? ¡Joder! ¡Si no me avisa, la meo!*

2035

Pregunta el urólogo:
–Dígame Manolo: ¿usted ha orinado piedras?
–*¡Uuuy sí, doctor! He orinado piedras, paredes, baldosas, los neumáticos de mi coche, bicicletas, también muchas veces fuera del agujero y así...*

2036

El gallego Manolo con un gato en los brazos. Se acerca Pepe.
–¿Araña?
–*Pero ¡qué bestia eres, Pepe, joder! ¿Cómo va a ser una araña si sólo tiene cuatro patas?*

2037

El gallego Manolo estaba casado con la gallega María que tenía una pierna ortopédica.
Ella nunca se la quitaba a pesar de la insistencia de Manolo. Un día, la gallega se decidió a complacerlo.
Llegó Manolo y empezaron a hacer el amor.

–María ¡ábrete!
Al tocarla, Manolo no encontró la pierna.
–María, ¿y la pierna?
–Está encima del armario.
–¡Coño! ¡Ábrete, pero no tanto!

2038

–Mi novio tiene la polla como una mazorca.
–*¿De grande?*
–No, llena de granos.

2039

–Hay un gallo y un camello que tienen 15 años. ¿Cuál es el más grande?
–*El gallo, porque tiene 15 años... y pico.*

2040
Adivinancita

Por la mañana lo topo, *todo vestido de negro; ni es cura, ni es fraile,* es lo que dije primero.

El topo

2041

–¡Ah! ¡Me levanté una mina excepcional, ¡un verdadero diputado!
–*¿Cómo un diputado?*
–Claro: me prometió felicidad eterna; me cuesta un ojo de la cara, cambia constantemente de opinión,

en cuanto puede me caga pero todo el tiempo me hace sentir que no podría vivir sin ella.

2042

–Me habías dicho que tu personaje en la obra era importantísimo Manolo.Pero lo único que haces es entregar una carta.
–*¡¡¡Pero es una carta certificada, coño!!!*

2043

Talleyrand era algo rengo.
El político francés no estaba en muy buenas relaciones con madame Stael.
La Stael, a su vez, era bastante bizca.
Un día la señora Stael le preguntó con ironía a Talleyrand:
–*¿Cómo va esa pobrecita pierna, amigo mío?*
–*¡Torcida, como ve usted...!*

2044

–¿Cuál es el colmo de un campeón de saltos de altura?
–*Ni idea.*
–Tener la moral por el suelo.

2045

Entre amigas:
–*Ricardo me tiene preocupada.*

No ha vuelto a besarme desde la luna de miel.
–¿Por qué no pides el divorcio?
–*No puedo. ¡No se casó conmigo!*

2046

En la perfumería:
–*Usted me aseguró que con este perfume los hombres correrían detrás de mí como moscas.*
–En efecto...
–*Pues ha sido al revés: ¡las moscas van detrás de mí como hombres!*

2047

El gallego Manolo llega a su casa y encuentra a su esposa con un tipo en la cama.
–*¡Esto lo pagará usted muy caro!*
–*¡Eh, que yo ya pagué...*

2048

–He estado en todo el mundo. He estado en el África..
–*Entonces, habrás visto el nacimiento del Nilo, Manolo.*
–Pues, el nacimiento no lo he visto, pero asistí al bautizo.

2049

En el restaurante.
El gallego Muleiro entra en el restaurante, se instala en una mesa y se le acerca un camarero algo despistado.
Le sirve unos fiambres, tres cuartos de hora más tarde la sopa... y mucho después, el lomo con papas.
Muleiro, entonces, le pregunta:
–*Camarero, creo que a usted lo he visto hace algún tiempo.*
–Es posible, señor. Estuve tres años en el restaurante Lola
–*No, no, de otra parte...*

–Tal vez cuando era limpiabotas en Retiro
–*Tampoco...*
–Bueno, estuve de conserje en el Gran Hotel.
–*No, no... ¡Ah, ya sé! Usted es el que me sirvió la sopa ¿verdad?*
–Sí... sí, señor...
–*Como ha pasado tanto tiempo...*

2050

Durante una operación quirúrgica en el Hospital gallego, el cirujano sufre un infarto. Paco, el paciente, bajo anestesia local, se da cuenta y llama en seguida al cirujano que estaba operando a unos pocos metros de distancia para que lo atienda.
–*Lo siento, señor: pero ésa no es mi mesa.*

2051

El capitán a Pepe, el nuevo marinero:
–*En caso de naufragio, ¿salvarías a los pasajeros o a mí?*
–A mí.

2052

Manolito, un galleguito de seis años entra en un bar y pide:
–*¡Un vaso de vino!*
–Bromeas, ¿no será para ti?
–*No, es para mi hermanito de*

diez meses que está fuera en el coche. ¡Yo no bebo nunca porque debo conducir!

2053

–Una limosnita, por el amor de Dios. Llevo tres días sin comer.
–*Pues no lo haga, que es malo para el estómago.*

2054

–¡Ésta no es manera de insultar al jefe!
–*¿Por qué? ¿Conoce otra mejor?*

2055

–¿Por qué Hillary Clinton se levantaba a las 5 de la mañana?
–*Para ser la primera dama.*

2056

–En México todos somos bien machos, bien hombres.
–*Pues en Galicia la mitad somos hombres y la mitad mujeres y ¡nos la pasamos requetebién!*

2057

–¿Sabes cómo le dicen a Muleiro?
–*Ni idea.*
–Le dicen Lámpara de Aladino... porque ¡tiene un genio terrible!

2058

–Papá, ¿por qué siempre me pegas en la cabeza?
–*Porque tu cabecita me ha echado a perder al coñito más apretadito de la región.*

2059

Juan Caca fue al baile con su novia. Después de bailar un par de piezas salió a comprar una cerveza. La novia de Juan Caca se quedó junto a la pista. Un morochito la sacó a bailar.
—*No, gracias: me va a sacar Caca.*
—*No crea, rubia. Mire que no la voy a apretar tanto, ¿eh?*

2060

–¿Qué debe hacer uno si cree que se ha acostado con una mujer pero luego descubre que es un travesti?
–*No besarlo en la boca: sería una mariconada.*

2061

Todo es posible... a menos que no lo sea.

2062
Adivinancita

¿Qué es aquello que cuanto más roto está, *menos agujeros tiene*?

La red.

2063

Cuentan que apenas fue elegido, el Papa corría por los pasillos del Vaticano completamente desnudo gritando:
–*¡¡¡Soy invisible!!! ¡¡¡Soy invisible!!! ¡In-vi-si-ble!*

Hasta que un cardenal lo alcanzó y le dijo:
–*Espero que no considere esto como una impertinencia, Su Santidad, pero la palabra es "in-fa-li-ble".*

2064

–¿Con cuántos negros pintas una pared?
–*Depende de con qué fuerza los tires.*

2065

–¿Por qué los mosquitos usan preservativos?
–*Por si las moscas.*

2066

–Tengo el pene pequeño. ¿Qué me aconseja?
–*Si es muy pequeño, que haga pipí sentado: ¡o se mojará los zapatos!*

2067

El gallego Muleiro va al iriólogo. El médico le mira el ojo.
–Bueno, Muleiro, tiene usted hemorroides.
–*¡Ah, sí! ¿Y por qué no me mira ahora usted el culo y me dice que tengo cataratas?*

2068

Llegó el gallego Paco a las 4 de la madrugada. Metió la llave despacio sin hacer ruido para no despertar a su mujer. Pero la Pepa estaba esperándolo y encendió la luz. Al verse descubierto, Paco reaccionó:
–*¿Qué?*
–*¿Qué de qué?*
–*¿Qué de qué o qué?*
–*¿Qué de qué o qué de qué?*

–¿Qué de qué o qué de qué o qué?
–¿Qué de qué o qué de qué o qué por qué?
–¿Qué de qué o qué de qué o qué por qué, qué?
–¿Dónde andabas?
–¡No, no, no me cambies la conversación!

2069

Primer acto: un ganso llamando a su esposa.
Segundo acto: un ganso llamando a su esposa.
Tercer acto: un ganso llamando a su esposa.
–¿Cómo se llama la obra?
–Ven-gansa.

2070

Decía el gallego Muleiro:
–No es cierto que lo único que hago es tomar... ¡también eructo!

2071

Era tan viejo que las gitanas le pedían dinero para leerle la cara.

2072

–¡Oye, Manolo! ¡prepárame una tortilla de caca!
–¿Con cebolla?
–¡No! ¡Que luego me repite!

2073

La distinguida anciana estaba muy contenta con su nuevo chofer.
Era un hombre fiel y discreto.
Pero era muy descuidado en su aspecto físico.
La mujer trató de inducirlo a la higiene muy sutilmente.
–Paco, ¿cada cuántos días cree que es necesario afeitarse para presentar un aspecto correcto?
–Le diré, señora: ¡con una barba no muy tupida como la suya, creo que cada tres o cuatro días es más que suficiente!

2074

–¡Papá, papá: entró una serpiente en la habitación de la abuela!
–Vos no intervengas, que la serpiente se defienda sola.

2075

–¿Qué es un negro en la Luna?
–Uno menos en la Tierra.

2076

2077

–¿Cuáles son las dos cosas más inútiles del mundo?
–No sé.
–Las tetas de un hombre y las bolas del Papa.

2078

El profesor de matemáticas:
–¡Estoy indignado! ¡Más del 90 por ciento de la clase no pasó el examen!
Desde el fondo del salón se escuchó la risa de Manolito:
–¡Ja, ja, ja! ¡Si ni siquiera somos tantos!

2079

–¿Qué dijo Dios cuando hizo el primer negro?
–¡Joder! ¡Creo que éste se me quemó!

2080

–Paca ¿te gustaría venir conmigo a dar la vuelta al mundo entero?
–Y... ¡si el tero aguanta!

2081

–¿Qué es un travesti?
–¡¡¡Un hombre tratando de superarse!!!

2082

–¿Qué son 100 negros en la Luna?
–Un eclipse.

2083

–¿Qué son todos los negros en la Luna?
–Regreso al paraíso.

2084

Cachito, un argentinito típico, jugaba con su trencito en el living.
–¡¡¡Uuuh-uuuh, chiqui-chiqui, uuuh-uuuh, chiqui-chiqui, uuuh-uuuh, chiqui-chiqui!!!... ¡Estacióóóóón! ¡¡¡Todos los hijos de puta que quieran subir, que suban; y todos los hijos de puta que quieran bajar, que bajen!!!
La madre, que lo escuchó desde la cocina, le gritó:

–¡¡¡*Cachito!!!* *¡Te vas ahora mismo a tu cuarto! No te quiero oír decir esas palabrotas. ¿Entendiste, Cachito? ¡Vas a estar una hora en penitencia para que aprendas!*
Exactamente una hora después:
–*Cachito, podés salir de tu cuarto. Ya pasó la hora y si querés podés seguir jugando.*
Cachito volvió al living, encendió su trencito y gritó:
–¡¡¡¡Uhhhhuuu!!! ¡Chiqui-chiqui chuuuu! ¡Estacióóóóón! ¡Todos los hijos de puta que quieran subir, que suban; todos los hijos de puta que quieran bajar, que bajen; y todos los hijos de puta que se quieren quejar por la hora de retraso que hemos tenido, pueden ir a quejarse a la conchuda de mi vieja que está en la cocina. ¡¡¡Uhuuuhhuuuuuu, uhhhuuu!!!

2085

El gallego Paco estaba bastante preocupado porque encontró a su hijo varias veces masturbándose.
–Oye, Manolín, tienes que terminar de hacer esto. Tienes que conseguirte una esposa.
Manolín obedeció a su padre.
Se casó con una bella muchacha.
Una semana después de la boda, el gallego Paco encontró a su hijo masturbándose nuevamente.
–Pero, ¿estás loco Manolín? ¡Qué haces aquí!, ¿por qué no estás con tu esposa?
–*Ya he estado con ella, padre. Pero luego de un rato se le cansa el brazo.*

2086

–¿Cómo hacen la línea discontinua?
–*Les dicen: tú te ríes, tú no, tú te ríes, tú no ...*

2087

–¿Cómo pavimentan las calles en Sudáfrica?
–*Ponen varios negros acostados uno al lado del otro y les pasan una aplanadora por encima.*

2088

El anciano gallego se despierta a las tres de la mañana. Descubre que por primera vez en años tiene una erección. Sacude a su mujer:
–¡¡¡*Mira, Paca!!! ¿Qué crees que podríamos hacer con esto?*
–Pues ahora que se le han quitado las arrugas, ¿por qué no aprovechas para lavarla?

2089

Un madrileño decidió solicitar su ingreso en el *"Club de los Asquerosos Gallegos"*.
Envió una carta relatando todas sus asquerosidades y puercadas.
Para concluir con broche de oro, escribió:
"Para que vean lo asqueroso que soy, me limpio el culo con esta carta y se las envío llena de mierda".
A los pocos días recibió la respuesta:
Solicitud denegada.
Causa: Ningún miembro del *"Club de los Asquerosos Gallegos"* jamás se limpia el culo.

2090

Le preguntaron a la modelo:
–Ese jarrón chino que vendés es hermoso. ¿De qué período es?
–*Primer Matrimonio.*

2091

–¿Cuánto tarda un negro en caer de un décimo piso?
–*¡Qué importa!*

2092

–Mamá, ¿para qué tengo dos agujeros en las narices?
–*Para que puedas respirar mientras te comes los mocos.*

2093

Manolo le pregunta a su esposa:
–Querida ¿qué podría hacer para que nuestra vida sexual fuese más atractiva?
–*Irte del país.*

2094

El Gallego Muleiro llegó borrachísimo a su casa. Eran las 4 de la mañana.
Para que la Paca no lo matase atrasó el reloj del living y lo puso a las 12.
–¡Desgraciado! ¿A estas horas llegas?
–*¿Qué horas? Mira el reloj, coño. Si apenas son las 12.*
–¡Joder! Lo siento Pepe. Sucede que me quedé dormida. ¿Quieres que te traiga algo de la cocina, Pepe?
–*Vale. Tráeme una cerveciña de la heladera.*

La gallega fue y observó en el reloj de la cocina la verdadera hora. Volvió enojadísima.

–¡¡¡Son las 4 de la mañana, Pepe!!!

–*¿Te das cuenta, joder? ¡Cuatro horas para traerme una puta cerveza!*

2095

–¿A ti te gusta que te digan puta barata, Paca?

–*No, Pepe.*

–¡Entonces cobra más caro!

2096

–Oye Pepe, ¿tú sabes cuál es la diferencia entre el papel higiénico y la cortina del baño?

–*Pues no.*

–¡Ajá!... ¡Entonces has sido tú, gallego de mierda!

2097

En el cuartel gallego:

–*A ver, soldado Muleiro: ¿cuánto es cuatro por uno?*

–¡¡¡¡Cuarenta y ocho mi sargentooooo!!!

–*¡Así me gusta, soldado! ¡Bruto pero enérgico!*

2098

–¿En qué se diferencian una blanca en pelotas de una negra en pelotas?

–*La blanca en pelotas sale en la Playboy y la negra en la National Geographics.*

2099

–María, ahora mismo te la voy a meter hasta el fondo.

–*Pero Pepe, podrías ser algo más romántico... ¿no?*

–Está bien. María: a la luz de la luna, te la voy a meter hasta el fondo.

2100

–¿Cuál es la diferencia entre un negro que va a una casa de putas y un blanco que hace lo mismo?

–*Que el blanco va para saciar su sed de placer y el negro va a ver a la esposa.*

2101

–¿Qué hace el cerebro de un gallego dentro de una latita de azafrán?

–*¡Tiqui... tiqui!*

2102

Consejo de Pepa Muleiro:

–Chicas: no busquen marido. *Traten de conseguir un soltero.*

2103

–*Te veo mal, Paca.*

–Estoy destruida María, mi marido salió a comprar cigarrillos hace tres días y aún no regresó.

–*¡Uy, qué mal, Paca! No sabes cómo te comprendo: ¡¡¡tres días sin cigarros!!!*

2104

Jugaba la Selección de España contra la Selección de Monstruos Gallegos.

En la Selección española jugaban los de siempre. En la Selección de Monstruos, jugaban Frankenstein, El Hombre Lobo, La Momia. Drácula estaba en el banco. En el segundo tiempo, Frankenstein se lesionó. El técnico de los monstruos gallegos, que era argentino, gritó:

–*¡Drácula! ¡Caliente!*

Drácula comenzó a calentar.

–¡Árbitro! ¡El cambio!: sale Frankenstein y entra Drácula.

En ese momento entró el Drácula gallego. Apenas tocó el césped se arrodilló, se hizo *la señal de la cruz*, y se murió.

2105

–¿Qué es rojo y está en las cuatro paredes de una habitación?

–*Un bebé jugando con una granada de mano.*

2106

–Si en una discoteca ves a dos chicas: una que está llorando y otra que no llora, ¿a cuál de las dos debes elegir?

–*A la que llora. Porque quien no llora no mama.*

2107

Van tres gallegos por el campo y encuentran un búnker con tres bombas de la Guerra Civil sin estallar.

Deciden llevárselas al alcalde.

Cada uno agarra una bomba y se van los tres juntitos.

–Anda, ¡que como estalle una de las bombas!

–*Pues si estalla, le decimos al alcalde que sólo hemos encontrado dos, ¡y en paz!*

2108

Mis hijos son terribles.
El de ocho años acaba
de comprarse una bicicleta
con lo que ahorró porque
dejó de fumar.

2109

Le compré a mi hijo un
juguete súper garantizado:
es completamente irrompible.
Lo usa para romper todos
los otros juguetes.

2110

Un músico ve al contrabajista gallego dándole con el arco en la cabeza a un niño.

–¡Eh!... ¿Por qué le estás pegando a ese niño?

–*Porque me ha desafinado una cuerda del contrabajo ¡y no me quiere decir cuál!*

2111

La gallega se había puesto mimosa:

–*Anda, Pepe, mi vida, dime algo con amor.*

–¡*Amor*fa!

2112

–Estás poniendo tu aire acondicionado al revés, Paco.

–¿*Por qué, Manolo?*

–Porque lo pusiste para que tire el aire frío hacia afuera y el motor hacia adentro.

–*¡Hombre, claro! ¡¡¡Cuando hace calor yo duermo afuera!!!*

2113

–Mi mujer, que es modelo de Pancho, está loca. Ayer puso un gomero en el living.

–¿*Y por eso está loca?*

–¡Y claro! Ahora quiere poner un mecánico en el dormitorio y un chapista en el baño.

2114

–Si tiras un negro, un blanco y una mujer inteligente desde un edificio de un décimo piso, ¿cual llega primero al suelo?

–*El blanco. Porque la mujer inteligente no existe y el negro baja limpiando las ventanas.*

2115

Científicos alemanes excavaron 50 metros bajo tierra y descubrieron pequeños trozos de cobre. Después de estudiar esos trocitos, Alemania llegó a la conclusión de que los antiguos germánicos tenían una red nacional de teléfono hace ya 25.000 años.

Los franceses le pidieron a sus científicos que excavaran más hondo y 100 metros más abajo encontraron pequeños trozos de cristal. Por lo tanto llegaron a la conclusión de que formaban parte del sistema de fibra óptica nacional que tenían los antiguos franceses hace 35.000 años.

Los científicos gallegos no se dejaron impresionar. Excavaron 200 metros más profundo y no encontraron nada.

Entonces, llegaron a la conclusión de que los antiguos gallegos hace más de 55.000 años ya tenían teléfonos celulares.

2116

–¿Cómo se reconoce a un gallego en un funeral?

–*Ni idea.*

–Es el único que lleva regalo.

2117

Un censista fue a la casa del gallego Muleiro.

–Buenos días, soy del Instituto Nacional de Estadísticas y vengo desde Madrid para saber cuánta gente vive en España.

–*Pues lo siento mucho por el ca-*

mino que ha recorrido en vano para verme, pero yo no tengo ni idea...

2118 - 2132
Quince cosas feas y creencias estúpidas

Pisar un pedazo de gelatina descalzo.

Pulir un avión.

Que nos comenten una película mientras estamos viendo otra.

Ponerse a patinar en una carretera de piedra.

Usar un paraguas entre 3 personas.

Montar a caballo desnudo.

Cargar una docena de naranjas sin bolsa.

Darle una mala noticia a una persona que ya lleva 2 infartos.

Creer que los carteros se llevan ellos mismos sus cartas.

Era tan bruto que creía que si uno suma *muy rápido le da más*

Pepe Muleiro es tan bruto que dice

que los marcapasos se los instalan a los cardíacos *en los pies.*

Creer que los directores de las cárceles están presos en sus oficinas.

Creer que el sol también sale de noche, pero no se ve porque esta muy oscuro.

Creer que los peces que sufren de hipertensión se mudan a los ríos para no comer con sal.

Creer que los médicos no operan a sus madres para no hacerles daño.

2133

—Mamá, ¿es cierto que tú y papá no estáis casados?
—*¡Cállate y come, bastardo!*

2134

2135

Pepe Muleiro se acomodó junto a su esposa que cosía a máquina, y

empezó a gritarle:
—*¡Despacio! ¡Cuidado! ¡Se te va a romper el hilo! ¡Da vuelta la tela! ¡Cuidado, no la dobles! Tira de la tela.*
—¿Te quieres callar, Pepe? Yo sé coser perfectamente.
—*Lo sé, Paca. Sólo quería que supieras qué siento cuando tú me haces lo mismo mientras conduzco.*

2136

El viejo Manolo en la peluquería.
—*¡Señor Manolo! Espero cortarle el pelo cuando tenga cien años.*
—Sí, puede ser, pues tienes buen aspecto y puedes llegar a esa edad.

2137

Existen alrededor de diez millones de leyes escritas *sólo para hacer cumplir los Diez Mandamientos.*

2138

Tres gallegos hablaban de perros.
—*El mío es un pastor alemán buenísimo, me tiene a todas las ovejas controladas.*
—Pues mi San Bernardo cuando nota que tengo sed me trae un barrilito de cerveza...

–Pues yo tengo uno sin marca que no es malo. Le enseño una perdiz, la huele y me trae otra. Le enseño un conejo, lo huele y me trae otro. El otro día le enseñé las bragas de mi mujer, las olió y me trajo los huevos del sacristán.

2139

Adivinancita

Dos compañeras van a compás; los pies delante, los ojos detrás.

Las tijeras

2140

Convencen a la modelito para que vaya al psicoanalista.
–Le aviso, doctor. Yo no tengo fantasías sexuales extrañas, no me gusta la perversión. Tengo una relación sexual cada dos o tres meses y no me molesta para nada. No deseo hombres de mis amigas y ni se me ocurre fantasear con mujeres. ¿Qué opina, doctor?
–*¿La verdad? Opino que con usted me voy a aburrir muchísimo.*

2141

–Déborah tenía las tetas tan grandes que no podía jugar golf.
–*¿Por?*
–Si ponía la bola donde podía verla, no podía alcanzarla. Y si ponía la bola donde podía alcanzarla no podía verla.

2142

Los gallegos Manolo y Pepe entran a un banco.
Hay unos tipos encapuchados que encañonan a los empleados y a los clientes. Todos están con las manos apoyadas contra la pared.

–*Anda, Paco, mejor volvamos mañana que hoy están empapelando.*

2143

–Vea, Pepe: ¡a su coche le falta chispa!
–*¡Con razón me aburro tanto manejando!*

2144

2145

En el cole. La maestra pregunta:
–A ver, Jaimito en la oración "Ella está gimiendo", ¿dónde está el sujeto?
–*¿Encima de ella?, seño.*

2146

En un test psicotécnico, para un puesto de ínfimo nivel, en Galicia hacían la siguiente pregunta:
–¿Cuántas letras "ele" hay en Happy Birthday?
Se va sucediendo gente que acierta y gente que no acierta. Hasta que llega el gallego Muleiro.
–¿Cuántas "eles" hay en Happy Birthday?

Empieza a contar con los dedos, y al cabo de un rato, dice Muleiro:
–*¡Veinticinco!*
–¿Veinticinco? No está aceptado. Pero por favor, ¿podría decirnos por qué cree que hay 25 letras "ele" en Happy Birthday?
Entonces el gallego tararea con la música de Happy Birthday to you:
–*La, la, la la, la, la...*
(¡No tanta risa! Si tararea y cuenta, ya verá que hay exactamente 25 letras ele.)

2147

–*Estoy iniciando un negocio sensacional ¡pienso abrir una taberna en el Sahara!*
–Estás loco Manolo, no te caerá ni un solo cliente en medio del desierto.
–*Puede ser. Pero si me cae alguno... ¿Te imaginas la sed que tendrá?*

2148

–A ver, Manolo, ¿cuánto son dos más dos?
–*Pues cuatro... ¡y como mucho, cinco!*

2149

–¿Cómo se reconoce a un gallego en una zapatería?
–*Es el único que se prueba las cajas.*

2150

–*¡Atención estudios! Desde la cancha de Boca, aquí con ustedes: ¡Diego Armando Maradona! ¡Buenas tardes, Diego!*
–¡Buenas tardes!
–*¿Qué opinás del partido, Diego?*
–Muy lindo, pero si me disculpan quiero seguir con lo mío.
–*Por supuesto, Diego, pero antes:*

180

¿cómo están Claudia y las nenas?
–Hoy no están conmigo, pero bien, bien, gracias ¿eh? Ahora...
–*La última, Dieguito... un comentario sobre Passarella y la Selección.*
–No quiero hacer comentarios sobre la Selección, ahora si me disculpas...
Desde estudios centrales intervino el conductor del programa:
–*Buenas tardes, Diego...*
–Buenas tardes...
–*Diego... te notamos algo nervioso. ¿Te podemos ayudar en algo?*
–Sí, ya que estás, ¿podés sacarme de la cancha a tu reportero *así puedo patear el tiro libre?*

2151

Los gallegos Pepe y Manolo planificaban una fuga de la cárcel.
–Tú te vas al patio, Manolo. Si la pared es muy alta pasas por debajo. Y si la pared es muy baja, saltas por encima. Vete, observa, regresa y me dices cómo está la situación, ¿vale?
Manolo se va.
Pasa una hora. Pasan dos. Manolo regresa a las cinco horas.
–¡Imposible fugarnos! ¡No hay pared!

2152

–Hombre, Pepe. ¿Qué tal? ¡Hacía mucho que no te veíamos por el bar!
–*Pues sí. Es que he estado durante seis meses en alta mar, pescando atunes.*
–¡¡¡Jo, tío, seis meses!!! ¡O sea, que habrás vuelto con un hambre tremenda de sexo!
–*¡Imagínate! Lo primero que hice al llegar a casa fue abrazar a mi esposa y echarle seis polvos.*

–Normal. ¿Y luego?
–Luego dejé las maletas en el suelo y cerré la puerta.

2153

La modelito astuta.
–*¿Qué vende, señor?*
–Curitas.
–*¿Para las heridas?*
–No, si va a ser para el Vaticano.

2154

Restaurante:
–¿Vino de la casa, señor?
–*¿Y a ti qué mierda te importa de dónde vengo?*

2155

2156

Una pareja preparaba el divorcio:
–Yo me quedo con el niño, Pepe.
–*¿Y eso por qué, María?*
–Pues porque es mío, no tuyo.
– Pero ¡si tampoco es tuyo!
–¿Cómo que no? ¿Y quién lo parió?
–No sé. ¿Tú recuerdas el día que nació? Estábamos en la materni

dad, se cagó y tú me dijiste que lo cambiara...
–Sí. ¿Y?
–Pues ¡lo cambié!

2157

Semáforo. Luz roja. Infracción. Policía gallego.
–Vea, oficial, me va a tener que disculpar y no multarme porque soy daltónico.
–*Verá: yo primero le pongo la multa, y después usted se queja en su embajada, ¿vale?*

2158

El gallego Manolo había ido a pelear contra el campeón de Sumo en Japón.
–¿Qué tal te fue, Manolo?
–*¡Pésimamente! Se me paró enfrente un monstruo de 600 kilos. Me puso una mano en la nuca, la otra en la espalda, un pie sobre el culo, el otro sobre la nariz. ¡Cómo sería que, de repente, tuve frente a mis ojos un enorme par de huevos!*
–¿¿¿Por qué no se los mordiste???
–*¡Porque eran mis huevos!*

2159

Adivinancita

Bajando, bajando; bailando, bailando; subiendo, subiendo; llorando, llorando.
–¿Quién soy?

El balde del aljibe.

2160

En un pueblecito gallego había dejado de llover durante mucho tiempo. Los campesinos fueron en procesión a la iglesia.
–Mire padre, usted sabe que hace

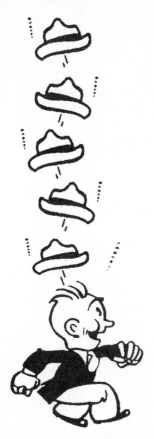

mucho que no llueve por aquí y veníamos a pedirle que nos prestara al Cristo para llevarlo en procesión por los campos. Queremos que nos mande la lluvia.

El padre les prestó la imagen de Jesús y los campesinos lo llevaron en procesión.

Tres días después, se largaron unas lluvias torrenciales que provocaron una terrible inundación.

Los gallegos fueron otra vez a la iglesia:

–Ahora venimos para que nos preste a la Virgencita.

–¿Y para qué quieren a la Virgen?

–La queremos llevar en procesión por el campo para que vea ¡el desastre que hizo el gilipollas de su hijo!

2161

En la prehistoria gallega:

–Manolito, hijo: que te pongan un cero en la caza de mamuts, vale... ya aprenderás. Que seas el peor en pintura rupestre, vale... ya aprenderás. Pero que te reprueben en historia... ¡si sólo llevamos dos páginas!

2162

Consejo de Pepa Muleiro:
"Señora, déle una sorpresa a su marido: ¡abandónelo!"

2163

–Oiga, padre...
–Dime, hijo.
–Si le digo hijo, no le puedo decir padre...

2164

–Mamá, ya no quiero más carne en la sopa.
–Niño, además de leproso eres un caprichoso.

2165

El gallego Paco era muy bruto y desconfiado. En la ruleta, le pidió al croupier que mostrara la bola antes de apostar.
–¿Para qué?
–Para ver si estaba marcada.

2166

–¿Sabías que Manolo murió en el ring?
–No sabía que era boxeador.
–Pues no lo era. Pero quedó electrocutado al tocar el timbre.

2167

Dos modelitos se encuentran en una sesión de fotos y se cuentan sus experiencias sexies del fin de semana.

–Un tipo me levantó por la calle y me ofreció cinco mil dólares para fifar. Pero con una condición: le gustaba pegar.
–¿Aceptaste?
–Acepté.
–¿Te pegó mucho?
–Y sí... Hasta que le devolví los cinco mil dólares.

2168

El gallego Paco, aterrado en el asiento del acompañante, le dice a su mujer la Pepa, que conduce:
–Pepa, por favor, ¡no metas la quinta...!
–Pero si nuestro automóvil sólo tiene cuatro velocidades...
–¡Digo que no metas la quinta persona debajo del auto!

2169

–¿Por qué Súperman no salvó a Lady Di en el túnel, Manolo?
–Pues ¡porque está tetrapléjico, gilipollas!

2170

Si votar verdaderamente resolviese las cosas, el voto sería ilegal.

2171

Se encuentran el gallego Muleiro y el tartamudo:
–Ho-ho-ho-la-la, ¿có-có có-có có-cómo-mo-mo e-e-esta-tás?
–Pues muy mal, se me incendió la casa, me echaron del trabajo, mi señora me abandonó...

–No-nooo no-no te-te-te preee te-preee ocu-cu-cupes, Mu-mu-muuuuuuuu-lei-lei-lei-mueliroooo q-q-q-q-q-q queeee to-to to-tooo-do-do-dos lo-los pro-proo pro-proo pro-proble-ble ma-maaaaaas seee-se se-se se-se solu-lu-lu ci-ci-ciona-na-nan.

–Claro, ¡para tí es muy fácil decirlo!

2172

2173

El gallego Manolo en el tren:
–¡Vaya por Dios! ¡Se me ha dormido el pie!
Se quitó el zapato para frotarse el pie, y el señor de al lado, mareado por el olor, le dijo:
–*Perdone, pero su pie no está dormido: está muerto.*

2174

–Doctor, vengo a que me reconozca.
–*Pues... en este momento no caigo.*

2175

El matrimonio festejaba sus bodas de plata.
–*Espero llegar a festejar las bodas de oro, Pepe.*
–Pero ¿es que te has ensañado conmigo, Paca?

2176

–Mamá, ¿es cierto que mi hermanito viene de París?
–*Sí ,hijo, sí.*

–Pues ¡me cago en los franceses por haberlo echado!

2177

–¿Qué pasaría si se destruyera la capa de Ozono?
–*Pues que Ozono no podría volar más.*

2178

–¿Con cuántos ceros se escribe un millón, Pepito?
–*Con seis, maestro.*
–Muy bien. ¿Y medio millón?
–*Con tres, señor maestro.*

2179

–A ver, Manolito, conjúgue el verbo competir…
–*Con mucho gusto, maestra: yo compito, tú con trompeta...¡y que viva la orquesta!*

2180

–Papá ¡Quiero una pistola Magnum!
–*¡Basta ya! Eso no es cosa de niños.*
–¡Quiero una pistola Magnum!
–*¡Que no! Además... ¿Quién manda aquí?*
–Tú, papá. Pero ¡si yo tuviera una pistola Magnum...!

2181

El gallego Muleiro fue a unas clases de inglés en Londres.
–*Vamos a hacer frases con la palabra "evidentemente". ¿A ver, Perkinson?*
–Hoy he venido a clase en la Ferrari... "evidentemente" el Rolls estaba estropeado.
–*Muy bien, muy bien... ¿A ver, Kensington?*

–Hoy no desayuné caviar... "evidentemente" a mi mayordomo se le olvidó comprarlo.
–*¿A ver usted, Muleiro?*
–Hoy he visto a mi abuela con la revista *Time* debajo del brazo... Como no sabe leer, y mucho menos en inglés, "evidentemente" iba a cagar...

2182

–*Su sesión comenzaba a las once y diez. ¿Cómo llega a las doce y media?*
–Es que desde que soy un *ciempiés*, me lleva muchísimo tiempo ponerme un zapato, y el otro

zapato, y el otro zapato, *y el otro zapato,* y el otro zapato.

2183

A Manolo sólo le quedaban 3 cabellos en la cabeza.
Se peinaba muy apenado. De pronto, se le cayó uno. Sólo le quedaron dos. Enojadísimo, Manolo siguió peinándose para acomodarlos.
De repente, se le cayó otro y le quedó sólo un cabello.
–¡Qué barbaridad!¡Ahora tendré que salir despeinado!

2184

Un huracán había destruido la casa de la gallega Paca.
Y allí estaba la gallega paradita frente a la casa destruida. Lloraba.
En ese momento pasó el gallego Manolo:
–¿Qué? ¿Se le cayó la casa, abuela?
–No, la desarmé para limpiarla ¡cabrón gilipollas!

2185

Eternidad: cuando te toca esperar mientras el gallego que está jugando contigo al Scrabel piensa una palabra.

2186

Manolo, en el bar:
–¿Quieres otra copa, como la que tienes vacía, Paca?
–¿Y qué voy a hacer yo con dos copas vacías?

2187

Un economista vuelve al cabo de varios años a su universidad para dar una conferencia, y decide aprovechar para saludar a un antiguo profesor. Va a su despacho y, tras charlar un rato, ve un examen sobre la mesa, lo toma, lo mira y le dice al profesor:
–¡Oye! ¡Pero éste es el mismo examen que nos pusiste a nosotros hace doce años!
–Sí. Tengo sólo tres exámenes, y los voy repitiendo cíclicamente.
–¿Y no tienes miedo de que alguien lo descubra y lo copie.
–¿Qué dices? ¿No ves que las respuestas cambian de año en año?

2188

–Mamá, Pepito está mordiéndole la uña a la abuela.
–Pepito, deja en paz a la abuela ¡¡¡o cierro el ataúd!!!

2189 - 2198
Diez clases de mujer

La Mujer Gripe: Todo el mundo la tuvo o la ha tenido.

La Mujer Lechuga: Están en todas las fiestas pero nadie se las quiere comer.

La Mujer Cocaína: Un polvo muy caro.

La Mujer George Bush: Está siempre encima de cualquiera del pueblo.

La Mujer Vaso de Agua: No se le niega a nadie.

La Mujer Cajero Electrónico: Mientras pongas la tarjeta está 24 horas disponible.

La Mujer Semáforo: Después de las12 de la noche no la respeta nadie.

La Mujer Caviar: Sólo se la comen los que tienen dinero.

La Mujer Farmacia: Está abierta las 24 horas, para cualquier emergencia.

La Mujer Fiambre: Se la comen en todos los pic-nic.

2199

Los gallegos María y Pepe están haciendo el amor junto a un pino. Pepe, encima. María, debajo. De pronto, María ve que en la copa del pino hay un niño mirándolos:
–*¡Pepe, un niño, un niño!*
–Es igual, María: ¡lo que venga!

2200

–¿Es verdad, doctor, que puedo comer todo lo que me guste?
–*Pues sí. Aquí tiene la lista de las cosas que deberán gustarle de ahora en adelante.*

2201

Los gallegos Pepe y Paco van a medir un poste. Uno lo sostiene y el otro trata de treparse, cinta métrica en mano. Se detiene un curioso y les pregunta:

–¿Por qué no lo acuestan en el suelo?
–Hombre, porque es que queremos medirlo de lo alto, no de lo ancho.

2202

–Mire, Jesús. Siempre hay posibilidades en la vida. Yo empecé con dos pantalones rotos. Hoy tengo millones.
–*¿Y para qué quiere millones de pantalones rotos?*

2203

–¿Cómo se quitan los negros los condones, Pepe?
–*Pues ¡¡¡con los dedos de los pies!!!*

2204

–Hace un mes planté zanahorias y ¿qué crees qué salieron?
–*Zanahorias.*
–No, salieron los conejos y se las comieron.

2205

–¡¡¡Tieeeeerra a la vista!!!
–*¡Pero si será imbécil! ¿¿¿No ve que aún no hemos zarpado???*

2206

La gorda Paca en el médico:
–Doctor, me siento muy mal.
–*No me extraña, tiene medio culo fuera de la silla.*

2207

El gallego Paco va a comprar un auto, y el vendedor le dice:
–*¡Con la primera arranca, en segunda va un poco más rápido, en tercera rápido, cuarta rapidísimo, y con*

quinta, le aseguro, este coche vuela. El gallego, muy orgulloso, lleva a su novia a dar una vuelta. Van en primera, segunda, tercera y cuarta.... rapidísimo.
Justo en ese momento se atraviesa un camión.
–*¡¡¡Cuidado con el camión, Paco!!!*
–¡Tranquila, mujer, que meto la quinta y volamos!

2208

–¡Hola! ¿Doctor?
–*Sí. Con él habla.*
–Mi sobrino se ha tragado una lapicera.
–*Voy enseguida... Pero, ¿qué ha hecho usted mientras tanto?*
–Estoy escribiendo con un lápiz.

2209

El guardia al conductor borracho:
–*¿Me da su permiso de conducir?*
–Sí, conduzca, conduzca...

2210

–¿Cuál es la diferencia entre un terrorista árabe y una modelo argentina?
–*Ni idea.*
–El terrorista árabe tiene menos exigencias.

2211

El gallego Manolo estaba preso. Una tarde meten dos reclusos nuevos en su celda. Apenas entran, los nuevos se ponen a pelear furiosamente por las literas. Manolo interviene.
–¡Basta! ¡Silencio, coño! ¡A ver si nos echan!

2212

¿Por qué será que
cuanto más caro es un juguete
más le gusta al chico jugar
sólo con la caja en la que viene?

2213

Nuestro pueblo es tan pequeño
que tuvimos que cerrar
la biblioteca pública porque
alguien había arrancado
como veinte páginas del libro.

2214

–Un amigo mío es tan inteligente que inventó una lámpara que con un tamaño de sólo 50 centímetros ilumina todo Pekín.
–*¿Y qué? En mi país, el presidente, con un culo de tan sólo 20 centímetros, ¡¡¡tiene cagado a tooooodo el país!!!*

2215

–Doctor Muleiro, anoche no dormí nada; ¡no cerré los ojos en toda la noche!
–*¿Ve? Ahí está el error. Para dormir, ¡hay que ce-rrar-los!*

2216

–Camarero, ¿qué es esto que hay en el menú?
–*Eso es comida, señor.*
–Pero ¡qué asco! ¿Y cada cuánto limpian el plástico?

2217

El gallego Manolo era tan, pero tan bestia que *jugaba a la ruleta rusa con una metralleta.*

2218

Si visita Galicia vaya a La Coruña Hilton: disfrutará de un magnífico *restaurante giratorio en el sótano.*

2219

El joven Pepe va a casarse, pero antes le pregunta a su padre qué debía hacer en la noche de bodas.
–Nah, es fácil. Tienes que poner esa cosa con la que siempre estás jugando en el sitio donde ella mea. Así que Pepe tiró su Nintendo al inodoro.

2220

Aviso aparecido en un diario de Pontevedra:
Cambio moto hecha mierda por sillas de rueda nuevita

2221

–Hacer dinero es fácil ¿sabes Pepe?
–*Sí, lo difícil es pasarlo.*

2222

El gallego Muleiro hace dinero a lo grande. Es decir: billetes *cuatro centímetros más largos* de lo debido

2223

Van dos hormigas en moto cuando una le dice a la otra:
–*¡Eh! ¡¡¡Para, para, que se me ha metido una mosca en el ojo!!!*

2224

Paco y Manolo escuchaban un concierto. Jugaban a ver quién reconocía mayor cantidad de instrumentos. Pudieron con todos, menos con el trombón a vara.

–*¿Sabes Paco? ¡Debe haber algún truco allí con ese instrumento! Estoy seguro de que no se traga esa vara.*

2225

El brutísimo gallego Manolo:
–*Conque me has arrancado un ojo, ¿eh? Pues mira: ahora, como gesto de desafío, ¡me arranco yo el otro y lo pisoteo!*

2226

El galleguito de siete años le preguntaba a su padre:
–¿Por qué te casaste con mamá?
–*Tú también te lo preguntas, ¿verdad?*

2227

–¡También hoy llegas tarde, Pepe! ¿Es posible que jamás puedas ser puntual? ¡Incluso a nuestra boda llegaste tarde!
–*Sí, pero ¡no lo bastante! ¡No lo bastante!*

2228

–Doctor, últimamente duermo mal.
–*¿Se acuesta tarde?*
–No. Me acuesto con las gallinas. ¡Y hacen un ruido...!

2229

El gallego Muleiro fue a comer a un restorán barato. Se sentó junto a un viejo que dormitaba encima de un plato de lentejas. Cuando vio que las lentejas tenían un aspecto estupendo, pidió un plato. Pero tardaban mucho en servirlo.
Como el gallego Muleiro tenía un hambre feroz, y las lentejas del viejo estaban todavía calientes, decidió comérselas y dejarle al vie-

jo sus propias lentejas cuando le llegasen.

Empezó a comer. Cuando estaba acabando el plato, vio un condón usado en el fondo. Muleiro vomitó las lentejas en el mismo plato. Entonces, el viejo lo miró y le dijo con gesto comprensivo:

–A mí me pasó lo mismo. Yo también vomité en mi plato al ver el condón...

2230

–¿Sabes, Paca? Me han regalado un mono, pero cada vez que me agacho ¡zas! me da por atrás.

–¿Lo habrás llevado al veterinario para que lo cape, no?

–No, para que le corte las uñas, ¡¡¡mira cómo me deja la espalda!!!

2231

El gallego Manolo era tan pero tan cerrado *que lo contrataron como puerta blindada.*

2232

Manolo va a comprar un caballo

–*Por favor, mátelo.*

–¿Cómo?

–*Mátelo.*

El cliente siempre tiene razón. Lo matan de un tiro.

–*Entréguelo en mi casa mañana a la mañana.*

–Lo entregaremos.

–*Cuando lleguen a casa, quiero que lo suban al primer piso. Quiero que lo lleven al baño. Y quiero que lo sienten en el inodoro.*

–¿Quiere que sentemos al caballo muerto en el inodoro de su casa?

–*Efectivamente.*

–*Disculpe que pregunte pero todo esto es muy raro.*

–No, es sencillísimo. Mi suegra es una mujer que todo lo sabe. A cualquier cosa que yo le diga, ella me contesta: "¡Ya lo sé, ya lo sé!". Ella va a venir mañana a casa. Cuando entre en el baño va a gritar "¡Hay un caballo muerto sentado en el inodoro" y, por una vez, yo voy a poder decirle: "¡Ya lo sé, ya lo sé!"

2233

–Doctor, cada noche tengo el mismo sueño: empujo una puerta con una palabra escrita encima. Empujo, empujo y empujo, pero nunca consigo abrirla.

–¿Y qué hay escrito en la puerta, Manolo?

–"Tire".

2234

En Galicia prohibieron la fabricación de fotocopiadoras porque hacían las copias con errores de ortografía.

2235

–¿Cuál es el té de las comunicaciones?

–*El te-léfono.*

2236

–¡Pobre Manolo! ¡Se ha ido tan de repente! ¡Ha muerto! ¡Y sin dejarme nada.

–No llores, mujer. Así es la vida. Al menos tienes un hijo.

–¡Es que tampoco era suyo, Pepa!

2237

–¿Sabes qué es lo que hace una gallega si quiere que la chapa de su coche tenga su nombre?

–*Va al Registro Civil y se cambia el nombre a ZRF-542.*

2238

–Yo me llamo Bartolo, pero me llaman Bartolomé.

–*Como a mí: yo me llamo Paco y mi mujer me llama pa' comé.*

2239

–*¡Sigan avanzando!*

Y *Vanzando* y sus muchachos se perdieron por el bosque.

2240

El gallego Muleiro era tan pero tan pobre, que en lugar de sacar la basura *la entraba.*

2241

Ríe, y el mundo reirá contigo. Ronca... ¡y dormirás solo!

2242

–¿Cuál es el colmo de un *electricista?*

–*Cortar la corriente de un río.*

2243

–¿Ha venido usted a ver a Sai Narubishi, nuestro guía espiritual y

conductor de almas, nuestra fuente de conocimiento infinito y único comunicado con Dios y los elementos del cielo?

–*Sí, dígale a Jacobo que soy su mamá, que vine a traerle el turbante que se olvidó en casa, y que ya se lo lavé.*

2244

–Tu mujer, ¿grita cuando folla, Paco?

–*¡Que si grita! ¿Que si grita! ¡Mira cómo gritará que la oigo desde el bar!*

2245

Pareja besándose en el asiento trasero de un coche.

–Oye, Pepe, creo que me he tragado tu chicle.

–*No, Paca. Es que tengo flemas.*

2246

En la Olimpíada Gallega de Minusválidos, Manolo Muleiro, sin brazos y sin piernas, se presentó en natación.

Todos estaban asombrados. Se arrojó al agua y, claro, al final lo tuvieron que sacar los guardavidas.

Lo subieron a una camilla. Se acercó su entrenador y le gritó enojado:

–*¡Mierda, Manolo! ¡Quince años entrenándote para nadar con las orejas y tú vas y te pones un gorrito!*

2247

–Paco, ¿qué tal está tu hijo?

–*Muy bien. Ya está grande, y es muy independiente. Antes pedía caca; ahora se la consigue solo.*

2248

–¡Mamá! ¡En el cole me llaman *mentiroso*!

–*¡Cállate, hijo! ¡Si no vas al cole!*

2249

–¿Me das tu teléfono?

–*Sí, claro, ¿y con qué llamo a mis amigos?*

2250

Entra un pato al bar de Manolo:

–*Un sándwich de jamón y una Coca, por favor.*

El gallego Manolo se queda estupefacto.

–¿Cómo puede ser que un pato hable?

–*¿Y qué? ¿Usted no habla acaso?*

–Sí, bueno... ¿Y cómo decidió honrarme entrando a mi bar?

–*Es que trabajo de albañil en la obra de acá a la vuelta y vine a comprar la comida.*

El pato paga y Manolo se va corriendo al circo y le cuenta lo sucedido al dueño. Juntos se van para la obra a buscar al pato. Lo encuentran levantando una pared. El dueño del circo le dice:

–Por favor, véngase conmigo a trabajar en el circo. Le pagaré lo que me pida.

–*¿Al circo? ¿Y para qué necesitan a un albañil en el circo?*

2251

–Dígame, ¿a qué se debe que haya llegado a tener una edad tan avanzada, don Manolo?

–*¡A que soy muy pobre y no tengo dónde caerme muerto!*

2252

–Mi esposa estaba tan deprimida, que encendió el horno y metió la cabeza adentro.

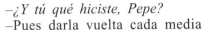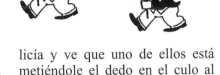

–¿Y tú qué hiciste, Pepe?
–Pues darla vuelta cada media hora.

2253

–¿Qué coche tienes?
–¡Ritmo!
–Ea ea, ¿Qué-co-che-tie-nes? Ea, ea, ea eee.

2254

–¿Cuántos años tienes, Pepita?
–Ocho.
–¿Y qué harás cuando seas como tu madre?
–Un buen régimen.

2255

–¡Pobre Manolo! ¡Qué accidente! Menos mal que le han salvado la pierna buena.
–¡Pero si tiene los dos de palo, Pepe!
–¡Ya lo sé! Pero una es de caoba, ¡joder!

2256

Dos gallegos, borrachos, están tirados sobre las vías del tren. Justo en ese momento se acerca un policía y ve que uno de ellos está metiéndole el dedo en el culo al otro.
–A ver, usted, ¿qué hace? Acaso está ayudando a su amigo a apartarse de las vías?
–No, estoy intentando que vomite.
–Ya, ¡claro! ¡Pero así no lo va a conseguir!
–¿No? Espere a que le meta el dedo en la garganta...

2257

–¿Por qué muchos pintores famosos son holandeses?
–Porque nacieron en Holanda.

2258

Manolo se enroló en la Real Marina Española.
–¡¡¡Capitán, capitán, que nos hundimos, capitán!!!
–¡Cállese, imbécil! ¡Esto es un submarino!

2259

–Pepe, te vendo un elefante en 50.000 pesetas.
–Pero ¿estás loco, Paco? Yo vivo en un dos ambientes con mi mujer, mi suegra y ocho hijos.
–Vale: te vendo dos por 70.000.
–¡Eso ya es otra cosa!

2260

Consejo de Pepe Muleiro
Si la sociedad te da la espalda ...
tócale el culo.

2261

Está Aladino limpiando la lámpara (la mágica), y al cabo de un rato se escucha de su interior una fuerte voz que dice enfadada:
–¡A ver si dejamos de frotar, joder! ¡Intento dormir!
–Ole, ya le salió el genio.

2262

En el jardín le preguntan al nene:
–Mi amor, ¿qué quieres ser cuando seas grande?
–Quedo sed puto.
–No mi amor, tú no puedes ser puto.
–¡¡¡No, yo quedo sed puto!!!
No lo aguantan más y lo mandan a la casa.
–Hijo, ¿qué haces acá?
–Me mandaron del jardín podque dije que quedía sed puto.

–Pero no mi amor, tú nunca vas a ser puto.
–*¡Yo quedo sed puto!*
–Escúchame bien, tú nunca, pero nunca vas a ser puto ¿me entendiste?
–*¡Ufa!, entonce yo quedo sed Mickey*

2263

El médico a Pepe, luego de que sufriera un accidente:
–*Tengo que darle una buena y una mala noticia Pepe, ¿cuál le digo primero?*
–La mala primero, doctor.
–*Tuvimos que amputarle las piernas.*
–¡Oh!... ¿y la buena?
–*Ahora tiene una polla que le llega hasta el piso.*

2264

¿Para qué inventó Dios el alcohol? Para que los feos, gordos y desagradables pudiesen *perder la virginidad.*

2265

–¡¡¡Tieeeeerra a la vista!!!
–*¡Pero si será imbécil! ¿¿¿No ve que aún no hemos zarpado???*

2266

–¿En qué se parecen una modelo y una botella de cerveza?
–*Ni idea.*
–Ambas están vacías del cuello para arriba.

2267

Pepe en el bar con una borrachera descomunal. Cuando se va a casa llega arrastrándose por toda la calle. A la mañana siguiente la María le dice:

–¡¡¡Andaaaa!!! Qué borrachera te agarraste ayer, ¿eh?
–*¿Yo? ¡Qué va!*
–¿Qué va? Si ha venido esta mañana el dueño del bar a traerte la silla de ruedas, que te la habías dejado allí.

2268

El gallego Pepe era tan pero tan bruto, que cuando su mujer, durante la noche de bodas, le dijo que era virgen, *él se arrodilló y empezó a rezarle.*

2269

El gallego Manolo, en un restaurante, intenta ser "fino".
Quiere pinchar una aceituna con un palillo pero siempre se le escapa en el último momento. El camarero, ya nervioso, toma el escarbadiente y se la pincha:
–¡Claro! ¡Ahora que ya la tenía cansada, muy fácil!

2270

El que ríe último es el famoso *pelotudo*.

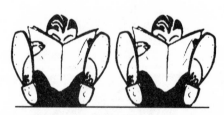

2271

Se levanta el telón y aparecen un hombre y tres enanas. El hombre coge un jabón y un estropajo y se pone a frotar a las enanas.
Se baja el telón.
–*¿Qué electrodoméstico es?*
–Lavabajillas.

2272

–¿Sabes algo del jugador que se cayó y se estrelló contra un reloj?
–*Sí, que perdió sobre la hora.*

2273

–¿Cómo se dice *"elegante"* en chino?
–*Pin tong.*

2274

–Manolo, si no tienes mi número de teléfono llámame que te lo paso, ¿vale?

2275

–¿Cuál es el ladrón japonés más ladrón de todos?
–*Mikedo Kontodo.*

2276

–¿Cómo se dice *"entrada"* en chino?
–*Por tong.*

2277

–¿Por qué los elefantes no juegan con las computadoras?
–*Porque le tienen miedo al ratón.*

2278

El policía detiene a un tipo que manejaba haciendo zigzag por la carretera.
–*Sopla aquí para analizar tu nivel de alcohol.*
–¡Oh no, oficial, no puedo soplar! ¡Padezco de asma crónica, y podría morir de un ataque!

—Entonces vamos al cuartel para poder tomarte una muestra de orina.
—¡No! Tampoco puedo hacer eso porque soy diabético y si orino ¡me daría un bajón de azúcar y podría morir!
—Pues iremos al cuartel a tomarte una muestra de sangre para ver qué nivel de alcohol tienes.
—Tampoco puedo hacer eso, soy hemofílico ¡y podría morir desangrado!
—Está bien, bájate del auto y camina por esta línea blanca.
—Tampoco puedo hacer eso, oficial.
—¿Y cuál es la excusa ahora?
—¡Pero caramba! ¿No ve que estoy borracho?

2279

Entra un señor en una tienda de alpargatas:
—Muy buenas, ¿tiene alpargatas?
—¡Muy buenas!
—Muy buenas, ¿tiene alpargatas?

2280

—Ayer fui al cine con mi novia.
—¿Qué vas a hacer al cine, si eres ciego?
—Soy ciego, pero no manco, ¡infeliz!

2281

—¿Cuántas personas hacen falta para enterrar a un gallego?
—Ocho: seis para que lleven el ataúd y dos para arrastrar el cadáver.

2282

Pepe contempla lleno de nerviosismo el traje que va a vestir al día siguiente en su boda.
*—¡Hijo mío! ¡Quiero que recuer-*des este día como el más feliz de tu vida!*
—¡Padre! ¿Por qué dices eso? ¡El día de la boda es mañana!
—¡Por eso mismo, hijo! Por eso mismo.

2283

Un día sin risa es un día desperdiciado

2284

—¿Sabéis por qué los romanos no tenían pelos en las piernas?
—Porque estaban "de Pilatos" hasta los cojones.

2285

Dice un sapo a otro:
—Lo que más me revienta en esta vida son los camiones.

2286

Manolo asistía al entierro de su esposa Paca.
También estaba allí Pepe, el amante de la muerta.
Manolo, el esposo, estaba abatido, lloroso y totalmente resignado.
Junto al cajón, Pepe, el amante, no encontraba consuelo, daba unos alaridos tremendos, lloraba desconsoladamente, tirándose de los cabellos y a punto de sufrir un infarto.
El marido, extrañado, se acercó a Pepe, lo abrazó y con gesto amigable le dijo:
—¡Tranquilo Pepe, serénate! ¡Ya me volveré a casar! ¡Ya me volveré a casar!

2287

—Madre, ¿los pollos maúllan?
—No, Manolín.
—Entonces el gato está dentro del horno.

2288

—¿Cómo conseguiste ser el director del manicomio, Paco?
—Pues, como era el loco más antiguo...

2289

—¿Cómo se llama la mujer que siempre sabe dónde está su marido?
—Viuda.

2290

—Están los animales de la selva muy aburridos, así que deciden jugar a los chistes. Para hacer más emocionante la cosa deciden que, cuando uno cuente un chiste, *tienen que reírse todos los demás.* Si hay uno solo que no se ríe, *matan* al que ha contado el chiste.
—¿Quién empieza?
—La jirafa, que es la más alta.
La jirafa cuenta un chiste buenísimo y todos se parten de risa. Todos, menos la tortuga, que permanece seria *como una tortuga seria.* Por lo tanto matan a la jirafa.
—¿El siguiente...?
—¡El elefante, el elefante!
El elefante cuenta otro chiste tan gracioso como un chiste gracioso y otra vez todos se ríen como un montón de animales riéndose,

pero nuevamente *la tortuga permanece tan seria como una tortuga seria.* Por lo tanto dejan al elefante tan muerto como un elefante muerto.

–*¿El siguiente...?*

–El mono.

Sale el mono y cuenta un chiste *tan malo como* "¡Niño, sube! ¡No, mamá, que me vuelves a tirar!", *y nadie se ríe.* Nadie, excepto la tortuga, que esboza una sonrisa y empieza *a reírse a carcajadas.* Entonces el león (el rey de la selva) dice:

–*¿Y tú de qué te ríes ahora?*

–Es que acabo de entender el chiste de la jirafa.

2291

La gallega Paca pasaba el día quejándose.

Se encuentra con su hermana.

–Paca, ¿qué te sucede?, ¿de qué te quejas tanto?

–*Pues que mi marido sólo me habla cuando quiere que le abra una botella de cerveza. ¡Como si sus dientes no fuesen tan buenos como los míos!*

2292

2293

¿Cuál es el país que primero te llama y después te asusta?

–¡Eh! ¡Eh! ¡Uh! ¡Uh!

2294

Después de insistir mucho a un empresario de circo que tenía todas las plazas cubiertas, consiguió que aceptase ver una demostración de su número.

Sacó un ratón del bolsillo, un piano pequeño y un loro.

El ratón se puso a tocar el piano al tiempo que el loro cantaba ópera.

–*¡Fantástico! Ahora, entre nosotros, esto tiene truco, ¿verdad?*

–Sí, bueno, la verdad es que el loro no canta. El ratón *es ventrílocuo.*

2295

–¿Por qué los gallegos usan condones de tela de vaquero?

–*Porque prefieren el calce profundo.*

2296

–Camarero, está usted metiendo su corbata en mi sopa.

–*No se preocupe, señor, no encoge.*

2297

–¿Cómo sacan los gallegos los dólares del país?

–*No sé.*

–Por fax. Y rompen las evidencias.

2298

–¿Cuál es la letra más sabrosa?

–La de-*liciosa.*

2299

Dos gallegos:

–*Mirá ese cohete. Va a Venus.*

–Pues vamos a escondenus.

2300

Un borrachazo golpeaba una columna de alumbrado al tiempo que gritaba:

–¡Maríííía, aaaaabre!

Se acercó un transeúnte y le dijo:

–Pero ¿qué hace?

–*Trato de ver si mi esposa me abre*

la puerta de una buena vez.

–¡Usted está borracho! ¡Ahí adentro no hay nadie!

–*¡Cómo que no! ¿Entonces por qué hay luz?*

2301

–¿Está el señor Rodríguez?

–*Oiga, ¡¡¡la u no se pronuncia!!!*

–¡Ah! Beno, pes quelge.

2302

–Mi hermano es tan bueno con la música que ahora está dirigiendo un coro de gallinas.

–*¿Y cómo se llama ese coro?*

–El "Coro-cocó".

2303

–*Doctor, tengo un problema tremendo. Estoy perdiendo la memoria.*

–¿Cuánto tiempo hace?

–*¿Cuánto tiempo hace de qué?*

2304

–¿Hola?

–*¿Puedo hablar con Pepe?*

–No, me temo que se ha equivocado.

–*¡Uy, siento haberlo molestado!*

–Da igual. ¡De todas formas tenía ganas de atender!

2305

–A ver, dígame, Pablito: ¿qué pasa si le corto una oreja?

–Me quedo sordo.

–¿Y si le corto la otra oreja?

–Me quedo ciego.

–¿Por qué?

–Porque se me caerían los lentes, maestra.

2306

–¿Y tú, dónde has nacido, Pepito?

–Yo no he nacido, ¡tengo madrastra!

2307

Un gallego va por la playa. De repente, una ola lo salpica y el bestia le grita:

–¡A que te bebo!

2308

–¿Sabes, Manolo? La luz viene del Sol a la Tierra ¡a 300.000 kilómetros por segundo!

–¡Bah! No me impresionas: ¡todo el camino es cuesta abajo!

2309

–¿Por qué no vino ayer a trabajar?

–Es que me sentía muy mal y creí que me moría.

–Pero ¡lo vieron que iba andando en bicicleta!

–Es que iba a llamar al médico.

2310

–¿Cuál es el colmo de un carpintero?

–Tener una mujer muy cómoda,

unos hijos muy listones, unas hijas muy traviesas y un perro que le mueva la cola.

2311

–¿En qué se parece una casa que se incendia a una casa deshabitada?

–De la casa que se incendia salen llamas. En la casa deshabitada, llamas y no sale nadie.

2312

–¿Cuál es el colmo de la fuerza?

–Doblar una esquina.

2313

–¿Cuál es el colmo de un contador?

–Tener un siete en el pantalón.

2314

En una carrera:

–Papá, ¿por qué corren tanto esos señores?

–Porque al primero le dan un premio.

–Entonces, los demás... ¿para qué corren?

2315

–Papá, ¿horchata se escribe sin hache?

–No, porque entonces se diría "horcata".

2316

–¿Cuál es el colmo de un rengo?

–Tener mala pata en todo.

2317

Había una vez un niño que escribió una carta de amor que decía así:

María, en el desayuno no como, porque pienso en ti.

María, a la hora del almuerzo no como, porque pienso en ti.

María, en la cena no como, porque pienso en ti.

María, en la noche no duermo, porque estoy muerto de hambre.

2318

2319

–¿Cuál es el colmo de un hojalatero?

–Tener un hijo soldado y otro en la sierra.

2320

–¡Camarero, sírvame un sándwich de elefante!

–Un momento que voy a consultarlo... Dice mi jefe que para un solo bife no mata al elefante.

2321

Dos niños pequeños discuten:

–No se dice yo no sabo, se dice yo no sepo.

–No se dice yo no sepo, se dice yo no sabo.

Una señora que pasaba por allí les dice:

–No se dice de ninguna de las dos maneras.

–¿Entonces cómo se dice?

–Yo no sé.

–¡Pues si no sabe para qué se mete!

2322

El arzobispo de Santiago de Compostela hizo un viaje en avión.

Al despegar, le pidió a la azafata

que le sirviera una copita de vino. Al rato la llamó para preguntarle:

–¿A qué altura vamos?

–Mil quinientos pies.

–Pues sírvame otro vinillo.

Se lo terminó y volvió a preguntar sobre la altitud.

–Cinco mil pies de altura.

–Allí, ponme otro vinillo.

Poco después:

–¿A qué altura vamos?

–A diez mil pies. ¿Otro vinillo?

–No, ¡rápido, un agua mineral! A esta altura ya puede vernos el jefe.

2323

Era tan bruto que para pasar de grado en el colegio tuvo que romper la pared.

2324

–Paco, ¿qué tal está tu hijo?

–Muy bien. Ya está grande, es muy trabajador y muy independiente. Antes pedía caca; ahora se la consigue solo.

2325

–¿Dónde hay más etíopes? ¿En el Norte o en el Sur?

–Depende de para dónde sople el viento.

2326

A mi abuelo le dicen "media" porque cuando abre la boca, mete la pata.

2327

Pídele a un amigo que te diga tres mentiras seguidas. Dile:

–Seguro que no podrás hacerlo.

Cuando diga dos mentiras pregúntale cuántas mentiras ha dicho y responderá que dos. Entonces le dices:

–¿Has visto? ¡No has podido decirme tres mentiras seguidas!

2328

–¿Cuál es el colmo de la ignorancia?

–No saber cuál es el colmo de la ignorancia.

2329

Recuerda, Manolín: la noche es para dormir; el día para descansar.

2330
Adivinancita

Como soy me quedo: si joven, joven; si viejo, viejo.

Tengo ojos y no veo, orejas y no oigo, boca y no hablo.

Nada malo he hecho y, sin embargo, me cuelgan.

El retrato.

2331

El soldado mira por el catalejo:

–¡General! ¡Vienen los indios!

–¿Se ven grandes o chicos?

–¡Se ven chiquitos!

–Avíseme más tarde.

–¡General, se acercan los indios!

–Dígame, soldado, ¿se ven grandes o chicos?

–¡Todavía se ven chiquitos!

–Entonces, soldado, avíseme más tarde.

–¡General! ¡General! ¡Llegaron los indios!

–¡Atención, soldado! ¡¡¡Dispare!!!

–¡No! ¿Cómo les voy a disparar si los conozco desde que eran chiquititos?

2332

–Oye, Pepe, ¿cuándo crees que las mujeres podremos ir a la Luna?

–Pues, cuando haya que hacer limpieza general, ¡coño!

2333

Era tan pero tan feo aquel príncipe, que la Cenicienta en vez de a las doce se iba a las diez menos cuarto.

2434

–¡Hombre, Pepe, cuánto tiempo! Me dijeron que te casaste... ¿Y? ¿Qué tal es esto del matrimonio?

–Pues al principio está bien. Pero ¡en cuanto sales de la iglesia...!

2335

–Mamá, mamá... ¿dónde está la cordillera de los Andes?

–No sé, nene. Acá la que guarda todo es la mucama.

2336

–Hola, Pepe. ¿Tienes problemas con las hierbas?

–Sí, se ha llenado el jardín de orugas, y las estoy matando.

–¿Y qué les echas?

–Pues, DDT.

–Pero ¡qué bestia! ¿No sabes que

el DDT está prohibido porque causa cáncer?
–*Bueno, ¿y a mí qué más me da cómo se mueran los bichos?*

2337

Después de revisar a la gallega Paca, el médico extiende la receta.
–Aquí tiene, señora, son doscientos pesos.
–*¿Doscientos pesos por escribir estas dos líneas?*
–Sepa que para escribir esas dos líneas yo tuve que estudiar diez años.
–*¿Y tengo la culpa yo de que usted fuese un burro?*

2338

Oye, Paco, sólo queda medio balde de pintura de ese color que estás usando. Trata de apresurarte y terminar... ¡antes de que se te acabe la pintura!

2339

–¿Qué fue más útil que la invención del primer teléfono?
–*Pues no lo sé.*
–La fabricación del segundo.

2340

–¡Soldado! ¿Qué siente cuando flamea la bandera?
–*Viento, mi sargento.*

2341

Muy mexicanos.
Un compadre visita a otro compadre y le dice:
–*Compadre, ¡qué pena!, no puedo creer que no tengas los pantalones para mandar en tu casa.*
–Sí, ¿verdad, compadre?
–*Pues sí, mira, en mi casa mando yo, y cuando digo: tengo hambre, sirven de comer y cuando digo: tráiganme el agua caliente, me la traen de inmediato.*
–Oiga, compadre, ¿y para qué quiere agua caliente?
–*¡Ay, compadre! ¡No me diga que usted lava los platos con agua fría!*

2342

El humor es la oportunidad que tienen *todos los hombres* de volver en sí.

2343 - 2386
Cuarenta y cuatro razones por las que es maravilloso ser hombre...

Las conversaciones telefónicas duran 30 segundos.

En las películas los desnudos son casi siempre femeninos.

Las vacaciones de 5 días requieren sólo una maleta.

A los viejos amigos no les importa si has subido o bajado de peso.

Mientras haces zapping, no tienes que parar cada vez que ves a alguien llorando.

Tu culo no es un factor en entrevistas de trabajo.

Todos tus orgasmos son reales.

Una panza de cerveza no te hace invisible al otro sexo.

No tienes que llevarte un bolso lleno de tonterías a todos lados.

No tienes que taparte la falda cada vez que subes una escalera en un lugar público.

Puedes ir al baño sin ir en grupo.

Te dan más crédito por el menor acto de inteligencia.

Nunca tienes que limpiar el inodoro.

Puedes estar bañado y listo en 10 minutos.

Si alguien se olvida de invitarte a algún lado, todavía puede ser tu amigo/a.

Tu ropa interior cuesta 6 dólares en un pack de tres.

Ninguno de tus colegas de trabajo tiene la capacidad de hacerte llorar.

No tienes que afeitarte del cuello para abajo.

Si tienes 34 y eres soltero a nadie le importa.

Puedes ver televisión con un amigo, en total silencio durante horas, sin pensar "debe estar enfadado conmigo".

No tienes que ir a otra estación de servicio porque *"esta está muy sucia"*.

Puedes disfrutar silenciosamente de un paseo en coche.

Las flores arreglan todo.

Nunca tienes que preocuparte de los sentimientos de otras personas.

Piensas en el sexo el 90 por ciento del tiempo desde que te despiertas.

Puedes llevar una camiseta blanca a un lugar con mucha agua que salpique.

Tres pares de zapatos son más que suficiente.

Puedes decir cualquier cosa y no preocuparte por lo que piensa la gente.

Te puedes quitar la camiseta cuando hace calor.

No tienes que limpiar tu apartamento cada vez que entra alguien.

Te importa un carajo si alguien se da cuenta o no de tu nuevo corte de pelo.

Sabes por lo menos 20 formas de abrir una cerveza.

Puedes sentarte con las piernas abiertas sin importarte qué estés usando.

Que no te caiga bien una persona no significa que no te guste tener buen sexo con ella.

Vestido de novia: 2.000 dólares; Traje de novio alquilado: 200 dólares.

No te importa si alguien habla a tus espaldas.

Siempre hay algún partido de fútbol en la televisión.

La gente nunca echa miraditas a tu pecho cuando le hablas.

Puedes pasar a visitar a un amigo sin tener que llevarle un regalo.

Si no llamas a un amigo cuando dijiste que lo ibas a llamar, no le va a decir a tus amigos que has cambiado.

Si alguien aparece en una fiesta con tu misma camisa, puedes llegar a hacerte amigo suyo.

Piensas que la idea de darle una patada a un perrito es graciosa.

Los zapatos nuevos no le hacen nada a tus pies.

Por el mismo trabajo... más sueldo.

2387

Una señora decide tomarse un día de ocio y acompañada de su niño sube a un compartimento de primera. Al presentarse el guarda, la mujer le dice:
–Este niño no paga billete.
–No, señora. El niño no paga, usted pagará por él.

2388

El hijo del multimillonario Rockefeller le dejaba al camarero que lo atendía un dólar de propina. Su padre, en cambio, no le dejaba nada. Un día el mozo se lo hizo notar:
–*Su hijo, señor Rockefeller, me deja siempre una buena propina.*
–Él puede hacerlo: *tiene un padre millonario.*

2389

–Oye, mosquito, ¿por qué estás tan flaco?
–*Es que no como. Apenas pico.*

2390

–¿Cuál es el animal más antiguo del mundo?
–*El pingüino.*
–¿Por qué?
–*Porque está en blanco y negro.*

2391

–¿Cuál es el apellido que tiene más A?
–*Ochoa.*

2392

¿Por qué los policías gallegos usan salvavidas?
–*Por si se desata una ola de violencia.*

2393

Una actriz ya anciana y rica, pero muy avara, decide ir al cirujano para rejuvenecer su aspecto.
Le pide que le haga todo: la nariz,

los labios, el cuello. Que le quite todas las arrugas.

Finalmente, el cirujano le pregunta:

—¿Desea algo más?

—*Sí. Quisiera tener los ojos más grandes y expresivos.*

—¡Cómo no, eso será lo más fácil! ¡Enfermera, traiga la cuenta, por favor!

2394

Hospital Clínico de Galicia
Servicio de Anatomía Patológica

Informe

Estimado Señor Pepe Muleiro:

Tenemos muy buenas noticias para usted.

La mancha del pene no era gangrena, sino *lápiz labial.*

Atentamente

Fdo: Equipo de Patología

P.D. Lamentamos la amputación.

2395

—Mamá, en el colegio me dicen payasito.

—*¿Ah sí? ¡¡¡¿Y quiénes son tus amiguiiiiiiiiiiiiiiiiiiiiiiiiiiitos?!!!*

2396

El gallego Pepe:

—*Dígame Doctor ¿es cierto que cuando una persona muere durante el sueño, no se entera hasta la mañana siguiente?*

2397

Un gallego está en la planta baja de un rascacielos gritando:

—¡Ascensor! ¡Ascensor! ¡Ascensor!

—No, hombre, para llamar al as-censor lo que tiene que hacer es usar el botón ése.

—El gallego se agacha, pone la boca al lado del botón y dice en voz baja:

—*¡Ascensor... ascensor! ¡Planta baja llamando a ascensor...!*

2398

—Francisco, ¿sabes que mi perro tiene ocho patas?

—*Eso no puede ser.*

—Sí, dos adelante, dos atrás, dos a la izquierda y dos a la derecha.

2399

—¿Tú sabes por qué los elefantes tienen arrugas?

—*¡Imagínate tener que plancharlos!*

2400

—¿Ves a ese tipo que molesta a nuestra hija, Pepe?

—*¡¡¡Pero si ni siquiera la mira!!!*

—¡Eso es lo que la molesta!

2401

—*A la Pepa Muleiro le dicen La Polonesa.*

—¿Por qué?

—*A pesar de que tiene un montonazo de años, todavía hay quien la toca muy bien.*

2402

El gallego Muleiro:

—Leí en un artículo: *"El camino para conseguir la paz interior reside en finalizar las cosas que has empezado".* Miré a mi alrededor y vi todas las cosas que yo había empezado y estaban sin terminar. Así que en ese mismo momento terminé una botella de ron, una de vino tinto, una de ginebra, el Prozac, una caja pequeña de bombones, una caja de preservativos, un vaso de tequila, media docena de huevos y catorce aspirinas…

¡No pueden ni imaginar *lo mal que me siento hoy!*

2403

En la peluquería, después de que le lavan la cabeza a una señora:

—*¿Le envuelvo la cabeza con una toalla?*

—No. ¡Me la llevo puesta!

2404

Un niño pequeñito le pregunta a su mamá:

—*Mamita, ¿cómo se reproducen los caballos?*

—No sé, porque tu padre es un cerdo.

2405

2406

El gallego Muleiro atrapó un mosquito que lo había molestado toda la noche.

Lo sostuvo entre los dedos, lo acercó a su boca y le gritó:

–¡¡¡Bzzzzzzzzzzzzzzzzzzzzzzzzzzz
zzzzzzzzzzzzzzzzzzzzzzzzzzzzzzzz
zzzzzzzzzzzzzzzzzzzzzzzzzzzzzzzz
zzzzzzzzzzzzzzzzzzzzzzzzzzzzzz!!!
¿¿¿Verdad que molesta???

2407

Dijo Déborah, la modelo:
–Los gatos son más listos que los perros. *Jamás convencerán a ocho gatos para que arrastren un trineo por la nieve.*

2408

Un hombre se encuentra acostado en un teatro, ocupando varias butacas con sus piernas y brazos. Al observar su actitud, el acomodador le pregunta con ironía:
–*¿Está cómodo?... ¿quiere beber un cafecito?*
–No, lo que tiene que hacer es llamar a una ambulancia. ¡Me caí del palco!

2409

Cuando uno madruga demasiado corre el peligro de levantarse el día anterior.

2410

Durante una autopsia, el ayudante pregunta:
–Doctor, *¿usted cree de verdad que murió de paro cardíaco?*

–Sí... Bueno, el hachazo en la cabeza pudo haber provocado el paro cardíaco, pero...

2411

–Todo lo que soy se lo debo a mi bisabuelo, el viejo Manolo Muleiro y Oleiros. Si aún viviera, el mundo entero hablaría de él.
–¿Por qué?
–Porque si estuviera vivo ¡tendría 140 años!

2412

–Hola, ¿hablo con la fábrica de fideos?
–*Sí.*
–¿Está Llarín?

2413

–¿Por qué los gallegos sacan de la numeración el 33?
–*Porque no saben cuál 3 va primero.*

2414

–¿Cuáles fueron las últimas palabras de Juana de Arco?
–*Ni idea.*
–"¿Me parece a mí o aquí hace muchísimo calor?"

2415

Pepe Muleiro es muy supersticioso. Cree que trae mala suerte caminar *debajo de un gato negro.*

2416

–¿Hola? ¿Hablo con la comisaría? Soy Pepe Muleiro. Llamo porque se ha perdido mi gato y...
–*Disculpe, pero estamos muy ocupados. Buscar gatos no es tarea de la policía...*

–Es que mi gato es inteligentísimo. Es casi humano. Prácticamente, habla.
–*Bueno, entonces será mejor que corte. Posiblemente estará tratando de llamarlo por teléfono en este momento.*

2417

En los establos gallegos meten *a las vacas en la nieve* porque les gusta la leche fresca.

2418

Vendo zapatos baratos con pequeña imperfección: *tacón adelante.*

2419

–Lo siento, pero tiene la dentadura en muy mal estado, Muleiro; me temo que tendré que sacarle siete dientes.
–*¡Cielos! ¿Y eso duele?*
–Sí, a veces me dan calambres en el brazo...

2420

–¡Hola! ¿Hablo con la maestra?
–*Sí, ¿quién es?*
–Soy Manolito. La llamo para decirle que hoy no podré ir a la escuela porque me he *quedado totalmente afónico.*

2421

–Doctor, mi esposa cree que es una heladera.
–*No se preocupe. Se le pasará.*
–Sí, pero es que mientras tanto yo no puedo pegar los ojos porque

ella duerme con la boca abierta, y la luz ¡me da *justo en la cara*!

2422

Una mujer entra a toda prisa en la ferretería:
–*¡Déme una ratonera! ¡Rápido, que se me va el autobús!*
–¡Tan grandes no tenemos!

2423

–De acuerdo: tú conduces y yo rezo.
–*¿Qué pasa? ¿No confías en mí como conductor?*
–¿Por qué? ¿Tú no confías en mí como rezador?

2424

Hijo: Acéptame un consejo con el que te va a ir muy bien en la vida: ¡Triunfa!

2425

–¿Por qué los gallegos llevan limpiaparabrisas en el vidrio de atrás?
–*Por si llueve a la vuelta.*

2426

–¡Hola! ¿Hablo con la firma Muleiro, Muleiro y Muleiro?
–*Aquí es.*
–Quisiera hablar con el señor Muleiro.
–*¡Imposible! Está jugando al golf en estos momentos.*
–Pues entonces comuníqueme con el señor Muleiro.
–*No, señor. El señor Muleiro está de viaje por Australia.*

–¡Ajá! Comuníqueme entonces con el señor Muleiro.
–*Con él está usted hablando.*

2427

–Camarero, este plato del día está literalmente podrido.
–*Usted no dijo de qué día lo quería, señor.*

2428

El enfermero gangoso atendiendo al cirujano:
Cirujano: ¡Algodón!
Gangoso: Algodón (con voz de gangoso).
Cirujano: ¡Tijeras!
Gangoso: Tijeras.
Cirujano: ¡Gasas!
Gangoso: ¡De nada!

2429

–*No voy a volver a salir con Manolo.*
–¿Por qué, hija?
–*Sabe canciones con letras muy groseras.*
–¿Y se atreve a cantártelas?
–*No, pero me las silba.*

2430

Muleiro se encontró con el portero de su edificio. Vio que andaba con un tubo fluorescente bajo el brazo y le preguntó:
–*¿Estás cambiando tubos?*
–¡Hombre, claro! ¡No voy a estar tomándome la temperatura!

2431

–*¡Qué emocionante debe ser disparar contra una pantera y ver que cae muerta!*
–Sí, pero mucho más emocionante

es disparar contra la pantera y ver que *no* cae muerta.

2432

–¿Cuál es el colmo de un músico?
–*Que al perder el conocimiento, en lugar de volver en sí, vuelva en do, en re o en fa.*

2433

–¿Para qué lleva un gallego un hacha en el auto?
–*Para cortar camino.*

2434

En la radio gallega, el reporte meteorológico:
–*Hoy no sabemos cómo estará el día porque con la niebla que hay afuera no se puede ver absolutamente nada.*

2435

Dos monjas viajaban en un Citroën. De pronto, *se quedaron sin gasolina.* Estaban en medio de la carretera. *No pasaba nadie.*
Decidieron ir a buscar un poco de *gasolina caminando.*
Pero no tenían en qué llevarla.
Recorrieron las cercanías del lugar:
–*¡Gracias a Dios! Mire, sor María: he encontrado un orinal.*
–Muy bien, hermana Paca. Déme

usted la escupidera que yo iré a buscar la gasolina.

Sor María fue en busca de una gasolinera.

Regresó una hora despés con el orinal repleto de gasolina.

Estaba a punto de echarla en el tanque, cuando pasó por allí un jeep repleto de muchachos.

Uno, al verla en semejante tarea, gritó:

—¡Qué lo parió, hermana! ¡Eso sí es tener fe!

2436

—¡Camarero, una mosca en mi sopa!

—*No se preocupe, señor, no se la vamos a cobrar. ¡Cortesía de la casa!*

2437

—¿*Me quieres, Pepe?*

—Claro, Paca.

—*Si me pegara un tiro, ¿lo sentirías?*

—¡Desde luego! ¿Te crees que soy sordo o qué?

2438

—¿Por qué las gallegas no pegan a sus hijos?

—*No sé.*

—Por el trabajo que cuesta despegarlos.

2439

Un tipo entró al bar del gallego Muleiro y pidió:

—¿Tiene café frío?

—No, no tengo.

—Bueno, gracias. Adiós.

Al día siguiente, entró de nuevo:

—Buenas, señor. ¿Tiene café frío?

—No, no tengo.

A la séptima vez que se repitió la escena, Muleiro reaccionó:

—¡A éste le voy a dar su merecido! Mañana pondré café en la heladera.

Al otro día volvió a aparecer el tipo:

—Buen día. ¿Tiene café frío?

—¡Sí! ¡Tengo!

—*¡Ah, bueno! ¿Me lo calentaría un poquito?*

2440

—¿Sabés Manolo? ¡Estoy muy orgulloso de ser de Bilbao!

—¡Pero si has nacido en La Coruña, Pepe!

—¡Es que los gallegos nacemos donde nos da la gana, coño!

2441

—Ándale, cuate, ¿tú cómo te llamas?

—*Yo me llamo Jacinto.*

—¿Por qué no lo dejas más corto y te llamas Ja?

—*Porque si me quitas el cinto ¡se me caen los pantalones!*

2442

—¿Quién es el mejor amigo de la mujer?

—*El caballo. Si no ¿quién iba a tirar del carro?*

2443

Va un borracho en moto y choca con una señal de tránsito; llega el

policía y le pregunta:

—Oiga,¿no vio la flecha?

—¡Ni la flecha ni al indio que me la tiró!

2444

—¿*Qué es una cuña?*

—*La cama de un neñe.*

2445

—¡Camarero, he encontrado un pelo en la sopa!

—*Démelo, por favor. Lo llevaré a la caja por si alguien lo reclama.*

2446

—Íbamos yo y Manolo...

—No, ¡íbamos Manolo y yo!

—¿Y yo no iba?

2447

—¡Ay! ¡No sabe los disgustos que me da mi hijo!

—*Pues el mío todo lo contrario. ¡Es un cielo!*

—¿No fuma?

—*Ni un cigarrillo.*

—¿No bebe vino?

—*Ni lo huele.*

—¡¿No se va de noche con los amigos?!

—*¡Nooo! ¡Se acuesta siempre a las siete!*

—¿¿¿Y qué edad tiene???

—*¡Cuatro meses!*

2448

Durante el juicio se demostró que de ninguna manera el acusado, Pepe Muleiro, podía ser culpable: en la fecha del delito que se le imputaba, él se encontraba en la cárcel cumpliendo otra condena.

Al enterarse de esto, su defensor le reclamó:

–¿Y por qué no dijo desde el principio que estaba en la cárcel?
–¡Pues para no predisponer al jurado en mi contra, coño!

2449

El auto del gallego estaba volcado en la ruta, con las ruedas hacia arriba. Pasó la patrulla de carreteras:
–¿Qué le ha sucedido, hombre? ¿Ha volcado?
–¡No! ¡Lo he puesto así para vaciarle el cenicero!

2450

Se quedó completamente sordo el portero de una empresa. En lugar de despedirlo lo trasladaron a la ventanilla de reclamos.

2451

–¿Qué es esto de llegar a casa medio borracho, Manolo?
–¡No es culpa mía, mujer! ¡Se me acabó el dinero en mitad de la juerga!

2452

–Por favor, camarero, ¿podría envolvernos las sobras para nuestro perrito?
–¡Qué bueno, mamá! ¿Vas a comprarme un perrito?

2453

–Manolo, afuera hay un hombre con una cara horrible.
–Dile que ya tienes, Paca. Dile que ya tienes.

2454

Los católicos saben que José, padre de Jesús, era carpintero.
San José murió. La Virgen María también murió. Y Jesús, que era su único heredero, también murió. Entonces, de la carpintería ¿qué se sabe? ¿Se alquiló? ¿Se vendió? ¿Se traspasó? ¿Tenía una hipoteca?

2455

Adivinancita

Vence al tigre, vence al león, vence al toro embravecido, vence a señores y reyes: a sus pies caen rendidos.

El sueño.

2456

Dos gallegos caen de un avión que vuela a dos mil metros de altura. Ninguno de los dos tiene paracaídas. Mientras van cayendo, Pepe le dice a Paco:
–Apuesto mil pesetas a que llego primero a tierra.
–¡Apostados!

2457

–A ver, Manolito: la mayor ave zancuda, ¿es la grulla o la cigüeña?
–¡Joder, señorita! Ya somos bastante grandes para saber que las cigüeñas no existen.

2458

La gallega Muleiro se olvidó de sacar la bolsa de la basura, antes de salir de su casa.
Al ver pasar a los de la recolección, salió corriendo desesperadamente detrás del camión gritando:
–¿Estoy a tiempo para la basura?
–Sí, señora, ¡salte!

2459

–Oye, Manolito, ¿cuál es el héroe de historieta preferido de los fotógrafos?
–No sé.
–Flash Gordon.

2460

–¿Sigues siendo novio de Pepita?
–Ya no.
–Te felicito; era fea, tonta, indigna de ti. Me alegro de que no sea ya tu novia.
–Ahora es mi esposa.

2461

Había una vez un hombre que era tan pero tan alto que en sus fotos de cuerpo entero había un cartelito que decía "Continuará".

2462

–¡Tanto tiempo sin vernos, Beto! ¿Cómo te van las cosas?
–Bien, bien. Puse un negocio y al final pude comprarme un pequeño cochecito. ¿Y tú?
–¿Yo? Bebo.
Pasaron dos años más sin verse y se encontraron de nuevo.
–¿Cómo te va?
–Diría que cada vez mejor. Ahora tengo un Peugeot. Es un coche estupendo. ¿Y tú?
–¿Yo? Bebo.
Pasaron otros cuatro años y volvieron a encontrarse.
–¿Cómo te va?
–¡Sensacional! Me compré un

Volvo. ¿Y tú?
–Yo, un Rolls Royce.
–¿Un Rolls?, ¿cómo hiciste?, ¿ganaste la lotería?
–No, vendí todas las botellas vacías.

2463

–Oye, ¿tienes uno de esos libros que vienen con todas las palabras?
–¿Un diccionario, Manolo?
–Anda, sí, ésa es la palabra que quería encontrar... ¡Gracias!

2464

–¿Quién inventó el parlante?
–Dios en el paraíso con una costilla de Adán.

2465

–Mi marido es muy inteligente ¿sabes, Pepa?
–¿Por qué, Paca?
–Está sembrando papas en la playa, para cosecharlas ya saladas.

2466

En un teatro: dos espectadores comentan acerca de un cantante.
–Ese actor canta tan mal por culpa del tabaco.
–¿Fuma mucho?
–No, tiene un cigarro en cada oreja.

2467

Un oficial de policía detiene a una anciana que conducía a más de 130 kilómetros por hora.
–¿Cédula? ¿Registro? Usted iba a muchísima velocidad. Me tendrá que acompañar a la comisaría.
–Oficial, le juro que no superaba los 30 kilómetros por hora. ¡Vea el indicador!
–Señora, lo que usted está mirando es el termómetro.

2468 - 2490
Frases que jamás escucharán de un hombre...

Creo que ese George Clooney es guapísimo.

Ya no quiero otra cerveza. Mañana tengo que trabajar.

Sus pechos son demasiado grandes.

Hay veces que sólo quiero que me abraces.

Claro que me fascina usar condón.

No hemos ido de compras en siglos, vamos y cargo tu bolsa.

¡Qué importa el fútbol! ¡Mejor vayamos a casa de tu madre!

Es tarde. Ponte la ropa y te llevaré a tu casa.

Amor, voy a la farmacia... ¿necesitas tampones?

Ya sé que acabas de hacerme sexo oral... pero necesito un beso.

¿Sabrá mi guapa vecina que sus persianas están abiertas cada vez que se cambia para acostarse a dormir? Creo que se le voy a decir.

Estoy harto de cerveza, mejor dame un jugo de frutas.

Fantástico, tu madre vendrá a visitarnos.

No, no,no... tú limpiaste la casa la semana pasada... hoy me toca a mí.

Voy a tirar todos esos Playboy ya que nunca los miro.

Yo comprendo.

No, no quiero ver los senos de tu hermana.

No levantes eso... yo lo recojo.

¡¡¡Feliz aniversario!!!

Oye no olvides que hoy es el cumpleaños de tu mamá.

¡Los homosexuales tienen derechos también!

Estoy demasiado cansado para tener sexo hoy otra vez.

¿Estás perdiendo peso, amor?

2491

Van dos muertos en una barca.
–¿Habrás traído los víveres?
–¡Querrás decir los muérteres!
–¡Ja, ja, ja! ¡Que me vivo de risa!

2492

En una iglesia, está un sacerdote confesando, cuando ve acercarse a un grupo enorme de niñitos. El primer niño se va a confesar y le dice:
–Padre, me bañé con esponjita.

—*Eso no es pecado, hijo, ve en paz.*
El siguiente dijo lo mismo, y así 15 más.
Al final se acerca una niñita:
—Padre, vengo a confesarme.
 —*¿Qué, tu también te bañaste con esponjita?*
—No, padre: yo soy Esponjita.

2493

—¿Usted cree que la televisión podrá llegar a sustituir al periódico, Muleiro?
—*¡Imposible, joder! ¡Trate usted de darse aire o de matar una mosca con el televisor!*

2494

Dos gallegos, con palas, quitan la nieve del camino:
—*Oye, esto es demasiado trabajo. ¿Por qué no quemamos la nieve?*
—¡Sí, claro! ¿Y qué hacemos luego con las cenizas?

2495

—¡María! Fríele un huevo al niño.
—*¡¡¡¡¡¡¡¡Aaaaaahhhhrggg!!!!!!!!*

2496

—Oye Pancho, préstame tu cara.
—*¿Para qué?*
—Para disfrazarme de imbécil.
—*Y tú préstame un vestido de tu madre.*
—¿Para qué?
—*Para disfrazarme de ¡la puta madre que te parió!*

2497

—¿Qué cuatro palabras tienes que decir en un vestuario de gallegos para que se quede vacío en un momento?
—*¡Ayyy! ¡Qué boniiita polla!*

2498 - 2507
Frases que jamás pronunciará una mujer...

Por favor, dime los nombres de los jugadores que están en la cancha.

Podríamos tener una relación más apasionada. Estoy cansada de ser sólo amigos.

Por favor, no tires esa camiseta vieja. Los agujeros que tiene la hacen ver muy sexy.

Espero que no te importe, pero no llevo ropa interior.

¿Boletos para un partido de fútbol en mi cumpleaños? Eres un dios entre los hombres.

Tienes pancita de cantinero. Realmente me encanta.

Ya terminé de lavar tu coche.

Está bien, deja el asiento del inodoro levantado.

Como tú digas.

Perdóname, me equivoqué. Tienes razón otra vez.

2508

Tres mexicanos muy holgazanes duermen la siesta debajo de un ár-
bol. De pronto, pasó un caballo. Un mes más tarde, uno dijo:
—*¡Pasó un caballo blanco!*
A los tres meses, el segundo le contesta:
—*¡No era blanco, era negro!*
A los cinco meses, el tercero dice bastante enojado:
—¡Ah no! ¡Si siguen peleándose yo me voy!

2509

—Desde que uso el tinte verde no pierdo el cabello.
—*¿No se te cae más?*
—Sí. Caer, se me cae igual, pero eso sí, con ese color enseguida lo encuentro.

2510

Era un tipo tan pero tan bueno que cuando fue al médico y vio un cartel que decía *"sea breve"*, se murió.

2511

Le preguntaron al gallego ciego:
—*Usted, ¿nació así?*
—No, señora. Cuando nací, yo era chiquitito.

2512

—¿Dónde tiene más pelo un oso, Manolo?
—En el lado de afuera, señor.

2513

Entra Pepe a la farmacia:
—*Me da algo para el hipo?*
El farmacéutico saca una máscara de hechicero feísima. Con un gesto de loco se la pone, y levanta un cuchillo enorme de doble filo mientras lanza unos alaridos espeluznantes. El cliente cae desmaya-

do. Cuando lo reaniman, el farmacéutico pregunta:

–¿Y? ¿Se le pasó el hipo?

–No. La que tiene hipo es mi esposa.

2514

El empresario más eminente que haya existido jamás ha sido Noé. *Mantuvo su empresa a flote mientras el resto del mundo estaba en liquidación.*

2515

Domingo.

En el púlpito. El cura da su sermón.

–*Hermanos, hoy vamos a hablar de la mentira y de los mentirosos. ¿Cuántos de vosotros recordáis qué dice el capítulo 32 de San Lucas?*

Todo el mundo levantó la mano.

–*Precisamente, a eso me refiero. El Evangelio de San Lucas sólo tiene 24 capítulos...*

2516

El gallego Paco escapó de la cárcel al mediodía.

A las nueve de la noche, volvió a la cárcel.

–¿Por qué has regresado, Paco?

–*Es que hace un rato llegué a la casa y lo primero que hizo mi mu-*jer fue gritarme: *"¡La radio dijo que te habías fugado a las doce, y son las ocho! ¿Se puede saber qué diablos has estado haciendo durante tantas horas?"*

2517

En un estadio, el vendedor de gaseosas le vendió una Coca Cola al pequeño gallego Manolito.

Al rato, pero del otro lado del estadio, el vendedor se encontró de nuevo a Manolito.

Le preguntó:

–*¡Anda, chaval! ¿No estabas al otro lado?*

–¡Es que me trajo la ola!

2518

–¿Por qué los mariquitas gallegos no se cambian el sexo?

–*Porque tienen miedo de que el médico se equivoque y los convierta en hombres.*

2519

–Manolito, ¿¿¿de dónde has sacado ese reloj???

–*Me lo dio Pepito porque le hice un favor.*

–¿Qué favor?

–*Me pidió por favor que dejara de pegarle con el martillo en los dedos.*

2520

–Mamá, ¡se me acabó el champú!

–Usa el mío.

–*No puedo.*

–¿Por qué?

–*Porque en el envase dice "para cabello seco" y yo ¡ya me lo mojé!*

2521

Los chicos de hoy tienen todo lo que no tuvieron sus padres cuando eran jóvenes: *úlceras, neurosis, hipertensión, estrés...*

2522

–¿Me da un frasco de Frecuencia?

–*Lo siento, no tenemos ese producto.*

–No entiendo. El médico me dijo que me lavara los pies *con frecuencia* y no lo tienen en ningún lado.

2523

–Tengo un amigo que se llama Gaspar, pero siempre le decimos Par.

–*¿Y eso para qué lo hacen?*

–Para ahorrar el Gas.

2524

–¿Qué diferencia hay entre una pulga y un elefante?

–*Que el elefante puede tener pulgas y la pulga no puede tener elefantes.*

2525

–¿Me sirve un whisky?

–*¡En seguida!*

El camarero le sirvió de una botella de whisky escocés de 24 años.

–Pero ¿qué hace? ¡Yo no puedo pagar ese whisky!

−*Usted no se preocupe que hoy invita la casa.*

−Perdone una pregunta: ¿usted es el dueño?

−*No, no, soy el camarero.*

−Y el dueño ¿dónde está?

−*Arriba, con mi mujer.*

−¿Y qué hace con ella?

−*Lo mismo que yo le estoy haciendo con su negocio.*

2526

−¿Cuál es el té de los borrachos?

−*El te-quila.*

2527

−Mamá, en la escuela me dicen gordinflón.

−*¡Y a mí qué!*

−A ti, ballena.

2528

El gallego Pepe era tan pero tan vago, que se levantaba todos los días temprano *para estar más tiempo sin hacer nada.*

2529

−*¡Manolo, venga! Como es su primer día de trabajo le diré cuál es su tarea. Aquí tiene: un balde y un cepillo. Debe fregar todo este piso.*

−Oiga, ¿usted no sabe que yo me he graduado en la Universidad de Galicia?

−*¿Ah, sí? Pues entonces disculpe,* le enseñaré cómo se hace.

2530

Una pareja de viejitos gallegos en el médico:

−Doctor, queremos que nos haga la prueba del sida.

−*¿A su edad?*

−Sí, es que hemos oído que hay que chequearse después de tener el sexo anual.

−*Anal, abuelo. ¡Anal!*

2531

Dos vampiros van volando y se cruzan.

Uno le pregunta al otro:

−*¿Cómo te llamas?*

−Vampi.

−*¿Vampi qué?*

−Vampi Rito, y tú, ¿cómo te llamas?

−*Otto.*

−¿Otto qué?

−*Otto Vampirito.*

2532

−¡Camarero, una mosca en mi sopa!

−*¿Cómo quiere que se la prepare? ¿Frita, asada o al ajillo?*

2533

−*¿Por qué se enfermó el Lobo Feroz?*

−No sé.

−*Porque se comió una Caperucita verde.*

2534

Un jugador no muy avanzado, al campeón gallego de ajedrez:

−No sería justo que jugásemos en igualdad de condiciones. Tiene usted que darme alguna ventaja.

−*De acuerdo. Yo jugaré con una sola mano.*

2535

−Vamos a ver, ¿por qué atropelló a la anciana con su coche? ¿Por qué no tocó la bocina?

−*¡Hombre! Es que no quería asustarla.*

2536

−¿Qué se puede usar para sentarte, dormir y limpiarte los dientes?

−*No sé.*

−Una silla, una cama y un cepillo de dientes.

2537

−¿Cómo sacarías a un bebé de una batidora?

−*Sorbiendo con una pajita.*

2538

−¿Y? ¿Qué tal le va con el audífono que le receté?

−*Las cuatro y media.*

2539

−¿Sabés por qué no dejan entrar gallegos al ejército?

−*¿Por?*

−No tienen cascos cuadrados.

2540

Le dije a mi psicoanalista que
me mostrase algún resultado positivo
de mis cinco años de tratamiento.
*Me llevó al garaje y
me mostró su Porsche.*

2541

Algunos juguetes nuevos
son tan complicados
*que sólo un niño
puede manejarlos.*

2542

Llegó un patito chiquitito a una cantina.

—*Oiga, cantinero, ¿tiene uvas?*
—No tengo.
El patito se fue.
Al rato regresó.
—*Cantinero, ¿tiene uvas?*
—Ya te había dicho que no tengo.Se fue el patito. Regresó al rato.
—*Cantinero, ¿tiene uvas?*
—¡¡¡Ya te había dicho que no tengo uvas!!! Y si me sigues preguntando si tengo uvas te clavaré las patas al piso.
Se fue el patito. Regresó al rato.
—*Cantinero, ¿tiene clavos?*
—No, no tengo clavos.
—*¡Bien! ¡Muy bien! Entonces le pregunto: ¿tiene uvas?*

2543

—¿Qué hace McGyver con una oveja y un cocodrilo?
—*Una camisa Lacoste.*

2544

En un campamento de verano, los chicos salen de excursión y el guía les dice:

—Tengan cuidado dónde pisan, porque por aquí cerca hay un pozo escondido entre la hierba que no se veeeeeeeeeeeeeeee...

2545

—*A ver, Jaimito, ¿qué me dices de la muerte de Napoléon?*
—Que lo siento mucho, señorita...

2546

—Y dígame, ¿su marido también habla consigo mismo cuando está solo?
—*No lo sé. Nunca he estado con él cuando estaba solo.*

2547

—¿Cuál es el "re" que no dan los músicos?
—El *re*-loj.

2548

—¿En qué se diferencian una cocina y el mar?
—*En que en la cocina hay cacerolas y en el mar no hay que hacer olas, ya están hechas.*

2549

—Manolito, ¿cuál es la diferencia entre la *ignorancia* y la *indiferencia*?
—*¡No sé ni me importa!*

2550

—*¿Cómo se llama la persona que inventó el Chupa-Chups?*
—Chups.

2551

—*Mamá, se me salió un diente, ¿qué hago?*
—Déjalo debajo de tu almohada y el ratoncito de los dientes te dará algo.
El niño puso el diente bajo la almohada. Al día siguiente su mamá le preguntó:
—¿Y? ¿Qué te trajo el ratoncito?
—*Me dejó un papelito que decía "sigue participando"...*

2552

—Mamá ¿verdad que me queda bien el traje de paisanita?
—*Sí, hija, muy bien; pero tendremos que alargarte un poquito más la falda para que no te vean la silla de ruedas.*

2553

Primer acto: un yogur en una vía.
Segundo acto: un queso en una vía.
Tercer acto: una manteca en una vía.
¿Cómo se llama *la obra*?
La vía láctea.

2554

—Oye, Manolo yo te he visto.
—*No, mentira.*
—Sí, ¡yo te he visto!
—*¡Nooooooooo! ¡Yo me visto solo!*

2555

—¡Hola, buenas! Vengo porque leí en el diario que usted quiere vender un perro que habla, y como soy el propietario de un circo estoy muy interesado. ¿Puedo com-

probar si realmente puede hablar?
–¡Claro! ¡Pregúntele!
–A ver, perro, ¿puedes hablar?
–¡Claro! Y también sé tirar cuchillos con los ojos vendados mientras pedaleo en uniciclo sobre la cuerda floja.
–Pero ¡esto es increíble! Este perro es un tesoro! Con él puedo conseguir que mi circo sea famoso! Y dígame, ¿por qué quiere venderlo?
–¡Es que es muy mentiroso!

2556

El gallego Pepe Muleiro era ¡tan bruto!
–¿Qué tal, Manolo, tanto tiempo?
–Mal, Pepe. Se acaba de morir mi padre y vengo del entierro.
–Vamos hombre, no te lo tomes así... ¡a lo mejor ni era tu padre!

2557

El gallego Muleiro es tan pero tan bruto que mejor no digo nada de él o me desloma a garrotazos.

2558

–Oye, Paco ¿cómo se le da mayor libertad de expresión a una mujer?
–Pues sacándole la polla de la boca.

2559

El gallego Manolo caminaba con las piernas muy arqueadas.
–Ayer fui al médico y me dijo que tenía el colesterol muy, muy alto.
–¿Qué tiene que ver el colesterol con caminar de esa forma?
–Es que me dijo el médico que los huevos... ¡ni tocarlos!

2560

Paco Muleiro visitaba el zoológico con su hijo Manolito.
El niño tenía las orejas salidas, mucho vello en la cara, unos brazos bastante largos y unas manos enormes.
Cuando pasaron junto a la jaula de los monos, el gorila estiró un brazo por entre los barrotes, agarró a Manolito y le preguntó al oído:
–Oye ¿podrías darme el teléfono del abogado que te sacó de aquí?

2561

En la iglesia:
–Señor, ¡oh Señor!, dame paciencia... pero ¡¡¡dámela ya mismo, coño!!!

2562

El gallego Paco en el bar. Grita:
–Ponme un café ¡¡¡me cago en Dios!!!
–¿Solo?
–¡¡¡Y en tu puta madre!!!

2563

Pelea de gallos en un barracón.
Era la primera vez que Pepe Muleiro asistía a una riña de gallos.
Después de observar un rato le preguntó al que tenía más cerca.
–Dime, ¿cuál es el gallo bueno?
–El blanco. El gallo bueno es el blanco.
Muleiro jugó todo lo que llevaba encima a favor del gallo blanco.
La pelea terminó con el gallo negro vencedor y el blanco muerto, destrozado.
–Pero ¿no me dijiste que el gallo bueno era el blanco, joder?
–¡Pues sí! El bueno era el blanco... ¡¡¡El negro es un asesino, coño!!!

2564

La gallega Paca era tan pero tan creyente que decía:
–Este medicamento hay que tomarlo en pequeñas diócesis.

2565

–¿Por qué un gallego tarda tanto en un semáforo?
–Porque espera su color favorito.

2566

País Vasco.
Un control de la Guardia Civil.
Detienen una furgoneta conducida por el gallego Manolo.
–Bájese del vehículo. A ver: ¿Qué lleva en esa bolsa?
–En esa bolsa, en esa bolsa... llevo...¡agua!
El guardia civil abre la bolsa con muchísimo cuidado. Mira, golpea el objeto que hay dentro de la bolsa. Se trata de algo metálico bastante grande.
–¡Pero esto es una bomba de agua!

¿Por qué me dijo que llevaba agua?

–*Hombre, señor guardia, ¿se imagina lo que hubiese pasado si empiezo diciéndole que llevo una bomba...?*

2567

Más vale pájaro en mano *que mear sentado*

2568

El gallego Paco había ido a Brasil a cazar pájaros. Nunca había visto un loro parlanchín. De repente, en medio de la selva, ve uno en lo alto de un árbol. Al no saber de qué especie era, comenzó a perseguirlo.
El loro bajaba.
El gallego bajaba.
El loro subía.
El gallego subía.
Así un rato hasta que el loro se cansó y dijo:
–¡Oiga! ¿Por qué me sigue?
–Perdone usted, señor ¡pensé que era un pájaro!

2569

–¿Por qué muchas ricachonas no hacen ejercicios físicos?
–*Ni idea.*
–Porque piensan que si Dios hubiese querido que se agachasen, hubiera desparramado diamantes en el piso.

2570

El gallego Paco, en la Gran Vía madrileña, no aguantaba más y se puso a cagar entre dos coches. Se acercó un gracioso:

–¿*Qué? ¿Haciendo caquita?*
–No. Estoy esperando que me tiren un penal.

2571

–¿Qué opina, Pepa, del L.S.D.?
–*Opino que, sin dudas, fue un gran, gran presidente.*

2572

–¿Tú cuidas tus uñas, Manolo?
–*No, una vez que las corto, las tiro.*

2573

–¿Por qué las modelos cierran los ojos durante el acto sexual?
–*No sé.*
–Para imaginar que están yendo de compras al shopping.

2574

El que ríe último es porque *aún no escuchó las malas noticias*

2575

–*¿Sabéis cuál es el invento más importante de la Humanidad?*
–Pues para mí, la cuchara, sin ella no podríamos comer.
–*No es correcto, Manolo. ¿Tú qué opinas, Paco?*
–La mano: sin ella no podríamos coger la cuchara para comer.
–*No, tampoco es correcto. El invento más importante de la humanidad son los forros de los cojones.*
–¿Cómo que los forros de los cojones?
–*Pues sí: porque sin los forros de los cojones tendríamos que sostenernos los huevos con las manos que utilizamos para coger la cuchara y poder comer.*

2576

La modelito puso un avisito en el tablón de anuncios de la veterinaria a donde llevaba a su gata:
"Cambio condón roto por ropita de bebé"

2577

–Desde que me enamoré de la locutora que lee el pronóstico del tiempo *vivo en las nubes.*

2578

–¿Dígame?
–*¿Es el 000000001?*
–Sí, señor.
–*¡Huy!, por poco se queda sin teléfono.*

2579

–Hace tres meses que no hablo con mi esposa.
–*¿Discutieron?*
–No, lo que pasa es que me tiene prohibido interrumpirla.

2580

–Oye, María: no bailes con ése... ¿Sabes que le dicen "La polla más rápida de Galicia"?
–*Tranquila, Paca, sé cuidarme.*

Salió a bailar con el sujeto que le dijo:
—Oye... ábrete un poco.
—¡¡¡No!!! ¡Yo ya sé cuáles son tus intenciones! ¡Tú quieres metérmela!
—Pero si no es para metértela, ¡es para sacártela!

2581

—¿Cuántas partes debe tener un rompecabezas para que le resulte imposible de armar a una modelo?
—¿Dos?
—No. Una.

2582

El cabezón Pepe Muleiro era muy, pero muy cabezón.
—Doctor, me duele la cabeza.
—¿En qué kilómetro?

2583

—¿Qué le dijeron a la modelo cuando llamó a Asistencia al Suicida?
—No sé.
—¡Buena idea!

2584

La modelito baja al lobby del hotel y llama al conserje.
—Quiero contarle que alguien llamó a la puerta de mi cuarto: el 2312. Yo abrí. Era un tipo enorme. Allí mismo me arrancó el camisón, me metió dentro del cuarto, me arrastró hasta la cama. Sacó su sexo enorme, descomunal. ¡Y me penetró! Después me penetró por atrás. ¡Dos veces! Después otra vez por adelante. Y me metió su enorme sexo en la boca. Hasta que acabó. Y se marchó.
—Pero eso es horrible, señorita!

—¿Horrible? ¡Rehorrible! ¡Jamás me enteré para qué fue a mi habitación!

2585

—¿Tú tienes algún problema sexual, Paco?
—Pues sí, Manolo.
—¿Cuál?
—Escucharte ¡me rompe las bolas!

2586

A las homosexuales, las cosas de los hombres no les van ni les-bianen.

2587

El enano gallego entró en una barbería:
—¿Le corto las patillas?
—¡Sí, hombre! ¿Y entonces, con qué camino? ¿Con los cojoncillos?

2588

El gallego Pepe fue al médico acompañado por su mujer.
—Usted tiene un cáncer terminal, tan sólo le doy quince días de vida.
El gallego salió del consultorio y cuando llegó a su barrio empezó a gritar por las calles:

—¡¡¡Tengo el sida, y me voy a morir dentro de quince días!!! ¡Tengo el sida!
—Pepe, ¿por qué dices que tienes el sida si tienes cáncer?
—Porque morirme, me moriré igual, pero a ti, mujer, cuando yo no esté, no te follará ni Dios.

2589

El policía bajó del patrullero y detuvo al gallego en la calle:
—A ver, usted, ¿cómo se llama?
—¿Cómo me llamo? Aguarde usted que canto: "¡Quee los cumplas feliz... que los cumplas feliiiiizzzzz, que los cuuuuuumplas... Manooolo..." Manolo: me llamo Manolo.

2590

La joven sirvienta entra en el comedor y le pregunta a su patrón el gallego Pepe:
—Señor, ¿cómo quiere los huevos?
—¡Acariciados, guapa, acariciados!

2591

—Mamá, ¿yo qué seré de mayor?
—Nada hijo, tienes cáncer.

2592

Errar es humano... por perdonar, son 100 dólares

2593

El gallego Manolo ganó la lotería y compró un campo de golf. Contrató a un profesor.
—Es que la ilusión de mi vida ha sido

aprender a jugar al golf, pero nunca supe las reglas ni tuve medios.
–Bien. Lo primero, ¿ve este palito?
–Sí.
–¿Ve esta bolita en el suelo?
–Sí.
–¿Ve esa banderita allá a 200 metros?
–Sí, creo que la distingo.
–Pues lo que tiene que hacer es golpear la pelota con el palito y acercarla lo más posible al agujero que hay al pie de la bandera.
El gallego le dio un golpe a la bola:
–Pues parece que no está mal el golpe, Manolo. Vamos a ver dónde cayó la bola.
Se acercan y la bola está justo en el borde del hoyo.
–¡Qué suerte! ¡Un poco más y la mete!
–Pero ¿no me dijo que lo que había que hacer era "acercarla" lo más posible?

2594

Adivinancita

Dime si lo sabes: *¿qué cosa es aquella que te da en la cara y no puedes verla; que empuja sin manos y hace andar sin ruedas; que muge sin boca y marcha sin piernas?*

El viento.

2595

–Me voy a *mudar,* dijo el gallego Manolo.
–Y no habló nunca más.

2596

Un empresario conquista a una modelo en una fiesta.
–Vayamos a comer al Sheraton, querido.
–Pero sí, bombón.
Van al Sheraton. La joven pide los cinco platos más caros del menú.
–Dime, la verdad ¿en tu casa también comes así?
–No... en mi casa no, porque allí nadie me quiere follar.

2597

–¿Qué es rojo y cuelga de un árbol?
–Un bebé atropellado por un quitanieves.

2598

–Imagine que está en un cuarto a solas con Hitler, Pinochet y una modelo argentina. Tiene un revólver y sólo le quedan dos balas. ¿Qué hace?
–...
–Le dispara a la modelito dos veces... para asegurarse.

2599

–Tú, Paco, dime una palabra que tenga varias letras "o".
–Goloso.
–¿Y tú que dices, Pepe?
–Cocotero.
–¿Y tú, Muleiro?
–Goooooooooooooooooooooo oooooooooooooooooooooooool.

2600

En la farmacia:
–¿Me da un forro?
–¡Si será bestia! ¿No ve que hay un niño delante?
–Bueno, ¿me da un forro y un chupete, por favor?

2601

–Doctor, he conocido a una mujer encantadora. Es modelo. Quiero casarme con ella pero su madre quiere que ella se case sólo con otro modelo. Necesito que me ayude, doctor: quiero que me convierta en modelo.
–¿Está seguro? Mire que para convertirlo en modelo voy a tener que extirparle la mitad del cerebro ¿eh?

2602

–Me gustan las almejas porque saben a mar.
–Sí algunas son muy cariñosas...

2603

Un gallego fue a la óptica.
–Hola, buenas, quería unas gafas.
–¿Para cerca o para lejos?
–Para aquí cerca, para La Coruña, más o menos.

2604

La gallega Manuela va al sexólogo...
–¿Usted es sexualmente activa?
–No. Yo, simplemente, me tumbo.

2605

Después de una larga y primera noche de amor, el hombre se da la vuelta, toma un cigarrillo y busca su encendedor. No lo encuentra, entonces le pregunta a su compañera si tiene uno.

–*Debe haber algunas cerillas en la mesita de noche.*
Él abre el cajón y encuentra la cajita de cerillas junto a la foto de un hombre. Naturalmente, el joven se preocupa.
–¿Es tu esposo?
–*No, tontito.*
–¿Tu enamorado, entonces?
–*No, para nada.*
–Bueno, ¿quién es él entonces?
–*Soy yo, antes de la operación.*

2606

El gallego Pepe era un verdadero bestia.
–*¡¡¡Que viva la Menstruación!!!*
–Dirás la Revolución, Pepe.
–*Da igual, pero ¡¡¡que corra la sangre...!!!*

2607

–*¿Este autobús me lleva al cementerio?*
–¡Hombre! ¡Si no se sale de adelante!

2608

El gallego Manolo conducía un avión de guerra. De pronto, falló el motor.
–*¡Atención, torre de control, atención torre de control!*
–¡Aquí torre de control! ¡Adelante!

–*¡Tengo problemas con el avión! ¿Qué hago?*
–¡Encomiéndate a Dios y reza!
–*Pues vosotros también ¡porque voy directo a la torre, coño!*

2609

–¿Qué es lo más divertido de atropellar un bebé?
–*Despegarlo de los neumáticos.*

2610

–¡Mamá ¿me compras una bici?
–*No, hijo no.*
–Mamá ¡cómprame una bici!
–*Pero ¡joder! ¿Es que tú además de paralítico eres gilipollas?*

2611

–Pepe ¿te gustaría dar la vuelta al mundo?
–*¿¿¿Con lo que pesa???*

2612

Una tarde llaman a la puerta de la gallega María:
–¡Señora, a su marido lo acaba de pisar una aplanadora!
–*¡Vale! ¡Tírelo por debajo de la puerta!*

2613

–¿Qué es pequeño y rojo y con el tiempo se vuelve más pequeño y más rojo?
–*Un bebé jugando con un cuchillo.*

2614

Una pareja muy, muy pobre, no tienen una balanza en casa y van al carnicero y le piden que les pese a su niñito recién nacido
El carnicero lo toma, se va a la tras-

tienda, y cuando vuelve les dice:
–*Dos kilos y medio sin los huesos.*

2615

–¿Cuál es el mar más duro?
–El *már*-mol.

2616

–¿Cómo sacarías a un elefante de un río?
–*Mojado.*

2617

–Dígame, doctor, ¿qué puedo hacer para que este año, durante las vacaciones, mi mujer no quede embarazada?
–*Llévela con usted.*

2618

Trabalengüita

Si tu gusto gustara del gusto *que gusta mi gusto,* mi gusto *gustaría del gusto* que gusta tu gusto. *Pero como tu gusto no gusta del gusto que gusta mi gusto,* mi gusto no gusta del gusto *que gusta tu gusto.*

2619

El gallego Manolo puso una Academia de Estafadores. *Se le marcharon todos los alumnos sin pagar.*

2620

Era un inodoro tan pero tan estrecho que en vez de tener papel higiénico, *tenía un rollo de serpentina.*

2621

–*¿Por qué los elefantes no usan zapatos?*
–Porque no pueden atarse los cor-

dones de los zapatos de las patas traseras cuando ya se han puesto los zapatos en las patas delanteras.

2622

Un gallego en el bosque.
De pronto, se le apareció un jinete enmascarado vestido de negro y con capa.
El enmascarado le exigió todo su dinero. Pero el bilbaíno se negó a dárselo, entonces el enmascarado desenvainó su espada y con rápidos movimientos marcó una enorme *Zeta* en el tronco de un árbol:
–¿Sabes ahora quién soy?
–*¡Sí... sí! ¡Toma mi dinero, Zuperman!*

2623

–¿Cómo se dice *"insecto"* en ruso?
–*Moshca.*

2624

–*¿Cuál es el animal de peor genio?*
–El canario, porque siempre *está que trina.*

2625

La maestra a Pepito:
–¿Dónde murió Cristo?
–*En la cruz, maestra.*
–Muy bien, Pepito, tienes diez.

–*¿La verdad, señorita?, sólo póngame un ocho porque no me acuerdo si fue en la cruz verde o cruz roja o en la cruz azul.*

2626

Se estrella un avión biplaza en el cementerio gallego de Vigo; los encargados de limpiar el lugar preguntan al director del camposanto:
–*Señor, hemos recogido 227 cadáveres, ¿seguimos o paramos?*

2627

–Doctor, el pelo se me está cayendo, ¿me puede dar algo para conservarlo?
–*Sí, claro, ¡aquí tiene una caja de zapatos!*

2628

–¿Por qué, cuando caminan, las gallegas llevan las manos como viseras sobre las cejas?
–Porque dicen que se ven más bonitas con sombra en los ojos.

2629

La gallega Paca era tan pero tan fea, que cuando chupaba un limón, *el limón le hacía gestos a ella.*

2630

¿Por qué los gallegos van de smoking a la óptica?
–*Porque van a la graduación de sus lentes.*

2631

En la peluquería:
–*¿Se ha fijado que a su perro le gusta mucho verlo cortar el pelo a sus clientes?*

–No, lo que pasa es que está esperando algún trocito de oreja.

2632

–¿Sabías que adivino el futuro?
–*¿Desde cuándo?*
–Desde el jueves que viene.

2633

–Mira allí adelante: un reloj por el suelo.
–*Es mío. ¡Siempre se me adelanta!*

2634

–¿Cómo se dice *"me he caído"* en ruso?
–*¡Cataploff!*

2635

–*¿Cuál es el animal más rápido del mundo?*
–Una gallina cruzando Etiopía.
–*¿Y el segundo?*
–El etíope corriendo detrás.

2636

–¡¡¡Fuego a estribor!!!
–¡Y *Estribor* murió fusilado!

2637

Un día se encuentran dos muñequitos en una juguetería:

–¡Tanto tiempo! ¿Cómo andas?
–A cuerda.

2638

Un día Caperucita Roja iba caminando por el bosque...
Cayó la noche... ¡y la aplastó!

2639

–Manolito, ¿cuál es el índice de mortalidad en Ghana?
–Humm... ¿una muerte por persona?

2640

Era un hombre tan pero tan delgado, que se ponía de perfil *y parecía que se había ido.*

2641

Oiga compadre, le voy a proponer algo...
Sacando una botella de ron de un cajón, la coloca con fuerza sobre la mesa.
–*Ahora sí, nos la vamos a "chupar".*
–¿Y la botella es para darnos valor?

2642

En la cantina el clásico compadre borracho comienza a despedirse.
–*Compadre, ya me voy, ya son casi las 12:00 y mi mujer se va ha enojar.*

–No sea marica compadre, háblele por teléfono, ¡que se aguante!
–*No, ¿cómo crees?, no la conoces...*
–Lo que pasa es que no sabes tratar a las mujeres, te voy a enseñar. Saca con trabajo su celular y comienza a marcar.
–¡Vieja!, no voy a llegar a dormir hoy, ¿cómo que quién habla?, ¡soy yo! No te hagas la loca, nos vemos mañana, y adiós.
–*Oye, yo no sería capaz de hablarle así a mi esposa.*
–Yo tampoco, ¡era la tuya!

2643

¡Qué cosas tiene la vida! Ayer sin un peso. *Y hoy, en cambio, igual.*

2644

Oiga compadre, ¿y si vamos a comer por ahí?
–*Cómo cree compadre, ¡por "ahí" no se come!*

2645

–He ido al médico y me ha quitado el whisky, el tabaco y las drogas.
–*Pero, ¿vienes del médico o de la aduana?*

2646

–Doctor, nuestro hijo es un niño muy malo, tremendo, grosero, mal educado, agresivo.
–*No se preocupen que yo soy especialista en estos casos. Háganlo pasar y ustedes esperen afuera.*
El niño pasó al consultorio. Al rato se escucharon ruidos muy fuertes en la habitación.
Por fin, salió el médico con la bata rota y la cara llena de sangre.
–¿Qué pasó, doctor?
–*Ya encontré la solución.*

–¿Cuál es, doctor?
–*Tienen que mudarse hoy mismo.*
–¿Mudarnos, doctor? ¿Hoy mismo?
–*Sí, mudarse. Pero eso sí ¡¡¡no le digan a su hijo dónde!!!*

2647

Era un gallo *tan pero tan holgazán,* que por las mañanas *esperaba a que otro gallo cantara.*

2648

Se sube el telón: aparece una cama de hierro que vale diez mil pesos y otra de madera que cuesta cinco mil.
Se baja el telón.
–¿Cómo se llama la película?
–*La más-cara de hierro.*

2649

–Hasta que me casé, no supe qué era la felicidad.
–*¿Y después?*
–Después, ya fue demasiado tarde...

2650

Cinco tortugas habían ido a un picnic.
Cuando estaban a punto de empezar a comer notaron que no había abridor y sólo tenían latas de conserva.
–*Hagamos un trato: yo iré a buscar el abridor pero prométanme*

que no van a tocar nada hasta que yo regrese.

Pasa un año. Dos años, tres, cuatro... diez años. La tortuga no aparecía.

—Yo ya no aguanto más el hambre. Empecemos a ver cómo abrimos las latas.

Justamente cuando empezaban a comer, la tortuga que había ido a buscar el abrelatas apareció y gritó:

—¡Yo sabía! ¡Yo sabía que no me iban a esperar! ¡¡¡Ahora no voy nada!!!

2651

—Camarero tráigame, por favor, un filete que no sea histérico.
—¿Cómo?
—Sin nervios.

2652

—¿En qué se diferencian un borracho y un árbol?
—En que el borracho comienza en la copa y termina en el suelo, y el árbol comienza en el suelo y termina en la copa.

2653

Al salir de la iglesia, la recién casada le dice con enojo a su marido:
—¡No me ha gustado el tono en que has pronunciado el "sí", Pepe!

2654

Era un cazador tan pero tan feo, que las perdices al verlo morían de un ataque al corazón.

2655

Un señor tiene que jugar una partida de ajedrez con un ciego, le propone:

—Como usted no puede ver le concedo ventaja.
—No, jugaremos en igualdad de condiciones.
—Está bien, ¿cuándo?
—La noche que usted quiera.

2656

—¿Cómo se dice "cementerio" en africano?
—Tum Ba.

2657

Doctor, cada vez que oigo hablar de comida, vomito.
—¿Y esto le ocurre a menudo?
—¡Uerrrrkkkk!

2658

Trabalengüita

Corazón de chirichispa y ojos de chirichispé: tú que me enchirichispaste, hoy desenchiríspame.

2659

Un gallego sube con su camión a la terraza de un edificio de 24 pisos y se tira alocadamente con camión y todo.

A los seis meses, cuando sale del estado de coma en el cual había entrado por tan terrible golpe, el mé-dico le preguntó:

—¿Se puede saber por qué cuernos se tiró desde la terraza con su camión?
—¡Hombre! Está clarísimo: ¡quería probar los frenos de aire!

2660

En Madrid:
—Tenemos un menú de nueve euros y otro de seis euros.
—¿Y qué diferencia hay?
—Tres euros.

2661

—Pepe, ¿verdad que soy un cielo?
—Sí.
—Pepe, ¿verdad que no puedes vivir sin mí?
—Sí.
—¿Verdad que soy lo más importante de tu vida, Pepe?
—Sí.
—¿Verdad que soy maravillosa, Pepe?
—Sí.
—¿Verdad que me quieres mucho, Pepe?
—Sí.
—¡Ay, Pepe! ¡Cada día te quiero más por las cosas tan bonitas que me dices!

2662

—Sabes Paca, siempre me enfermo antes de viajar.
—¿Y por qué no sales un día antes?

2663

—¿En qué se parecen un pañuelo, una servilleta y la verdulería?
—No sé.
—El pañuelo y la servilleta sirven para limpiar...
—¿Y la verdulería?

—Sigue derecho dos cuadras y en la esquina la encontrarás.

2664

—Doctor, ¡mi mujer está a punto de dar a luz!
—*¿Es su primer hijo?*
—No, soy su marido.

2665

—Su dentadura está destrozada.
—*Me quedó así por un viaje.*
—¿Chocó?
—*No. Mordí la banquina.*

2666

—¿Qué es verde, tiene muchas capas y vuela?
—*¡¡¡La Súper Lechuga!!!*

2667

—¿Cuál es el colmo de un peluquero?
—*No alcanzar el autobús por un pelito.*

2668

—¿Nombre?
—*Ju-ju-ju-ju-an Lo-lo-ló-pez.*
—¿Tartamudo?
—*No, señor. El tartamudo era mi padre. Y el que me anotó en el Registro Civil era un gracioso.*

2669

—*¡Déme un café, y me lo anota!*
—Aquí no se anota nada.
—*¡Así me gusta... que la gente tenga buena memoria!*

2670

—¿Qué es blanco-negro, blanco-negro, blanco-negro, blanco-negro, verde?
—*Un pingüino cayéndose por las escaleras y salvado por la Súper Lechuga.*

2671

Paco era el más avaro del pueblo.
—Pero Paco, ¿dónde está tu anillo de matrimonio?
—*Esta semana lo usa mi esposa.*

2672

—¿A qué carrera universitaria no puede entrar un jorobado?
—*A Derecho.*

2673 - 2711
Treinta y nueve
de modelos y modelitos

—¿Qué hacen las modelos argentinas para mantener sus manos tan suaves y las uñas tan largas y perfectas?
—*No sé.*
—Ab-so-lu-ta-men-te nada.

—Te hace juego con los vaqueros, con la ropa de calle, con la de vestir, con todo... Si te fijas, el abrigo de visón *es lo que más te pones.*

—Es curioso que mi cumpleaños siempre coincida *con el santo de Julio Iglesias.*

—A las cuatro y media. No, mejor quedamos a las cinco menos cuarto porque tengo *completamente olvidada mi vida privada.*

—Pero, ¿cómo le pudo haber dado un infarto, *con lo bien que me caía?*

—Ah, no. Para ponerle los cuernos a alguien yo jamás he usado la cama de mi madre. *He preferido siempre la de mi padre.*

—Oye, Centroamérica es un país *del Tercer Mundo,* ¿no?

—Un hombre, si es un hombre, te tiene que *pegar un poco.*

—No, nunca fui un ser demasiado normal... Ni antes ni después *de comprarme el celular.*

—¿Drogarme yo? De ninguna manera. *Es malísimo para el cutis.*

—Yo solía ser virgen pero lo dejé: *no da dinero.*

—Yo me visto *bien* para *desvestirme mejor.*

—El *matrimonio* por dinero se llama *patrimonio.*

—Soy cinturón negro *en shopping*

—Viajo en limusina más que nada *para ver la tele,* ¿okay?

—Dicen que soy medio boluda. Bueno... *mejoré.*

—Mi novio cree que soy una chica 10. *(Digo 10 idioteces por minuto)*

—El dinero no es lo más importante. El amor es lo más importante. Por suerte, *yo amo el dinero.*

–Mi marido quiere que devuelva un vestidito que compré porque me costó 24.300 dólares. Lo convencí para quedármelo: *le juré que voy a usarlo dos veces.*

–Por fin nos pusimos de acuerdo mi novio y yo para ir de vacaciones: él se va a Nápoles, *yo de shopping a New York.*

–Todo el mundo me habla del Louvre. Tengo que ir. *Es el único Shopping de París que no conozco.*

–Mi amiga Eleonora es tan frígida que llegó virgen *a su segundo matrimonio.*

–Me encantan las fiestitas de 15. *(Yo y otros 14).*

–Amo las cosas más simples de la vida: *los hombres.*

–Cuando mi novio habla, yo escucho... *en general, la radio o la tele.*

–Para lucir siempre muy mona hay que *rodearse de gente horrible.*

–Yo sigo la dieta de Hollywood: *tres hombres por día.*

–Cuando mi esposo se deprime yo le digo que tiene mil razones para vivir: *Hay que terminar de pagar la casa, las cuotas de los coches, las tarjetas de crédito...*

–El otro día tuve un orgasmo tan enorme que casi *despierto a mi marido.*

–Yo despierto la parte animal de los hombres: *visón, leopardo, zorro...*

–¿Imaginan un mundo sin hombres? Nada de crímenes y ¡*millones y millones de mujeres gordas!*

–¡Adoro Miami! En Miami no eres declarado legalmente muerto *hasta que pierdes totalmente tu bronceado.*

–Anoche mi marido me dio placer otra vez: *durmió en el cuarto de al lado.*

–*Nada* es lo suficientemente bueno para mi novio. Y eso es lo que le doy: *nada.*

–Quise hacerle una torta de cumpleaños a mi novio pero fracasé: *se me derritieron las velitas cuando las metí en el horno.*

–Mi posición favorita cuando hago el amor *es mirando hacia el shopping, ¿okay?*

–*En la modelito argentina las joyas son falsas y los orgasmos verdaderos.*

–¿Cuál es la diferencia entre una modelito argentina y una francesa?
–Una se puede casar con más dinero *en 10 minutos* del que puede gastar *en toda una vida.*

–Siempre hay una excusa para tener un nuevo guardarropa: *lo primero que hay que hacer es tirar el viejo.*

2712

–¿Cómo te das cuenta de que una modelo es ninfómana?
–*Ni idea.*
–Hace el amor diez minutos después de salir de la peluquería.

2713

–Cómo se dice *"encendedor "*en japonés?
–*Sakayama.*

2714

Contratan a un gallego para que pinte las líneas de la calle.
El primer día pinta 10 kilómetros y el capataz queda contento.
El segundo día, 5 kilómetros.
El tercero, 2 kilómetros.
El cuarto sólo pinta 10 metros y el capataz, enojado, le pregunta:

–¿Cómo es posible que el primer día pinte 10 kilómetros y hoy sólo 10 metros?
–Pues es natural: cada día el balde de pintura me queda *más lejos*.

2715

–¿Qué le dijo Michael Jackson a O. J. Simpson?
–Ni idea.
–*No te preocupes, O. J., mientras estés en la cárcel yo me ocuparé de tus hijitos.*

2716

Se abre el telón y se ve un nabo, después un león y un poco más lejos una boina, ¿cómo se llama la peli?
–*Nabo-león boina aparte.*

2717

Pepe muere y lo va a ver a Dios.
–*Dios: disculpe la pregunta, ¿por qué hizo a las modelos con esos físicos tan impresionantes?*
–Para que te gusten.
–*¿Y por qué las hizo tan, tan hermosas?*
–Para que te gusten.

–*Y ¿por qué las hizo tan pero tan tontas?*
–Para que pudiesen fijarse en alguien como tú.

2718

Si tuviste éxito al primer intento, *trata de no mostrarte sorprendido.*

2719

–Doctor, estoy perdiendo mi apetito sexual.
–*¿Qué edad tiene usted, señora?*
–Noventa y dos años.
–*¿Y cuándo ha empezado a notar esta pérdida?*
–Anoche... y esta mañana otra vez.

2720

Clinton y su mujer, después de tantos años de casados, habían comenzado a perder pasión en la cama.
–*¡Hillary, tengo la fórmula perfecta para pasar una velada apasionante!*
–¿Cómo es?

–*Esta noche, cuando nos vayamos a la cama, nos quedaremos completamente desnudos y nos pondremos espalda con espalda.*
–¿Y qué tiene eso de divertido?
–*Invité a otra pareja.*

2721

–¡Ay, Paca, tu marido es un encanto! Mientras vos estás trabajando, él lava, plancha, cocina, cose y borda.
–*Sí, pero...*
–Pero ¿qué? ¡Es una maravilla!
–*Puede ser. Pero ¡gasta tanto en maquillaje!*

2722

Cuando murió, Picasso le pidió permiso a San Pedro para entrar al paraíso.
–*¿Y cómo sé que eres Picasso? Tendrás que demostrármelo.*
–¡Cómo no!
Picasso sacó un lápiz y dibujó una maravillosa paloma en la túnica de San Pedro.
–Adelante, eres Picasso.
Cuando murió, Neruda también habló con San Pedro.
–*¿Y cómo sé yo que eres Neruda?*

Neruda también pidió un lápiz y escribió un poema maravilloso.
–Adelante, eres Neruda.
Cuando murió, Bush también fue a pedirle permiso a San Pedro.
–¿Y cómo sabemos que eres Bush? Cada uno debe demostrar quién es. Recién, por ejemplo, estuvieron Picasso y Neruda...
–¿Y esos dos quiénes son?
–Adelante... ¡eres Bush!

2723

–¿Cuál es el colmo de un motociclista?
–Sacar la mano para ver si llueve.

2724

A una modelo no le fue muy bien esa temporada y terminó trabajando de camarera en un bar.
–¡Oiga, señorita! ¡Hay una mosca muerta en mi sopa!
–¡Ay, sí! ¡Es el agua caliente! ¡Las deja secas!

2725

Estaban todos los animales de la selva listos para correr en las olimpíadas de los animales.
Empezó la cuenta regresiva para correr:
–¿Listos? Tres, dos, uno... ¡arrancar!
Todos corrieron, pero a media carrera se fatigaron y fueron abandonando uno a uno. Al final sólo que

daron la hormiga y el elefante peleando por el primer lugar.
Pero de pronto se sintió un temblor ¡bruuuunpunnnnnnttt!:
El elefante había pisado a la hormiga, y todos los habitantes de la selva empezaron a gritarle:
–¡Asesino, asesino!
Y el elefante responde:
–¡Pero noooo! ¡Si yo sólo quería ponerle el pie para que se cayera!

2726

–Sole ¿conoces el Canal de la Mancha?
–No sé ¿viste? Yo tengo Cablevisión. Y ése a lo mejor es de Multicanal.

2727

Dos gallegos habían naufragado y sobrevivían en un iceberg.
–¡Paco, Paco! ¡Estamos salvados, estamos salvados!
–¿Por qué dices eso, Pepe?
–¡Ahí viene el Titanic! ¡Ahí viene el Titanic!

2728

Hay un borracho en la barra de un bar tomando los últimos vasos de vino que su cuerpo soportaría esa noche. Cuando termina el último, le vienen unas ganas enormes de vomitar y no encuentra mejor recipiente que el gran vaso de vino que bebía.
Al verlo, en encargado del bar se lo lleva al baño para que termine de vomitar.

En ese mismo momento, entra al bar el gallego Muleiro, sediento.
Ve el vaso de vino sobre la barra y se lo bebe.
Lo saborea y le grita al barman:
–¡Jefe!.. ¡Otro clericó!... ¡Pero esta vez no le ponga tanta mortadela!

2729

–¿Cómo se dice "liquidación" en africano?
–Gan Ga.

2730

–¿Y cuál es el cuentito preferido de los niñitos gays?
–No sé.
–"El putito feo".

2731

–Dime, Paca ¿tu cómo le dices a una mujer que tiene un esposo que es un ángel?
–¡Viuda!

2732

Un cura que había pasado más de veinte años en las selvas amazónicas aterrizó en Ezeiza.
Los tipos de la Aduana, al verlo, gritaron:
–¡Es Sandro! ¡Es Sandro!
–No, están confundidos. No soy Sandro.
La funcionaria de Inmigración casi casi se desmaya:
–¡Sandro! ¡Es Sandro, el Gitano!
–No, soy un simple sacerdote. No soy Sandro. Soy un pobre sacerdote.
Lo cierto es que el cura se parecía muchísimo a Sandro.
Cuando salió al hall, la multitud se le echó encima.

–¡¡¡San-dro!!! ¡¡¡San-dro!!! ¡¡¡San-dro!!!

Casi ahogado, el cura apenas podía articular:

–¡Soy un sacerdote!

Lo mismo le sucedió con el taxista, con el conserje del hotel, con los periodistas que lo esperaban en el lobby porque se había corrido la voz de que Sandro iba hacia allí.

Como pudo, se deshizo de todo el mundo y entró en su habitación. El curita, que había estado veinte años en medio de la selva inexplorada, casi pierde el sentido.

Sobre su cama había tres mo-de-litos: es-pec-ta-cu-la-res ¡completamente desnudas!

Las tres estiraban sus brazos hacia él y decían:

–¡Sandro! ¡Sandrito! ¡Ven Gitano!

El cura dejó caer su valija y estalló:

–¡Rosa, rosa, tan maravillosa... como flor hermosa... como blanca diosa de mi amoooorrrr!

2733

Hay tres gallegos en un árbol y una escalera para que bajen. En un momento, dos de los gallegos se bajan y se llevan la escalera. ¿Cómo baja el gallego que se quedó en el árbol?

–¡¡¡Enojadísimo!!!

2734

Manolo decía que era un gran mago. Y su mejor truco era, sin ninguna duda, el que viene a continuación.

Mostraba ambas manos a uno del público:

–Elija uno de mis pulgares. Uno cualquiera.

Cuando el público elegía, Manolo ponía las dos manos a la vista con los puños cerrados:

–¿¿¿En qué mano está ahora el pulgar que eligió???

2735

–Al flaco Alberto le dicen Mosca.

–¿Por?

–Porque se fija en cualquier mierda.

2736

El médico era muy pero muy buen mozo.

Revisaba a la actriz.

Le apoyó una mano en la espalda.

–Diga 33.

–Treinta y tres.

El médico le apoyó la mano en el estómago.

–Diga 33.

–Treinta y tres.

El médico le apoyó las dos manos en los pechos.

–Diga 33.

–Uno, dos, tres, cuatro...

2737

–¿Qué le dice una oreja a la otra?

–Corre la cabeza que no te veo.

2738

En la clase de física.

–¿Podría usted calcular la altura de un edificio por medio del barómetro?

–Sí, profesor. Hay dos procedimientos. El primero es atar el barómetro a una cuerda desde la azotea, bajarlo hasta el nivel de la calle y luego medir la longitud de la cuerda; el segundo es regalarle el barómetro al conserje a cambio de que nos diga la altura del edificio.

2739

–¡Estoy asombrada, Lorena!

–¿Por qué?

–Estuve haciendo desfiles por toda Europa. La recorrí entera. ¿Y sabés qué? ¡¡¡No conocen los alfajores!!!

–Bueno, pero tienen otras cosas.

–Sí... seguro, pero ¿qué les dan de comer a los chicos?

2740

Año 2050:

–¿Me da un billete para la Luna?

–Lo siento, pero ese vuelo ha sido cancelado.

–¿Por qué?

–Es que la Luna está llena.

2741

El gallego Manolo llevaba tres meses saliendo con la Paca y no lograba meterla en la cama.

–Paca, por favor, estoy desesperado. ¿Por qué no me lo das?

–¡Ay, no! ¡Me da mucha vergüenza, porque tengo muchísimo pelo por allá abajo.

–¡Eso no tiene importancia! ¡Vámonos a la cama, Paca!

223

–Vale, pero recuerda que te advertí que soy muy peluda.
Se meten en la cama y al poco rato el Manolo pide :
–Paca... ¡Por favor, Paca! ¿Por qué no meas a ver si me orientas?

2742

–¿Está tu padre?
–Pues, sí, señor, está en la pocilga dando de comer a los cerdos. Usted lo reconocerá enseguida. *Es el único que lleva sombrero.*

2743

–¿Cómo se dice *"caricatura"* en griego?
–*Garabatos.*

2744

–¿*Por qué tienes siete puntos de sutura en la cabeza?*
–Por un golpe de calor.
–¿*Un golpe de calor? ¡Imposible!*
–Pero sí. Ayer llegué tardísimo a casa y mi esposa me tiró con la plancha.

2745

–Estoy muy triste, tuve que vender el diccionario que tanto quería.
–¿*Y qué tal era?*
–No te lo puedo decir. Ahora no tengo palabras para describirlo.

2746

–*Doctor, tengo tendencias suicidas, ¿qué hago?*
–Págueme ya mismo.

2747

–¡*Ay, doctorcito! ¡Me duele mucho la panza! Desde anoche, que comí mejillones, no para de dolerme el estómago.*
–La comida de mar suele causar estos inconvenientes. Dígame, los mejillones ¿se veían en malas condiciones? ¿Olían mal cuando los abrió?
–¿*Cómo? ¿Usted abre los mejillones para comerlos?*

2748

2749

–¿*Sabes, Pepe? ¡Hace ya casi un año que no veo a Manolo!*
–¡Pero si hace más de nueve meses que murió!
–¡*Menos mal! ¡Creí que estaba enojado conmigo!*

2750

El gallego Manolo estaba de visita en la casa de su novia, la Marutxa. Miraban la tele en el sillón del living bajo la atenta mirada de la madre de la Marutxa.
De pronto, se cortó la luz.
La Marutxa, rapidísima, le dijo a Manolo en el oído:
–¡*Aprovéchate, Manolo! ¡Aprovéchate!*
Y el Manolo se aprovechó: le robó el televisor.

2751

–Esto es un asalto. Levante las manos. ¿Tiene algo de valor?
–¿*De valor? Nada. Yo soy muy, pero muy muy cobarde.*

2752

–Doctor, ¡me he roto el brazo en varios sitios!
–*Yo que usted no volvería a esos sitios...*

2753

–¡Camarero! ¡Hay una mosca nadando en mi sopa!
–¿*Y qué quiere que haga? ¿Que llame a un guardacostas?*

2754

–Oye, ¿y ese peinado "talco"?
–¿*Por qué talco?*
–Talcomotelevantaste.

2755

Un mendigo toca el timbre en casa del gallego Manolo:
–¿*Tiene ropa vieja para regalarme?*
–¿Y no le parece ya bastante vieja la que lleva puesta?

2756

Deportivo La Coruña había ido a Londres a disputar un partido de fútbol con el Manchester.

A los cinco minutos de empezar el partido, *bajó una niebla tan densa que tuvieron que suspender el encuentro.*

Una hora y media después, el tipo que retiraba las redes vio que el arquero gallego estaba todavía paradito sobre la línea blanca de su arco.

–*Pero... ¿qué hace ahí? ¡El partido terminó hace dos horas!*

–¡Y yo que pensé que estábamos dominando!

2757

El padre cuando llega a su casa pregunta al hijo:

–*¿Quién ha sido bueno y obedece sin chistar ni protestar en todo a mamá?*

–¡Tú, papá!

2758

Paco y Manolo, los ladrones gallegos.

–*¿Está el dueño en la casa?*

–Sí, señor.

–*¡Ah!, De acuerdo, entonces volveremos otro día.*

2759

La modelito era verdaderamente muy molesta.

La conocían todos por esta característica.

Tanto la conocían que una noche fue a comer con su novio a un restaurante muy costoso, y cuando terminaron, se acercó el dueño y preguntó:

–*¿Algo estuvo bien?*

2760

Los dos gallegos encontraron 100 dólares en la calle.

A los dos segundos peleaban por el billete.

–¡Un momento! Hagamos una cosa: compremos 98 dólares de vino y dos dólares de pan.

–*Está bien. Me parece justo. Pero no entiendo qué cuernos vamos a hacer ¡con tanta cantidad de pan!*

2761

2762

–Mamá, papá ha vomitado.

–*Pues coge rápido el tenedor, que luego tu hermana se queda con los mejores trozos.*

2763

Manolo Muleiro, anciano gallego de 90 años, se casa con un pimpollito de 20 años y al volver de la luna de miel le comentó a su médico que su esposa estaba embarazada.

–*Déjeme que le cuente una historia, don Manolo: Érase una vez un cazador un poco despistado. Un día se fue de caza llevándose un paraguas en vez de su escopeta. Entonces, vio un pajarito, le apuntó con su paraguas, tiró, y el pajarito cayó muerto.*

–Imposible, doctor: algún otro tipo debió haberle tirado a ese pajarito.

–*Precisamente ¡eso quería decirle!*

2764

–¿Cuál es el colmo de un electricista?

–*Electrocutarse con una pila de basura.*

2765

–¿Sabes Pepe? Eso de que los elefantes tienen buena memoria es una mentira.

–*¿Por qué lo dices, Manolo?*

–Pues porque ayer fui al zoológico, me encontré al mismo elefante del año pasado y ¡ni me saludó!

2766

–*Doctor, doctor, auscúlteme.*

–¡Rápido, debajo de la cama!

2767

Llega un niño a un quiosco y pregunta:

–¡Hjfhkjhdghlgkljmklopñlmjmm caramelos?

Y le contesta el quiosquero:

–¿Una bolsa de qué?

2768

–¿Cuántos años me da, Manolo?

–*Si me guiara por sus labios, Paca, diría 28. Si me guiara por*

su piel, 27. Si me guiara por sus dientes, 25. Si me guiara por su cabello, 23...
—¡Ay, qué hombre más galante!
—No, ¡espere que aún no sumé!

2769

El ordenador es la evolución lógica del hombre: inteligencia sin moral.

2770

—¿Y, Paco? ¿Cómo te va en tu matrimonio? Ya hace seis meses que te casaste con Andrea, la modelo, ¿no?
—Bárbaro, me va bárbaro. ¡No sabes cómo lava! Deja las camisas blancas, blancas, blanquísimas... ¡hasta las azules!

2771

Reunión en el Centro Gallego.
—Mucho gusto, el mayor de los placeres.
—Encantado, el menor de los Muleiro.

2772

—¡Ay, Paca! ¡Qué flaca estás! ¿Qué dieta haces?

—La dieta religiosa.
—¿Cómo es?
—Te subes a la balanza, miras cuánto pesas, gritas "¡¡¡¡¡Dios mío!!!!!" y no comes nada, nada, durante una semana.

2773

Manolito está sentado en el regazo de Papá Noel:
—A ver, Manolito, ¿quieres un tren? -le dice mientras le acaricia la nariz.
—No.
—Entonces, ¿quieres una pelota? —y le da palmaditas en la nariz.
—No.
—Entonces ¿qué es lo que quieres? -y le da un pellizquito en la nariz.
—Un coño. Y no me digas que no lo tienes, porque te lo estoy oliendo en la mano.

2774

—Te preparé la cena, mi amorcito. Eso sí: yo solamente sé preparar filete y huevos fritos.
—Muy bien. Y dime: esto que me serviste ¿qué es? ¿Los huevos o el filete?

2775

Madelaine, la modelo, tuvo una hija. La bebé nació con órganos de ambos sexos: tiene vagina y cerebro.

2776

Javier y Pablo eran dos hermanos ricos y malvados que asistían a la misma iglesia. Cuando Pablo murió, Javier le entregó al pastor un cheque para que mandara construir un nuevo templo a todo lujo.
—Sólo le pongo una condición: que en el oficio fúnebre diga que mi hermano era un santo.

El pastor accedió y depositó el cheque en el banco. En la ceremonia fúnebre, subió al púlpito y declaró:
—Pablo era un hombre malvado que engañaba a su mujer y traicionaba a sus amigos pero, comparado con Javier, era un santo.

2777

—¿Sabes qué le sucedió a Pepa, la gallega, en el club de La Coruña?
—No sé.
—La atraparon unos violadores en la oscuridad y la vistieron.

2778

—Oye Pepe, ¿qué harías si te ganases un millón de dólares?
—Yo me compraría una mansión en Miami y una limusina. ¿Y tú, Paco?
—Yo me compraría un barco para 2.000 personas. ¿Y tú, Manolo?
—Pues yo me compraría un chicle.
—¿¿¿Un chicle???
—Pues sí. Y con el vuelto me compraría una mansión, un barco, una limusina...

2779

El gallego Pepe Muleiro se había perdido en el desierto.

De pronto, encontró una botella.
Al destaparla, apareció el Genio.
–Te concederé tres deseos.
–*¡Bien! Primero quiero ¡una botella de cerveza bien helada!*
–¡Concedido!
Aparéció entonces una botella de cerveza y el gallego Muleiro comenzó a beber.
–¡Pídeme el segundo deseo!
–*¡Espera a que termine la cerveza!*
–Es que esa botella es mágica y la cerveza no se acabará jamás!
–*¡Que bueno! ¡¡¡Entonces quiero dos más!!!*

2780

–¿Por qué en invierno los cazadores gallegos usan botas blancas?
–*Para no dejar huellas en la nieve.*

2781

–¿De qué murió el campeón de natación gallego?
–*Se retiró porque le salió una piedra en el riñón.*

2782

Cuando instalaron la sede del Partido Comunista en La Coruña, el gallego Muleiro comentó al ver la hoz y el martillo pintadas en la marquesina del frente del local:
–*¡Hombre, ya era hora de que pusieran una ferretería en este pueblo!*

2783

–¿Por qué construyeron un campanario más alto en el pueblito gallego?
–*Porque la soga nueva era demasiado larga.*

2784

–Che, Manolo ¿cuál es la diferencia entre mamá y mamá?
–*La primera es un ser amado y la segunda es una orden.*

2785

–Madre, ¿puedo mecer al abuelito?
–*No hasta que llegue el juez y sepamos quién lo ahorcó.*

2786

–Paco, ¿tú sabes con qué desayuna una virgen?
–No, no lo sé
–Me lo temía
–*¿Con qué, Pepa?*
–Con leche.

2887

Pepe y Manolo en la puerta de la taberna del pueblo. Pasó un campesino y saludó a Manolo.
–¡Adiós, tocayo!
–*¿Quieres creer, Pepe, que no recuerdo cómo se llama ese tío?*

2788

En el campo de golf.
El gallego Muleiro buscaba infructuosamente su pelotita. Otro golfista intentó ayudarlo:

–Oiga Muleiro ¿cómo era su pelota?
–*Verde.*
–Pero hombre, ¿cómo se le ocurre usar una pelota verde para jugar al golf?
–*Es que así resulta muy fácil verla cuando cae en la arena...*

2789

Si en la vida sólo tienes un martillo, *todo te parecerá un clavo.*

2790

Un curita gallego tenía una gran aversión a los argentinos. No perdía oportunidad para demostrarlo en las misas.
Decía, por ejemplo:
–*Caín mató a Abel, y dicen que los descendientes de Caín son los argentinos.*
O si no:
–*Herodes ordenó la matanza de los niños y dicen que era argentino.*
O esto otro:
–*Pilatos se lavó las manos, igual que los argentinos.*
La comunidad de argentinos habló con el obispo para quejarse.
El obispo llamó al sacerdote anti-argentino:
–Si vuelves a mencionar a los ar-

gentinos en tu misa, te voy a suspender. ¡Has entendido, insensato?
–Os he comprendido perfectamente.
A la misa siguiente fueron todos los argentinos para ver qué hacía el hombre.
El curita empezó su sermón:
–En la Última Cena, Jesús dijo: "uno de ustedes me traicionará" y cuando se quedó mirando a Judas, éste le dijo: "¿Qué te pasa, che? ¿Te la agarraste conmigo, loco?".

2791

–¿Qué se puede hacer con un gallego y 300 metros de alambre de cobre?
–Un burro de arranque.

2792

–¿Saben cómo son los siameses gallegos?
–Vienen sin unir.

2793

Un barco sale de Galicia lleno de presos rumbo a una isla en que había una cárcel. En el mar el barco se hunde. *Habían hecho un túnel para escaparse.*

2794

–¿Por qué un gallego cocina con las hornallas apagadas?
–Para preparar platos fríos.

2795

En el cielo gallego. Jesús en una fiestita con los doce apóstoles.
–Oye, Jesús ¿qué tal si nos echamos unas líneas?
–¡Muy bien! Vete a buscar lo necesario...

Uno acerca un espejo con el polvillo blanco y un tubito.
–Jesús empieza tú que eres el más importante.
Justo en ese momento, Jesús estornudó y se desparramó todo. Judas lo miró con desprecio y dijo:
–¿Es o no es para matarlo?

2796

–Se te cae la baba, Manolo.
–No importa, tengo más.

2797

–¿Por qué los gallegos no juegan a las damas?
–Porque no les gusta vestirse de mujer.

2798- 2834
Respuestas de exámenes

–¿A qué impulsó el Espíritu Santo a los primeros cristianos?
–A volar.

–¿Animales de tiro?
–El pichón, porque se usa en el tiro al pichón.

Alfarero: El que tiene un farol.

Anfibios: De los huevos de rana salen unas larvas llamadas cachalotes.

Arterias: Son unos tubitos de plástico flexibles.

Brisa del mar: Es una brisa húmeda y seca.

Caballo: Es un animal de cuatro patas que le suelen llegar al suelo.

Clases de bacterias: Malignas y perjudiciales.

Dimorfismo sexual: El macho se diferencia de la hembra por una prolongación más o menos larga.

Definición de rumiantes: Son los que eructan al comer.

El león: Sólo se alimenta de hombres.

El mendelismo: Mendel trabajó mucho ayudado por caracoles.

El oído interno: Consta de utrículo y dráculo.

Erasmo de Rotterdam: El Asno de Rotterdam es la escultura de un burro célebre que está en Amberes.

Fósiles: Son unos señores muy antiguos. Son animales que se extraen de los grandes museos, como el de Madrid.

Frutos secos: Entre ellos está la naranja, que se divide en varias partes llamados grajos.

Geografía: En Holanda, de cada cuatro habitantes, uno es vaca.

Indique un molusco perjudicial: El león.

Insectos: Son una especie de aves pequeñísimas.

228

Jesucristo: Su mayor milagro es que en sábado curase a los enfer*mos.*

La médula espinal: Es un tubo de 10 a 12 metros donde decían los antiguos que residía el alma.

Lenguas vernáculas: Las que se hablan en las tabernas.

Mahoma: Nació en La Meca a los cinco años.

Mamíferos: Se caracterizan porque la madre pone los huevos en su interior, que el macho va a buscar.

Mamíferos: Al nacer, la cría es defendida por las mamas de la hembra.

Mamíferos: Tienen los dientes en la boca.

Marsupiales: Los animales que llevan las tetas en una bolsa.

Partes del insecto: Son tres: in-sec-to.

Polinización: Es la invasión de los polinomios.

Reptiles: Los reptiles carecen de patas, por lo cual no suelen usarlas.

Un parásito interno del hombre: El langostino.

Una aclaración en un examen: No era ni macho ni hembra, era metamorfósico.

Ungulados: Se alimentan de hierba y de carne y se reproducen en línea recta.

La piel: Es un vestido sin el cual no resistiríamos los porrazos, es además un muro de contención para que no se nos salgan las carnes.

Les oiseaux chantaient dans les arbres: Las ostras cantaban en los árboles.

Posición de los ojos en las aves rapaces: Uno hacia arriba, otro hacia abajo y otro hacia atrás.

—¿Qué es una encíclica?
—*Es una barca de hierro que flota en el mar.*

2835

Si el Universo es infinito ¿por qué cuesta tanto estacionar?

2836

—¡Joder, Paca! Yo buscando mi cinturón por toda la casa y tú aquí ¡usándolo para ahorcarte en el patio!

2837

Gallegos paracaidistas en su primer salto.
Manolo tuvo tanta mala suerte que la anilla se rompió y el paracaídas no se abrió.
El sargento gritó desde el avión:
—¡Tira de la anilla de emergencia, gilipollas!
—*¡¿Y dónde está, coño?!*
—¡Cerca de los huevos!
Manolo, desesperado, se echó las manos al cuello y gritó:
—*¡No la encuentro, joder, no la encuentro!*

2838

El muy brutísimo gallego Pepe recibe una llamada en su celular:
—*Hola, Paca ¿cómo sabías que estaba aquí en el hotel con mi secretaria?*

2839

—Doctor, hace una semana que ni como ni bebo ni duermo, ¿qué es lo que tengo?
—*Posiblemente tendrá hambre, sed y sueño.*

2840

—¡Orden, orden! ¡Aquí hace falta un poco de orden! Aquí hay siete mujeres, sólo somos dos hombres, *y a mí ya me han dado tres veces por el culo! ¡Orden, joder!*

2841

—Estoy desesperado, Manolo. Me acabo de casar. Pero no he podido follar aún. Ella es muy estrechita y mi polla no le entra.
—*Pero Pepe, eso es una tontería. Verás: coges un balde de los más grandes, con leche recién ordeñada. Cuando la tengas dura, metes allí dentro la polla. Con la leche, se pone suave y mantecosa. Tú empujas y ¡ya verás cómo entra!*

A la semana siguiente, Pepe lucía aún más apesadumbrado.

–*Pero Pepe ¿no has hecho lo que te dije?*

–Sí, lo he hecho. Pero ¡es que en el balde tampoco me entra!

2842

–¿En qué se parece una computadora a un gallego?

–*En que ninguno de los dos es capaz de pensar por sí mismo.*

2843

–Quiero que se case conmigo, María.

–*¿A usted le gustan los chicos, Manolo?*

–Mucho, muchísimo.

–*Entonces bárbaro, porque ¡yo ya tengo tres!*

2844

Tres gallegos en el campo en medio de la noche.

Están alrededor de un fuego.

Discuten sobre quién es el más duro y bruto de los tres...

–*Yo soy, sin duda, el más duro. Recuerdo aquella vez en que se me escaparon las reses y tuve que perseguirlas corriendo descalzo por el suelo espinoso durante cuatro días*

y cuatro noches. Cuando las alcancé tuve que dominarlas a todas con mis manos desnudas, atarlas con mi cinturón y arrastrarlas de vuelta. Todo esto sólo con la fuerza de mis brazos, sin agua ni comida.

–Eso no es nada. Yo estaba herrando a mis caballos cuando se me rompió el martillo y perdí las tenazas, y con mis manos desnudas cogía las herraduras de hierro fundido y las moldeaba pisándolas con los pies descalzos. Después de enfriarlas chupándolas con la lengua tuve que clavárselas en las pezuñas golpeando los clavos con los dientes. Y así herré treinta caballos.

El tercer gallego, silencioso, escuchaba las historias de sus compañeros, mientras removía las brasas, lentamente, con la polla.

2845

–*¿Cuáles son los tres monosílabos que jamás pronuncia un bilbaíno?*

–No lo sé.

–¡Exacto!

2846

El gallego Manolo ingresó en un hospital para hacerse una pequeña operación. Una enfermera empezó a tomarle los datos.

–En caso de emergencia, ¿a quién avisamos?

–¿Quiere decir si estoy a punto de morirme?

–*Bueno... sí...*

–En ese caso, llame corriendo *a un médico.*

2847

–¡General, vienen los indios!

–*¿Son muchos, cabo?*

–¡Son como 2005!

–*¡Y cómo sabe que son como 2005!*

–¡Porque vienen 5 adelante y como 2000 atrás!

2848

Pídele a un amigo que te diga tres mentiras seguidas. Dile:

–*Seguro que no vas a poder hacerlo.*

Cuando diga dos mentiras pregúntale cuántas mentiras ha dicho y responderá que dos. Entonces le dices:

–*¿Has visto? ¡No has podido decirme tres mentiras seguidas!*

2849

El matrimonio dormía en su cama. De pronto, la Paca escuchó un ruido:

–*¡Manolo, despierta! Creo que*

230

quieren entrar a robar. ¡Rápido! ¡Asómate a la ventana para que crean que tenemos perro!

2850

–Aunque te parezca mentira, Manolo, mi barca hace veintiocho nudos por hora.
–*¡Vaya trabajo que tendrás al llegar a puerto para desatarlos!*

2851

–Si hay diez negros y un blanco ¿cómo le dicen al blanco?
–*Guardia.*

2852

–¿Sabe dónde queda la calle Campana?
–*No, pero me suena.*

2853

–¿Saben por qué un escocés muy avaro nunca compra una heladera?
–*Porque no puede estar completamente seguro de si la luz se apaga después de que cierra la puerta.*

2854

Dos astronautas en el espacio. Uno es negro, el comandante McBlack y el otro es blanco el comandante McWhite. De pronto, sufren un desperfecto en la nave y sólo queda oxígeno para que vuelva uno.
–*¡Aquí Houston! Para no hacer distinciones raciales le haremos una pregunta a cada uno, quien la conteste bien volverá sano y salvo. Usted primero Mister McWhite, ¿cuántos judíos murieron en la Segunda Guerra Mundial?*
–Seis millones, comandante.
–*Bien McWhite. Ahora McBlack: déme el nombre y la dirección de cada uno de esos judíos.*

2855

–Madre, ¿puedo ir a ver el eclipse?
–*Sí, Manolín, pero no te acerques demasiado.*

2856

–Paca, ¡alguien se opone a nuestra boda!
–*¡Por Dios! ¡Dime quién! ¿Quién?*
–Pues ¡yo!

2857

Andaba el gallego Pepe con una bolsa al hombro, cuando se encontró con un amigo:
–¡Oye, Manolo! ¿Qué llevas ahí?
–*Unas gallinas.*
–Ajá. Si acierto cuántas llevas, ¿¿¿me puedo quedar con una???

–*Sí. Pero estoy tan seguro de que no vas a acertar, que si lo haces te puedes quedar con las tres.*

2858

Primer acto: *sale una mosca con una bata de baño.*
Segundo acto: *sale otra mosca con una bata de dormir.*
Tercer acto: *sale otra mosca con una bata de baño.*
–¿Cómo se llama la obra?
–Con bata las moscas.

2859

–¿Sabes que Pepe tiene un taller en la Boca, Paco?
–*¿Ah, sí? ¿Y cómo hace para lavarse los dientes?*

2860

–¿Sabes? Al final encontré trabajo en Santiago.
–*¿De qué, Manolo?*
–*De Compostela.*

2861

–*¡General, general, vienen los indios desde la montaña!*
–*¿Vienen en son de guerra o de paz?*
–Creo que vienen en son de parranda, porque *¡están todos pintados!*

2862

Los chicos de ahora sólo
quieren juguetes de alta tecnología.
*Mi hijo tiene un
amigo imaginario a pilas.*

2863

Los juguetes son cada
día más caros y complicados.
Vi uno cuyo manual de instrucciones
costaba 90 dólares.

-No, no, que qué quiere usted.
-Verá, querría una casa en la playa, un nuevo automóvil, realizar un viaje por el mundo, ganar mucho dinero.
-¡No, que qué quiere tomar!
-Ah, bueno. ¿Qué hay?
-*Pues nada, aquí sirviendo copas...*

Otro que lo estaba observando todo se rió y le dijo:
-*¡Estás loco! ¿No sabes que para que tengan hijos debes poner la de mujer abajo y la de hombre encima?*

2864

El puerquito le preguntó a su mamá:
-*Oye, mamá, ¿por qué tengo un hoyito en la colita?*
-Pues porque si lo tuvieras en la espalda serías alcancía ¡imbécil!

2865

El gallego Manolo era tan imbécil que falsificó billetes de 10 pesos *borrándole un 0 a los de 100.*

2866

-¿Para qué los gallegos entierran a las vacas vivas?
-*Para sacar leche cultivada.*

2867

-*Para ser inteligente debes ir a la escuela y estudiar mucho, Manolito.*
-¡Pero papá! ¡Yo no quiero ser inteligente! *Yo quiero ser como tú.*

2868

-Camarero, hay una mosca en mi sopa.
-*No se preocupe, señor, no beberá mucho.*

2869

Llegó un hombre a un bar. El camarero preguntó:
-*¿Qué va a ser?*
-Pues, voy a ser arquitecto.

2870

-Pues yo lo conozco a usted de alguna parte.
-*¡Es posible! Paso por allí muy a menudo.*

2871

-*¡Manolo, tu hijo se está comiendo el diario!*
-No importa. ¡Es el de ayer!

2872

-¿Cuál es el colmo de un ordenador?
-*Que su operador estornude y se contagie un virus.*

2873

Abogado al cliente:
-No sé qué decir para librarte de la silla eléctrica.
-*Y... diga que fue usted.*

2874

-Hola, Mari, este verano he perdido peso.
-*Pues ¡no se te nota nada, Puri!*
-Claro, ¡porque lo he perdido!

2875

Un loco encontró en el hospicio una bicicleta de hombre y una bicicleta de mujer.
Las colocó una al lado de la otra y se quedó mirándolas, esperando a que tuvieran cría.

2876

El guitarrista gallego Pepe Muleiro era muy malo. Acudió a una audición con su mánager.
Comenzó a tocar. El mánager preguntó al empresario:
-Y... ¿qué le parece la ejecución?
-*Bueno, tanto como la ejecución, no... pero yo ¡veinte años le daría!*

2877

-¿Qué hace una niña afgana columpiándose?
-*Putea al francotirador.*

2878

-¡Pero esto es increíble! ¡Mira esta noticia! ¿Cómo puede haber gente tan gorda?
-*¿Qué dice el periódico, Manolo?*
-Que una inglesa ¡ha perdido 5.000 libras!

2879

Le preguntaron a un matemático:
-¿Tú qué harías si vieras una casa ardiendo y justo enfrente una manguera sin conectar a una boca de riegos?

–La conectaría, obviamente.
–¿Y si la casa no estuviese ardiendo, pero la manguera estuviese conectada?
–Quemaría la casa, desconectaría la manguera y luego usaría el método anterior.

2880

En el concierto:
–Por favor, no haga ruido al sentarse.
–¿Por qué? Los demás espectadores ¿ya se durmieron?

2881

–A ver, dime Paquito ¿quién creó el mundo?
–Fui yo, profe, pero le juro que ¡no volveré a hacerlo!

2882

–Algo no me quedó claro, doctor.
–¿Qué, Manolo?
–Esta dieta, ¿es para antes o para después de comer?

2883

–Hemos decidido batirnos en duelo. Queremos que usted nos dé dos pistolas.

–¡No puedo permitirlo, y además en el manicomio sólo hay una pistola!
–Bueno, da igual, primero la usará uno y después el otro. ¡Somos amigos y no vamos a discutir por eso!

2884

–¿Sabías que van a subir el subte Manolo?
–¡Ya era hora! ¡Así no habrá que bajar tanta escalera!

2885

–¿Sabes la última del gallego Muleiro? Se puso a falsificar billetes de 100 pesos pero le salió mal.
–¿Por qué?
–Pegaba dos billetes de 50.

2886

El gallego Pepe era tan bruto que su padre le dio dinero para el almuerzo y, al mediodía, ¡se lo comió!

2887

Trabalengüita

Tengo un gallo que salta del coro al caño, del caño al coro, del coro al caño, del caño al coro, del coro al caño, del caño al coro...

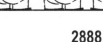

2888

–¿Cuál es el colmo de un calvo?
–Que en su cumpleaños le regalen un peine y un sombrero que le ven

ga al pelo, tirarse del pelo cuando se enoja y caerse de un noveno piso y salvarse por un pelo.

2889

–Paca ¿qué prefieres que te regale para tu cumpleaños? ¿Un Picasso o un Rolex?
–Es igual, Manolo. Mientras sea un buen auto.

2890

–Pepe ¿usted tiene ordenador?
–Bueno, aquí mi mujer.

2891

–¡Ésta no es manera de insultar al jefe!
–¿Por qué? ¿Conoce otra mejor?

2892

–Yo tengo un tío que es médico. Me sale gratis enfermarme.
–Yo tengo un tío que es cura. Me sale gratis ser bueno.

2893

Preocupado por los excursionistas que, con la mejor intención, echaban comida a sus caballos, un gran-

jero colocó el siguiente cartel:
Por favor, no den dulces a los caballos. Firmado: *El propietario*.
Poco después, un nuevo letrero apareció debajo del anterior.
Por favor, no le hagan caso al propietario. Firmado: *Los caballos*.

2894

–Soldado, ¿ha sido feliz en el ejército?
–Sí, ¡seññññor!
–Y ahora que se licencia, ¿qué va a hacer?
–¡Mucho más feliz, seññññor!

2895

–Compré un par de zapatos de cocodrilo, pero tuve que devolverlos.
–¿*Por qué?*
–Porque mi cocodrilo tiene cuatro patas.

2896

–¿*Cuál es el pan más fúnebre?*
–El *pan*-teón.

2897

En la comisaría, a los agentes novatos:
–A los ladrones hay pegarles mucho, para que aprendan.
–*Pero, oficial... ¿y si aprenden y después nos pegan a nosotros?*

2898

–¿A usted le gustan los niños, Manolo?
–¡*Yo como de todo, Paca no se preocupe!*

2899

–Me paso el día trabajando mientras tú holgazaneas, ¿no conoces la fábula de la cigarra y la hormiga?

–*Sí, pero no está bien que la recite mientras tú trabajas.*

2900

–¿Para quién estás construyendo este panteón?
–*Para mi mujer y para mí.*
–¡Pues que lo disfruten con salud!

2901

2902

Una mujer entra en una lencería.
–Buenas, ¿me podría probar ese corpiño, el rojo, en la vidriera?
–*Claro que puede, pero ¿no sería mejor que se lo probase en el probador?*

2903

–Mamá... en la escuela me dicen el Chapulín Colorado.
–*Lo sospeché desde un principio.*

2904

–Me voy a casa. Me espera mi mujer.
–¡*Qué suerte tienes, Manolo: una mujer que hace tan bien el amor!*
Manolo se fue:
–Eres un animal, ¿cómo le dijiste eso a Manolo?
–*Lo dije de pura cortesía. ¡La verdad es que no folla tan bien!*

2905

–¿En qué se parecen los caramelos a los postes de teléfono?
–*En que los postes son palos grandes y los caramelos son "pa" los chicos.*

2906

–Quiero que mi hijo aprenda una lengua extranjera.
–¿*Inglés, francés o italiano?*
–Me da igual. El precio no me importa, quiero el idioma más extranjero que tenga.

2907

El borracho Manolo gana en el tiro al blanco de la feria. Como premio le dan una tortuga vieja. Se va, al rato vuelve. Gana otra vez. A falta de tortugas le dan una bolsa de caramelos.
–*No, no, no. Lo que quiero es otro*

sándwich. Pero que el pan no tenga la corteza tan dura, por favor.

2908

–¿Por qué es *muy malo* comer arroz?
–Porque la boca se te *llena de granos.*

2909

–Doctor, no puedo dormir. ¡No cerré los ojos en toda la noche!
–Es lo que siempre digo: para dormir ¡hay que cerrar los ojos!

2910

–Estoy destrozado y desesperado, Pepe. Necesito mil pesetas y no sé a quién pedírselas.
–¡Menos mal! Por un momento creí que vendrías a pedírmelas a mí.

2911

Es triste envejecer solo; yo sigo cumpliendo años y *mi mujer hace diez que no cumple ninguno.*

2912

–Señor, ¿Tiene Coca-Cola?
–Sí.
–Entonces me voy.
–¡Ehh, espere! ¡Será al revés!
–No, es que soy el repartidor de la Coca-Cola.

2913

Un sargento va a buscar a un soldado que sigue durmiendo después que han tocado la trompeta para que todos se levanten:

–Pero, ¿usted es sordo? ¿No ha oído la corneta?
–¡Sí, mi sargento! Pero la música no me gusta.

2914

–Mucho me temo que usted tiene la enfermedad de Willy Rub.
–¡Caramba, doctor!... ¿Y eso es grave?
–Todavía no lo sabemos, señor Willy Rub.

2915

–Paco, tuve problemas con el auto.
–¿Qué pasó, Paca?
–Nada, creo que le entró agua en el carburador y por eso no funciona.
–¿Cómo sabes tú tanto de mecánica?
–Porque el auto cayó en la piscina.

2916

–¿Con qué cubre su espada Kung Fu?
–Kun funda.

2917

Era tan pero tan feo, que cuando nació lo metieron en una incubadora con los vidrios polarizados.

2918

–¿Sabes, Manolo? Esta película ha ganado el primer premio en el Festival de Cannes.
–Bueno, no importa, entremos igual Paca ¡a lo mejor es buena!

2919

–Gané este trofeo en un concurso de Matemáticas, ¿sabes, Pepe? Nos preguntaron siete más siete y yo dije doce.

–¿Pero cómo? Siete más siete no son doce.
–¡Ah, es que mi respuesta quedó en tercer lugar!

2920

Tienes menos futuro que un enfermo de Parkinson *robando panderetas.*

2921

–¿Cómo es que sales con Berta, con lo fea que es?
–Es que tiene algo distinto que no había notado en ninguna mujer.
–¿Y qué es?
–Que quiere salir conmigo.

2922

Van dos peditos por el intestino y le dice uno a otro:
–¡Mira! ¡Una luz!
–¡¡¡¡¡Ppprrrrrrooooooooofffffff!!!!!

2923

Laboratorio. Los investigadores metieron en la jaula un nuevo ratón con los más antiguos. Vale aclarar que los antiguos eran argentinos.

–¡Hola! ¿Ustedes qué hacen?
–*Estamos investigando sobre la forma de condicionar a los humanos.*
–¿Ah, sí? ¿Y cómo?
–*Es sencillo, ¿ves a esos tíos con batas? Pues de vez en cuando te meten en una jaula con botones de colores.*
Nosotros intentamos que nos den de comer cuando apretamos el botón rojo.

2924

–¿En qué ciudad griega se ve mejor la televisión?
–*En Antenas.*

2925

¿En qué piso vive el señor Oveja?
En el segundo Beee.

2926

Despúes del primer día de clase:
–*La verdad, mami, ¡no sé para qué me mandas al colegio!*
–¿Por qué?
–*No sé leer ni escribir y la maestra ¡no me deja hablar!*

2927

Había tres tipos. Uno se llamaba Nadie, otro Ninguno y otro Imbécil. Imbécil le dijo al comisario:

–*Señor, Nadie se cayó al pozo y Ninguno lo está ayudando.*
El comisario:
–Pero ¿usted es imbécil?
–*¡Sí, mucho gusto!*

2928

–Si quiere curarse, deberá tomar durante un mes quince gotas de esta botella todas las mañanas, Manolo.
–*¡Imposible, doctor! ¡Yo sólo sé contar hasta diez!*

2929

–¿Sabes que Paco trabaja?
–*¡Qué asco! ¡Hay gente que por dinero es capaz de todo!*

2930

Enviaron a un gallego en submarino, y de regreso le preguntaron cómo le había ido en el viaje al fondo del mar:
–*¡Joder, muy mal! ¡Muy mal trato! ¡No me dejaron siquiera abrir la ventanilla!*

2931

–¡Déme diez dólares o le pego un tiro!
–*Bueno, pero tendrá que cambiarme porque sólo llevo un billete de cien.*

2932

El gallego Pepe en un parque de diversiones. Entra a La Casa de los Espantos y va quedándose poco a poco alejado de su grupo Aparece de pronto Drácula:

–*Oye ¿¿¿te doy miedo???*
–Pues no, gracias. ¡Ya tengo mucho!

2933

–¿Qué le dijo un piojo al otro en la cabeza de un calvo?
–*¡¡¡Por fin llegamos al asfalto!!!*

2934

–¿Qué hace tu madre?
–Es electricista.
–*¡Qué original!... pero ¿estás seguro?*
–¡Claro! ¡Ya ha dado a luz diez hijos y no tiene intención de dejarlo!

2935

La gallega Paca al consejero matrimonial:
–*Yo hubiese venido con mi marido, pero seguro que hubiésemos acabado peleándonos.*

2936

–¡Le he puesto a mi hijo gafas!
–*¡Qué nombre más feo!,¿no?*

2937

–Oye Pepe: ¿sabes que el otro día me hice una operación de fimosis?
–¿Fimosis? ¿Y qué es eso?

–Nada, joder, que te cortan un pellejito de la polla.
–¡Hostiaaaa! ¿Y qué hacen con el pellejito?
–*Normalmente, lo tiran. Pero yo me he hecho esta boina.*

2938

–*¿Es usted culpable o inocente?*
–*¡Inocente, señor juez!*
–Entonces, ¿no ha estado nunca en la cárcel?
–*¡No señor juez, ésta es la primera vez que robo!*

2939

Iba el gallego Manolo por una autopista nueva. Como siempre, en contra del tránsito. Lo detuvo un policía:
–*¿Sabe adónde va?*
–No. Pero debe de estar mal la cosa, ¡todos vienen huyendo!

2940

El gallego Manolo llegó borrachísimo a su casa a las tres de la mañana.
Su mujer, la Pepa, que estaba buenísima, dormía desnuda sobre las sábanas. Manolo la sacudió y le gritó:
–*¡Buhhhh! ¡Buhhhhh!*
–¡Ay, Manolo, ¿por qué me asustas así?
–*Porque con la borrachera que*

traigo lo único que puedo meterte es un susto, Pepa.

2941

El gallego Manolo arrancaba el empapelado de su casa.
–¿Qué? ¿Redecorando tu casa?
–*No, de mudanza.*

2942

–Paca, mira: ¡me he comprado un Mercedes 220!
–*¡Qué tonto eres, Pepe! ¿Cuántas veces tengo que decirte que la luz que tenemos es de 110?*

2943

Un muchacho va al servicio militar. Luego de un tiempo su padre es llamado por el comandante:
–*Señor, tenemos que darle una noticia buena y otra mala sobre su hijo, ¿cuál quiere oír primero?*
–Dígame la mala primero.
–*Hemos descubierto que su hijo es marica.*
–¿Y cuál es la buena noticia?
–*¡¡¡Lo hemos elegido "La reina del cuartel"!!! ¿No es divino?*

2944

–Manolo, tú te has llevado mis tijeras de podar y mi carretilla nueva.
–*¿Cómo lo sabes?*
–Me lo contó un pajarito.
–*¡Serán hijos de puta estos pájaros de mierda! Pues desde ma-*

ñana no les arrojo más alpiste ¡y que los alimente su puta madre por soplones!

2945

–He aprendido el esperanto.
–*¿Y qué tal lo hablas?*
–Muy bien. ¡Como si hubiera nacido allí!

2946

Un hombre entra visiblemente indignado en una relojería; coloca su reloj de pulsera en el suelo y le dice al dependiente:
–*¿Lo ve usted? ¿Ve cómo este reloj no camina?*

2947

Manolín tenía 16 años pero no era demasiado listo en cosas del sexo... tampoco.
–*Oye, Pepa, ¿vamos de excursión a la montaña?*
–No me siento muy bien, Manolín.
–*¿Qué quieres decir con eso?*
–Ya sabes, estoy en "esos" días.
–*¿Qué quieres decir con "esos" días?*
–Que tengo mi período.
–*¿Qué es eso de "período"?*
–Bueno, que estoy sangrando aquí abajo.
Para que finalmente Manolín com-

prendiese, la Pepa se levantó la falda, se bajó las bragas y le mostró.
–¡Joder! ¡Cómo no vas a estar sangrando si te han cortado la *polla de raíz!*

2948

–¿Te quieres casar conmigo, Paca?
–¡No!
–Bueno. Hablemos de otra cosa: préstame cien pesos ¿vale?

2949

En mi pueblo, allá en las montañas, hacía tanto pero tanto frío que el muñeco de nieve que habíamos hecho en el jardín *nos pedía que lo dejásemos entrar a casa.*

2950

–Doctor, tengo problemas de tipo sexual.
–¿Qué le pasa?
–Que no trabajo.
–*Entonces serán de tipo laboral.*
–No, es que no trabajo porque no me sale de los huevos.

2951

–Doctor, vengo a que me baje la potencia sexual.
–*A sus 85 años, eso es todo cosa de cabeza.*
–Pues, eso quiero, que me la baje para abajo.

2952

Ya de madrugada, el gallego Paco le mostraba su nuevo apartamento a unos amigos. Paco los llevó a su dormitorio, donde había un gigantesco *gong de bronce.*
–¿Y eso?
–Es mi reloj parlante.

–¿Reloj parlante? ¿Y cómo funciona?
Paco le dio un fuerte golpe al gong con un mazo. El gong retumbó de forma impresionante.
De pronto, se oye un grito a voz en cuello desde el otro lado de la pared:
–¡Por Dios, grandísimo hijo de puta! ¡Son las 2 de la mañana!

2953

–Doctor, quiero cambiarme de sexo.
–*Para el que tiene... ¿qué más le da?*

2954

Manolo va a la consulta:
–Doctor, dicen que estoy loco. Necesito ayuda.
–*Si quiere que le ayude tiene que empezar por el principio.*
–Vale. El primer día creé el cielo y las estrellas…

2955

El gallego Paco tenía teléfono nuevo. Llamó a la peluquería del gallego Manolo y aprovechó para hacerle una consulta:
–¡Hey, Manolo! ¿Cuánto me co-

bras por el lavado de cabeza?
–Pues, 500 pesetas.
–Ajá... ¿y por la polla entera?

2956

La pareja de gallegos en un cine. El Manolo, dice:
–¿De quién son estos ojitos, Paca?
–*Tuyos, mi amor.*
–¿De quién son estas orejitas?
–*Tuyas, mi amor.*
–¿De quién es esta naricita?
–*Tuya, mi amor.*
–¿De quién es esta trompita?
–*De Falopio. ¡Quita el dedo, imbécil!*

2957

Un gallego con mucho hambre viaja por la autopista en Galicia, hasta que se encuentra un letrero al costado que dice: *"Restaurante gallego, 100 mts. más atrás".*

2958

–¿Qué hacen 100 gallegos adentro de un freezer?
–*Cubitos de hielo.*

2959

¿Por qué se murieron 326 gallegos en el mar?
–*Porque se paró el barco y todos se bajaron a empujar.*

2960

–¿Qué hace un gallego arrastrando un dado amarrado a una cadena?
–*Pasea su perro dálmata.*

2961

El hijo mandó desde Madrid un telegrama a su madre en Galicia:
–*Perdí el tren, salgo mañana*

exactamente a la misma hora.
La madre rápidamente respondió:
–*No salgas a la misma hora, que vas a volver a perder el tren.*

2962

–¿Por qué los gallegos no entran a la cocina?
–*Porque cuando entran hay un recipiente que dice "sal".*

2963

–¿Cómo sabes que una moto es gallega?...
–*Porque es la única que viene con aire acondicionado y cenicero.*

2964

Un gallego lee en un periódico: "Alud mata 100 personas". Entonces comenta:
–*Coño... ¡que árabe tan malo!*

2965

Pepe recibe una carta. Contiene un papel en blanco:
–*Es de la Paca, mi mujer.*
–¿Cómo sabes?
–*Es que nos peleamos y no nos hablamos.*

2966

–¿Cuándo 2+2 es igual a 5?
–*Cuando es un gallego el que suma.*

2967

El loco Paco corría por los pasillos del manicomio haciendo el ruido de una moto.
Un día, el gallego Pepe Muleiro, director del centro, comentó a sus ayudantes:

–¡No podemos seguir así! ¡Habrá que trasladar a este paciente!
–Pero ¡si no hace tanto ruido!
–No, ¡pero lo que a mí me molesta es el humo!

2968
Adivinancita

–¿Cuál es el instrumento que no tiene más que una cuerda?

La campana.

2969

–¿Por qué los gallegos no juegan a las damas?
–*Porque no les gusta vestirse de mujeres.*

2970

Se quejaba la gallega Paca:
–Pues a mí, mi marido sólo me habla cuando quiere que le abra una botella de cerveza. *¡Como si sus dientes no fuesen tan buenos como los míos!*

2971

En un semáforo, el pequeño auto de Manolo, se detuvo. El gallego no podía encenderlo.

Abrumado por el congestionamiento que estaba provocando, se bajó del automóvil y se dirigió al conductor del auto que quedó tras él.
–Discúlpeme, ¿podría darme un empujón por atrás?
–¡Claro! pero... ¿dónde dejamos los coches?

2972

El ciego Paco entró en un banco con su perro.
Lo agarró por la cola y empezó a zarandearlo y a revolearlo por encima de su cabeza.
Rápidamente, se le acercó un guardia de seguridad:
–Oiga, ¿qué cree que está haciendo?
–Pues, ¡echando una ojeada!

2973

El gallego Muleiro llegó a su casa a muy altas horas de la madrugada. Gritó:
–María, ven aquí, ¡que esta noche te ligas tres polvos!
–¿Qué? ¿Otra vez vienes borracho?
–*No, vengo con dos amigos.*

2974

–O sea, que no quiere usted anestesia para amputarle la pierna y ahora se pone a chillar.
–*No, si no me duele, es el ruido de la sierra que me da dentera*

2975

El gallego Manolo, molinero del pueblo, volvió a su casa y encontró a su esposa en la cama con un tipo. Con un cabreo enorme, agarró al sujeto por la polla y lo arrastró hasta el molino. Le metió la polla junto a la piedra, puso en marcha el motor y lo detuvo justo cuando

241

la piedra había aprisionado la polla del infiel, quien berreaba como loco. Lo dejó allí aprisionado, salió y regresó con un cuchillo enorme:
–¡¡¡Oh, cielos!!! ¿¿¿Me va a capar???
–*No. Te vas a capar tú: yo sólo le voy a prender fuego al molino.*

2976

–Doctor, nadie me escucha.
–*Cuénteme un poco de su vida, Paco.*
–¿Y a usted qué carajo le importa mi vida, hijo de mil putas?

2977

–¿Por qué los gallegos querían instalar iglesias en todos los aeropuertos?
–*Para confirmar los vuelos.*

2978

Los gallegos Pepe y Paco fueron en su coche a ver una película al autocine. Como la película era malísima se disgutaron y *tajearon furiosamente* los asientos.

2979

–Maestro, cuando usted muera yo escribiré su biografía.

–*Hace bien en decírmelo, porque esto será un estímulo más para seguir viviendo.*

2980

El inglés:
–Cuando acabo de hacerle el amor a mi esposa, la cubro de pies a cabeza con chocolate y ella se pone loca de placer.
El francés:
–Cuando acabo de hacerle el amor a mi esposa, la cubro de pies a cabeza con champaña, y se pone loca, aúlla.
El gallego:
–Cuando acabo de hacerle el amor a mi esposa, me limpio la polla con las cortinas, y mi esposa se pone loca, aúlla, y ¡hasta putea!

2981

–¿Cómo fue su caída del andamio?
–*Pues... el descenso iba bien, pero el frenazo fue lo que me fastidió.*

2982

–Doctor, aquí vengo con las mulatas.
–*Las muletas, Muleiro, le dije con las muletas.*

2983

–¿Por qué los gallegos no juegan al yo-yo?..
–*Porque no les gustan los juegos de ingenio.*

2984

–No te sientas mal por los chistes de gallegos, Paco. En todos los países se hacen chistes sobre la gente bruta de alguna ciudad. Por ejemplo: en la Argentina los hacen

con gallegos. En Hong Kong los hacen con gallegos. En el Zaire los hacen con gallegos... ¿me comprendes?

2985

¡Noticia de último momento!: se ha descubierto que los gallegos colaboraron el la Segunda Guerra Mundial: *Enviaron un submarino con 300 paracaidistas.*

2986

–¿Por qué los cines en Galicia no tienen techo?
–*Para estar más cerca de las 'estrellas'.*

2987

–¿Qué son un par de adoquines en la mesa de luz de un gallego?
–*La foto de sus padres.*

2988

Un tipo fue a un restorán, y ocupó la única mesa que encontró libre. Al sentarse, sin querer, golpeó la cuchara con el codo, que cayó al suelo. Inmediatamente, Pepe, el mozo gallego, sacó una cuchara de su bolsillo y la colocó en la mesa.

El tipo, sorprendido por la eficacia y prontitud del servicio, le preguntó:
—*¿Todos los camareros llevan cucharas en sus bolsillos?*
—Así es. Tenemos un experto en eficiencia que evalúa nuestro trabajo. Él determinó que el 25 por ciento de los clientes golpea la cuchara al sentarse. Por lo tanto, llevando cucharas de repuesto, nos ahorramos viajes a la cocina y podemos atender mejor.
Más tarde, cuando el tipo pidió su cuenta, notó algo raro.
—*¿Por qué tiene una cuerdita que le sale de la bragueta?*
—Es que el experto en eficiencia determinó que perdemos demasiado tiempo lavándonos las manos, después de ir al baño. Y para evitar la demora, atamos una cuerda a nuestros penes.
—*Pero dígame... ¿cómo hacen para meter de vuelta el pene en el pantalón?*
Y el mozo gallego le respondió:
—Pues verá: los otros, no sé. Pero yo uso la cuchara.

2989

—*¿Tiene estudios?*
—Sí, seis cursos de medicina.
—*Entonces usted ya es médico.*

—Bueno, fueron primero, primero bis, segundo, segundo bis, tercero y tercero bis.

2990

—¿Qué diferencia hay entre un burro y un gallego?...
—*Que el burro no puede subir escaleras.*

2991

La gallega Marutxa, al gallego Manolo:
—Méteme un dedo... mete otro... mete la mano... mete la otra... ¿Puedes aplaudir?
—No.
—*¿Ves que la tengo estrechita?*

2992

Cirujano gallego:
—La operación le costará 3.000 dólares. *Si no afilamos el cuchillo, 1.000.*

2993

Velatorio. La viuda, harta, le grita al gallego Pepe:
—¡Basta! ¿Cuántas veces dijo ya "no somos nada", "no somos nada"?
—*Es que no somos nada. No somos nada del difunto. Pasábamos y entramos, ¿sabe usted?*

2994

—¡Oiga! ¡Si su perro no deja de ladrar me voy a volver loco, joder!
—*Y yo también, porque no es perro: es gato.*

2995

—¿Sabes, Manolo? Me compré un condensador de protones estro-

boscópicos con fisionador calimastrado y lo puse en el living.
—*Aguarda un momento. ¿Qué coño es un living, Paco?*

2996

—Oye, Pepe, ¿qué estás haciendo?
—*¡Coño! ¿No ves? Estoy masturbándome.*
—¡Hombre, pero ésa es mi polla!
—*¡Joooder! ¡Con razón no acababa!*

2997

—¿Ha vuelto a tener alguna molestia con la nariz o los oídos?
—*Sí, doctor, me molestan cada vez que me quito la camiseta.*

2998

Roxana, la modelo, era tan pero tan mala cocinera *que quemaba hasta el Corn Flake.*

2999

Entre un ministro y su hijo:
—¿Has salido bien de los exámenes?
—*Sí, papá, me han dado sobresaliente.*
—¿Y qué te han preguntado?
—*Que si era hijo tuyo.*

3000

Es inútil hacer favores a los moribundos. *Nunca los devuelven.*

3001

–Doctora, hay personas que sólo piensan en fornicar.
–*¿Cómo lo sabe?*
–Lo sé, porque me conozco muy bien.

3002

El soldado gallego Paco, que era mariquita, pasó casi toda la mili en el calabozo. En lugar de decir: *"Mi capitán"*, decía siempre: *"Capitán mío"*.

3003

Los gallegos estaban en la piscina. Hacía dos horas que el guardia trataba de sacarlos. No lo conseguía.
–*Por favor, salgan que viene el comisario y me suspende.*
Los gallegos, nada.
Entonces, el vasco Iñaqui, se aprovechó de la situación.
–Oye: si los hago salir ¿me invitas a unos vinos?
–*Tú sácalos y yo te invito a unos vinos toda la semana.*
El vasco se alejó unos pasos. Aga-

rró la manguera. Abrió la canilla, se acercó a la pileta y les gritó a los gallegos:
—Venga, ¡todos fuera! ¡¡¡Si no salís, os mojo!!!

3004

—¿Cómo has conseguido ser el director del manicomio?
—*Era el loco más antiguo.*

3005

—Madre, me se ha caído la leche.
—*Será "se me".*
—No, no ¡te juro que es leche!

3006

—Te digo: Pepa será modelo pero es muy bajita. Mira cómo será de bajita que en el pueblo le dicen Alpargata.
—*¿Por qué?*
—Porque hay que agacharse para ponérsela.

3007

—¿En que se diferencia un gallego de un mono?..
—*El gallego es más peludo.*

3008

Un revisor picando billetes en un tren...
—*¿Cómo viaja usted en primera clase si su billete es de tercera?*
—Comodísimo, jefe. ¡Co-mo-dí-si-mo!

3009

El negro Wanchú escapó de una prisión africana. Mientras corría encadenado por el desierto, desesperado de sed encontró una lámpara mágica. De pronto, ¡Plaff!

aparéció un genio que le concedió tres deseos.
—*Por favor genio ¡quiero agua, una cadena más liviana y ser blanco!* Y el genio, ¡Shazam! Lo convirtió en un inodoro.

3010

—Manolo, ¿hace frío en la calle?
—*No sé, yo venía por la acera.*

3011

—Esta obra ¿es en verso o en prosa?
—*¡Y yo qué sé! ¡Desde aquí no se ve nada!*

3012

—¿Cuál es el colmo de un forzudo?
—*Apretar una moneda hasta que la cara saque la lengua.*

3013

—¿Qué tienen en común las modelos y el pescado?
—*Ni idea.*
—En ambos casos es aprovechable casi todo... menos la cabeza.

3014

Un amigo se encuentra con otro, y le dice muy preocupado:
—*¡Joder!, estoy desesperado, voy a tener que dejar de mear y cagar a menudo.*
—¡Por qué?
—*Porque Menudo está hasta los cojones de que lo ensucien todo a cada rato.*

3015

El gallego Manolo llamó a la operadora del bíper.
—Quiero enviar un mensaje al señor Pepe Muleiro.

—¿Cuál es el mensaje, por favor?
—Pepe: te has olvidado el bíper en casa. Pasa a recogerlo cuando quieras. Firmado, Manolo. Nada más, gracias.

3016

—¡Camarero, este plátano está blando!
—*Pues dígale que se calle.*

3017

—Mamá, he acabado ya con mi baño?
—*¡Cállate o tiro de la cadena!*

3018

Pepe era más inútil *que cenicero de moto.*

3019

—Padre, confieso que el otro día me acosté con una jovencita de 18 años...
—*Bueno, hijo, tampoco es para tanto. Ya lo dicen las Escrituras: "Hay que enseñar al que no sabe".*
—Sí, padre, pero después encontré a una señora de 65, que estaba de

muy buen ver, y no me negué a su proposición.

–Jesucristo dijo: "Dad de comer al hambriento".

–Ya, padre, pero lo mío es grave. Ayer vi a un árabe agachado, con el culito todo redondito, y no me pude reprimir.

–¡Vaya, hijo! Eso ya es más complicado... ¿pero sabes qué te digo? Al que no crea en Dios ¡que le den por el culo!

3020

A Pepe le dicen Conejo Negro:
Porque no lo hace trabajar ni un mago.

3021

Si el hombre araña, ¿la mujer rasguña?

3022

Casi todos los alumnos habían llegado tarde. Y el más tardón había sido el gallego Manolito.

–A ver, Robertito: ¿por qué llegaste tarde?

–Lo que pasa, maestra, es que mi caballo se cansó, se tiró en el camino y no quiso volver a levantarse.

–¿Luisito?

–Yo venía a caballo, se cayó y tampoco quiso pararse.

–¿Jorgito?

–Lo mismo, señorita.

–A ver, Manolito... ¿por qué llegaste tarde? ¡Y no me digas que se te cayó el caballo porque tú no tienes caballo!

–No, señorita. Yo vine en el auto con mi papá. Pero imagínese: ¡con semejante cantidad de caballos tirados en el piso! ¿cómo iba a llegar temprano?

3023

–Podríamos cenar en tu casa, ¿no, Manolo?

–No, que mi mujer está enferma.

–Da igual, comeremos otra cosa.

3024

–Manolito ¿tú crees en el Diablo?

–Pues la verdad, es que no sé qué pensar. Tú crees en el Diablo y luego sucede como con Santa Claus: que es tu papá.

3025

–¿Por qué los negros tienen las manos blancas?

–Por llevar tanto tiempo las bandejas.

3026

Beatriz estaba en su lecho de muerte. Su esposo, José, mantenía constante vigilia a su lado. Él sostenía su frágil mano y, mientras las lágrimas rodaban por sus mejillas, oraba por su esposa.

Ella lo miró y sus pálidos labios comenzaron a moverse quedamente:

–Mi amado José.

–Calla, mi amada. Descansa. ¡Shhh!, no hables.

Ella, insistentemente, dijo con cansada voz:

–Tengo algo que confesarte.

–No hay nada que confesar. Todo está bien, duerme...

–No, no, yo debo morir en paz, José. Yo me acosté con tu hermano, tu mejor amigo y tu padre.

–Ya lo sé, ya lo sé... ¡por eso te envenené!

3027

Mi tío Pepe era un tipo tan pero tan pero tan largo que se llamaba *Julio y quince días de agosto.*

3028

Un argentino en el cielo. Ve relojes que marcan la hora de todos los países. Todos con horas diferentes.

–¿Por qué cada reloj marca una hora distinta?

–Cada reloj representa el gobierno de cada país. Cuando el gobierno miente, el reloj se adelanta cinco minutos.

–Mire, ¡qué bien! ¿Y dónde está el reloj de la Argentina, Dios?

–¡¡¡El de la Argentina!!! El de la Argentina lo tengo en mi habitación. Me sirve de ventilador.

3029

–¿Cómo se le dice a un hombre que quiere tener sexo en su segunda cita con una chica?

–Lento.

3030

Fiesta. El impresentable gallego Paco, borracho, se acerca a un micrófono y dice:

247

–¡*Todas las mujeres a ese lado de la habitación son unas putas, y las demás son unas lesbianas!*
–Oiga, ¡yo no soy una puta!
–¡*Cámbiese de lado, tortillera!*

3031

–¿Qué tiene cociente intelectual siete?
–*Ni idea.*
–Ocho modelos.

3032

–Quiero a tu madre como a la cerveza, porque la quiero *fría, con la boca abierta y echando espuma...*

3033

–¡Éste sí es un cantante de primera fila!
–¡*Estoy de acuerdo! En la segunda fila ¡¡¡no se le oye!!!*

3034

–¡Camarero, una mosca en mi sopa!
–¡*Cállese, señor, que los demás van a querer una!*

3035

El cura del pueblo se queja sumamente enojado al rabino:
–Alguno de tus feligreses me ha robado la bicicleta.
–¿*Y por qué crees que ha sido alguno de mis feligreses?*
–No sé. Mira, vamos a hacer lo siguiente: yo el sábado y tú el domingo, cuando demos el sermón, lo haremos sobre los diez mandamientos. Seguro que cuando hablemos sobre el "no robarás" el que lo haya hecho se arrepentirá y me devolverá la bicicleta.

Así que quedan de acuerdo en hacer lo antedicho y reencontrarse el lunes.
–¿*Hiciste lo que pactamos?*
–Sí, fue una gran idea.
–¿*Te devolvieron la bicicleta?*
–No. Pero la he recuperado de todas formas. Lo que pasó fue que cuando llegué al *"no fornicarás"* me acordé de dónde estaba la bicicleta.

3036
Adivinancita

Tiene cabeza y dientes y no tiene carne.
—*Dime, ¿qué es?*

El ajo.

3037

–¿Cuándo se considera educado escupir a la cara a una gallega?
–*Pues, cuando su bigote está incendiándose, ¡¡joder!*

3038

–¿Por qué en la Liga Municipal de Básquetbol de Galicia, cuando un jugador recibe el balón se le ponen los ojos en blanco y empieza a babear y a emitir gruñidos?

–Porque el reglamento establece que son *cinco segundos de posesión.*

3039

A la entrada de un pueblo gallego hay una señal de *"Prohibido adelantar"* (un coche rojo y uno negro). *Debajo de la señal tuvieron que agregar un cartel que dice "Vale para los coches de todos los colores".*

3040

Mi novia me dijo el año pasado que eligiese: *o ella o el ordenador.* Todavía no la echo de menos.

3041

Había una vez un pequeño que sabía las tablas
Y había otro más grande que las rompía.

3042

–¿Qué entra seco, sale mojado y deja una cálida satisfacción?
–*El saquito de té.*

3043

Al gallego Paco le dicen *"sopa fría"* porque *la grasa le tapa el fideo.*

3044

Compartimento de un tren.
Una madre con su hija.
La niña es fea. Feísima. Horrible. Una asquerosidad.
Entra un hombre. La ve. Grita:
–¡*Dios mío, qué espanto!*
Y huye.
Al rato entra una mujer y al ver aquello, sale despavorida santiguándose frenéticamente.

Por fin, llega el gallego Pepe Muleiro. Abre la puerta, observa el compartimiento y, tranquilamente, se sienta junto a las dos mujeres.
–¿Ves, hija? ¡Qué bueno que la gente no sea maleducada! ¡Qué alegría! Y lo repite una y otra vez. Pepe mientras tanto, saca un melón y se lo devora. Cuando termina se queda mirando por todo el compartimiento hasta que dice:
–*Oiga, señora, ¿la bestia come cáscaras?*

3045

Hay unos condones gallegos nuevos: *Vienen con la punta cortada para lograr mayor sensibilidad.*

3046

–Ahora se supo que fue la mafia gallega quien mató a Einstein: lo asesinaron porque *"sabía demasiado"*.

3047

El gallego Paco esperaba los resultados de sus análisis tranquilamente. Entró el doctor Muleiro con un sobre y se acomodó pesadamente en el sillón:
–*A ver, Paco, por curiosidad, ¿de qué signo es usted?*
–Cáncer, ¿por qué?
–*¡Mire qué coincidencia!*

3048

Paseaba el gallego Paco. De pronto, un dolor de panza increíble. Casi arrastrándose llegó a un bar próximo. Entró, velozmente al baño y ¡¡¡Prrrrrrrrfffffff!!! en el inodoro. Entonces oyó una vocesita debajo suyo:
–*¡Estaba ocupaaaado!*

3049 - 3110
Proverbios

Se dice que los proverbios expresan la sabiduría de los pueblos. Pero muchos son tan estúpidos (*aunque parezcan profundos*) que parecen chistes y dan mucha risa. Como aquello de *El ojo del amo engorda al ganado.* Uno sólo puede imaginar al amo sacándose los ojos para alimentar a una sola vaca. Leyéndolos atentamente muchísimos son una antología del disparate. Aquí proverbios de casi todo el mundo:

Bebe y come con tu amigo, pero no trates con él de negocios.

La mujer finge más que miente; el hombre miente más que finge.

La primera perdiz que levanta el vuelo recibe el tiro.

Los peces presos en la nasa comienzan a reflexionar.

Nadie prueba la profundidad del río con ambos pies.

Todo el mundo ha sido antes joven, pero no todas las personas han sido viejas con anterioridad.

Si prestas dinero… o pierdes el dinero o ganas un enemigo.

Cuando una paloma empieza a frecuentar los cuervos sus plumas permanecen blancas, pero su corazón se vuelve negro.

El enano ve gigantes por todas partes.

El vino hace flotar los secretos.

La petición es cálida, el agradecimiento es frío.

Los ojos se fían de ellos mismos, las orejas se fían de los demás.

El que quiere amigos sin defectos no tendrá ninguno.

La crueldad es la fuerza de los cobardes.

La primera vez que me engañes, tuya es la culpa; pero la segunda vez, la culpa es mía.

La sabiduría es como una mujer legítima: no permite otra mujer en casa.

Las mejores visitas son las más cortas.

Luego que has soltado una palabra, ésta te domina; pero mientras no la has soltado eres su dominador.

Quien no comprende una mirada tampoco comprenderá una larga explicación.

Si te aplauden, nunca presumas hasta saber quién te aplaudió.

Tener demasiados amigos es no tenerlos.

Un benefactor es el que me hace bien, incluso aunque haga mal a todo el mundo.

Si haces planes para un año, planta arroz. Si haces planes para diez años, planta árboles. Si haces pla-

nes para cien años, instruye al pueblo.

Hay tres cosas que nunca vuelven atrás: la palabra pronunciada, la flecha lanzada y la oportunidad perdida.

Un libro es como un jardín en el bolsillo.

La mariposa al posarse sobre la rama teme romperla.
El cuchillo no conoce a su dueño.

No se cava con el mango de la azada, pero el mango da a cavar.

El remedio de las injurias es su olvido.

La mentira es justa cuando, por hacer bien, la verdad se oculta.

Cuando compres usa tus ojos, no tus orejas.

La desgracia llega siempre por alguna puerta que se le ha dejado abierta.

Los buenos recuerdos duran mucho tiempo, los malos más todavía.

Nuestros padres nos han enseñado a hablar y el mundo a callar.

Aquel a quien amamos no tiene defectos; si le odiáramos, carecería de virtudes.

Cada paso que da el zorro se acerca más a la peletería.

Un hombre tiene la edad de la mujer a la que ama.

Cuando un Estado ha conseguido cinco grandes victorias, está en la ruina.

Después de vivir largo tiempo jun-

tos, los animales acaban por amarse y los hombres por odiarse.

Disfruta hoy. Es más tarde de lo que crees.

El amor que es todo ojos, nada distingue.

El hombre cuya cara no sonríe no debe abrir nunca una tienda.

El momento elegido por el azar vale siempre más que el momento elegido por nosotros mismos.

El que se pone de puntillas no puede sostenerse derecho.

El sabio convive con la gente sin criticar; el necio critica sin convivir.

El sabio no dice lo que sabe, y el necio no sabe lo que dice.

Es más fácil variar el curso de un río que el carácter de un hombre.

Ganar un amigo en un año es difícil; perderlo en una hora es fácil.

Jamás se desvía uno tan lejos como cuando cree conocer el camino.

La lengua resiste porque es blanda; los dientes ceden por que son duros.

Las buenas fuentes se conocen durante las grandes sequías; los buenos amigos, en las épocas desgraciadas.

Las palabras de los corazones acordes son como perfumes.

Lo mismo que los ríos devuelven el agua al mar, lo que un hombre da ha de tornar a él.

Más mérito que el jardinero tiene

el hombre capaz de apreciar la belleza de su jardín.

No son las malas hierbas las que matan el trigo sino la negligencia del agricultor.

Olvida las palabras, cree en una.

Reza, pero no dejes de remar hacia la orilla.

Si el cuerpo es derecho, no importa que la sombra sea torcida.

Los bellos caminos no llevan lejos.

Una sola palabra puede decidir un negocio. Y un solo hombre, la suerte de un imperio.

Aquel a quien ayudas llevándolo sobre tu espalda tratará de subir sobre tu cabeza.

La ambición y la venganza siempre tienen hambre.

Los tontos, si callan, lo parecen menos.

3111

El gallego era una verdadera bestia:
—Muleiro, se lo acusa de haber asesinado a toda una familia y por eso lo condeno a cadena perpetua. ¡Ni

250

siquiera ha mostrado un poco de arrepentimiento!

—Sí, señor Juez: ¡Estoy arrepentido!

—¿En serio?

—¡Claro! ¡Tendría que haber dejado vivo por lo menos a uno... ¡para que sufriera!

3112

—Mamá, ¿quién ha estado comiendo mejillones en el cuarto de baño?

—Calla Manolo, que tu padre se ha cortado las uñas de los pies.

3113

—¡Mamá, mamá, el abuelo se ha caído!

—¿Y le has ayudado hijo?

—No, se ha caído solo.

3114

Mi esposa estaba tan deprimida ayer, que metió la cabeza dentro del horno!

—¿Y tú qué hiciste?

—Pues ¡darle una vuelta cada media hora!

3115

El gallego Pepe vuelca con una camioneta llena de huevos. La mercadería era todo su capital.

—¡Dios mío! ¡Dios mío! ¡Me voy a ahorcar! ¡Me voy a ahorcar!

Una señora le pregunta:

—¿Por los huevos?

—No, señora. ¡Por el cuello! ¡Por el cuello!

3116

—¿Cuál es el colmo de un oso panda?

—Que le saquen una foto color y salga en blanco y negro.

3117

—¿Cuál es el animal más tonto?

—El pez, porque se pone detrás de la hembra y nada, nada, nada.

3118

—¿Qué te pasa Pepe? ¡Tienes muy mala cara!

—Nada, que mi mujer es diésel.

—¿Y eso qué es?

—Que chupa muy poco.

3119

—¿Cuál es la diferencia entre el amor y el sida, Manolo?

—Pues que el sida dura toda la vida.

3120

—¿Por qué las mujeres se casan de blanco?

—Porque así hacen juego con el lavarropas, la heladera y la cocina.

3121

Dos viejecitos gallegos:

—Oye, Paco, ¿recuerdas cuando estábamos en el Ejército y nos daban aquellas pastillas para que no se nos parase y no persiguiésemos todo el santo día a las mujeres?

—Sí, ¿qué pasa, Pepe?

—Pues, que han empezado a funcionar.

3122

—Hija, tenemos que hablar muy seriamente.

—¿Sobre qué?

—Sobre Manolo, tu padre.

—¡Ah!, entonces es sobre idioteces!

3123

Un abuelete gallego entra en la farmacia y pide un preservativo:

—¿De qué color lo quiere? Tenemos rojo, verde, negro...

—Con varillas, ¿tiene?

3124

—Verá, Paco: respecto del último análisis de su pene, tengo una noticia buena y una mala.

—¿Cuál es la buena, doctor?

—Que ha crecido diez centímetros.

—¿Y la mala?

—Es maligno.

3125

—Oye, Manolo, ¿cómo puedes saber si estás en una iglesia de maricas?

—Pues, porque sólo la mitad de la congregación se arrodilla, ¡joder!

3126

—Coño, hombre, ¿qué te pasó?

—Nada, que llegué a la casa y encontré a mi mujer follando con mi mejor amigo...

—¡Mierda! ¿Y qué medidas tomaste?

—¿Tomar medidas? ¿Qué medidas? ¡Ni se la vi: la tenía toda metida hasta el fondo!

3127

Es mucho más fácil
perdonar al enemigo una vez
que *nos hemos desquitado.*

3128

El que con niños se acuesta...
se llama Michael Jackson.

3129

—¿En una empresa constructora, trabajan un negro y un blanco. Luego de un tiempo de iniciada la faena, se detecta un desperfecto. ¿Quién es el responsable, y por qué?
—*Obviamente el blanco, porque "errar es humano"*

3130

El gallego Muleiro era una bestia para acercarse a las mujeres:
—¡Hola! Te invito a una copa ¡y luego nos echamos un polvete!
—*Oye, tú no tienes pelos en la lengua ¿eh?*
—Eso es porque tú no quieres...

3131

—¿Por qué el gallego puso el pulgar en la cabeza del clavo, cuando lo estaba martillando?
—*No sé.*
—Porque decía que el ruido del martillazo le daba dolor de cabeza.

3132

El gallego Manolo, con una vela encendida, le alumbraba el culo al gallego Paco. De pronto, entró la mujer de Paco.
—*Pero ¿qué estáis haciendo?*
—Estamos investigando cuál es el color de los pedos.
—*¿Y, qué color tienen los pedos?*
—Mira, todavía no lo sabemos porque cada vez que este gilipollas se tira un pedo, me apaga la vela.

3133

El cura Muleiro sostenía un tubérculo en sus manos recién sacado de su huertita en La Coruña. Una turista le preguntó:
—*¿Es papa?*
—¡No, hija, apenas curita de pueblo!

3134

—¡Uy, Pepe, coño, pareces un águila!
—*Por lo fuerte que estoy y este perfil que tengo y...*
—No, no, por las uñas de los pies, que las tienes negras y para dentro.

3135

—¿Sabes cómo es la nueva calculadora gallega?
—*No.*
—Es una mano gigante con 10.000 dedos.

3136

Presidiario gallego a su esposa:
—*Con la próxima tortilla trae una sierra, María.*
—¿Te vas a fugar?
—*Para cortar la tortilla, María. ¡Para cortar la tortilla!*

3137

Si un nazi de la Segunda Guerra tuviera enfrente, simultáneamente a un negro y a un judío ¿a quién de los dos mataría primero, y por qué?

Está claro que sería el judío porque ¡primero el deber y luego el placer!

3138

—¿A esta mierdita llaman ustedes una pata de cordero al horno, camarero?
—*Sí, señor.*
—¡Me hace reír!
—*¡Menos mal! Los otros clientes me cagan a trompadas.*

3139

—¿Te has enterado? El nuevo torero gallego ha matado seis toros bravos de una vez.
—*¡No me digas!*
—Sí, con un Land Rover.

3140

El gallego Manolo:
—*¿Aquí venden repuestos para el encendido?*
—¿Qué necesita?
—*Una caja de cerillas.*

3141

Un coche atropella a Paco. Un cura se acerca a socorrerlo.
—*¡Hijo, hijo!, ¿cree usted en Dios Padre, en el Hijo y en el Espíritu Santo?*

–¡Joder! Yo herido y usted ¡haciéndome adivinanzas!

3142

–Madre, ¿por qué estamos empujando el coche hacia el barranco?
–¡Calla, que vas a despertar a tu padre, Manolito!

3143

–Mamá, Pepín está mordiéndole la uña a la abuela.
–Pepín, ¡deja en paz a la abuela o cierro el ataúd!

3144

–Dime, Paco, ¿qué hacías de tu vida antes de conocerme?
–¡Lo que me salía de los cojones, mujer! ¡Lo que me salía de los cojones!

3145

–¡Recuerdas a la Pepa, aquella tía mía paralítica, ciega y sorda?
–¿Qué? ¿Camina ahora?
–¡No, tiene sida!

3146

El gallego Pepe vuelve a casa ya de madrugada y la gallega María, su esposa, lo quiere matar:
–¡Pepe! ¿Dónde cojones has estado? ¡No he dormido en toda la noche!
–¡Anda! ¿Y te crees tú que yo he dormido, mujer?

3147

El gallego, superborracho, en el médico. El pulso le tiembla muchísimo:
–¿Usted bebe mucho alcohol, Paco?
–No, doctor, la mayor parte la derramo.

3148

–No entiendo por qué mi niño pierde peso, doctor. ¡Le hago hacer ejercicios, tomar sol, dormir bien!
–¿Y qué come?
–¡Coño! ¡¡¡Ya sabía yo que algo se me olvidaba!!!

3149

Vuelo de Iberia.
–Su atención por favor... Estamos volando sobre el País Vasco a doce mil metros de altura.
–Oye, Paca: ¿tú te imaginabas que el País Vasco era tan alto?

3150

–¿Sabes, Pepe? Cuando uno está de vacaciones revaloriza muchísimo a su mujer.
–Así es, Manolo. Es importante tener una mujer al lado. ¡Y más cuando uno está follando!

3151

El gallego Paco andaba con una piedra sobre el tanque de nafta de la moto.
–Se me cortó el cable del acelerador y con la piedra lo mantengo tirante.

–¿Y por qué no la llevas al taller, Paco?
–Porque en el taller fue donde me pusieron la piedra.

3152

En la clínica gallega:
–Señora, si queremos conservar a su esposo, debemos actuar muy rápidamente.
–¿Hay que operarlo, doctor?
–No, embalsamarlo.

3153

–Doctor Muleiro, ¿cómo me encuentra?
–Muy fácil. Subo las escaleras, vengo derecho por el pasillo, doblo a la izquierda, y ¡aquí está usted!

3154

–¿Cómo se le dice a una modelo que acaba de perder el 98 por ciento de su cerebro?
–No sé.
–Recién divorciada.

3155

El gallego Muleiro pide una sopa. Cuando se la sirve, el camarero le pregunta si está demasiado caliente. Entonces mete la mano dentro de

la sopa, luego se lleva un dedo a la boca y dice:
—*¡Joder, si estará caliente! ¡Me he quemado la lengua!*

3156

Médico gallego en el hospital.
Atendía un parto.
El bebé se le cayó al suelo.
La madre, desesperó:
—*Pero, doctor, ¿qué hace? ¡¡¡Usted es un bruto, bestia!!!*
—¡Y esto no es nada!... ¡Hay que ver cómo resbalan los que nacen muertos!

3157

—¿Qué es más perverso que el sexo anal, Moria?
—*¡El sexo anual!*

3158

El boxeador gallego Mano de Bosta Muleiro al terminar el noveno round (iban a diez), le preguntó al preparador:
—*¿Y? ¿como voy?*
—Si lo matas, te dan empate.

3159

Pensaba Manolo Muleiro:
Henry Ford tuvo millones y millones de dólares. Y a pesar de eso nunca quiso tener un Cadillac ni un Mercedes. *¿Qué tonto, no?*

3160

—Oye, tu esposa se está asomando a la ventana, Pepe.
—*¡Déjala, tendrá calor, Paco!*
—Oye, tu esposa se está quitando la blusa, Pepe.
—*Déjala, Paco, tendrá calor.*
—Oye, Manolo está entrando en tu casa.
—*Déjalo, tendrá calor.*

—Oye, Manolo se ha quitado la camisa.
—*Déjalo, tendrá calor.*
—Oye, ¡tu esposa se ha quitado la braga!
—*Ya te he dicho, joder: déjala, tendrá calor.*
—Oye, que Manolo se ha bajado los pantalones.
—*¡Eso sí que no! ¡A cagar a la calle!*

3161

El gallego Muleiro era tan, pero tan bruto que un día se mordió un poco la lengua y *decidió comerse el resto.*

3162

El limpiabotas del bar de la plaza de toros, mientras atiende al torero gallego:
—*Maestro, ¿qué hay que hacer para llegar tan lejos como tú?*
—Chaval, se necesitan las tres B.
—Y cuáles son, maestro.
—*Balor, Bista y Buevos.*

3163

—Papá, ¿por qué la gente hace chistes con nosotros, los gallegos? Estoy harto de que se rían en el cole.

—Sí, hijo, es nuestra cruz. Pero es que entre los gallegos hay algunos que tienen la cabeza un poco dura (*y mientras dice esto, se pega un par de golpes en la cabeza con el puño: ¡toc, toc!*)
—Papá, ¡llaman!
—*¡Quieto hijo, abro yo!*

3164

—Oye, Manolo, ¿cómo te das cuenta de que tienes un pene pequeño?
—*Hombre, elemental: tienes un pene pequeño cuando ella se lo pone en la boca y en lugar de chupar, sopla.*

3165

—¿Cómo se llama el hombre más sucio del Oeste?
—*Yoni Melavo.*
—¿Y su mujer?
—*Ester Colera.*

3166

Si los hombres son todos iguales, *¿por qué las mujeres eligen tanto antes de casarse?*

3167

El gallego Muleiro, recién llegado del campo, entró a un shopping de Madrid.
El vendedor ofrecía un pijama a un cliente.
El gallego, que jamás había visto esa prenda, quedó asombrado.
—*¿Usted también tiene interés en un pijama?*
—¿Y para qué va a servirme uno de esos?
—*Para usar de noche.*
—Pero... es que yo, allá en el pueblo, jamás salgo de noche...

3168 - 3195

Frases para enamorar

¿Crees en el amor a primera vista o tengo que volver a pasar delante de ti?

Puede que no sea el tipo más guapo del local, pero soy el único que te está hablando.

Qué bonitas piernas... ¿A qué hora abren?

Realmente estoy luchando contra la necesidad de hacerte esta noche la mujer más feliz del mundo.

–¿Bailas? ¿No? Entonces... de "follar" ni hablar, ¿no?

Si estás buscando el tocador de damas, no busques más: soy yo.

Mátame si no te sirvo, pero primero pruébame.

Estoy buscando el 1/2 para llevarte a mi 1/4.

Estoy buscando diosas para una nueva religión... y acabo de elegirte.

–*Perdona, no estás algo cansada?*
–*No, ¿por?*
–*Porque estuviste dando vueltas en mi cabeza todo el día.*

Mañana me meto en un convento para ser cura... ¿Me ayudas a disfrutar la última noche?

¡Uy, que perro más encantador! ¿Tiene número de teléfono?

Mañana... ¿Te despierto con el codo o con el teléfono?

Bonitos pantalones, quedarán muy bien en el suelo de mi dormitorio.

Disculpame... ¿Tienes hora?... es que se me paró cuando te vi.

El medico me prohibió levantar cosas pesadas... ¿Me ayudas a hacer pipí?

Hola, soy nuevo aquí, me puedes decir dónde queda tu apartamento?

¿Te importa si compartimos el taxi hacia mi casa?

Tengo bonitos relojes, ¿quieres ver mi mesita de noche?

Podría sacarte de mi sucia lista de fantasías si quieres.

Bonita blusa, ¿puedo hablarte sin ella?

Hola, estoy realizando un estudio para ver cuántas mujeres tienen aretes en los pechos, ¿me dejas ver?

A la chica de la fotocopiadora:
–Reproduciendo ¿eh?... ¿Puedo ayudar?

Tengo sed, nena, y tu hueles a Gatorade.

Perdí mi número de teléfono, ¿me das el tuyo?

Jugar al doctor es para niños, ven y juguemos al ginecólogo.

Mamografías gratis, ¡aquí sus mamografías gratis!

Señorita, si ya perdió su virginidad, ¿me podría regalar la cajita en la que venía?

3196

–Doctor, quiero que revise a mi hijo porque se come las erres.
–¡Ajá! Bien, vamos a ver... Vení querido. Decime: ¿desde cuándo te comés las erres?
–*Desde siempde doctod.*
–¡Ajá! ¿Y cómo te llamás?
–*Dobedtito Mieda.*

3197

–¿Y, Muleiro? ¿Cómo anda del insomnio con las pastillas que le di?
–*Anoche dormí ocho horas seguidas.*
–Pero eso es magnífico.
–*Más o menos, doctor. Me pasé las ocho horas soñando que estaba despierto.*

3198

–¿Cómo se meten 2.000 etíopes en un 600?
–*Les tiras una galletita adentro.*
–¿Y cómo salen?
–*Satisfechos.*

3199

El gallego Paco era tan desgraciado que cuando era pequeño le regalaron un caballito de madera... *¡y se le murió!*

3200

–Papá, los niños cuando mueren ¿adónde van?
–*Los niños van el cielo y cuando llegan les ponen unas alitas y son ángeles.*

–Papá ¿y los niños negros dónde van?
–*Los niños negros también van al cielo pero cuando llegan les ponen unas alitas y son moscas.*

3201

–¿Cómo sabes que han entrado paraguayos en el fondo de tu casa?
–*Ni idea.*
–La perra está embarazada y los tachos de basura vacíos.

3202

**No es lo mismo...
un Fiat 1500 negro,
que *1500 negros*
en un Fiat.**

3203

–¿Cómo estás, María?
–*¡Ay, no sé! ¡No sé! Hoy me siento bien pero cada vez que me siento bien me siento mal porque sé que me voy a sentir peor.*

3204

–Dime, Manolo, ¿quién disfruta más el sexo? ¿El hombre o la mujer?
–Pues está claro: la mujer.
–¿Por qué estás tan seguro?
–Vamos a ver: cuando te pica la oreja y te metes el meñique, al sacarlo, ¿quién se siente mejor? ¿El dedo o la oreja?

3205

El gallego Muleiro llegó a la clínica con las orejas quemadas.
–*¿Qué le pasó en las orejas, Muleiro?*

–Pues verá, doctor: estaba yo planchando mi camisa, cuando de pronto sonó el teléfono, y con el apuro, en vez de agarrar el teléfono, agarré la plancha y me la acerqué a la oreja.
–*¿Y la otra oreja?*
–Es que la llamada se cortó, y aproveché para llamar a la ambulancia.

3206

–Sabes, Paca, a mi madre le encanta el mar.
–*¡Anda, y a mí, Pepa, pero nunca más de dos tragos!*

3207

Manolo llevó a Paco en su auto. A cada curva que tomaba, Manolo decía:
–*¡Pío!, ¡Pío!, ¡Pío!, ¡Pío!*
Tomó otra curva:
–*¡Pío!, ¡Pío!, ¡Pío!, ¡Pío!*
Y así todo el viaje. Al llegar, Paco preguntó:
–Oye, ¿por qué en cada curva decías "pío, pío"?
–*Es que mi padre se mató en una curva y no le dio tiempo a decir ni pío.*

3208

–¿De dónde eres, Manolito?
–*De España.*
–¿Qué parte?
–*Todo.*

3209

–Pepe ¿así es que te vas a casar con María?
–*No me hables: la preparación para la boda me está matando.*
–¿Las invitaciones, los regalos, el salón, la fiesta?
–*No. Recorrer los baños de hombres de toda la ciudad bo-*

rrando: "Las mejores mamadas: María. Llámame al 341-000".

3210

**Si necesitas una aguja
no busques en un pajar;
*busca en un costurero.***

3211

–¿Cómo se dice *"no aparcar"* en coreano?
–*Akí no moto.*

3212

–Mira, ¡ahí está Pepe!
–*Pero ¿qué dices? Si Pepe ha muerto.*
–¡Ah, claro! Si fuese él, llevaría luto.

3213

–Hay una competencia entre una palangana y un balde. ¿Quién gana?
–*La palan-gana.*

3214

–¿Por qué los gallegos cuando tienen un hijo colocan la cuna sobre el armario?
–*Para oírlo si se cae de la cuna...*

3215

–No mires ahora, pero *¡hay una criatura de muchas patas en tu hombro!*

3216

–Si pintas tu cocina de amarillo claro, se verá más amplia, Manolo.
–*Pues voy a seguir tu consejo, por-*

que realmente estoy necesitando más espacio.

3217

Estoy más agobiado que el fontanero del *Titanic*.

3218

—¿Cuál es su apellido?
—*Zchernotsiki-Sryzymbawchuk.*
—Pero... ¿cómo se escribe esto?
—*Con un guión en el medio.*

3219

—¿Tienen trenes eléctricos para niños avanzados?
—*¿Qué edad considera usted avanzada?*
—Cuarenta y siete años...

3220

El gallego Manolo, en un restaurante, intenta ser "fino".
Quiere pinchar una aceituna con un palillo pero siempre se le escapa en el último momento.
El camarero, ya nervioso, toma el escarbadiente y se pincha:
—¡Claro! ¡ahora que ya la tenía cansada, muy fácil!

3221

Entre amigas:
Dos amigas que no se habían visto durante muchos años y se encontraron en un viaje.
—¿Y cómo está tu hijo Pedro?
—*¡Ah, muy bien! Terminó la carrera de Letras en la universidad.*
—¿Y María?
—*Ella es tan inteligente como Pedro. Se graduó en la especialidad de arte moderno, también en la universidad.*
—¿Y Paco? ¿A qué se dedica?

—Bueno, ése sigue como siempre...
*Ya lo conoces. No quiso estudiar en la universidad,
es fontanero. Si no fuera por él todos estaríamos en la calle.*

3222

—Veo en su ficha que es soltero. Dígame, ¿tiene actualmente alguna relación monogámica?
—*Sí. Bueno, en realidad varias.*

3223

—¿Sabes tío Manolo? El tambor que me regalaste ha sido el mejor regalo que he tenido hasta ahora.
—*Me alegro mucho de que te gustara.*
—Sí, papá me da todos los días 10 dólares para que no lo toque.

3224

—¿Qué es más tonto que un vasco tonto?
—*Un gallego listo.*

3225

—Doctor, dígame la verdad ¿es grave? ¿De qué se trata?
—*Usted tiene salpingitis.*
—¿Y eso de dónde viene?
—*Del griego.*
—Lo sospechaba.

3226

—Doctor, ¿qué puedo hacer para que mi hijo no se haga pis en la cama?
—*Que duerma en el inodoro.*

3227

Había una fiesta de cumpleaños y los niños esperaban a la Pantera Rosa, pero se demoró y los niños

se fueron. Cuando por fin llegó la Pantera Rosa dijo:
—*¿Dónde estarán... tarán... tarantarantaran-tarantarán...?*

3228

—¿Cómo le ponemos de nombre a la niña?
—*Acordeón.*
—Pero, ése es el nombre de un instrumento.
—*Pues, a la niña de la vecina de arriba le han puesto Pilar Mónica.*

3229

—Hola, escúcheme atentamente, operadora...

3230

En la mili, un sargento con mala uva lleva a la tropa a una marcha de docenas de kilómetros, además el muy gracioso les pone a cada uno 25 kilos a la espalda mientras él va sin carga y diciendo:
—*Uno dos, uno dos, uno dos.*
Mientras de fondo en contestación se oye a un gallego:

–¡¡¡Eso es, eso es, eso es!!!
El resto de la tropa le dice:
–*Pero tío, estamos hechos polvo todos y tú todavía lo provocas.*
–No, no, si lo que digo es que eso es, eso es los que vamos a quedar a este paso: *uno o dos.*

3231

–¿Me has oído tocar el piano alguna vez?
–*Sí, varias veces.*
–¿Y qué me aconsejas Manolo?
–*Que lo vendas, Pepe.*

3232

–María! ¡Te la voy a meter por donde nunca te la ha metido nadie!
–*Pues ¡como no me la metas en el bolso!*

3233

Un coleccionista de antigüedades pasó frente a una tienda y vio en la vereda un gato que tomaba la leche de un platito.
Advirtió inmediatamente que se trataba de un plato muy antiguo y valiosísimo.
Entró en la tienda aparentando desinterés.
–*Buenas tardes. Quisiera comprarle el gato.*

–El gato no está en venta.
–*Le doy mil pesos.*
–¿Mil pesos? De acuerdo: el gato es suyo.
–*Ah, otra cosa: ¿puedo llevarme también ese plato viejo? Al gato parece gustarle.*
–No, de ninguna manera. Ese plato me trae buena suerte. ¡Esta semana ya *llevo vendidos 57 gatos!*

3234

–¿Qué dijo Dios cuando nació el segundo negro?
–*¡Ya se me ha vuelto a quemar otro en el horno!*

3235

–Doctor, duermo fatal, ¿qué puedo hacer?
–*Pues, tómese estas dos pastillas y si mañana se despierta estas otras dos.*

3236

Era un tipo tan pero tan burro *que tenía faltas de ortografía al hablar.*

3237

–Tu hijo toca el piano como Velázquez.
–*Pero, si Velázquez era pintor y no sabía tocar el piano.*
–Pues, igual que el idiota de tu hijo.

3238

–¿Cuál es el colmo de la paciencia?
–*Querer consolar a un sauce llorón.*

3239

Una chica tiene un accidente con el coche y acaba en el sembrado de un agricultor.
–*Fíjate, ésta es la quinta chica que*

rescato que está embarazada.
–¡Oiga! ¡Yo no estoy embarazada!
–*¡Es que aún no te he rescatado!*

3240

Pilar en el ginecólogo.
–Bueno, después de hacerte el tacto te digo: estás embarazada.
–*Doctor, ¿podría meterme dos dedos ahora?*
–¿Dos dedos? ¿Para qué?
–*Es que quiero una segunda opinión.*

3241

–¿Qué es "re-divertido"?
–*No sé.*
–El resultado de una encuesta nacional en la que se pregunta cuáles son las dos palabras más pronunciadas por una modelo: *re-divertido.*

3242

–Pepe, te dejo mi casa este fin de semana, puedes hacer fiesta, quemarla, destruirla, pero te encargo por sobre todas las cosas a mi pulpo. Eso sí: no es cualquier pulpo. Es un pulpo muy temperamental.
–*¿Cómo muy temperamental?*
–¡Si no le das de comer exactamente a mediodía, el tipo se enfada, sale de su pecera y se pega en el techo! ¡Imagínatelo extendido por todo el techo!
–*Sí, no hay problema. Te lo cuidaré, despreocúpate.*
–Por las dudas te dejo esta pala para que lo bajes.
Y fue así como los días siguientes Pepe llegó puntualísimo.
Le daba de comer al pulpo y el animal estaba felicísimo en su pecera.
Todo fue bien hasta que el sábado Pepe olvidó la rutina y a las seis de la tarde...

–¡Me olvidé del pulpo!
Cuando llegó a la casa de su amigo, el pulpo estaba prendido al techo.
Extendido por todo el cielo raso.
Pepe agarró la pala, subió a una escalera y zafó uno de los tentáculos. Apenas zafó el segundo, el primero ya estaba agarrado otra vez al techo.
El pulpo se quedó en el techo muy molesto todo el domingo. Hasta el lunes, que llegó su dueño.
–A ver, a ver, ¿cómo está mi pulpo?
–*Tu pulpo temperamental está agarrado al techo.*
–¿No le diste de comer?
–*Le di. Pero el sábado llegué tarde y se pegó al techo. Traté de arrancarlo de ahí con la pala, despegando sus tentáculos del techo. Pero soltaba uno y se agarraba con el otro.*
–¡Pero claro! La pala no se usa así...
–*¿Cómo que no?*
–La pala es para pegarle un tremendo golpe en la cabeza. El bicho, apenas siente el golpe, se lleva los tentáculos a la cabeza y entonces ¡¡¡caaaaaaaeeeee!!! ¿Entendiste?

3243

–Señora, vengo a afinar el piano.
–*Pero si no he llamado a ningún afinador de pianos.*
–Ya, pero lo han llamado sus vecinos y pagan ellos.

3244

Le hacían una entrevista a un autor obras de teatro, en un programa de cable de esos que se pasan a las 4.30 de la madrugada.
–Y dígame, Rolando: ¿logró ahorrar dinero ejerciendo su profesión?
–*¡¡¡Ufff!!! Tengo suficiente dinero para el resto de mi vida... a menos que decida comprar algo.*

3245

En la comisaría:
–*A mi hijo le han robado el tambor y quería dar una recompensa.*
–¿Al que lo encuentre?
–*No, al que se lo ha robado.*

3246

–Doctor, me ha pisado un camello.
–¿Dónde?
–En África, ¡no va a ser en la cocina!

3247

Dos nuevos ricos en un concierto de violoncelo:
–Manolo, vámonos.
–*Espera a que acabe de serrar el tronco.*

3248

–Doctor, a mi marido cada vez le sienta peor el tabaco.
–*Pero, si le dije que se fumara solamente tres cigarros después de comer.*
–Ya, pero es que antes no fumaba.

3249

–¿Cuál es el animal que más cambia de sexo?
–*La ladilla.*

3250

–¿Cuál es el colmo de un albañil?
–*Tener cara de cemento.*

3251

Conversaban las madres de dos modelos muy conocidas.

–¡Mi hija se casó con un piloto italiano!
–*¡Y la mía con un vestido de gasa francesa!*

3252

–¡Camarero! ¿Qué significa esta mosca en mi sopa?
–*No sé, señor, no soy veterinario.*

3253

–Doctor, tengo una pierna más larga que la otra, ¿qué debo hacer?
–*Renguear.*

3254

–Oye, Patxi: tenemos que ampliar el ordenador.
–*Ostias, ¿y cuántos kilos le ponemos?*

3255

Era una familia tan pero tan pobre que el padre se compró un rifle *"para ir tirando"*.

3256

Llega el gallego Paco a su casa a las 5 de la mañana bastante borracho. Su esposa no quería abrirle la puerta:
–*¡Dejame entrar! ¡Por favor!*

Pero la mujer no lo dejaba entrar.
–*Ábreme, que tengo una flor para la mujer más bonita.*
La mujer se enternece, lo deja pasar.
–¿Y la flor?
–*¿Y la mujer más bonita?*

3257

Bernardo entra en una camisería y pregunta:
–*¿Cuánto vale esta camisa?*
–Trescientos pesos.
–*Demasiado cara.*
–Doscientos.
–*Demasiado cara.*
–Ciento cincuenta...
–*Demasiado cara.*
–Cien...
–*Demasiado cara.*
–Cincuenta, ¡se la dejo en cincuenta pesos!
–*¡Uhm! Demasiado cara aún.*
–¡Tome, llévesela!, se la regalo.
–*Envuélvame cuatro, del mismo precio.*

3258

–¿Qué le dijo un pollito malo a un pollito bueno?
–*Vamos al supermercado a ver gallinas desnudas.*

3259

María, la modelo:
—Yo siempre miraba golf por televisión. Pero el médico me reco-

mendó hacer más ejercicio: ahora miro tenis.

3260

–¿Por qué los argentinos no se bañan con agua caliente?
–*Porque se les empaña el espejo.*

3261

En el oculista:
–*A ver, dígame la tercera letra de aquel cartel.*
–¿Qué cartel?

3262 - 3272
Once puestos disponibles

Ponga unos cien ladrillos sin ningún orden particular en un cuarto que además de la puerta sólo tenga una ventana. Luego meta 2 o 3 candidatos en el cuarto y cierre la puerta. Déjelos solos y regrese 6 horas después y proceda a analizar la situación.

Si están contando los ladrillos, póngalos en el *departamento de contabilidad.*

Si han vuelto un lío el lugar con los ladrillos, póngalos en *ingeniería.*

Si dicen que han probado varias combinaciones, aunque no han movido un solo ladrillo, póngalos en *marketing* o *ventas.*

Si están acomodando los ladrillos de un modo raro, póngalos en *soporte.*

Si los están recontando, póngalos en *auditoría.*

Si se están tirando los ladrillos, póngalos en *operaciones.*

Si están durmiendo, póngalos en *seguridad.*

Si rompieron los ladrillos en pedacitos, póngalos en *sistemas.*

Si están sentados sin hacer nada, póngalos en *recursos humanos.*

Si están mirando por la ventana, póngalos en *planificación estratégica.*

Si están conversando y no han movido un solo ladrillo, ¡*felicítelos y póngalos en la gerencia!*

3273

–¿Cómo transmiten el sida los gallegos?...
–*Por Radio Galicia.*

3274

El gallego Pepe Muleiro odiaba a los argentinos. Un día encontró una lámpara con un genio dentro. El genio dijo:
–Te concedo tres deseos.

–*Que toda la Argentina se hunda en el mar.*
El genio hizo un ademán y ¡flash! toda la Argentina desapareció bajo las aguas.
–¿Y el segundo?
–*Que la Argentina, ahora toda desierta de gente, vuelva a emerger del mar.*
El genio hizo ¡flash! y la Argentina emergió.
–¿El último?
–*Que la Argentina se vuelva a hundir.*
–Hombre, pero eso no es lógico, ¿por qué quieres esto de nuevo?
–*¡Para que todos los argentinos que estaban fuera de la Argentina y que han ido a ver qué ha pasado en su país se hundan también!*

3275

–¿Bailás, bonita?
–*Sí...*
–Así me gusta: ¡que te diviertas!

3276

La gallega María, 60 años, en el ginecólogo.
–*Señora, ¿usted se cuida?*
–¡Sí, doctor! ¡¡¡Jamás cruzo con luz roja!!!

3277

–Manolo, ¿cómo estás?
–*Preocupado, Pepe, me enteré hace un mes de que mi mujer me*

está poniendo los cuernos, pero los benditos cuernos no me salen.
–Pero, Manolo ¡ésa es una expresión popular, es un decir!
–*Oye... ¡Menos mal! Estaba preocupado; ¡pensé que era por falta de calcio!*

3278

–¿Cuál es el colmo de un pianista?
–*Que su mujer se llame Tecla y la toque otro.*

3279

Dos clítoris gallegos:
–Oye, dicen que estás en una mujer frígida.
–*Pues, deben ser las malas lenguas.*

3280

Hacía tanto pero tanto calor que las ranas *iban con cantimplora.*

3281

Entrevistan a varios candidatos para un trabajo. El que cuente del 1 al 10 sin equivocarse, ganará el lugar.
–*A ver, cuente del 1 al 10.*
–1, 3, 5, 7, 9, 2, 4, 6, 8, 10.
–*¿Pero por qué ha contado así?*
–Es que antes yo era cartero y claro, la costumbre...
–*A ver, el siguiente. Cuente hasta 10.*
–10, 9, 8, 7, 6, 5, 4, 3, 2, 1.

–¿Pero por qué cuenta así?
–Es que antes yo trabajaba en la NASA, y claro, la costumbre...
–*Oiga. Usted ¿qué era antes?*
–Yo era y soy gallego.
–*¡Ajá! Cuente hasta 10.*
–1, 2, 3, 4, 5, 6, 7....
–*Joder, ¡el puesto es suyo!*
–...sota, caballo y rey.

3282

Los gallegos han lanzado un candidato a la presidencia de de Galicia.
Ya han pasado varios días y aún no saben dónde ha caído.

3283

El gallego Manolo con un paquete de hojas frente a la trituradora de papeles.
Luce desconcertado.
Pasa un empleado y, muy amablemente, le ofrece ayuda. Le toma el paquete de papeles, los coloca en una ranura y ¡¡¡frrrrr!!!, se oye el sonido de los papeles mientras se hacen trizas.
–¿Ves qué fácil Manolo?
–*¿Ah, sí? ¿Y por dónde salen las copias?*

3284

La hormiguita llegó junto a sus compañeras muy golpeada.
–*¿Qué te pasó?*
–Me pegó el elefante.
–*¡¡¡Nooo!!! Pero eso no es posible,*

el elefante es un muy buen tipo.
–¿Ah, no me crees? ¿Quieres que vayamos a preguntarle?
–*Vamos, yo le pregunto.*
Y fueron.
–*¿Es verdad que usted golpeó a esta hormiguita?*
–Sí
–*¿Se puede saber por qué lo hizo, señor?*
–¿Y para qué empuja?

3285

María, la modelito, está junto a su coche en la cuneta de una carretera. Un conductor se detiene para ayudarla.
–*¿Necesita algo?*
–Sí, ¿tendría por casualidad una llave inglesa?
–Sí, claro, ¿de qué tamaño?
–*¡Grande! ¡Es para usarla de martillo!*

3286

–¿Por qué un elefante no puede conducir un coche?
–*Porque la foto no cabe en el carnet.*

3287

–¿Sabes, Manolo, que en mi pueblo, allá en Galicia, el Paco terminó la universidad?
–*¡¿Me dices la verdad, Pepe!?*
–Pues ¡te lo juro por mi madre! El Paco fue quien instaló la última ventana.

3288

Un tipo pasaba a diario por delante de un manicomio y un loco desde la tapia le apuntaba con el dedo y le gritaba:
–¡Bang!

Y así todos los días. Por fin, el tipo se hartó e hizo lo mismo. Le disparó con el dedo. Entonces el loco se tiró al suelo mientras gemía:
–¡Bestia, me has matado!
–¡Pero si tú me disparabas todos los días!
--Sí, ¡pero con balas de fogueo!

3289

3290

Dos alpinistas en una pared vertical altísima. De pronto, uno de ellos se desprende y empieza a caer.
El otro no puede verlo, y pregunta:
–*¿Pepe? ¿Pepe? ¡¡¡¿¿¿Estás vivo???!!!*
–Sí...
–*¿Te has golpeado la cabeza?*
–No...
–*¿Qué te has roto?*
–Nada...

–*¿Cómo te encuentras?*
–Perfectamente.
–*Espera y bajo a ayudarte, ¿a cuántos metros estás por debajo mío?*
–A 750... 800... 850... 900...

3291

¡Riiiinnnng!
–Oiga, ¿es la Real Academia de la Lengua?
–No, ¡pero como si lo fuesiérase!

3292

El futbolista gallego era tan pero tan bestia *que remataba los goles con una pistola de 9 milímetros.*

3293

–Si una mujer me abofetea sin razón, yo, como caballero, guardo silencio. *Pero ¡ya me la encontraré sola a la vuelta de una esquina!*

3294

–Se nota que te has casado, Pepe, llevas muy bien planchada la ropa.
–*¡Coño, claro, si es lo primero que me ha obligado a hacer mi esposa, Paco!*

3295

–¿Sabes, Pepe? En mi entierro, quiero que toquen música clásica.
–*Entendido, ¿qué tipo de música quisieras escuchar?*

3296

El gallego Manolo fue a una tienda de ropa a comprar un regalo para su esposa.
–Señorita, busco un regalo para mi mujer.
–*¿Le gustaría ver algo realmente*

264

maravilloso, transparente y sexy en ropa interior?
–Desde luego, pero ¿qué tal si primero vemos el regalo para mi señora?

3297

En el pueblo sólo hay dos personas que se dedican a la mudanza. Y son hermanos. Un día iba uno de ellos con un armario muy grande al hombro.
–Oye, ¿no te ayuda tu hermano?
–*¡Sí, sí! ¡Mi hermano está dentro del armario sujetando las perchas!*

3298

El gallego Manolo se miró al espejo y notó un pequeño bulto en la frente. El bulto creció. Finalmente, adquirió forma de pene. Fue al médico.
–Doctor, ¿qué puedo hacer?
–*Primero, tiene que irse a Estambul, a la catedral de Santa Sofía. Después, a Egipto, a las Pirámides. Por fin, al Louvre de París. ¡Ah! ¡Y a Venecia!*
–¿Con eso me curaré?
–*No. Pero le dará tiempo a ver todas esas maravillas antes de que le salgan los huevos y le tapen los ojos.*

3299

–Dejé de mirar la tele por la violencia.
–*¡Hay cada programa!*
–No, dejé de verla por la violencia de mi mujer. Cada vez que pongo el fútbol ella me pega.

3300

¿En qué se diferencian una uva seca, una balanza, un mal bailarín y una modelo de pintor?

En que la uva seca es *pasa,* la balanza *pesa,* el mal bailarín *pisa* y la modelo... *posa.*

3301

–¿Cuál es el santo que mejor cura los males?
–*El* san-*atorio.*

3302

–¿Cuál es la diferencia entre el ministro de Economía y un cerdo?
–*Un cerdo tiene que emborracharse para comportarse como el ministro de Economía.*

3303

No es lo mismo...
un pequeño toma té,
que *un tomate pequeño.*

3304

Dos gallegos en un safari en la selva. Un león salta sobre uno de ellos, que le grita al otro:
–*¡Dispara!*
–*¡No puedo, se me ha acabado la película!*

3305

Ésta es la historia de un padre que tenía un hijo feísimo. Un día el nene se empeñó en ir al zoo y tras mil ruegos el padre accedió. Cuando pasaron cerca de la jaula de los monos, el gorila llamó al niño:
–Pssst.
–*Oye, te doy mil dólares si me das el teléfono del abogado que te sacó de aquí.*

3306

Pepe Muleiro tenía un auto tan sucio y arruinado que tuvo que ponerle un cartel que decía:
Éste no es un coche abandonado.

3307

–¿Cuándo van los gallegos a buscar cajas en los gimnasios?
–*Cuando necesitan una caja fuerte.*

3308

El gallego Manolo vuelca con una camioneta de reparto llena de huevos.
–*¡Dios mío! ¡Dios mío! ¡Me voy a ahorcar! ¡Me voy a ahorcar!*
Una señora le pregunta:.
–¿Por los huevos?
–*No señora. ¡Por el cuello! ¡Por el cuello!*

3309

–*Mami, aquí están mis calificaciones.*
–¿Quéééé? ¡¡¡Estas calificaciones merecen una enormísima paliza!!!
–*¿Verdad que sí, mamá? ¡Vamos, yo sé dónde vive la maestra!*

3310

–La naturaleza tiene una forma de compensar las deficiencias de las personas. Por ejemplo: los ciegos tienen el oído más fino y desarrollan la capacidad de leer braile a través del tacto. ¿Alguien me puede dar otro ejemplo?

A ver, Manolito...
–*Sí... cuando se tiene una pierna corta, ¡la otra es más larga!*

3311

El gallego Muleiro pensaba que su mujer le era fiel, hasta que se trasladaron de Orense a Sevilla. *Entonces descubrió que seguían teniendo el mismo cartero.*

3312

–¿Has cambiado de coche? Ahora es rojo y antes lo tenías blanco...
–*No, es el mismo. Lo que pasa es que se me calienta un poco.*

3313

Va uno por la calle gritando:
–*A un peso, a un peso...*
–Oiga, ¿usted qué vende?
–*Nada, pero ¿a que es barato?*

3314

–¡Mamá, mamá, en el colegio me dicen despistado*!*
–*Ya te he dicho diez veces en lo que va del día que yo no soy tu mamá y que tu casa es la que está pintada de verde con una puerta blanca.*

3315

Jaimito le dice a su madre:
–*¡¡¡Mamá, en el colegio me dicen boca-grande!!!*
Y dice la madre:
–Anda, hijo, trae la pala que te voy a dar de comer...

3316

El alcalde gallego tenía una reunión muy importante en un restaurán. Debía llevar a su mujer, que era muy bruta.

–Mira, mujer: tú pórtate bien. Y si no puedes, al menos disimula un poco.
–*No te preocupes, que voy a comportarme.*
Todo fue muy bien, hasta que la mujer empezó a rascarse la cabeza furiosamente.
–Pero mujer, ¡disimula un poco!
–*¡Lo estoy haciendo, joder! ¡Si lo que me pica es el coño!*

3317

Un alcohólico es aquella persona que bebe *más que su médico.*

3318

Vendo piano desafinado.
Ideal para sordos.

3319

–La Paca, mi esposa, está bien, gracias. Pero mi hijo, el Manolín, no puede dar un paso.
–*¿Qué tiene?*
–Cinco meses.

3320

Primer acto: a un señor le cae una bolsa de papas y muere.
Segundo acto: a un señor le cae un container de papas y muere.

Tercer acto: a un señor le caen 40 cajas de papas y muere.
¿Cómo se llama la obra?
Lluvia... porque murió empapado.

3321

–¿Por qué los gallegos ponen una cabrita en la entrada de sus casas?
–*Para tener alguien "cabra" la puerta.*

3322

Dos gallegos escaparon de la cárcel descendiendo por la ventana mediante unas sábanas anudadas. *Bajó el primero, pero volvió a subir.*
–¿Vía libre?
–*Vía libre, pero no se puede bajar.*
–¿Por qué?
–*¡Porque la cuerda es demasiado larga!*

3323

–¿Qué es un cínico?
–*Un hombre que sabe el precio de todas las cosas pero ignora su valor.*

3324

–¡Hola! ¿Me pasaría a su mujer?
–*Encantado, ¿y las maletas dónde se las mando?*

3325

–Papá, no me siento con fuerzas para ser un valiente.
–*No importa, hijo. Bastará con que te sientas con fuerzas para ser un cobarde.*

3326

–*He inventado un vehículo para viajar a los planetas y a las estrellas. Es muy económico, funciona a base de pedales.*

–¿Y cómo se maneja?
–*Igual que una bicicleta, sólo que en vez de pedalear hacia delante, se pedalea hacia arriba.*

3327

En una farmacia de La Coruña, regalaban *un despertador* a todas las personas que compraran una botella de una prodigiosa *medicina para dormir.*

3328

–¡Hola! ¡Hola! ¡Tengo la línea sobrecargada!
–*¡Intente suprimir los dulces!*

3329

–¿Qué son 100.000.000 de abogados maltratados?
–*Pocos...*

3330

–Ha sido un sueño fantástico. ¡Soñé que me regalabas cinco mil euros, papá!
–*¡Pero, mira qué bien! Pues, ¡quédatelos hijo, te los regalo!*

3331

–¡Hola! Aquí habla el Instituto de Sordomudos.
–*¡Milagro! ¡Milagro!*

3332

Pepe era un ejemplar humano tan mal terminado que pensaban que lo habían hecho en Hong Kong.

3333

Un oficial pregunta a los detenidos:
–¿Y tú qué eres?
–*Yo soy vasco francés.*
–¿Y tú qué eres?

–*Yo soy vasco español.*
–¿Y tú qué eres?
El chino titubeó unos minutos pero al fin dijo decidido:
–*Yo soy vasco chino.*

3334 - 3340
Siete frases

A los ahorcados se les hace un nudo en la garganta.

No dejes para mañana lo que puedas hacer pasado mañana.

Si haces lo que siempre has hecho nunca llegarás más allá de donde siempre has llegado

El diabético no puede ir de luna de miel.

Unos se casan por la iglesia, otros por idiotas.

Una mujer no sabe qué clase de marido no quiere hasta que se casa con él.

La democracia tiene por lo menos un mérito, y es que un miembro del Parlamento no puede ser mas incompetente que aquellos que le han votado

3341

Paco y Pepe fueron encarcelados. Consiguieron desarrollar una manera de comunicarse mediante un código secreto que consistía en golpear sus jarros de lata en los barrotes. *Pero perdieron todo contacto cuando los sacaron de la misma celda y los mandaron a celdas diferentes.*

3342

–¿Por qué el cielo es azul?
–*Porque Dios es niño. Si fuera niña sería rosa.*

3343

–¡Estoy asqueado de hacer el amor, María!
–*No te preocupes, Paco. A partir de hoy, cada vez que regreses del trabajo, lo tendré hecho.*

3344

–¿Qué es un gentleman?
–*Es un hombre que puede describir a Sharon Stone y Naomi Campbell sin hacer ningún gesto con la mano.*

3345

Tras una larga conversación telefónica:
–*De acuerdo, le concedo la mano de mi hija. Pero, antes, dígame ¿con quién tengo el gusto de hablar?*

3346

–Si alguien que no conoces te ofrece flores, *es porque se equivocó de tumba.*

3347

Estatus:
Es comprar una cosa que tú no quieres,
con un dinero que no tienes,
para mostrar, a gente que no te gusta,
una persona que tú no eres.

3348

Comisión:
Es una reunión de personas
importantes que, solas,
no pueden hacer nada, pero que juntas,
deciden que nada puede ser hecho.

3349

Dios fue donde los egipcios y les preguntó:

—¿Queréis un mandamiento?

—*¿Qué es un mandamiento?*

—Es algo así como: *"No se debe cometer adulterio".*

—*Imposible, nos arruinaría los fines de semana.*

Dios fue donde los asirios:

—¿Quieren un mandamiento?

—*¿Qué es un mandamiento?*

—Es algo así como: *"No se debe robar".*

—*De ninguna manera. Eso arruinaría nuestra economía.*

A Dios no le quedó otra alternativa que ir en busca de los judíos.

—¿Quieren un mandamiento?

—*¿Cuánto cuesta?*

—Son gratis.

—*¿Gratis? ¡Dame diez!*

3350

Tres prisioneros iban a ser ejecutados. Llegó el día del primero, lo llevaron frente al paredón y en el momento en que le iban a disparar, el prisionero gritó:

—*¡Inundación! ¡Inundación!*

El pelotón de fusilamiento se dispersó por el pánico y el prisionero logró escapar.

Al día siguiente, cuando al segundo prisionero estaban por dispararle gritó:

—*¡Huracán! ¡Huracán!*

Nuevamente el pelotón se dispersó y el segundo reo escapó. Por fin le tocó ser ejecutado al tercer prisionero, quien inmediatamente antes que le dispararan gritó:

—*¡Fuego! ¡Fuego!*

3351

—¿Para qué inventó Dios el alcohol?

—*Para que las gordas, bajitas y feas pudieran perder la virginidad.*

3352

Adán y Eva gallegos:

—*Adán, ¿me amas?*

—*¿Y a quién si no, coño?*

3353

—Papá, en el colegio hay un niño que me llama mariquita.

—*¿Y por qué no le pegas?*

—¡¡¡Ay, es que es tan guapo!!!

3354

—*Oye, ¿tú de dónde eres?*

—Yo, de Madeira.

—*¡Como Pinocho!*

3355

—¿Qué se obtiene si se encierran en una habitación un gay y un judío?

—*Una comedia musical.*

3356

En la cárcel el preso de la celda 14 llamó al guardián:

—*El otro día desapareció un pañuelo, y hoy no encuentro mi peine. Estoy empezando a sospechar que en esta cárcel hay ladrones.*

3357

—*Dicen que el hombre desciende del mono, maestro.*

—Bueno, no es seguro.

—*¿Y el gato?*

—Dicen que del tigre. Pero tampoco es seguro.

—*¿Y la araña? ¿De dónde desciende? Ésa seguro que desciende del techo ¿no?*

3358

—¿Qué apareció antes, la masturbación masculina o la femenina?

—*La masculina que es "manual", porque la femenina es "digital".*

3359

—¡Hola! ¿Podría hablar con Gracia?

—*Quizás, ¡pero empiece por cambiar la voz!*

3360

Noticia difundida por una radio madrileña:

—*¡Último momento! Tenemos que comunicarles una buena y una mala noticia. Primero la mala: han descendido seres extraterrestres en*

la frontera con Francia.
Hemos podido establecer que estos seres comen argentinos y mean gas. Ahora la buena noticia: ¡Vienen hacia aquí!

3361

–Después de la discusión, mi esposa vino hacia mí de rodillas, ¿sabes?
–Y ¿qué te dijo?
–¡Sal, cobarde, hijo de puta, de debajo de la cama!

3362

–¿Sabes que me caso, Pepe?
–¿Ella ya sabe que tienes una pata ortopédica, Manolo?
–No, ¡es para darle una sorpresa, jo, jo, jo!

3363

La elefanta le preguntó a sus tres hijos:
–¿Cómo les gustaría ser cuando sean grandes?
–Yo quisiera tener unos colmillos enormes.
–¿Y para qué?
–Para pelearme con leones y tigres, y vencerlos.
–¿Y tú?
–A mí me gustaría tener la trompa bien larga para agarrar los árboles con más fuerza.
–¿Y tú? ¿Qué deseas?
–Yo quiero tener las pestañas bien largas.
–Y ¿para qué?
–Ay, no sé, ¡mariconerías mías, mami!

3364

–¿Qué haces, Manolo?
–Un pozo para enterrar a mi perro.
–¿Y por qué hiciste tres pozos?
–Porque los dos primeros no eran lo suficientemente profundos.

3365

–¿Es tuyo ese perro que me ha robado la carne?
–Era mío. Ahora trabaja por su cuenta.

3366

–¿En qué se diferencian una polilla y una mujer?
–La polilla come tela, y la mujer te la come.

3367

–¿Cuál es la diferencia al hacer el amor con la novia, la amante y la esposa?
–Que la novia dice: "¡Ay me duele!", la amante dice: "¡Ay que rico!"... y la esposa dice: "¡Hay que pintar el techo!"

3368

Un niño quería entrar en el cine con su perro y lo detuvieron.
–¡Un momento: tú puedes entrar, pero el perro no!
–No sea malo, déjelo pasar. Quiere ver la película porque leyó el libro y le gustó mucho.

3369

–¿Por qué tienen las mujeres los pies pequeños?
–Para alejarse menos del fregadero.

3370

El gallego Paco era tan pero tan limpio que nunca se bañó porque no le hacía falta.

3371

–Dime, amor, si yo no tuviese un ojo, ¿te casarías conmigo?
–Ésa es una pregunta difícil de contestar.
–Bueno, entonces déjame llevar el paraguas a mí.

3372

–¿El domingo pasarás a buscarme para ir de paseo?
–Sí, pero ¿y si llueve?
–Entonces pasas el sábado.

3373

El autobús iba lleno de pasajeros. El gallego Paco estaba sentado en el último asiento.
De pronto, el autobús frenó y todos los pasajeros se bajaron menos el gallego.
El chofer le preguntó:

271

–Oiga, hermano, ¿usted no se va a bajar?
–No, ¿para qué? ¡¡¡si yo fui el que se *tiró el pedo*!!!

3374 - 3380
Siete pájaros raros

–¿Cuál es el pájaro que se orina sobre los paragolpes de los coches?
–*El pájaro mea placas.*

–¿Cuál es el pájaro que se orina en época de lluvias?
–*El pájaro mea tormentas.*

–¿Cuál es el pájaro que se orina sobre las pirámides de Egipto?
–*El pájaro mea ruinas.*

–¿Cuál es el pájaro que se orina sobre las lavanderías?
–*El pájaro mea ropas.*

–¿Cuál es el pájaro que se orina sobre las mujeres feas?
–*El pájaro mea gachas.*

–¿Cuál es el pájaro que se orina sobre las ballenas asesinas?
–*El pájaro mea orcas.*

–¿Cuál es el pájaro que se orina sobre las vinaterías?
–*El pájaro mea cavas.*

3381

–Un señor se cayó de un sexto piso y no le pasó nada.
–*¡Anda! ¿Y eso cómo pudo ocurrir?*
–Porque se cayó con mucho cuidado.

3382

–¿Qué haces, Manolo?
–*Me voy unos días para Madrid.*

–¿Y qué haces sentado ahí, en la carretera? ¿Esperas el autobús?
–*¿Para qué voy a esperar al autobús si me han asegurado que esta carretera me lleva a Madrid?*

3383

–¿Cuál es la diferencia entre una esposa católica y una esposa judía?
–*La católica tiene orgasmos reales pero joyería fingida.*

3384

¡Mamá, mamá, pi-pí!
Y la adelantó.

3385

–¿Cómo se descubre a un espía gallego?
–*No sé.*
–Es el único que, para pasar de incógnito, se cuelga un signo de interrogación en la espalda.

3386

–¿Qué se encuentra en el interior limpio de la nariz de un gallego?
–*Sus impresiones digitales.*

3387

El gallego Muleiro en la Casa de Gobierno.

–Buenas... Quiero ser jefe de Gobierno, ¿cuáles son los requisitos?
–*¡¿Está loco, drogado o es un imbécil?!*
–No, con tantos requisitos mejor ya no.

3388

Televisión: Medio más común para controlar la natalidad.

3389

¿Por qué el hombre siempre piensa y la mujer siempre habla?
–*Porque el hombre tiene dos cabezas y la mujer cuatro labios.*

3390

Dos pajaritos estaban en una rama de árbol. Un pajarito:
–¿Pío?
–*¡Haz lo que quieras!*

3391

El argentino:
–*Dios... ¡dame una naranja!*
En ese mismo momento, una naranja cayó en su mano.
–*¡Pelada, boludo, pelada!*

3392

–*Pues sí, chico. Vengo del circo, donde el ilusionista ha metido en un cajón a mi señora, y luego, al*

abrirlo, ha aparecido un ramo de flores.
—¡Te habrás enfadado muchísimo!
—*¿Estás loco? ¡Me he traído las flores!*

3393

—¿Cómo se mueren los chinos de Lepe?
—*De "lepente".*

3394

—¿Adónde vas, Manolo?
—A Miami, en viaje de bodas.
—*Pero... ¿y tu mujer?*
—Ella se queda en casa. Ya conoce Miami.

3395

—¿Por qué la policía gallega en tiempo de calor rocía el techo de las patrullas?
—*Para que no se les deshidrate la 'sirena'.*

3396

—¿Cómo usa un elefante un ordenador?
—*Con mucha memoria y sin ratón.*

3397

Le preguntaron a un andaluz qué hombre, en su opinión, era el más grande de toda la historia:

—¡El torero Manolete!
—*Pero ha habido otros como Einstein, Lincoln, Mozart, Edison... ¿No ha oído hablar de ellos?*
—No señor... no los conozco: ¡serían picadores!

3398

—¿Qué le dijo el azúcar a la cuchara?
—*Nos vemos en el café.*

3399

¿Tu padre andaluz?
¡No, anda a pila!

3400

—¿Por qué las madres judías no beben alcohol?
—*¡Porque el alcohol disminuye el dolor!*

3401

—¿Qué le dijo el papel higiénico a Batman?
—*Yo soy el único que conoce tu baticueva.*

3402

—¿Qué te pasa, Manolo, que te veo tan triste?
—*Vengo de un viaje por la selva y me ha sucedido una cosa muy rara. Estaba dando una vuelta y entre los matorrales apareció un gorila. Sin*

que yo tuviera tiempo para reaccionar, me arrancó la ropa y me violó.
—¡Vamos, hombre! Entiendo que estés preocupado, pero ahora ya ha pasado. Tranquilo.
—*¿Cómo que tranquilo? No me escribe, no me llama, no sé nada de él...*

3403

—*Manolo, tenemos que cambiar al bebé.*
—Como quieras. Pero no creo que nos den otro. ¡Éste es tan feo!

3404

En el patíbulo. Estaban a punto de ahorcar al gallego Muleiro.
—¿Tiene miedo, Muleiro?
—*Un poco. Como es la primera vez...*

3405

-Las mujeres de hoy no son como las de antes, Paco.
—*¿En qué te basas para decir eso, Manolo?*
—Pues, en que las de antes *son más viejas.*

3406

—¿En qué andas ahora?
—*Artículos del hogar...*
—¿Vendedor en alguna empresa o vendes por tu cuenta?
—*Ninguna de las dos cosas. Estoy vendiendo todo lo que tengo en casa.*

3407

Muleiro contaba su último viaje a la Antártida:
—Me encontraba, cierta vez, rodeado de montañas de hielo, cuando justo apareció un feroz lobo marino.
—*¿Y qué hizo?*

–Me trepé a una palmera.
–*¿Cómo? Si en la Antártida no hay palmeras.*
–Ya sé, pero ¿qué querías que hiciera?

3408

–¿Por qué los católicos no instalan el X-Windows?
–*Porque creen que es un programa porno.*

3409

–¿Por qué los de informática instalan el X-Windows?
–*Por lo mismo.*

3410

Era un negro tan pero tan pesimista que *todo lo veía blanco.*

3411

–¿Qué es un genio?
–*Un hombre que sabe de todo, menos ganar dinero.*

3412

–*¿En qué puerta sale el avión para Madrid?*
–E-e-e-e-en la pu-pu-pu-pu-puer-puer-puerrr-puerta do-do-do-doce. Si no me me me me hu- hu- hu-hu- hu-hu-hubiese pre-pre-pre-pre-gun-gun-gun-gun-ta-ta-ta-preguntado a mí lo lo lo hu-hu-hu-hu-hu-hu-hubiese al-al-al-alcanzado.

3413

–¿No es usted la señorita Smith, hija del banquero multimillonario Smith?
–*No.*
–Perdone, por un momento pensé que me había enamorado de usted.

3414

–¿Por qué las vacas tienen una neurona más que las mujeres?
–*Para que no se hagan caca en la cocina.*

3415

–Doctor, he venido a la consulta porque...
–*No me diga más, lo que tiene es azúcar en la orina.*
–¿Y cómo lo sabe?
–*Por las moscas en la bragueta.*

3416

–¿En qué se parecen la inteligencia y el hombre?
–*En nada.*

3417

–¿Qué es un gallego con un maletín montado en un árbol?
–*Un vendedor de bienes raíces.*

3418

–¿En qué se diferencia Windows 95 de un virus informático?
–*Aparte de que los virus son compactos, ocupan poca memoria, están bien programados, son eficien-tes, cumplen su cometido y son soportados por sus programadores... en nada.*

3419

–¡Joder, Pepe! ¡Cómo se parece tu gato a un perro!
–*Pero Manolo, ¡si es un perro!*
–¡Joder! Pues ¡cómo se parece a un gato!

3420

–¿Cómo se dice *sexo oral* en árabe?
–*Mamad Al Bajar.*

3421

–Manolo, ¿tienes buena memoria para las caras?
–*Pues sí.*
–Mejor. Porque se acaba de romper el espejo y *tendrás que afeitarte de memoria.*

3422

–¡Que me parta un rayo!
Un siamés

3423

–Si el oxígeno fue descubierto por Joseph Priestley en 1774... *Entonces ¿qué respiraba la gente antes de ese año?*

3424

No es lo mismo un libro de texto *que detesto los libros.*

3425

El general Muleiro recorría el hospital para rendir tributo a los soldados mutilados. De pronto vio uno que no tenía orejas.
–*A éste le cayó una bomba al lado y le saltó las dos orejas.*

–Soldado, eso debió ser dolorosísimo, ¿qué es lo que sintió?
–*Pues, señor, lo primero, lo primero que sentí fue que no veía.*
–¿Por el humo de la bomba?
–*No, porque se me cayó el casco hasta la boca, ¡señor!*

3426

–¿Por qué el César iba siempre con sandalias?
–*¡Porque era Julio!*

3427

¡Ay David, nos acaban de robar el negocio!
–*¿Y qué se llevaron?*
–¡Tu parte!

3428

El gallego Manolo era tan pero tan feo, que se presentó a un concurso de feos y lo echaron *por profesional.*

3429

–¡No sé qué hacer! Voy derecho a la quiebra... ¡estoy lleno de deudas!
–*¿En cuánto estima sus deudas?*
–¿Estimarlas? ¡Las odio, las odio!

3430

–*¿Tu marido se ha curado de la cleptomanía que padecía?*
–Ha mejorado muchísimo. Ahora me trae objetos mucho más valiosos.

3431

–¿Qué es una esposa?
–*Una cosa que uno no quiere, hasta que es deseada por otro.*

3432

Se le descompone el auto a un turista en medio de las montañas.

Luego de un rato largo, aparecen dos lugareños:
–*¡Qué lugar inhóspito, agreste y desolado! ¿Qué hacen aquí para divertirse?*
–Bueno, en general, para divertirnos, cazamos y follamos.
–*¿Y qué cazan?*
–Algo para follar.

3433

–¿Por qué sólo el 30 por ciento de los hombres entra al cielo?
–*Porque si fueran más, sería el Infierno.*

3434

–¿Por qué toma más tiempo hacer una mujer de nieve que un hombre de nieve?
–*Porque tienes que hacer hueca la cabeza.*

3435

–¡Que alguien me ayude a parar un taxi!

La Venus de Milo

3436

–¿Cómo hacen los gallegos para purificar al agua?
–*La tiran desde un séptimo piso para que se mueran los microbios.*

3437

Cuando las mujeres están deprimidas se van a comer o de compras. *Los hombres invaden otro país.*

3438

–¿Ha dormido con la ventana abierta como le dije?
–*Sí, doctor.*
–¿Y cómo le ha ido?

–*Muy mal; me han robado de la mesilla el reloj y la cartera.*

3439

–¿Cuál es la diferencia entre una computadora y un gallego?
–*Que a la computadora sólo tienes que introducirle la información una vez.*

3440

–¿Por qué las mujeres prefieren los autos Ford?
–*Porque no pueden deletrear Porsche.*

3441

–Papá ¿dónde están los Pirineos?
–*Pregúntale a tu madre que lo lleva todo en el bolso.*

3442

–¿Por qué los gallegos llevan la batidora al estadio?...
–*Para batir los récords.*

3443

El gallego Manolo, totalmente borracho, sube a un autobús y grita:
–*Los de la derecha son unos tarados, los de la izquierda son unos idiotas, los de atrás son unos imbéciles y los del frente son unos estúpidos.*

Cuando escuchó eso, el conductor frenó sorpresivamente, y toda la gente cayó al piso, incluyendo al borracho.

Enojadísimo, el chofer tomó al borracho por el cuello y le preguntó:

–*A ver, dime ahora. ¿Quiénes son unos tarados, unos idiotas, unos imbéciles y unos estúpidos?*

–¿Y cómo voy a saberlo? ¡Con su maldita frenada ahora están todos mezclados!

3444

La Paca Muleiro en la farmacia:

–Usted vende condones extra-ex-tra-extralargos?

–*Sí, claro. ¿Cúantos quiere?*

–Yo, ninguno. Pero si no le importa, me gustaría sentarme aquí a esperar a que llegue alguien a pedirlos.

3445

–¿Cuál es el parecido entre una bolsa y Michael Jackson?

–*Los dos son plásticos y peligrosos para los niños.*

3446

–Mamá, en el colegio me llaman despistado.

–Anda, niño, ¡vete para tu casa!

3447

Una mujer entra en un bar completamente desnuda.

–*¡Déme una cerveza bien helada!*

El camarero se queda mirándola, sin moverse...

–*¿Qué pasa? ¿Nunca ha visto a una mujer desnuda?*

–Sí, muchas veces.

–*¿Y entonces qué mira?*

–¡Quiero ver de donde va a sacar el dinero para pagar la cerveza!

3448

–*¡Pepito, no juegues en la tierra!* Y Pepito se fue a jugar a la Luna.

3449

David y Abrahan sobrevolaban el Vaticano.

–*Mira todo esto, David...¡pensar que empezaron sólo con un pesebre!*

3450

Ring-Ring.

–*¿Diga?*

–¿Es el 9-1-5-2-3-2-2-0-0?

–*Sí, sí, no, sí, no, no, sí, no, sí.*

3451

–Doctor, ¿qué puedo hacer para perder 20 kilos de peso?

–*Bébase una botella de coñac en ayunas.*

–¿Y con eso los perderé?

–*No, pero le dará igual.*

3452

–¡Hola! ¡Hola! No puedo hablar porque tengo problemas de línea.

–*Mi mujer también, ¡pero habla de todos modos!*

3453

Primer acto: un mimo está bailando.

Segundo acto: dos mimos están bailando.

Tercer acto: tres mimos están bailando.

–¿Cómo se llama la obra?

–*Mudanza*

3454

Colmo de un dinamitero: *que lo exploten en su trabajo.*

3455

Dijo la modelito:

–Me engañó para que me casara con él. *Me dijo que estaba embarazado.*

3456

Una pareja de gallegos en la noche de bodas:

–*¡Cariño, vamos a tener tres hijas!*

–*¿Y tú cómo lo sabes, Marutxa?*

–*Porque ahora mismo las tengo viviendo en casa de mi madre.*

3457

–¿Tiene trajes de camuflaje?

–*Los tenía, pero no los encuentro.*

3458

–¿Y cómo anda de apetito?

–*Pues, muy irregular doctor, con decirle que nada más comer un poco ya se me quita.*

3459

–Doctor, mi hija no se encuentra bien, no sé qué le pasa.

–¿Su hija esputa y excrementa?
–Es puta, pero no escarmienta.

3460

–¿Cómo le dice el cowboy a su hija?
–¡¡¡Hijaaaaaaaaa!!!

3461

El asaltante le cortó el paso al gallego Manolo.
–¡La bolsa o la vida!
–Tome mi vida. Prefiero guardar el dinero *para cuando sea viejo.*

3462

–¡Basta ya de realidades! ¡Queremos promesas!

Los pobres

3463

–¿Qué es un jurado?
–*Doce personas que deciden cuál de los clientes tiene el mejor abogado.*

3464

–¿Qué es duro y largo para una mujer?
–*Tercer grado de la primaria.*

3465

–¡Es usted encantadora!
–¡Qué casualidad... es lo mismo que me ha dicho Pepe!

–No le haga caso a Pepe. ¡Es un mentiroso!

3466

–¿Cuántos ingenieros de hardware se necesitan para poner una bombilla?
–*Ninguno. La instalación se realiza por software.*

3467

–¡Usted es un imbécil!
–¡Mida las palabras!
–*Las he medido... y usted resulta ser un imbécil ¡con ab-so-lu-ta pre-ci-sión!*

3468

–¡Hombre! Estoy feliz: voy a casarme.
–¿Con quién Pepe?
–Pues con la Pilarica.
–¿Con esa mujerzuela?
Todos sus amigos le dicen lo mismo. Hasta que el brutísimo gallego Pepe le informó a su progenitor:
–Padre, me casaré con una mujerzuela.
–¡Ah! ¡Con la Pilarica!

3469

–¿Por qué los gallegos hacen sus termos con barrotes?
–*Para que no se escape el calor.*

3470

–¿Qué es una cosa pequeñita, verde y que huele mal, en medio de un bosque?
–*Un Boy Scout muerto.*

3471

–¿Por qué miras tanto a la puerta?
–Estoy pendiente de que no se lle-

ven mi bufanda, porque tu abrigo se lo llevaron hace media hora.

3472

–¿Qué es un agujero?
–*Un señor que vende agujas.*

3473

–Doctor, no hay manera de que alcance el orgasmo.
–*¿Ha probado subiéndose en una silla?*

3474

El gallego Paco trabajaba de camarero en una cantina.
–*¡Pero, camarero! ¿Cómo me trae la sopa con el dedo adentro del plato?*
–Lo que pasa es que tengo una infección y el médico me dijo que pusiera el dedo en lugares calientes.
–*¿Y por qué no se lo mete en el culo?*
–Eso lo hago entre plato y plato.

3475

–Entonces, doctor, estoy vivo de milagro.
–*Sí, está vivo gracias a Dios.*
–Entonces, no le debo nada ¿verdad?

3476

La Pepa se iba a Londres y le dijo a su esposo:

–¿Quieres que te traiga algo de allá?
–Bueno, pues te encargo una inglesita, ¡ja, ja, ja!
Dos semanas después regresó la Pepa:
–¿Qué pasó con lo que te encargué?
–¿La inglesita? Pues hice lo que pude; ahora sólo hay que esperar unos meses a ver si es niña.

3477

–Doctor, vengo a verle porque mi mujer está muy mala, muy enferma.
–¿Qué le pasa?
Que se pone a hablar y de pronto... para.

3478 - 3504

Veintisiete razones para creer que las mujeres son superiores a los hombres:

Abandonaron el Titanic primero.

Pueden espantar a su jefe (si es hombre) con extrañas excusas de enfermedades ginecológicas.

Cuando compran un consolador es glamoroso. Cuando los hombres compran una muñeca inflable es patético.

Si usan la ropa de su pareja se ven adorables y sensuales. Si un hombre usa la ropa de su pareja parece un completo idiota.

Las mujeres pueden ser fan de sus artistas favoritos. Un hombre fan es un acosador.

Las mujeres nunca sienten deseos sexuales por un personaje de una caricatura o un juego de video.

Todos los taxis paran para ellas.

Los hombres mueren antes, así que ellas se quedan con el dinero del seguro.

Cuando bailan no parecen una rana en una licuadora.

Pueden abrazar a sus amigas sin que la gente piense que son homosexuales.

Pueden abrazar a sus amigas sin que ellas piensen si son homosexuales.

Sólo ellas saben la verdad acerca de si "el tamaño importa".

Si no ganan suficiente dinero, pueden culpar a sus jefes.

Ningún error que cometan se puede semejar a una eyaculación precoz.

No necesitan soltar gases corporales para divertirse.

No tienen el problema de quedarse con la duda de si el orgasmo fue real.

Si se les olvida rasurarse, nadie se entera.

Pueden felicitar a sus compañeros sin tener que tocarles el culo.

Si tienen acné en la cara, lo pueden disimular con maquillaje.

No necesitan estar verificando a cada rato si sus partes privadas continúan ahí.

Tienen la habilidad de vestirse ellas mismas.

Pueden hablar con gente del sexo opuesto sin imaginárselas desnudas.

Sus amigas no piensan que están locas si les preguntan si les quedó un trocito de perejil en los dientes.

Saben que existen momentos en los que el chocolate puede verdaderamente solucionar todos sus problemas.

Los meseros gay no las ponen nerviosas.

Nunca se arrepienten de haber perforado sus orejas.

Pueden juzgar por completo a un hombre con sólo mirar sus zapatos.

3505

–¿Sabes, Manolo?, hay un exacto paralelo entre los vasos de whisky y los senos de la mujer.
–¿Cuál, Paco?
–Uno es poco... tres son demasiado.

3506

El gallego Manolo se acercó a un caballo y metió la boca en el culo del animal.
Una viejecita, que lo vio, quedó horrorizada.
–Asqueroso, ¿por qué lo hace?
–Es que tengo los labios cortados.
–¿Y eso se los cura?
–No, pero así dejo de chupármelos.

3507

–¿Qué te ha pasado en la cabeza?
–Nada, que hice una gira con mi espectáculo. A los gallegos no les gustó

mi actuación y me tiraron tomates...
–¿Tomates? ¿Y te hirieron de ese modo con tomates?
–*...en lata.*

3508

Todo el mundo miente. Pero no importa, *¡si nadie escucha!*

3509

–¿Nombre?
–*Pepe Muleiro.*
–¿Hijos?
–*Veinte.*
–¿Todos con la misma?
–*Sí, todos con la misma pero con distintas mujeres.*

3510

–Oye, ¿tienes hora?
–*No, no llevo peine.*
–¡Ah!, como te veo con el sombrero...

3511

–¿Cómo se llama en Italia a alguien que tiene un brazo más corto que el otro?
–*Impedido de hablar.*

3512

–¿Qué le dijo el agente de seguros a Adán y Eva?
–*Ya veo que no están cubiertos.*

3513

–¡Qué buena es tu salsa, Pepe! ¿Qué cantidad de vino usas para prepararla?
–*Más o menos un buche grande.*

3514

El barco se hundía y el capitán se disponía a lanzarse al agua. El primer oficial, horrorizado:

–Capitán, no salte, ¡no salte! ¡¡¡Todavía quedan mujeres a bordo...!!!
–Sí, ¡como para follar estoy yo ahora!

3515

Pepe, mi padre es trapecista.
–*¿Trabaja en el circo?*
–No, vende trapos.

3516

–El bebé es el vivo retrato de su padre.
–¿Y qué te importa, Paca? ¡Con tal de que esté sanito!

3517

Un alpinista a su amigo:
–*Ahí te mando la soga, agárrala con la mano.*
–No puedo, tengo la mano ocupada.
–*Átatela en la cintura.*
–No puedo, tengo la cintura con cosas.
–*Tómala con la boca.*
El alpinista le tiró de la soga para que subiera su amigo, que la mordió.
–*Y... ¿cómo estás?*
–¡¡¡Bieeeeeeeeeeeeeeeeeeeeen!!!

3518

–Me sucedió una tragedia, Paco.
–*¿Qué te pasó, Manolo?*
–Me encontré con mi hijo mayor en un prostíbulo.
–*Eso no es nada; nuestros hijos ya son grandes y tienen derecho a relajarse.*
–Lo sé, lo sé: pero mi hijo trabaja allí.

3519

Un matrimonio circulaba en su vehículo por la ruta sin decirse ni una palabra. Acababan de tener una

dura pelea. En ese momento, pasaron por una hacienda donde se veían varias mulas y cerdos.
Ella no pudo evitar mirar a los animales.
Sarcásticamente, él preguntó:
–*¿Familiares tuyos "querida"?*
–Sí... ¡¡¡mis suegros!!!

3520

–Voy a arreglar la cañería, mujer.
–Mejor deja, Paco: desde que arreglaste el reloj de pared, el cucú sale, se rasca la cabeza, se rasca los huevos y pregunta: *"¿Qué hora será, coño?"*

3521 - 3545
Veinticinco formas
de destruir a una mujer

Mi mejor amigo tiene más senos que tú.

¿Aprendiste con una monja?

¿Por qué no invitas a tu hermana?

Chupa tranquila, que yo te aviso.

Sí, eso es todo. Fuma y acuéstate, que tengo sueño.

No finjas el orgasmo... en realidad no me importa.

¡Qué buena está esa amiga tuya!

Te amo hasta que acabo.

Si a la hora del almuerzo te preguntan: ¿te sirvo? Respóndeles: ¡Para nada!

¿Ésa es una teta? Ya te la iba a extirpar.

Me engañaste con ese sostén con relleno.

Ese día estaba borracho y así no vale.

Amor, te hiede la…

Prefiero una muñeca inflable.

Menos mal que por lo menos sabes cocinar.

¿Que tú también quieres ser activa? Bueno, cállate y abre las piernas.

¿Te tomo el pulso? Estás como muerta.

¿Quieres hacerlo de frente? Entonces apaga la luz.

Ahora no, va a comenzar el partido.

Sí, me gusta, amor, pero cállate que no escucho la tele.

¿Sabías que tú también te puedes mover?

¿Esa barriga son tus tetas?

Lo siento: ¡ya acabé!

No, tus gemidos no me excitan.

Hoy no. Me masturbé hace un rato.

3546

–Oye, dime: cuando nos conocimos hace cincuenta años, ¿qué es lo que pensaste de mí, Paco?
–Pensé: *"Me gustaría chupar sus tetas hasta dejarlas secas".*
–Ajá... bueno, y ¿qué piensas ahora, Paco?

–Pues ¡que he hecho un buen trabajo!

3547

Giuseppe, un italiano muy celoso, sospechaba que su mujer tenía relaciones con un paraguayo. Un día llegó temprano a la casa y golpeó la puerta:
–¿Quién es?
–Sono ío: *il paraguayo.*

3548

Cuando mis amigos son tuertos, *los miro de perfil.*

3549

–¿Cómo se dice *"calzoncillo"* en italiano?
–*Lacasitademiacolita.*

3550

Acaba de nacer un negrito, ¿de qué color tiene los dientes?
De ninguno porque no los tiene.

3551

Un tipo va por la selva y se le aparece una mujer con un bonete, una varita con una estrella, un vestido largo de seda, que lo toma de la mano.
–Pero, ¡qué frío! ¡Tu mano está muy fría! ¿Quién eres?
–Yo soy el-hada.

3552

Una madre y un hijo conversan:
–*¿Por qué le gustas a esa chica?*
–Porque le parezco guapo, inteligente y fuerte.
–*¿Y ella por qué te gusta a ti?*
–Porque le parezco guapo, inteligente y fuerte.

3553

–A ver si sabes ¿qué le dijo la oreja al dedo?
–*Pasa que ya está encerado.*

3554

Era una casa tan pero tan pequeñita, que para cambiar de idea *había que salir a la calle.*

3555

–¿Te has comprado un auto nuevo, Paco? ¿De qué color es?
–*¡Joder, Manolo! Los nuevos colores son tan horribles que el vendedor me ofreció empapelarlo.*

3556

–¿Cómo se dice "trueno" en alemán?
–*Nubescrujen.*

3557

Durante tres días seguidos el gallego Paco compra pollitos en una granja. Al cuarto día el vendedor está súper asombrado.
–*¡Oiga! ¿Usted se va a poner una*

granja con tantos pollitos? ¡Ha comprado 50 por día!
–Verá: es que todos los días se me mueren cincuenta. Y yo no sé si el problema está cuando los planto o cuando los riego. ¿Entiende usted?

3558

–He resuelto el problema del aparcamiento, Pepe.
–¿Qué has hecho, Manolo?
–Pues muy sencillo: he comprado un coche ya aparcado.

3559

Un caballo entra en un bar.
El camarero le pregunta:
–Tío, ¿qué te pasa? ¿A qué viene esa cara tan larga?

3560

–Se provocó un gran escándalo alrededor de Whitney Houston.
–¿Por qué?
–Porque encontraron unas fotos de sus padres desnudos en el National Geographic.

3561

Un borracho está acostado en un banco en una plaza muy concurrida.
Se le acerca un policía:
–¡Eh, señor, despierte! ¡Aquí no se puede dormir!
–¿Y me lo dice a mí? ¡Hace más de una hora que trato y no puedo!

3562

Manolo entra a una tienda y pregunta por el precio de unos zapatos.
–¿Por qué tan caros?
–Es que son zapatos de cocodrilo. África. Un mes después.

–Paco, si el próximo cocodrilo no trae zapatos nos regresamos a Galicia.

3563

–¿Cómo se dice "precioso" en japonés?
–¡Kimono!

3564

–¿Qué trae esa computadora?
–Teclado, doble disquetera, disco fijo, impresora y monitor color.
–¿Cuánto vale?
–Unos 1.800 dólares.
–¡Esto es un robo!
–¡No le permito!
–¿Ah, no? ¿Y el revólver éste con el que le apunto, para qué cree que es?

3565

–¿Qué es negro y con granitos?
–Un Ferrero Rocher.

3566

–Profe, mí no tengo lápiz.
–No, Manolito, no es así. Es así:
Yo no tengo lápiz
Tú no tienes lápiz
Él no tiene lápiz
Nosotros no tenemos lápiz
Vosotros no tenéis lápiz

Ellos no tienen lápiz.
–Bueno, entonces ¿qué cuernos ha pasado con todos los lápices?

3567
Adivinancita

Por un caminito estrechito, va caminando un bichito, pero el nombre de ese bicho, hace tiempo os lo he dicho.

La vaca

3568

–Mamá... ¿los alfajores dan vueltas?
–No, nene.
–¡Uy! Entonces me comí un yo-yo.

3569

–¿Cómo se dice "trabajador" en japonés?
–Sobako mezuda.

3570

El gallego Manolo se las daba de muy buen torero.
Una tarde fue a la finca de don Paco, el mejor criador de toros de Galicia.
–Apártame esos dos para el sábado.
–¡Que ésos son los doberman, Manolo!

3571

–¿Cómo te llamas?
–Unos me llaman Teo y otros Doro.
–Entonces te llamas Teodoro.
–No, me llamo Doroteo.

3572

Se abre el telón y se ve a un pastor en lo alto de un cerro con un rebaño de llamas y el perro pastor.
Se cierra el telón.
Se vuelve a abrir y se ve al pastor

con el mismo perro y sin el rebaño. *Se cierra el telón.*
Se vuelve a abrir y se ve ahora al pastor *solo*, sin perro ni rebaño.
¿Cómo se llama la obra?
El llanero solitario.

3573

–¿Qué le dijo la copa de un árbol a la copa de otro árbol?
–¡Brindemos!

3574

–Vea Paca: su muela está muerta y necesita una corona.
–*Ay, doctor ¿y no podríamos enterrarla sin tanta ceremonia?*

3575

–Doctor, mi mujer llora bastante.
–*¿Pero mucho, mucho?*
–Cada vez que le pego.

3576

En una esquina de Miami chocaron el triciclo del heladero y el coche en el que viajaba Pedrito.
El heladero quedó tendido en el asfalto.
Pedro, al borde de un ataque de nervios.
–¡Ay! ¡¡¡He matado al heladero!!! ¡¡¡No puede ser!!! ¡¡¡Por favor, dí-game qué tiene para explicarles a los de la ambulancia!!! ¡¡¡Por favor, dígame qué tiene, heladero!!!
El heladero abrió apenas los ojos y susurró:
–Chocolate, nata, fresa, limón...

3577

Le hicieron una encuesta a la gallega Muleiro:
–*¿Qué es lo peor de ser mujer?*
–Que para comerse una salchicha así *(indica separando dos dedos de una mano unos 10 centímetros)*, te tienes que quedar con el cerdo entero.

3578

Tres gallegos sentados a la sombra de un árbol. Pasó una oveja:
–¡Si fuera Pamela Anderson!
–¡Si fuera Sharon Stone!
–*¡¡¡Si fuera de noche!!!*

3579

Pepe sube en un ascensor. A su lado, un negro enorme que le ofrece la mano mientras dice:
–*Hola, 2,10 metros, 125 kilos, un pene de 40 centímetros, dos testículos de 200 gramos cada uno. Cubano. Dante Lapuerta.*
Pepe se desmaya y el negro, sorprendido, le levanta y le despierta abofeteándole. Entonces le pregunta:
–¿Tienes algún problema?
–¿Podrías repetir lentamente qué has dicho?
–*He dicho: Hola, 2,10 metros, 125 kilos, un pene de 40 cm, dos testículos de 200 gramos cada uno. Cubano. Dante Lapuerta.*
–Gracias Dios mío, pensé que había dicho *"Date la vuelta".*

3580

–Doctor, ¿qué enfermedad tengo?
–*Una muy rara.*
–¿La puedo patentar?

3581

–¿Por qué Pepa nunca iba a los exámenes escritos en el bachillerato?
–*Ni idea.*
–Porque prefería los orales.

3582

–¿Cuál es la diferencia entre María y una puerta corrediza?
–*Ni idea.*
–Cuando la lubricas, la puerta *deja de chillar.*

3583

Paco era tan pero tan tonto que intentó suicidarse con una *so-*

bredosis de aspirinas. Pero fracasó: al tomar la segunda aspirina ya se sintió mucho mejor.

3584

–Doctor, mi marido ya no es lo que era, ¿por qué no hace algo para dejármelo como un toro?
–*Vale, vaya desnudándose que vamos a empezar por los cuernos.*

3585

–¿No te avergüenza, Pilar, ser tan ligera de entrepierna?
–*Pero ¿qué dices? Si tuviera otra vagina, ¡abría una sucursal en Barcelona!*

3586

¿Cómo se dice "suspenso" en chino?
¡Cha cha cha chaaaaaaaaan!

3587

–¿Qué tienen en común el sadomasoquismo, el incesto y la homosexualidad?
–*Ni idea.*
–El dormitorio de la Paca.

3588

–¿Cuál es la diferencia entre Paca y una lata de cerveza?
–*No sé.*

–Una lata de cerveza no puede satisfacer a una docena de hombres simultáneamente.

3589

–¿Por qué Marutxa nunca habla mientras hace el amor?
–*No sé.*
–Porque no le gusta hablar con la boca llena.

3590

–María, qué bien hueles esta noche, ¿qué te has puesto?
–*Calcetines limpios.*

3591

–¿Qué le regala Victoria Beckham a su marido cuando éste cumple años?
–*Ni idea.*
–Una lista de lo que "ella" necesita.

3592

Manolo era tan ambicioso que en su coche hizo colocar un sticker que decía: *"La felicidad no puede comprarte dinero"*

3593

–¿Cómo va tu vida conyugal, María?
–*Pues cuando mi marido se mete*

en la cama, yo me doy media vuelta.
–¿Y eso?
–*Ya ves, chica, es que me da por ahí.*

3594

–Camarero, ¿qué es lo que mejor le sale al cocinero?
–*Nuestra especialidad: filete a la James Bond.*
–¿Cómo es?
–*Frío, duro y con nervios de acero.*

3595

–¿Cuál es la diferencia entre una mujer y un inodoro?
–*No lo sé.*
–Una vez que lo usaste, el inodoro no va por allí todo el tiempo pidiéndote que le digas gilipolleces al oído.

3596

–¿Por qué los perros aúllan en el desierto?
–*Porque no hay árboles... sólo cactus.*

3597

Buscaban camarero para un restaurante:
–Necesitamos un hombre que sea muy responsable.
–*En eso yo tengo mucha experien-*

cia; en mi trabajo anterior siempre decían que, de todo lo que ocurría, yo era el único responsable.

3598

3599

—Existe una prueba irrefutable de que Dios no es mujer.
—¿A qué te referís, Pepe?
—A que en cuatro billones de años las estrellas *jamás han sido reacomodadas.*

3600

—¿Cuál es el pez imposible de cargar?
—*El pesado.*

3601

—¿Cuántos hombres hacen falta para cambiar un rollo de papel higiénico?
—*¿Quién puede saberlo? Es algo que jamás ha sucedido.*

3602

El gallego Muleiro le regaló un lavarropas a su madre y partió de vacaciones. A la semana siguiente, recordó que dentro de la lavadora había una licuadora para

regalarle a su hermana. Llamó inmediatamente a su madre.
—*Hola, mamá, ¿cómo funciona la lavadora?*
—Pues verás: la grande funciona muy bien. Pero la más pequeñita en cuanto le meto una media *¡me la destroza!*

3603

El gallego Paco llegó al veterinario con un enorme y peludo orangután. El veterinario preguntó:
—*¿Está vacunado el animal?*
—¡Y yo qué sé! —contestó el orangután.

3604

—¿Cuál es la diferencia entre una perra y un gato?
—*Unos quinientos dólares.*

3605

—Pero, ¿cómo vienes tan sucio de la calle, Manolito? ¿Sabes qué eres, hijo? Eres un chancho. ¿Sabes qué es un chancho?
—*Claro, mamá. ¡El chancho es el hijo de la chancha!*

3606

—¿Cómo se dice *"pon el tocadiscos"* en africano?
—*Tocatambó.*

3607

Acaba de hundirse un barco mercante y toda la tripulación está flotando en el agua, entonces el capitán grita:
—*Maaarineeeeerooooooos, el quee sepaaa nadaaaar encontrarááá tierraaaa a cinco millas al norteeeeeeeeeeeee...*

—Capitáááááááánnnnn.... ¿y el que noooo sepaaaaa?
—*¡Cincuenta metros para abajooooooooooooooooo!*

3608

Telegrama enviado por el gallego Manolo a su hijo Manolito.
—*Hola: quisiera verte. ¿Voy o vienes?*
El hijo contestó con otro telegrama:
—*Sí.*
El padre, sorprendido, mandó otro mensaje:
—*Sí ¿qué?*
La contestación fue inmediata:
—Sí, padre.

3609

—Un gallo y un enorme camello tienen 15 años. ¿Cuál es el más grande?
—*El gallo, porque tiene 15 años... y pico.*

3610

¿Hasta dónde se lavan la cara *los pelados?*

3611

Era una familia muy particular: Mamá mona, papá mono y su hijita la tortuga. Un día, la tortuguita intentó trepar a un árbol.
—*Querido, ¡creo que vamos a tener que decirle que es adoptada!*

3612

—*Doctor, me temo que me estoy quedando sordo. Fíjese que ya no me oigo ni toser.*
—Tome estas pastillas.

–¿*Son para oír mejor?*
–No. Son para que tosa más fuerte.

3613

–¿*Qué dijo la modelo muy, muy idiota, cuando descubrió que estaba embarazada?*
–No sé.
–*Dijo: "¡Espero que no sea mío!"*

3614 - 3618

Cinco inventos inútiles

Helicópteros con asientos eyectables.

Cornflakes en saquitos.

Clavos de goma para vidrios.

Cigarrillos de piedra.

Chicles con gusto a aspirina.

3619

–¡Hola, Pedrito!
–¡*Hola!*
–¡Qué resfrío tienes! ¿Dónde te lo pescaste?
–*Es que ayer soñé que era botella y dormí destapado.*

3620

La modelo era tan pero tan tonta, que le regalaron una cebra y ¿saben qué nombre le puso? ¡Lunares! ¡A una cebra! ¡Lunares!

3621

A las 4 de la mañana. ¡Rinnnggg, ringgg, ringgg, ringgg, ringgg, ringgg, ringgg, ringgg, ringgg!
–¿*Hola?*
–¡Está Pepe?
–*No, se ha equivocado.*
–¡Ohhh!, lo siento tanto. Espero no haberlo despertado, hombre.
–*Es igual, tenía que levantarme porque el teléfono estaba sonando...*

3622

–¿Cómo es una bola de bowling gallega?
–*No sé.*
–Un ladrillo con tres agujeros.

3623

–Yo hice mi fortuna vendiendo palomas mensajeras.
–¿*Vendiste muchas?*
–No, una sola. Pero siempre volvía...

3624

–¡Hola, buenas! Quiero un perfume.
–¿*Para su esposa o más caro?*

3625

–¿Has dormido bien?
–*No. He cometido varios errores.*

3626

–¡Éste es el retrato de mi pobre abuelo!
–¿*Ha muerto?*
–No, es pobre.

3627

–Pepe es vicioso. ¡Pobres sus hijos!
–*Pepe no tiene hijos, Manolo.*
–¡Mejor para ellos!

3628

Era tan pero tan bruto que inventó la pasta dentífrica con sabor a ajo.

3629

–¿Tú sabes qué es una cosa que tiene treinta y dos patas, los ojos verdes, un cuerpo rojo y velludo, estriado en marrón, verde y amarillo?
–¡No lo sé, Pepe, no me jodas! *No me gustan las adivinanzas así que dime qué es...*
–¡Pues no lo sé! ¡Pero lo estoy viendo subir por tu espalda!

3630

La gallega en el quiosco.
–¿*Tiene estampillas de correo?*
–Sí, señora.
–*Déme una de cien pesetas.*
–¡Cómo no, señora! Aquí tiene.
–*Perdone, ¿podría quitarle el precio? Es para hacer un regalo.*

3631

–¡¡¡Papá!!! ¡¡¡Cómprame un sombrero!!!
–¡¡¡Cállate o te pego una bofetada que te dejo sin cabeza!!!
–Sí, claro, para no comprarme el sombrero, ¿¿¿verdad???

3632

3633

–¿Cómo se suicida un gallego tirándose de un piso 20 si vive en un edificio de 5?
–*Se tira 4 veces.*

285

3634

Eficiencia:
**es cuando el Parlamento roba,
él mismo investiga y
finalmente absuelve luego
de demandar a los denunciantes**

3635

Anciano:
es aquel que, cuando era joven.
solía tener cuatro miembros flexibles
y uno rígido y que ahora
tiene cuatro rígidos y uno flexible.

3636

Napoleón resucita y se entrevista con los líderes mundiales.
–Bush: si yo hubiese tenido tu poderío militar, *jamás habría perdido en Waterloo.*
–Gorbachov, si yo hubiese tenido tu prudencia, *jamás habría luchado en Waterloo.*
–Aznar: si yo hubiese tenido tu aparato de prensa, *jamás nadie se habría enterado de que fui derrotado en Waterloo.*

3637

–Señora, tengo que comunicarle que, lamentablemente, su marido ha muerto.
–*No le hagas caso, María. ¿No ves que estoy vivo?*
–A callar, Paco. ¡No seas bruto! ¿Quién estudió aquí, tú o el doctor?

3638

George W. Bush visita un colegio estadounidense. Elige un aula al azar siempre acompañado por sus guardaespaldas.
Empieza un discurso sobre América, y el orgullo de ser americano y tal… Al final, pregunta:
–¿Quién tiene dudas?
–*¡Yo! Hola, soy Jimmy y me gustaría hacer tres preguntas… Primera: ¿Por qué falsificó las elecciones? Segunda: ¿Por qué no evitó el 11 de septiembre? Tercera: ¿Por qué ha provocado una guerra devastadora contra Irak?*

¡Triiiiiiiiiiiiiiiiiiiiiiiiiiimmmmmm!
Suena el timbre del recreo y todos salen.
Cuando vuelven del recreo, George W. Bush continúa:
–¿Bien, quien tiene más dudas?
–*¡Yo! Hola, soy Bernie y me gustaría hacer cinco preguntas… Primera: ¿Por qué falsificó las elecciones? Segunda: ¿Por qué no evitó el 11 de septiembre? Tercera: ¿Por qué ha provocado una guerra contra Irak? Cuarta: ¿Por qué el timbre del recreo sonó veinte minutos antes? Quinta: ¿Dónde está Jimmy?*

3639

–¿Qué es negro rojo negro rojo negro rojo negro rojo negro rojo blanco?
–*Un negro masturbándose.*

3640

–¿Por qué los ataúdes de los negros tienen sólo dos manijas?
–*¿Has visto un cubo para basura con cuatro?*

3641

Entra el cliente al restaurante y pide un pollo asado.
Cuando el camarero se lo lleva, el cliente lo prueba y estaba duro como una piedra.
–*Camarero, por favor devuélvale este pollo al cabrón del cocinero y dígale que se lo meta en el culo.*
–Si señor; pero tendrá que esperar. Antes que el suyo tiene el mismo pedido de otros tres clientes.

3642

–Quiero besarte los sobacos, Paca, sorberte lo que tengas en la nariz,

chuparte los pies sucios y pasarte la lengua por…
–*Hoy, no querido, me duele la cabeza.*

3643

–¿Cómo se llama el hermano músico de James Bond?
–*Trom… bond.*

3644

Quedó desierto el Premio *"Sahara"* de Literatura.

3645

–¿Cuál es el pez que más galopa?
–*La caballa.*

3646

El Príncipe Azul visita a Blancanieves y le pregunta:
–*¿Te quieres casar conmigo?*
–Por supuesto, Príncipe.
El Príncipe saca la polla:
–*¿Qué es esto que me cuelga?*
–La polla, Príncipe mío.
–*Me marcho. Necesito una mujer inocente.*
Entonces visitó a Heidi y le hizo las mismas preguntas:
–Sí, me quiero casar contigo. Y eso que te cuelga es un champiñón.
El Príncipe se casó con Heidi y la noche de bodas le explicó:

–Mi amor, inocente niña, esto es una polla. Una polla.
–Noooo, mi Príncipe. Eso es un champignón.... Polla, lo que se dice una buena polla, era la de Pedro.

3647

Manolo compró un auto usado. Justo después de pagarlo, preguntó:
–¿Y cuánto tiempo de garantía tiene esta ganga?
–A partir de este momento... ¡diez, nueve, ocho, siete...!

3648

En un bar de Lugo, el gallego Pepe trabajaba de camarero.
–Y, ¿qué tal? ¿Ya terminó la huelga?
–¿Qué huelga? ¡Aquí no hubo ninguna huelga!
–¿Ah, no? ¿Y entonces por qué tardó tanto con el café?

3649

Resulta que un tipo vuelve a su casa después de haber estado con su amante y mientras se está arreglando se ve un terrible rasguño. Cuando entra, ve pasar al gato, entonces le pega una terrible patada y el felino sale volando y ¡¡¡miauu-uuuuuuuuuuuuuuu!!!
Entonces llega su novio muy agitado desde la otra habitación:

–Pero, querido, ¿qué pasó?
–Nada, este gato de mierda me atacó y me rasguñó.
–Sí, mátalo, mátalo que a mí me dejó un terrible chupetón en el cuello.

3650

–Doctor, ¿qué tengo?
–Poca cosa, se ha roto el tendón de Aquiles.
–Pues, me duele como si fuese mío.

3651

–Señor, hace 20 minutos que le pedí al camarero una botella de vino de la casa.
–Va a tener que esperar otros 20 minutos, porque el camarero vive lejos.

3652

–Tómese este jarabe y se curará.
–Pero, este jarabe tiene un sabor horrible.
–Tómeselo pensando que es vino.
–¿Y no podía beber vino pensando que es jarabe?

3653

–¿Cómo hacen los gallegos para cazar conejos?
–Andan por ahí imitando el sonido de las zanahorias.

3654

–Manolo, dime algo dulce.
–Me cago en la madre que te parió en almíbar.

3655

–Hijo mío, ahora que vas a cumplir 16 años, ¿qué querrías que te regalase?
–¡Quiero una muñeca Barbie!

–¡Pero, hijo!, ¡eres casi un hombre! ¡Debes pedir algo fuerte, algo potente, algo de hierro!
–¡¡¡Entonces quiero una planchita!!!

3656

–¡¡¡Pepa!!! ¿Cuántas veces tengo que decirte que no soy sifilítico ni quilombero. Escucha bien: ¡soy filatélico y colombófilo!

3657

La gallega María regresó de la consulta con el ginecólogo.
–Paco, me ha dicho el doctor que yo no puedo quedar embalsamada pues tú eres imponente.

3658

–Doctor, me duelen mucho los riñones, creo que es del tabaco.
–¿Del tabaco?
–Sí, de tanto agacharme recogiendo colillas.

3659

Aznar y Bush hablando por teléfono.
–Oye, George, hermano, tengo un problema gordísimo. Los de ETA me matan a todos los concejales y por más que hago, nada de nada.
–Tranquilo, nosotros tenemos los mejores marines del mundo, así que voy a entrenar uno en un mes para que hable euskera y te lo mando a Euskadi. Verás cómo se carga a todos los etarras.
Pasado un mes en una noche con niebla se tira en paracaídas el Marine sobre Rentería. Cuando llega a tierra esconde el paracaídas y se pone una txapela y un pañuelo al cuello. Empieza a andar y se encuentra un bar y se dice para sí:

–*De puta madre, ahora entro en el bar y me voy confundiendo con las gentes para realizar la misión.*

Entra en el bar y ve a Patxi (dueño del bar) limpiando un vaso.

Dice el Marine:

–*Anda, Patxi, ponme un vino.*

Patxi ni puto caso. Sigue limpiando el vaso. Entonces el Marine piensa:

–*¡Ahh, se me ha olvidado decir "ostias"!*

Dice entonces:

–*Ostias, Patxi, ponme un vino.*

Y Patxi ni puto caso. Sigue limpiando el vaso. Entonces el Marine piensa:

–*¡Ahh! Se me ha olvidado decir ¡Joderrr!*

Entonces dice:

–*¡Ostias, Patxi, joder, ponme un vino!*

Y Patxi ni puto caso sigue limpiando el vaso.

Entonces el Marine piensa:

–*¡Ahh! Se me ha olvidado decir pues, al final.*

Entonces dice:

–*¡Ostias, Patxi, joder, ponme un vino, pues!*

Patxi levanta la cabeza, le mira y dice:

–Que no, negro, que a ti no te sirvo.

3660

En pleno desierto se estropeó el coche de una pareja. Él se dirigió a una caseta telefónica que vio a la distancia, y volvió al rato.

–*Dice la operadora que debe ser un espejismo, porque aquí no hay ningún teléfono.*

3661

–¿Cómo mantienes a un gallego moviéndose todo el día?

Lo metes en un cuarto redondo y

le dices que se siente en la esquina.

3662

En el dentista:

–*A ver, por favor, abra la boca... Pero, hombre, ¡¡¡no hace falta que la abra tanto!!!*

–Pero ¿no me tiene que meter las pinzas?

–*Sí, pero yo me quedo fuera.*

3663

–¿En qué se parece un cigarrillo a la casa de un pobre?

–*En que el cigarrillo tiene "nicotina" y la casa del pobre no tiene nicotina ni alfombras ni sillones ni ventanas ni pisos...*

3664 - 3694

Treinta motivos de por qué es mejor tener un perro que una mujer

Les encanta que uno invite gente a la casa.

Los perros no lloran.

No les importa que uno use su champú.

No esperan que uno los llame para avisar que llega tarde.

Cuanto más tarde llegue uno, mejor lo reciben.

No les importa que uno juegue con otros perros.

No se dan cuenta si uno se equivoca de nombre al llamarlos.

Les gusta la patanería.

No les importa si uno regala los cachorros.

Todo el mundo puede conseguir un perro bonito.

Si es espectacular, los otros perros no lo odian.

Los perros no van de compras.

Les encanta que uno deje desorden en el piso.

Nunca necesitan analizar la relación.

Sus padres nunca llegan de visita.

Les encanta los viajes largos en carro.

No odian sus cuerpos.

Les gusta que uno los acaricie en público.

No esperan recibir regalos.

Es lícito tenerlos amarrados en la casa.

No les interesa saber cómo fue la relación con perros anteriores.

No permiten que los artículos de las revistas determinen sus vidas.

Jamás hay que esperar un perro. Está listo para salir las 24 horas del día.

Les gusta husmear, pero siempre zonas alejadas de la billetera, cajones del escritorio y el fondo del cajón de las medias.

No pueden hablar.

De nada le sirven las flores, las joyas o las tarjeticas.

Jamás escuchan a Julio Iglesias.

No se pone las camisas de uno.

Jamás piden un masaje en las patas.

Nunca critican.

Les parece cómico que uno esté borracho.

3695

–¿Cómo se llama el ministro de Economía de Lituania?
–Depauperadas Lasarkas.

3696

–¿Qué le dice un piojo a un avión?
–Tú vas volando, ¡pero yo voy en cabeza!

3697

–¡Yo no me acosté con mi marido antes de casarme! ¿Y tú?
–¡Ay! ¿Sabes que no sé? ¿Cómo se llama tu marido?

3698

–¿Por qué resultó sorprendente que la Pilarica aceptase que el encargado de la estación de servicio le llenase el tanque?
–Ni idea.
–Pilar estaba sin auto.

3699

–María qué harías si encontrases una mochila con cinco millones de euros?

–¡Ah, pues... averiguaría si pertenecen a una persona pobre. En ese caso, se los devolvería. ¿O crees que soy gilipollas?

3700

En un chequeo médico de empresa:
–Señorita, desnúdese por completo.
–Pero si otro colega suyo me ha reconocido hace cinco minutos y me ha dicho que estoy estupenda.
–A mí también me lo ha dicho, por eso quiero comprobarlo.

3701
Curiosidad

Cuaquleir texto se pduee leer... si se respetan la primera y la última letra de cada palabra

Según varios estudios cinéticos realizados en universidades de Gran Bretaña y los Estados Unidos, *"la alteración del orden de las letras de las palabras de un texto no afecta la capacidad de las personas para entenderlo"*. La curiosa nueva se difundió por e-mail.

"Segeun un etsduio de una uivenrsdiad ignlsea, no ipmotra el odren en el que las ltears etsan ersciats, la uicna csoa ipormtnate es que la pmrirea y la utlima ltera estén ecsritas en la psioción cocrrtea. El rsteo peuden estar ttaolmnete mal y aun pordas lerelo sin pobrleams. Etso es pquore no

lemeos cada ltera por si msima snio la paalbra cmoo un tdoo.
Pesornamelnte me preace icrneílbe..."

3702

Manolo, ahora enrollado en asuntos de una vida mejor, quiere escribir un libro que se titulará Cómo ser feliz sin dinero. *Costará 4.500 euros.*

3703

Pepe Muleiro estuvo 20 años trabajando muy orgulloso porque el jefe le consideraba su mano derecha. A los 20 años se enteró de que *el jefe era zurdo.*

3704

–¿Manolo es realmente tan bruto como dicen?
–¡Mira cómo será que cuando sale de su casa enciende una cerilla para ver si las luces están apagadas.

3705

Entra Felipe al dormitorio:
–Paca, mi amor, tengo un grave problema en mi trabajo.
–No te preocupes, cariño. Y nunca digas *tengo* un problema, di... *tenemos* un problema, ya que tu trabajo es *nuestro* trabajo.
–¡Muy bien! Entonces, ¡Nuestra secretaria va a tener un hijo nuestro!

3706

El gallego Manolo se fue a trabajar al País Vasco en un poblado donde había pocas mujeres y muchas ovejas.
–Prepárate para el sábado a las

once de la noche. Debemos hacer la fila para entrar al baile de las doce.
—¿Cola para ir al baile? ¡Ah! ¡Ya entiendo! Los que llegan primero consiguen mujeres, y los demás, no.
—*¡Nooo, para nada! Aquí no hay mujeres en el baile. Es sólo con ovejas.*
—¿¿¿Sólo con ovejas??? Y entonces, ¿para qué cuernos hacen cola?
—*¿Y qué quieres? ¿Bailar con la más fea?*

3707

—¿Por qué Paca murió de risa cuando el médico pidió: "¡Diga aaa"!
—*No sé.*
—Porque creyó que estaba en la consulta del ginecólogo.

3708

—¿Cómo se dice *"manteca"* en africano?
—*Unta.*

3709

—¿Cuál es el verdadero nombre de Tribilín?
—*Bilín bilín bilín.*

3710

—Pues a mí mis gallinas me ponen los huevos así de grandes.
—*¡Bah! ¡Eso no es nada, a mí mis abejas me ponen los huevos así de hinchados!*

3711

Primer acto: aparece un pitufo, se baja los pantalones y muestra el culo.
Segundo acto: vuelve el pitufo, se baja los pantalones y muestra el culo.
Tercer acto: otra vez el pitufo, se baja los pantalones y muestra el culo.
¿Cómo se llama la obra?
Ver-ano azul.

3712

—¿Qué le dijo un ojo a otro ojo?
—*¡Estamos tan cerquita y ni nos podemos ver!*

3713

En la Oficina de Empleo un desocupado pide trabajo:
—*¿Hay algo para mí?*
—¿Le parece bien de jardinero?
—*¿Dejar dinero? ¿Usted está loco? ¡Pero si yo no tengo un céntimo!*

3714

—Para ser inteligente tienes que ir a la escuela, hijo mío. Y estudiar mucho.
—*¡Pero, papá! Yo no quiero ser inteligente, ¡quiero ser como tú!*

3715

—A Manolito le regalaron un cachorrito para Navidad.
—*¿Y?*
—¡Casi lo mató cuando quiso ponerle las pilas!

3716

Sherlock Holmes y el doctor Watson se fueron en un viaje de camping. Después de una buena comida y una botella de vino se despidieron y se fueron a dormir. Horas más tarde, Holmes se despertó y codeó a su amigo:
—*Watson, mira el cielo y dime qué ves...*
Watson contestó:
—Veo millones, miles de millones de estrellas...
—*¿Y eso qué te dice?*
Watson pensó por un minuto...
—Astronómicamente, me dice que hay millones de galaxias y potencialmente billones de planetas; astrológicamente, veo que Saturno está en Leo. Cronológicamente, deduzco que son aproximadamente las tres y diez. Teológicamente, puedo ver que Dios es todopoderoso y que somos pequeños e insignificantes.
Meteorológicamente, intuyo que tendremos un hermoso día mañana... ¿y a usted qué le dice?
Tras un corto silencio, Holmes habló:
—*Watson, eres un idiota... ¡Nos han robado la carpa!*

3717

Dos pueden vivir con el dinero de uno, *pero la mitad de tiempo.*

3718

Cuando no se piensa lo que se dice es cuando se dice lo que se piensa.

3719

–Doctor, tengo un grave problema.
–*¿Qué síntomas tiene?*
–Cuando como, se me quita el hambre por completo.

3720

–Si estás en un avión y repentinamente se enciende fuego, ¿por dónde sales?
–*¡Por todos los noticieros de la tele!*

3721

–*¡Me encanta jugar al póquer y perder!*
–*¿Y ganar?*
–*¡Ganar debe ser la hostia!*

3722

–¿Cuántos desconfiados se necesitan para cambiar una lamparilla?
–*No sé.*
–Cuatro. Uno que la cambie. Otro que revise si el primero la cambió bien. Un tercero que revise si el segundo revisó bien. El cuarto para que llame al electricista... *por si acaso.*

3723

–¿Dónde has estado este verano?
–*En el desierto del Sahara.*
–¿Y encontraste mucha gente conocida?

3724

–¿Cuál es el animal más elástico?
–*El cauchodrilo.*

3725

–Mi estimado amigo, debo serle franco. Con la cantidad de cigarrillos que usted fuma, con el volumen de drogas que ingiere y las mujeres rubias, morenas y pelirrojas que visita, usted acorta cada vez más sus días.
–*Es verdad, ¡pero si viera cómo alargo mis noches!*

3726

–¡Pero Pepe, joder! ¡Borracho otra vez! A ver, dime... ¿qué ganas con beber?
–*Pero, Paca, ¡joder! ¡Si no lo hago por dinero!*

3727

–¿Qué le dijo un molusco a otro molusco?
–*¿Cómo luzco?*

3728

Manolito le preguntó a Manolo:
–Papá, ¿por qué unas nubes son blancas y otras negras?
–*No lo sé, hijo.*
–¿Cómo funcionan los automóviles?
–*No tengo idea, hijo.*
–¿Y por qué la Tierra es redonda...?
–*Pues... pues... ¡no lo sé!*
–Niño. ¡No molestes a tu padre que está cansado!
–*¡Déjalo, mujer! El chico tiene derecho a instruirse.*

3729

–¿Qué pasa si metes un huevo en el microondas?
–*Pues, ¡¡¡que se te queda el otro fuera!!!*

3730

Tu madre es tan pero tan vieja, que *cuando iba a la escuela no había clase de historia.*

3731

–Acabo de volver de Disneyworld, Manolo.
–*¿Y qué tal, Pepe? Me han dicho que aquello está muy bien.*
–No creas: apenas llegamos vimos unos ratones ¡más altos que tú!

3732

–¿Cuáles son las cuatro palabras que un ama de casa jamás quisiera oír mientras está haciendo el amor?
–*¡Hola, querida, ya llegué!*

3733

–¿Por qué no llueve en Uruguay?
–*Porque está debajo de Paraguay.*

3734

Un astronauta gallego llama a la tierra por radio:
–*Oiga, ¿La Coruña? Un cohete acaba de acercarse a unos diez metros. Se trata de un cohete ruso. Por la ventanilla veo que están preparando una cámara fotográfica,*

seguramente me quieren fotografiar. ¿Qué debo hacer?
–Pues... ¡sonríe, Pepe, sonríe!

3735

Pepito llegó feliz del colegio.
–Mamá, ¡aprendí a escribir!
–¿Y qué escribiste?
–¿Cómo voy a saberlo, si todavía no he aprendido a leer?

3736

–¿Sabes, Pepa? ¡Acabo de recibir un anónimo!
–¿Sí? ¿Y de quién?

3737

–¡No nos engañemos, Paco! El perro es un animal como tú y como yo, pero sobre todo como tú.

3738

Un vasco va al banco:
–Hola, venía a pedir un préstamo.
–¿Cuánto dinero quiere?
–¿Cuánto dinero tiene?

3739

–Mira, qué letrero tan raro: "Se vende madre sin sentimientos".
–No sea bobo, hombre, lo que dice es que "se vende madera, zinc y cemento".

3740

Paco y Manolo, dos ratones gallegos, entran a un videoclub. El ratón Manolo se comió casi en-

tera la película "Blancanieves".
–¿Y? ¿Qué tal, Manolo?
–¿La verdad? ¡Me gustó mucho más el libro, Paco!

3741

–¿Cuál es el animal más viejo de todos?
–La vaca: porque todavía está en blanco y negro.

3742

–Oye, tío, ¡tú eres un soberbio!
–¿Sí? Pues, ¡tú eres un croata!

3743

–¡Bienvenida a casa, querida!
–¡Ay, Paco!, tu recibimiento es verdaderamente frío. ¡Mira qué distinto el comportamiento de Manolo, que está besando apasionadamente a la Pepa, su mujer! ¡Se nota que la ama!
–¡No, María, te equivocas! Es que la Pepa está yéndose, no regresando.

3744

–¿Cómo harías para que una mujer se convierta en burra?
–La metería en una habitación muy pequeña sin nada que hacer hasta que se aburra.

3745

–¿Sabes cuál es la diferencia entre una pulga y un elefante?
–No lo sé.
–Bueno, ya es hora de que te pongas gafas.

3746

Jadeando y sudando, dos hombres en una bicicleta tándem llegan al fin a

la cima de una pronunciada subida.
–¡Joder! ¡Qué subida tan dura!
–Y que lo digas, si no llega a ser porque he ido frenando, rodamos para atrás.

3747

–¿Cómo se llama un barco lleno de gitanos?
–Gitanic.

3748

–Yo una vez andé, andé y andé durante tres días seguidos.
–Pero, hombre, Paco. No seas bestia, no se dice andé, se dice anduve...
–Pues eso, anduve, anduve y anduve hasta que un río me cortó el paso.
–¿Y qué hiciste entonces?
–Me metí en el río y naduve, naduve y naduve...

3749

¡Sargento! ¡Informe a la tropa que se han quedado sin comunicaciones!

3750

–Tripulación: ¡¡¡Tiren el ancla!!!
–Pero, capitán, ¡el ancla es nueva!

3751

Dos vascos ante un tráiler gigantesco, propiedad de uno de ellos:
–Iñaki, ¡qué hermoso y bien cuidado tienes el camión!
–Es que sólo tiene cuatro meses.
–Pues, ¡cuando cumpla el año no te cabe en el garaje!

3752

Dos mentirosos contando sus mentiras:
–Aunque no lo puedas creer, tengo

la foto de un tipo subiendo a nado las cataratas del Niágara.
–¡¡¡Qué increíble!!! ¡¡¡Yo pensaba que nadie me había visto!!!

3753

–¿En qué se parece un pato a un elefante?
–*En que el pato nada y el elefante nada que ver con el pato.*

3754

–¿Viste la fortuna que ha hecho Henry Ford con los coches?
–*¡Sí!, igual que su hermano Roque con los quesos!*

3755

Orden militar: "Proceda a la captura del capitán Fuentes con el mayor sigilo".
Respuesta: "Capitán Fuentes capturado. Seguimos buscando al Mayor Sigilo".

3756

–¿Qué le pasa a una vaca cuando se come un vidrio?
–*La leche le sale cortada.*

3757

Los animales hacían fila para entrar al cine de la selva. Llegó la hormiguita y ¡plash!, tropezó con el elefante. Indignado, el paquidermo le gritó:
–*¡Oiga, no empuje!*
–¡Ay, perdón, señor! ¡Es que no lo vi!

3758

Se encuentran dos amigos después de mucho tiempo.
–¿Cómo estás, Manolo?
–*Estoy cansadísimo, Pepe. Trabajo*

en un lavadero de autos. Nunca pensé que fuera un trabajo tan pesado.
–¿Por qué, Manolo?
–*Es que... lavarlos no es nada. Pero ¡tenderlos a secar!*

3759

–¿Por qué los elefantes van en manada?
–*Porque el del centro lleva la radio.*

3760

–¿Qué hacen cien gallegos dentro de un freezer?
–*Cubitos de hielo.*

3761

–¿Por qué de pronto salen de estampida?
–*Porque van a comprar pilas para la radio.*

3762

–Oye, Iñaki, ¿qué te da el último problema de matemáticas?
–*Infinito.*
–¿Nada más?

3763

–¿Por qué los soldados en el Far West llevaban tijeras en las alforjas?
–*Para cortarles la retirada a los indios.*

3764

–¡Qué suerte que no nací en Japón!
–*¿Por?*
–¡No entiendo ni una palabra de japonés!

3765

En el restaurante. El camarero al cliente:
–*Si está usted fumando y desea*

apagar su cigarrillo en el plato, el camarero le traerá con mucho gusto la comida en un cenicero.

3766

–Desde aquí le puedo pegar a aquel pato entre los ojos.
–*Imposible.*
Dispara. Le pega entre los ojos. Y dice el otro:
–*¡¡¡Dios mío!!!*
–Oye, ¡no, hombre! Puedes llamarme Patxi.

3767

Una manzana está esperando el autobús. Llega una banana y le pregunta:
–¿Hace mucho que usted espera?
Y la manzana le responde:
–*No, yo siempre fui manzana.*

3768 - 3782

Avisos parroquiales
Todos reales y expuestos en los tablones de anuncio de diferentes iglesias gallegas.

El próximo jueves, a las cinco de la tarde, se reunirá el grupo de las mamás. Cuantas señoras deseen entrar a formar parte de las mamás, por favor, pedir entrevista para que las atienda el párroco en su despacho.

El grupo de recuperación de la confianza en sí mismos se reúne el jueves por la tarde, a las ocho. Por favor, para entrar usen la puerta trasera.

El viernes, a las siete, los niños del Oratorio representarán la obra "Hamlet", de Shakespeare, en el salón de la iglesia. Se invita a toda la comunidad a tomar parte en esta tragedia.

Estimadas señoras, ¡no se olviden de la venta de beneficencia! Es una buena ocasión para liberarse de aquellas cosas inútiles que estorban en casa. Traigan a sus maridos.

Tema de la catequesis de hoy: *"Jesús camina sobre las aguas".* Catequesis de mañana: *"En búsqueda de Jesús".*

El coro de los mayores de sesenta años se suspenderá durante todo el verano, con agradecimiento por parte de toda la parroquia.

Recuerden en la oración a todos aquellos que están cansados y desesperados de nuestra parroquia.

Por favor, pongan sus limosnas en el sobre, junto con los difuntos que deseen que recordemos.

El párroco encenderá su vela en la del altar. El diácono encenderá la suya en la del párroco, y luego encenderá uno por uno a todos los fieles de la primera fila.

El torneo de baloncesto de las parroquias continúa con el partido del próximo miércoles por la tarde. ¡Venid a aplaudirnos, trataremos de derrotar a Cristo Rey!

El precio para participar en el cursillo sobre *"Oración y ayuno"* incluye también las comidas.

El próximo martes por la noche habrá cena a base de frijoles en el salón parroquial. A continuación tendrá lugar un bonito concierto.

Recuerden que el jueves empieza la catequesis para niños y niñas de ambos sexos.

El mes de noviembre terminará con un responso cantado por todos los difuntos de la parroquia.

Para cuantos entre ustedes tienen hijos y no lo saben, tenemos en la parroquia una zona arreglada para niños.

3783

–¿Qué hace? ¿¡No sabe que está prohibido mear en la calle!? Tendrá que pagar una multa de diez euros. Manolo miró a los cuatro agentes, tomó un billete de 50 y les dijo:
–¡*Vamos, muchachos, una vuelta para todos, invito yo!*

3784

–¿Sabes, Paco? ¡Estoy escribiendo mis memorias!
–¿*Has llegado ya al día, hace diez años, en que te presté cien dólares?*

3785

–¿Cuál es la diferencia entre un baterista y una caja de ritmos?

–*A la caja de ritmos hay que darle la información sólo una vez.*

3786

–Oye, Pepe, con lo gallego que tú eres, ¿cómo le has puesto Rocío a tu hija?
–*Ha sido cosa de mi suegra, que es andaluza. Pero en casa la llamamos Escarcha.*

3787

–*Doctor, veníamos a verlo porque mi mujer tiene tres pechos.*
–¡Ah! Y quiere que le extirpe uno de ellos, ¿verdad?
–No, que me implante a mí otra mano.

3788

–¿Por qué los elefantes van en fila, agarrados de la cola?
–*Ni idea.*
–*Porque tienen hilo musical y el primero es el que tiene la radio.*

3789

–El otro día y en plena selva me encontré un león y me hizo *"Prfffff".*
–¿*Que te hizo "prfffff"? Sería ¡aaggrrrrr!*
–Bueno, es que me lo encontré de espaldas.

3790

–¿Por qué los perros gallegos salen siempre ladrando a los coches?
–*No sé.*
–Porque huelen que hay un gato.

3791

–Doctor, sus colegas me han examinado y no me han dado el mismo diagnóstico que usted.

—Bueno, no se apure, ya veremos quién tiene razón cuando hagamos la autopsia.

3792

Una señora se subió al autobús, no tenía cambio y dio un billete de cinco mil pesetas. El conductor, para vengarse, le dio el vuelto en monedas, hasta que le llenó las palmas de las manos.
—Me ha dado de menos. Por favor, cuéntelo otra vez.

3793

—Mamá, en el colegio me llaman hijo de vaca.
—Muuurmuraciones, hijo, muuurmuraciones.

3794

—Doctor, mi hijo Manolito se ha tragado una pila.
—¿De qué voltaje?
—No, ¡la pila bautismal!

3795

—Papá, ¿cuánto es doscientos menos ciento veinte?
—¡Ochenta! Si tu madre está de acuerdo, claro...

3796

—¿Cuál fue el único compositor que murió ahogado?
—¡¡¡Glück!!!

3797

Un turista se perdió en un pequeño bosque. Hasta que encontró al gallego Manolo:
—¡Qué alegría me da verlo, señor! ¡Hace dos horas que estoy dando vueltas por aquí!

—¡No tanta alegría, no tanta alegría! ¡Yo hace siete que estoy perdido!

3798

Felipe, borrachísimo, iba por la calle. Se encontró con un policía.
—¿Cómo voy oficial? ¿Voy bien o voy mal?
—No sé: yo le veo un poco bebido pero va bien.
—¿Cómo llevo el cierre del pantalón, arriba o abajo?
—Va bien: lo lleva arriba...
—Entonces voy mal porque ¡me estoy meando!

3799

—¿Qué le dijo una pared a otra?
—Nos encontramos en la esquina.

3800

—¿Cuánto me cobra por sacar este diente?
—Setenta pesos.
—¿Setenta pesos por unos pocos minutos de trabajo?
—Si usted quiere se lo puedo extraer muy, muy, muy lentamente...

3801

—¿Qué son todas estas botellas y tanta alegría?
—¡Querida, tenemos que celebrar mi nombramiento! ¡Me acaban de

nombrar presidente de la Asociación contra el Alcoholismo!

3802

—¿Sabés que hay un pirata con una pata de palo que se llama Garfio?
—¡No! ¿Y la otra pata cómo se llama?

3803

—Pepe, si no fuera por el bigote, serías igualito a mi mujer.
—Pero si yo no tengo bigote...
—Tú no, pero ¡¡¡mi mujer sí!!!

3804

—Oye, Pedro, tú que has estado en Francia, ¿cómo se dice *bulto* en francés?
—Paquet.
—Pa' ná. Por saberlo.

3805

La nenita miraba a su madre que estaba maquillándose.
—Mamá, ¿a qué edad podré empezar yo también a ensuciarme la cara en lugar de lavármela?

3806

—Manolo, sabes dónde puedo conseguir dos tías que quieran salir esta noche sí o sí?
—Pues sí: en la cárcel de mujeres.

3807

—¡Pero, Pepe, qué bigote tan pequeño te has dejado!
—Es que ¡está todo tan caro!

3808

—Mi abuelo paterno murió a los noventa y ocho años.
—¡Eso no es nada, hombre! Yo tuve

un tío que llegó a cumplir los ciento dieciséis años.

–No me explico todavía cómo viven tan poco tiempo sus parientes. *¡A mí no se me ha muerto ninguno hasta la fecha!*

3809

Dos jubilados están haciendo cola en la puerta de un banco para cobrar sus escuálidos haberes. Uno de ellos, cansado de esperar bajo los rayos del sol, le dice al otro:

–*Mira, ¡me cansé! Me voy al Ministerio de Economía a insultar al ministro.*

Al rato, el jubilado vuelve.

–¿Por qué volviste tan rápido?

–*La cola para putear al ministro era muchísimo más larga que ésta.*

3810

–Tus gatitos, ¿son machos o hembras, Paco?

–*Machos, ¿no ves que tienen bigotes?*

3811

Pepe Muleiro se había construido por fin su casa, tras treinta años de ahorro y esfuerzos. Un amigo fue a buscarlo y lo encontró trabajando en

el jardín, bajo la lluvia torrencial.

–*Pero ¿qué haces? ¡Te pondrás enfermo, Pepe!*

–¡No seas tonto! ¡Si supieras el placer que da reposar bajo la lluvia propia!

3812

Un letrero en un parque gallego: *"Por favor no pise el pasto. El que no sepa leer, que pregunte. Gracias."*

3813

Se abre el telón: Una gorda cantando rock.

Se abre el telón: Una gorda cantando rock.

Se abre el telón: La misma gorda cantando rock.

–¿*Cómo se llama la obra?*

–"Rock Pesado".

3814

–Camarero, por favor, ¿me cocina más el pollo? *¡Está comiéndose mi arroz!*

3815

En el manicomio. Un interno que se pasaba el día con la oreja pegada a una pared. Uno de los médicos decidió averiguar qué era lo que

estaba escuchando. Se acercó a la pared, se puso al lado del loco y al cabo de unos minutos dijo:

–*¡La verdad, la verdad, yo no oigo nada!*

–¡Y yo tampoco! ¡Esta pared ha estado callada en los tres últimos años!

3816

–Patxi, ¿tus vacas fuman?

–*No.*

–Pues entonces se te quema el caserío.

3817

–¿Cómo es la anorexia judía?

–*La nena no come nada y su madre se muere...*

3818

–Sinceramente ¿te detuviste a pensar cómo sería tu vida si no te emborracharas cada noche?

–*Claro, ¡por eso me emborracho cada noche!*

3819

El que ríe al último, *piensa más lento.*

3820

–¿Por qué el paraguayo se tatuó su nombre en el pecho con un cuchillo de carnicero?

–*Ni idea.*

–Para no olvidárselo.

3821

Entra un vasco a una barbería y le dice a uno de los peluqueros:

–Mira, Patxi, me vas a afeitar.

–¿Quieres que te enjabone?

–*¡No, hombre, no! Ya sabes, pues,*

los vascos siempre a lo bruto, que para eso somos muy hombres.
—Pero, hombre, ¡así te dolerá!
—Nada, pues, tú a lo tuyo, ¡coge la navaja y aféitame!
El barbero comienza por una mejilla, y le hace un corte que parecía que lo habían herido en un atentado. Al ver aquello, el barbero le pregunta:
—En la otra mejilla, ¿tampoco te pongo crema?
—¡Síííí!, en ésta sí me pones. ¡¡¡Que mi madre es de Sevilla!!!

3822

—¿Quién es el que más se ríe?
—Ni idea.
—El barrendero, porque siempre va riendo.

3823

—Manolito, hijo: estamos en el mundo para ayudar a nuestro prójimo.
—Y entonces nuestro prójimo, ¿para qué está?

3824

—¡Camarero, ¡ya le he pedido cien veces un vaso de agua!
—¡¡¡Cien vasos de agua para el señor de la mesa 6!!!

3825

Una nueva ley obligará a los funcionarios a entrar a trabajar a las ocho de la mañana *y terminar el crucigrama antes de salir.*

3826

Tenía dos novios: uno era campeón de esgrima y el otro albañil, por eso los vecinos le decían que estaba *entre la espada y la pared.*

3827- 3836

La eternidad es...

… Conservar la sonrisa hasta que tomen la foto.

…Esperar a que aparezca la grúa.

…Escuchar el sonido de una llave en la cerradura a las 2 de la madrugada

…Tratar de encontrar un error insignificante en el estado de nuestra cuenta bancaria.

…Veinte minutos de ejercicios aeróbicos.

…Esperar el resultado de la prueba de embarazo.

…Escuchar a un niño de seis años cuando trata de explicar la trama de una película emocionante.

…Buscar una salida de la autopista cuando conducimos en dirección equivocada.

…Educar a un cachorro.

…Esperar la luz verde cuando hay un espacio para estacionarse del otro lado de la calle.

3837

El gallego se está tomando un vino cuando le cae dentro del vaso una mosca.

El gallego la saca, se la pone encima de un dedo, y le da golpecitos con un dedo de la otra mano, mientras dice:
—¡Escupe lo que has bebido, escúpelo! ¡Es todo mío, coño, escupe!

3838

—¿Cómo sabes que es un baterista el que llama a tu puerta?
—Porque los golpes son cada vez más rápidos y más fuertes.

3839

—¡Cuántas veces te he dicho que no quiero oírte silbar durante el trabajo!
—Pero si yo no trabajo, ¡sólo silbo!

3840

Después de la operación:
--Gracias doctor por salvarme la vida.
—¡Qué coño! ¡Si soy San Pedro!

3841

—Hola, Paco. ¿Tienes problemas con las hierbas del jardín?
—Sí. Se han llenado de orugas, y las estoy fumigando.
—¿Y qué les echas?
—DDT.
—Pero ¡qué bestia! ¿No sabes que el DDT está prohibido porque causa cáncer?
—Bueno, ¿y a mí qué me importa cómo se mueran estos bichos?

3842

Siempre hay un imbécil
más que lo
que habías calculado.

3843

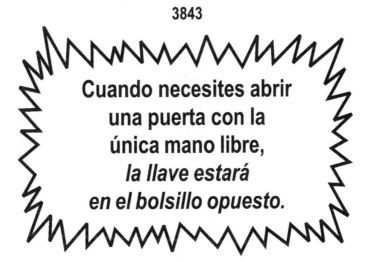

Cuando necesites abrir
una puerta con la
única mano libre,
*la llave estará
en el bolsillo opuesto.*

3844

–Préstame 2.000 pesetas.
–*No puedo, tío.*
–Haz un esfuerzo, venga.
–*¡Nooo pueeedooo...!* (Hay que decirlo como si uno estuviera cagando.)

3845

–¿Qué es una cosa verde, con cuatro patas, y que si se cae de un árbol te puede hacer mucho daño, Paco?
–*Pues, ¡una mesa de billar!*

3846

–Al gallego Manolo le decían "Cisne".
–*¿Por qué?*
–Porque era más que "ganso".

3847

A la gallega Paca le dicen vaso de agua porque *no se le niega a nadie.*

3848

Cuando se trabaja
no se tiene tiempo
de ganar dinero.

3849

En el pesebre, estaba el niño Jesús, junto con José y María.
De pronto, entró un pavo por la ventana y San José comenzó a darle con una escoba.
El niño Jesús le dijo:

–*¿Pero que haces Padre? ¡¡¡No ves que también es una criatura del Señor!!!*
–¡Pues sí!, pero imagínate si una paloma embarazó a tu madre... Este cabrón entra ¡¡¡y es capaz de ponérnosla a todos!!!

3850

Un hombre va a la carnicería y le pregunta al carnicero:
–*¿Tiene paleta?*
–No, no juego al paddle.

3851

–¿Por qué llora el zapatito?
–*Ni idea.*
–Porque se mordió la lengüeta.

3852

Un político se encuentra con un amigo que lleva un solo calcetín.
–*Oye, ¿has perdido un calcetín?*
–No, he encontrado uno.

3853

–¿Qué idioma hablan las tortugas?
–*Ni idea.*
–El tortugués.

3854

–¿Cuál es la diferencia entre un hombre y el cáncer?
–*El cáncer evoluciona.*

3855

–¿Qué te parece la 4x4 que me he comprado, Pepe?
–*¿De cuántos caballos es, Jesulín?*
–No, ¡sólo mío, sólo mío!

3856

–Me parece que no me casaré por ahora, Paco.

–*¿Por qué, Pepe?*
–Porque anoche se me ocurrió decirle a María que sus medias le hacían arrugas y se enfureció conmigo.
–*Pero eso no tiene importancia. ¡Se le pasará, hombre!*
–No creo. No llevaba medias.

3857

–¿Cuáles fueron las últimas instrucciones de Jesús al pueblo gallego?
–*Ustedes háganse los idiotas hasta que yo regrese...*

3858

–Ayer me conseguí una muñeca inflable. Fui a la plaza detrás de un árbol y me atraparon.
–*¿La policía, Pepe?*
–Hombre, claro: *¡no va a ser el marido!*

3859

En el campo, una tarde de mucho calor. Jesulín con la boca reseca le dice a Humberto, su padre:
–*Papá, ¡qué sé!*
–Pues todo hijo...¡te lo he enseñado yo!

3860

–¿Cómo se sabe si está Pepe Muleiro en una pelea de gallos?
–*Porque lleva un pato.*
–¿Cómo se sabe si está su padre en la misma pelea de gallos?

–Es el que apuesta por el pato.
–¿Y cómo sabemos si está Manolo en la pelea de gallos?
–*Pues si el pato gana... la pelea la organizó Manolo.*

3861

–¿Qué es un punto verde en la esquina de una cocina?
–*Una aceituna castigada.*

3862

–¿Por qué Pikachu no vuela?
–*Pokenó.*

3863

¡No sé qué haríamos sin usted en esta empresa, *pero vamos a comprobarlo!*

3864

–¿Sabes, Manolo? Me he comprado un cocodrilo del Nilo que ¡no veas cómo me la chupa!
–*Joder, pues tengo que verlo, Paco.*
–Ven conmigo a casa y lo ves.
Llegan a la casa.
Paco silba y aparece corriendo un cocodrilo del Nilo de seis metros de longitud que empieza a chupársela a su dueño.

Cuando éste ya ha acabado, agarra un martillo y le empieza a golpear la cabeza al cocodrilo para que pare. El cocodrilo se va corriendo y se esconde debajo de un armario.
–¿Qué, Manolo? ¿Quieres probar tú un poco?
–*Bueno, vale, pero no me des muy fuerte con el martillo, ¿eh?*

3865

Entre médicos:
–Hola, Pepe, ¿qué hay de particular?
–*Nada, todos de la prepaga.*

3866

El policía va persiguiendo a un ladrón. Lo pierde en una esquina y le pregunta al gallego Manolo:
–¿Vio a alguien doblar esta esquina?
–*Pues no. La verdad, cuando yo llegué ya estaba doblada.*

3867

–¿Por qué los cochinitos siempre van con la cabeza baja?
–*Porque les da vergüenza que su mamá ¡¡¡sea una puerca!!!*

3868

–¿A ti te resulta difícil tomar decisiones, Manolo?
–*Bueno... sí y no.*

3869

–¡Papá, vinieron a preguntar si aquí vendían un burro!
–¿Y qué les dijiste, hijo?
–Que no estabas.

3870

El gallego Pepe Muleiro vio pasar un cortejo fúnebre y notó que llevaban el ataúd de costado.

Se acercó a un conocido que iba detrás del ataúd.
–Oye, ¿a quién llevan a enterrar?
–*A mi suegra.*
–¿Y por qué de costado?
–*Es que si la ponemos boca arriba, empezará a roncar.*

3871

–¿Por qué el Papa le paga alquiler a Batman?
–*Porque vive en el "Baticano".*

3872

–¿Cómo se dice en africano *"mi abuela se murió de un empacho de gambas"*?
–*Gamba chunga yaya tumbó.*

3873

–¿Por qué los gallegos están preparando bolsitas de té como locos?
–*Porque han visto los carteles que dicen: "Cristo viene, prepárate".*

3874

–El que lo hace, lo hace cantando; el que lo compra, lo compra llorando, y el que lo usa no lo ve. ¿Qué es?
–*El ataúd.*

3875

Cristo ha muerto por nuestros pecados, *así que no vamos a frustrarle.*

3876

¿Por qué cuando en el coche no vemos algo apagamos la radio? ¿Y por qué si no lo oímos nos quitamos las gafas de sol?

3877

Una uva *pasa*.
La otra *saluda*.

3878

Una pulga iba tambaleándose por la calle y se encuentra con una amiga.
—Ven, siéntate ahí hasta que se te pase el mareo. ¿Qué te sucedió, Paquita?
—*Estaba muy tranquila en el rabo de un perro cuando de repente su dueño volvió de la escuela.*
—¡Y por eso estás mareada?
—*¡Es que al perro le dio una alegría!*

3879

El doctor Barraquer, famoso oculista, está atendiendo a un nuevo paciente.
—*¿Ve aquella letra en la pared?*
—Sí, señora.

3880

Un niño llega a su casa y le pregunta a su mamá:
—¡Mamá, mamá! ¿Por qué en el colegio los niños me dicen solitario?... ¿Mamá?... ¿Ma? ¡¡¡Mamáááááááááááááááááá!!!

3881

¿Por qué contamos ovejas para dormirnos? Y además: *¿qué cuentan las ovejas para poder dormir?*

3882

—¡Abordar el barco, mis piratas!
—*¡No trajimos las agujas, capitán!*

3883

¿Por qué las ciruelas negras son rojas cuando están verdes?

3884

—Mamá, mamá... en el colegio me dicen postrecito...
—*Bueno, Shimmy, quedate Serenito.*

3885

—Doctor, ¿cómo se encuentra mi hijo, el que se tragó una moneda de cincuenta centavos?
—*Sigue sin cambio.*

3886

—Deme 60.000 cajas de bolitas de naftalina para matar a las polillas.
—¡No sea exagerado! ¡Con una o dos le alcanzan!
—*¡¡¡A usted le alcanzarán, que tiene buena puntería!!!*

3887

—Papá, dame un vaso con agua.
El papá se lo da, y al poco rato el nene regresa y le pide otro y el padre contesta:
—*Pero ¡cómo! ¡Ya te he dado cinco!*
—¡Es que se está quemando mi dormitorio!

3888

—¿Por qué los peces no van a la escuela?
—*Porque se les mojan los cuadernos.*

3889

—Mami, mami... en la escuela me dicen cebolla.
—*Bueno, no les hagas caso... Y vete a tu cuarto porque me haces llorar.*

3890

—¿Antes de venir acá, visitó a otro médico, Pepe?
—*No. Fui a ver al farmacéutico.*
—¿Al farmacéutico? Eso prueba la falta de sentido común de la gente. ¿Y qué le dijo ese estúpido?
—*Pues que viniera a verlo a usted.*

3891

—Paca, cada día estás más bonita.
—*Eres un exagerado, Manolo.*
—¡Bueeeno! Cada dos días.

3892

—No sé qué hacer con mi bisabuelo, se come las uñas todo el tiempo.
—*Al mío le pasa igual, y le quité la manía en un momento.*
—¿Cómo hiciste? ¿Le amarraste las manos?
—*No, le escondí la dentadura postiza.*

3893

—¿Cómo te fue con el nuevo psicoanalista, Paco?
—*¡Pues muy bien! Soy un hombre nuevo... ¿Recuerdas que yo no me atrevía a contestar cuando sonaba el timbre?*

–Sí...
–*Pues bien, ahora contesto el timbre, ¡suene o no suene!*

3894
Trabalengüita

El cielo está *esternocleideomastoideado*, ¿quién lo *desesternocleideomastoideara*?
El *desesternocleideomastoideador* que lo *desesternocleideomastoidee* buen *desesternocleideomastoideador* será.

3895

Le preguntaron al gallego ciego.
–Usted, ¿nació así?
–*No, señora. Cuando nací, yo era chiquitito.*

3896

–¿Por qué los gallegos se ponen muy contentos si acaban un rompecabezas en un mes?
–*Porque en la caja dice "de 2 a 4 años".*

3897

–Mamá, en la escuela me dicen que estoy loco.
–*¿Quién, hijo, quién?*
–Las ardillas, las malditas ardillas y las lombrices y los elefantes...

3898

–¿Cómo se les llamará dentro de cien años a los depresivos de hoy?
–*Muertos.*

3899

–¡Es formidable, Pepe: han dicho por la tele que inventaron la camisa sin botones!
–*¿Y cuál es la novedad, Paca? Hace*

diez años, desde que nos casamos, que yo llevo así mis camisas.

3900

–¿Quién hace la miel, Pepe?
–*¡Las ovejas!*
–¡No seas bestia! Se dice ovispas.

3901

–Mamá, en la escuela me dicen peludo.
–*¡Querido, ven a ver esto! ¡El perro me está hablando!*

3902

–Camarero, esta langosta que me trajo sólo tiene una pinza.
–*Debe haber perdido la otra en alguna pelea.*
–Bueno, pues ¡tráigame a la ganadora entonces!

3903

–¿Cómo desinfectan los gallegos el agua?
–*La tiran del décimo piso para que se maten las bacterias.*

3904

–¿Qué tienen todas las mujeres una vez al mes y les dura tres o cuatro días?
–*El sueldo del marido.*

3905

Caperucita Roja fue a visitar a su abuelita sin saber que a su abuelita se la había comido el lobo; entró a la casa y dijo:
–Abuelita, ¡qué ojos tan grandes tienes!
–*Es para verte mejor.*
–Abuelita, ¡qué orejas tan grandes que tienes!

–*Es para escucharte mejor.*
–Abuelita, ¡qué nariz tan grande tienes!
–*Es para olerte mejor.*
–Abuelita, ¡qué boca tan grande tienes!
–*¿A qué viniste, a visitarme o a criticarme?*

3906

–¿Cómo se dice *"pasear el perro"* en rumano?
–*Sacalcusco.*

3907

El alcalde gallego hablando a la gente:
–Y este año hemos alquitranado la carretera...
Uno le apuntó por atrás en voz baja:
–Asfaltado...
–*Bueno, y si os he faltado, perdonadme.*

3908

No es lo mismo...
la tormenta se avecina, que *la vecina se atormenta.*

3909

Un vasco entra en una ferretería.
–Oye, Iñaki, ¿recuerdas que tú me dijiste que con esta sierra eléctrica podría cortar cien árboles en

una hora?, sólo llego a cortar cincuenta.

El dependiente toma la sierra y dice *"a ver qué le pasa..."*

La hace arrancar: ¡Prrrrrrrrrrrrrrr!

El otro se queda alucinado.

–Joder, Iñaki, ¿qué es ese ruido?

3910

La adolescente gallega va al baño y ve a su primo el vasco Josechu meando.

–¡Oye, Josechu!, ¿qué es eso?

–Esto es una polla.

–Oye, ¿y cuándo tendré yo una polla?

–Pues, diez minutos después de que se marche tu madre!

3911

–Oye, Pepe, ¿qué tiene dos patas y sangra?

–Pues, medio perro.

3912

Siguiendo las instrucciones que bajó de Internet, el gallego Muleiro preparó cerveza en el baño de su casa. Como quería saber si era segura para el consumo humano, embotelló una muestra. La envió a un laboratorio de los Estados Unidos y a vuelta de correo le llegó el resultado:

"Su caballo está diabético: ¡mátelo!".

3913

En la Maternidad:

–Señor Martínez, acaba de ser padre de un maravilloso hijo.

–¿Sí? ¡Es que tengo un cañón!

–Espere, que parece que vienen más ... ¡Señor Martínez, ha nacido otro precioso niño!

–¡Es que tengo un cañón!

–Espere, espere, que parece que viene otro ... ¡Señor Martínez, enhorabuena, ha tenido otro hijo!

–¡Es que tengo un cañón!

–Pues, vaya limpiándolo, porque le han salido todos negros.

3914

La gallega Marutxa le pregunta a su marido, el gallego Manolo, que está en el baño.

–¿Estás cagando, amor?

–¡No!, estoy cagando caca.

3915 - 3933
Ayer pasé por tu casa...

...y me tiraste una bicicleta...
¡oh, rayos!

...y me tiraste un ladrillo...
del susto que me di, me cagué en los calzoncillos.

...y me tiraste tu corpiño...
tirame con lo de adentro, que lo atajo con más cariño.

...me tiraste Poxipol...
no rima, pero ¡pega!

...y me tiraste un champú...
¡me vino al pelo!

...y me tiraste un balde de agua sucia...
menos mal que me agaché, ¡no contaban con mi astucia!

...y me tiraste una flor...
la próxima vez ¡sin maceta, por favor!

...y me tiraste dos limones...
creyendo que eran tus tetas, me los comí a mordiscones.

...y me tiraste un jugo...
¡Tang!

...y miré por la cerradura...
estaba tu hermana desnuda y me quedó la polla dura.

...y me tiraste con un revólver...
¡no te lo voy a devólver!

...y vi a tu hermana culeando...
¡no rima, pero es cierto!

...y me tiraste un bolígrafo...
¡menos mal que lo Bic!

...y me tiraste una palta...
¡qué palta de respeto!

...y me tiraste una puerta...
¡menos mal que estaba abierta!

...y te estabas bañando...
lo que yo quería ver, ¡lo estabas enjabonando!

...y me tiraste una estufa...
¡no me calienta!

...y me tiraste un portafolio...
¡no me dolio!

...y me tiraste un inodoro...
¡me salvé cagando!

3934

Éramos tan pobres que mi hermanito le dijo a mi madre:
—¡Quiero caca!
Y mi madre le contestó:
—*¡No hay, nene!*

3935

Era un boxeador tan pero tan inofensivo que *le concedieron el Premio Nobel de la Paz.*

3936

—¿Padre ¿es pecado darle por el culo a una negra en un túnel?
—*¿Pecado? ¡No, hijo! Eso es puntería, hijo. ¡Puntería!*

3937

—¿Cuál es la definición de la palabra *"confusión"* en un diccionario estadounidense?
—*Ni idea.*
—Día del Padre en Harlem.

3938

A la gallega Muleiro le dicen *"farmacia abandonada"* porque *no tiene más remedio.*

3939

—¡Cómo me gustaría tener una picha como la de mi hermano! Él usa cuatro dedos para sostenerla cuando mea.

—*¡Pero si tú también estás usando cuatro dedos!*
—Sí, ¡pero me estoy meando tres!

3940

—¿Cómo se llama a la mujer con medio cerebro?
—*Prodigio.*

3941

Había una mujer tan pero tan gorda, que para darle el abrazo de año nuevo tenían *que empezar en septiembre.*

3942

Campo de concentración.
—Prisioneros: una mala y una buena noticia. ¿Cuál quieren oír primero?
—*¡La buena! ¡La buena!*
—Voy a mandar la mitad de ustedes a Inglaterra y la otra mitad a Francia.
—*¡Bieeen!*
—¡Fritz, trae la sierra!

3943

—Alumno, póngame un ejemplo de optimista.
—*El que inventó el avión.*
—¿Y pesimista?
—*El que inventó el paracaídas.*

3944

—Si estuvieras frente a un director de orquesta y a un tenor, ¿a cuál matarías primero?

—Al director y después al tenor, porque primero está el deber y después el placer.

3945

La gallega Paca Muleiro le preguntó a cada una de sus hijas:
—¿Cómo tienen el miembro sus respectivos esposos?
—*Mi esposo lo tiene largo pero delgado.*
—¡Eso es elegancia, hija!
—*Mi marido lo tiene gordo pero corto.*
—¡Eso es potencia, hija!
—*Mi hombre lo tiene largo y grueso.*
—*¡Eso! ¡Eso es una polla, hija! ¡Una verdadera polla!*

3946

—¿Qué hace un elefante en el tejado de una casa?
—*¡Un hueco enorme!*

3947

Había un hombre tan chiquito, pero tan chiquito, que para bajar de la acera *necesitaba paracaídas.*

3948

—Mamá, mamá: ¡llévame al oculista! Veo todo nublado.
—*Calla imbécil, ¿no ves que está a punto de llover?*

3949

Siempre deseé dedicar más tiempo a mis hijos: *hasta el día que lo hice.*

3950

—Dime, ¿quién llega antes al fondo de un pozo, un blanco, un negro o un gitano?

—*El gitano... porque le roba las cadenas al negro.*

3951

El borracho llegó a la casa a las tres de la mañana y su mujer le dijo:
—*¿Son éstas horas de llegar?*
—Lo que pasa es que éste es el único lugar abierto a esta hora.

3952

En el campo de golf:
—Amigo, le tengo una noticia buena y otra mala. Le daré primero la buena: acaba de meter la pelota de un solo tiro en el hoyo número seis.
—*¿Y la mala?*
—¡Estamos jugando el hoyo número cinco!

3953

En Miami.
Un turista argentino sufrió un ataque al corazón.
En el hospital:
—*Vea, ha sufrido usted un ataque muy fuerte. Tendremos que hacerle un trasplante. Le pondremos un corazón nuevo.*
—¿Uno sólo? Pero no, viejo, ¡déme dos!

3954

¿Qué hay que hacer si uno ve a un animal *en peligro de extinción* comiéndose una planta *en peligro de extinción?*

3955

La guerra entre gallegos y extraterrestres estaba en su apogeo.
Un gallego, sorpresivamente, lanzó un cartucho de dinamita hacia una nave alien... *¡Un grito de victoria se escuchó en las trincheras gallegas!*

Hasta que los aliens lanzaron la misma carga de dinamita... pero *¡con la mecha encendida!*

3956

Si el dinero es la causa de todos los males, *¿por qué tenemos que trabajar?*

3957

—¿Qué le pasa a una serpiente cuando se cae de un edificio?
—*Se fractura las piernas.*

3958

—Los argentinos son como George Clooney, Robert Redford, Brad Pitt y Leo Di Caprio juntos.
—*¿Muy lindos?*
—No, muy pesados.

3959

—Mamá, estuve así de cerca de sacarme un siete.
—*¡¡Y qué pasó!?*
—Se lo sacó el de al lado.

3960

—¿Ves esta pelota de golf, Paco? Bueno, pues esta pelota nunca se pierde.
—*¿Nunca se pierde?*
—¡¡¡Jamás!!!
—*¿Y cómo es eso?*
—Si le das y cae al agua, se infla ¡y llega a la orilla! Si le das y cae en la tierra, le salen ruedas ¡y sale de la tierra! Y si le das y cae en los árboles ¡le salen alas y se posa en el suelo! O sea que jamás puede perderse.
—*¿¿¿Y dónde compraste esa maravilla???*
—No Paco, no la compré. ¡¡¡Me la encontré!!!

3961

—Perdonen... ¿Aquí es Alcohólicos Anónimos?
—*Sí, señor.*
—Paco Muleiro. ¡Mucho gusto!
—*¿Vino solo?*
—Vino solo ¡no! Póngale un poquito de soda, porque ya ando muy pero *muy en pedo.*

3962

—¿En qué se diferencian un pollo recién nacido y un argentino?
—*Ni idea.*
—El pollo recién nacido, rompe los huevos por necesidad; y el argentino, por deporte.

3963

La gallega Paca mandó a su hijo Manolito a comprar huevos. Regresó a la casa *sin los huevos.*
—¡Mami, vi el circo! ¡Había un go-

rila y era grandote, y tenía enormes brazos y unas manos grandotas!

–¿Y los huevos, Manolito?

–¡¡¡Los huevos también *eran enormes,* mami!!!

3964

–¿Qué es lo que entra seco, forrado de un hulito, sale mojado y oliendo a pescado?

–*Pues, un buzo.*

3965

El borracho golpeaba un farol de la calle.

–¿Qué haces ahí?

–*¿Yo? Llamando a mi casa...*

–Pues... Insiste, insiste, que hay luz.

3966

–¿Sabes la diferencia entre un poste de iluminación y un supositorio?

–*Pues no...*

–Ten mucho cuidado entonces: ¡puede ser muy doloroso!

3967

–*Mamá, ¿cuántos tipos de hombres hay?*

–Mira hija, los hombres durante su vida pasan por tres fases:

Antes de los 29 son como el arbusto del jardín: *duros y bien dispuestos.* Hasta los 49 son como el roble: *fuertes y confiables.* Y a partir de los 50 son como los arbolitos de Navidad: *tienen las bolitas de adorno.*

3968 - 3973
Seis refranes de Muleiro

Ojos que no ven... *pies que pisan caca.*

El que no habla... *Dios lo hizo mudo.*

La excepción a la regla... *dura 9 meses.*

Camarón que se duerme... *amanece de cóctel.*

Árbol que crece torcido... *se le caen los pajaritos.*

De tal palo... *nacieron mis hijos.*

3974

–¿Cuál es el colmo de un sastre?

–*Cortar por lo sano.*

3975

–¿En qué se diferencian una rata y un argentino?

–*No sé.*

–La rata juega más limpio.

3976

–¿Por qué las películas de Chaplin eran mudas?

–*Porque el director le decía: "¡No Charles, Chaplin!"*

3977

El gallego Manolo era tan pero tan feroz *que para aplaudir se ponía guantes de boxeo.*

3978

–¿Qué harías si te dieras cuenta de que alguien hace trampas en el juego?

–*Pues ¡apostaría a su favor!*

3979

–¿Por qué los negros tiene los dientes tan blancos?

–*Para poder apuntarles mejor a la cabeza.*

3980

–¿Por qué uno de los tres Reyes Magos es negro?

–*Alguien tiene que cargar con los regalos ¿no?*

3981

Dijo Madonna:

–*No soy buena para los idiomas, pero jamás olvido una lengua.*

3982

–¡Papá! ¡Tres niños me han pegado!

–*Y tú, ¿te has vengado, Manolito?*

–Pues claro que me he vengado. Si no *me vengo* me matan...

3983

Dos madrileños en el Monte del Pardo:

–*Pues aunque no lo parezca, hace muchísimos años el mar llegaba por aquí.*

–¿Y tú cómo lo sabes?
–¡Mira! ¿No ves esa lata de sardinas?

3984

En la mesa de operaciones. Muleiro va a ser operado por su propio hijo.
–Hijo, hazlo sin ningún tipo de presión... con tranquilidad... y todo saldrá bien. Piensa únicamente en que si algo me pasa a mí... tu madre se irá a vivir contigo...

3985

–¿Por qué la Estatua de la Libertad es una mujer?
–Porque necesitaban un modelo con la cabeza hueca para hacer el mirador

3986

Berta Silberstein le dijo a su rabino que tenía dos deseos para después de su muerte:
–Primero, quiero ser incinerada. Y segundo, que mis cenizas sean esparcidas por el shopping.
–¿Por qué por el Shopping?

–Para estar segura de que mis hijas me visitarán por lo menos tres veces por semana...

3987

–¿Qué hacer para que un politico deje de hablar?
–Preguntarle ¿en qué piensas?

3988

–¿Cómo se dice "bomba atómica" en japonés ?
–Nicaca kedó.

3989

Existen dos etapas en que el hombre no entiende a la mujer: antes y después de casarse.

3990

Consultorio del oculista.
–¡Señorita, señorita, por favor! ¡En el ojo derecho se me ha metido algo!
–Sí, es verdad: se le ha metido un cuerpo extraño. Espere un segundo que, de inmediato, consulto al doctor.

La enfermera entró al consultorio. Al ratito, se asomó a la sala de espera.
–Que pase el hombre del cuerpo extraño.
En el fondo de la sala de espera, se levantó el jorobado Manolo.
–Oiga, ¡más respeto que tengo nombre!

3991

Era tan pero tan engreído, que se cortó la polla porque le tocaba los cojones.

3992

–¿Tiene condones?
–Si señor ¿para casado o para soltero?
–¿Y eso que importa?
–Claro que sí. Si es para soltero viene en cajas de siete: lunes, martes...
–Si es para casado en cajas de doce: enero, febrero...

3993

Entra el gallego Muleiro a una pizzería abrazando a dos chicas: a su

derecha una rubia estupenda y a su izquierda una morena deslumbrante:

–*Dos Coca Colas, por favor.*

–¿Familiares?

–*No, son putas pero tienen sed.*

3994

En medio de un discurso, un político anunció:

–*De ahora en adelante voy a matar a todos los elefantes.*

–¿Por qué?

–*¡Porque no puede haber un animal más grande que yo!*

3995

–¿En qué se parece un homosexual al grupo Mecano?

–*En que Mecano tiene a Ana Torroja y el homosexual el ano tó'rrojo.*

3996

El gallego Paco va conduciendo cuando ve a Pepe llorando en la cuneta de la carretera. Se detiene.

–Pepe, ¿qué te pasa?

–*Mira en la zanja, Paco...*

–Jo, tío, qué putada lo del coche.

Pero bueno, no pasa nada: te compras otro y ya está.

–*No, mira dentro del coche...*

–¡Hostias, tío! Lo siento. Pero, bueno, tampoco se acaba el mundo. Te buscas otra rubia y ya está, no pasa nada...

–*Mira dentro de su boca...*

3997

El gallego Muleiro sufría unos dolores de cabeza terribles. Fue al médico:

–Usted no tiene nada en la cabeza. El problema está en sus testículos. Habrá que amputarlos.

El gallego, al principio se resistió; pero los dolores de cabeza eran cada día peores. Finalmente, decidió operarse.

Ya operado, el gallego no podía disfrutar del sexo. Dejó de ir con mujeres.

Viajó, se compró un coche fabuloso, y un día fue a hacerse un traje a medida.

–*Entonces, le hago el traje con esta tela, el saco talle 44 y los pantalones talle 42. Lo tendrá listo para...*

–Espere, espere. ¿Qué talle dice que son mis pantalones?

–*Pues, 42.*

–No, mi talle de pantalones ha sido 38 toda la vida.

–*No, no, eso es imposible. Si usted llevase pantalones del talle 38 le comprimirían los testículos de tal modo que le produciría unos dolores de cabeza insoportables, ¡in-so-por-ta-bles!*

3998

–¿Cuál es el animal que da a luz con más dolor, Manolito?

–*¡El congrio!*

–¿El congrio?

–*Sí, porque da a luz "congritos".*

3999

El brutísimo gallego Muleiro entró en el confesionario. Se arrodilló y le dijo al cura:

–Verá: quiero un GTI con 16 V, frenos ABS, dirección asistida, llantas de aleación, faros alógenos...

–*Pero ¡qué pueblo de bestias es éste! Eres el tercero que entra con lo mismo. ¡Éste es el con-fe-rio-na-rio y no el con-ce-sio-na-rio!*

4000

–Mamá, ¿el abuelo sabe tocar la trompeta?
–*No, hijo.*
–Entonces se ha cagado.

4001

Paco llega a su casa y encuentra a su mujer acostada con su analista
–*¡Tranquilo Paco, esto no es lo que usted piensa!*
–Con usted siempre lo mismo, ¡nunca es lo que pienso, nunca es lo que yo pienso!

4002

–Gracias, tío, por tu regalo.
–*Muy atento, Pepito, pero no vale la pena.*
–Es lo que yo decía; pero mamá me ha dicho que te diera las gracias de todas formas.

4003

Sonó el teléfono en la oficina de *Salubridad e Higiene Públicas* y una voz calmada y sedante se oyó en el otro extremo.
–*¡Hola! Soy el ministro de la Iglesia Bautista de este pueblo y quisiera que por favor vinieran a recoger una mula que amaneció muerta al frente de nuestro edificio.*
El secretario de la oficina supuso

que se trataba de una broma y contestó con ironía:
—¡Creí que ustedes los ministros se encargaban de los muertos!
—¡Sí! ¡Pero es nuestra norma notificar siempre a los familiares!

4004

Ayer fallecieron cuatro gallegos: dos en un asesinato y *dos en la reconstrucción de los hechos.*

4005

—Me recuerdas mucho a la cuarta chica con la que estuve enrollado.
—*¿Sí? ¿Y con cuántas chicas has estado enrollado?*
—Con tres...

4006

—¿Por qué el cabello de los hombres crece más rápidamente que el de las mujeres?
—*Porque las raíces están en el agua.*

4007

—¿Qué es lo que consigue que todos los hombres sean hermosos?
—*La oscuridad.*

4008

Primer acto: un teléfono sangrando.
Segundo acto: otro teléfono sangrando.
Tercer acto: otro teléfono sangrando.
—¿Cómo se llama la obra?
—*"¡Se cortó... la llamada!"*

4009

—¿Cuál es la diferencia entre un hombre y una tormenta de nieve?
—*Ninguna. Una nunca sabe cuán-tos centímetros va a tener ni cuánto tiempo va a durar.*

4010

—¿Cuál es el colmo de un electricista?
—*Ser una "pila" de nervios.*

4011

Dios es amor, pero mejor que *te lo ponga por escrito.*

4012

—Manolo, tú te has llevado mis tijeras de podar.
—*¿Cómo lo sabes?*
—Me lo contó un pajarito.
—*¡Serán hijos de puta estos bichos de mierda! Pues desde mañana no les arrojo más alpiste ¡y que los alimente su puta madre por buchones!*

4013

—Doctor, creo que soy un caballo.
—*Bueno, yo puedo ayudarlo, pero le costará mucho dinero.*

—Eso no es problema. ¡Acabo de ganar el Gran Premio!

4014

Primer acto: Benito.
Segundo acto: Benito con un tomate.
Tercer acto: Benito, el tomate y una cámara fotográfica.
¿Cómo se llama la obra?
"Vení, tomate la foto".

4015

—¿Por qué a los hombres les gustan tanto los autos y las motos?
—*Porque son lo único que pueden manejar.*

4016

—Hola, ¿hablo con el 4444-4444?
—*Sí, ¿por qué?*
—¿Me podría decir, cómo saco el dedo del 4?

4017
Adivinancita

En la calle me toman, en la calle me dejan, *en todas partes entro y de todas partes me echan.*

El polvo.

4018

—¿En qué se parecen los hombres a las medias?
—*En que sólo sirven para meter la pata.*

4019

En un test grupal se planteó la siguiente pregunta a tres alumnos:
—¿Qué desearía que dijesen de usted en su velatorio?
El primero responde:

−*Que fui un eminente médico y excelente padre de familia.*
El segundo dice:
−*Que fui un hombre maravilloso, excelente padre de familia y un profesor de muy buena influencia para sus alumnos.*
Y el tercero:
−*A mí me gustaría que dijesen: ¡¡¡Miren, miren ... está moviéndose!!!*

4020

La maestra le pregunta a Manolito
Dime, ¿qué te da más miedo?
−El malamen.
−*¿Dónde has oído eso?*
−Pues a mi mamá, todas las noches cuando termino de rezar siempre decimos, "Y líbranos de *todo mal amén".*

4021

El marido cornamentado llega a la casa y encuentra a su mujer en la cama con su mejor amigo:
−*Pero, ¡¡¡Pepe!!! ¿Qué haces en la cama con mi mujer?*
−Pues lo mismo que tú.
−*O sea... menos que nada...*

4022

−¡Manolo es un hijo de puta!
−*¿Tú lo dices porque se folla a la viuda del pueblo vecino?*
−¡Esa viuda es su madre, joder! Repito: ¡Manolo es un hijo de puta!

4023

El gallego Muleiro entró a un restaurante árabe.
−Ha llegado usted justo para el show de las odaliscas.
−*¿Odaliscas? ¿Qué coño es una odalisca?*

−Son bailarinas árabes que al son de la música suben a las mesas y mueven el vientre.
−*¿Sobre las mesas? Pero ¡joder! ¿Es que no tenéis baños aquí?*

4024

−Manolo, estoy planeando el robo del siglo.
−*¿Cuándo piensas dar el golpe?*
−¿Cuando va a ser, Paco? ¡Dentro de cien años!

4025

−¿Es la central telefónica de Pontevedra?
−*Sí... ¿Qué número quiere?*
−¿Qué números tienen?

4026

Ser marica no duele,
*lo que duelen
son los comentarios.*

4027

Estaba el gallego Paco afeitándose con una sierra eléctrica.
−Pero, ¿qué haces desdichado? ¡Es muy peligroso!
−*Tranquilo, Pepe. ¿No ves que me*

he puesto los guantes de goma para que no me pase la corriente?

4028

Una galleguita de cuatro años le dice a otra galleguita de tres:
−Me ha salido un pelo en el coño.
−*¡Hostia! ¿Y te molesta para follar?*

4029
Adivinancita

Tengo corazón sin ser persona, *tengo bata sin ser mujer.*
Y el hombre elegante me lleva delante.

La corbata.

4030

−¿Cuál es el colmo de un astronauta?
−*Quejarse de no tener espacio.*

4031

Llega el gallego Manolo al Infierno y pregunta al Demonio:
−*¿Dónde están las mujeres, Satanás?*
−¡Aquí no hay mujeres!
−*Sí, hombre, sí. ¡A mí me váis a joder! ¿Y esos cuernos, qué? ¿Te los ganaste en una rifa?*

4032

−¿Cuál es el colmo de los colmos de un cementerio?
−*Cerrar por duelo.*

4033

La esposa vuelve a casa después de consultar al ginecólogo y encuentra a su marido leyendo el diario y fumando su clásica pipa.
−*El médico me dijo que para que*

315

se me vaya el dolor de cabeza debo mantener relaciones sexuales tres veces por semana.
El marido, impertérrito y sin dejar de leer, levanta un dedo por detrás del diario y dice:
–¡Anótame con una!

4034

Primer día de clases en el colegio de Manolito.
La mamá lo ve nervioso.
–Cuando la maestra te pregunte cuántos años tienes, le dices que *seis a-ñitos*. Cuando te pregunte tu nombre, le dices *Manolito*. Y si te pregunta si sabes leer, le dices que *un poquito*.
Manolito entró en la clase.
–¿Cómo te llamas?
Lógicamente Manolito contestó lo que le había dicho su madre.
–*Seis añitos*.
–¿Cuántos años tienes?
–*Manolito*.
–¿Estás tomándome el pelo?
–*Un poquito...*

4035

–Mamá, ¿cómo es que tú eres blanca, mi papá negro y yo soy de piel amarilla?
–¡Ay hijito! ¡Si supieras qué fiesta hubo aquel día, deberías alegrarte de que no ladrás...!

4036

El gallego Paco, muy borracho, se acostó en un banco del parque.
Llegó el policía y golpeó con su bastón sobre el banquillo.
–¡Aquí no se puede dormir!
El borracho se levantó. Pero cuando el policía siguió dando la ronda, se acostó en otro banco. A los pocos minutos llegó nuevamente el policía y golpeó en el banquillo.
–¡Te he dicho que aquí no se puede dormir!
–Pues claro que no se puede dormir, tú golpeando y haciendo ruido con ese bastón toda la noche, ¿quién va a dormir?

4037 - 4070
Piropos groseros
para feas y gordas

¿Sabes por qué el toro se enamoró de la luna? Porque no encontró una vaca como tú.

¡Gorda! te hago de todo menos ¡upa!

¡Gorda! ¡Me hacés gozar el doble... una vez cuando acabo *y otra cuando te bajas de encima*!

Si tu culo fuese una tostada, necesitaría un remo para untarla.

A Dios se le enciende una vela... y a ti un espiral, ¡bicho!

El autobús que esperas está fuera de línea... ¡como tú, gorda!

¡Gooorda! Si te tiras un pedo en el freezer tenemos nieve para todo el año.

Si la grasa fuese oro, serías un tesoro.

¡Gorda! Cuando Drácula te chupó la sangre, cerró los ojos, se volvió diabético y le subió el colesterol.

Gorda, si te alambras el culo, te compro una hectárea.

¡Gooorda! Tírate un pedo que yo pago los destrozos.

Me gustaría ser bolsa... ¡para salir con esa basura!

Dime cómo te llamas... así le pongo nombre a mis pesadillas.

Claro que te pongo la crema para el sol, pero antes aféitate la espalda.

Los pelos del sobaco te asoman por la manga de una forma muy elegante.

No te hace falta maquillaje ni para aparecer en Star Trek.

Creía que se te había corrido el rimmel, pero ahora me doy cuenta de que es un tatuaje que intenta despegarse de ti.

Tesoro, ¿por qué no encuentras alguien que te entierre?

Para ser tan gorda, no sudas demasiado.

Estas preciosa, ¿cuántas horas has pasado maquillándote?

Tienes cara de *solitaria*, ¿en qué intestino te has criado?

Qué mona eres, ¿te escapaste del zoológico o te echaron los monos de la jaula por fea?

Se te nota muy sana, tienes las garrapatas del tamaño de murciélagos.

¿Sabías que los piojos cierran los ojos antes de picarte, igual que si fuesen a darte un beso?

Bailas muy bien, apenas noto tus doscientos kilos.

Tienes unos dientes tan amarillos que podrías untar una barra de pan.

Si quieres caricias, usa papel higiénico.

Y aparte de los palillos, ¿quién más te ha besado?

Y aparte de los tampones, ¿quién más te ha follado?

Con esa cara, seguro que tu madre se emborrachaba antes de amamantarte.

Qué dientes tan interesantes, ¿los escogiste en un catálogo?

Qué dentadura tan bonita. ¿Me la prestas para verla mejor?

Me han dicho que las feas como tú hacen el amor como locas... ¿me dejas comprobarlo?

Me encanta cómo cocinas. ¿Has pensado en trabajar en un McDonald's?

4071

–Mi abuelita es centenaria.
–*¿Y qué? ¡La mía es millonaria!*

4072

Durante unas maniobras navales el almirante:
–Aquí debería haber tres acorazados, y no veo más que dos. ¿Dónde está el otro?

Los oficiales se miraron entre sí.
–¿Dónde está el tercer acorazado?
–*Señor, está usted en él.*

4073

–Por favor, véndame una aspirina.
–*¿Se la envuelvo?*
–No, Manolo, ¡si me la voy a llevar rodando!

4074

En plena batalla el soldado Muleiro se asomó por la trinchera y gritó a los del otro lado que disparaban sin cesar:
–¡Eh, cuidado, que aquí hay gente!

4075

–¿Sabes cuál es el mayor sueño de un argentino?
–*¿Cuál?*
–Ir a vivir a una isla desierta para pensar en sí mismo todo el día. Sin interrupciones.
–*¿Y por qué no lo hace?*
–Porque no tendría a quién contárselo.

4076

Un hombre se casa con una mujer esperando que no cambie, *pero cambia.*
Una mujer se casa con un hombre esperando que cambie, *pero no cambia.*

4077

–¿En qué se diferencian los bikinis de antes de los bikinis de ahora?
–*Antes había que apartar el bikini para ver el culo. Ahora hay que apartar el culo para ver el bikini.*

4078

Había una vez un elefante que se llamaba Mantequilla.
Salió el sol ¡y se derritió!

4079

Historias que tratan de ocultar. En plena era Bush un platillo volador, que venía de otra galaxia a conquistar el planeta Tierra, llegó a la Casa Blanca. Sólo permaneció dos horas y regresó: ¿Saben por qué?
–*Porque no encontró vida inteligente.*

4080

–¿Por qué los argentinos miran tanto la Torre de Pisa?
–*Ni idea.*
–Para encontrarle el defecto de fabricación.

4081

–¿Qué es lo que sube y baja y no se mueve?
–*La escalera.*

4082

Terrible accidente. Chocan un argentino y un español. Resultan ilesos. Las esposas salen volando, caen en la carretera y sufren graves heridas. El conductor español se acerca horrorizado a su mujer. El argentino detrás. Gritan alarmados.

–¡Dios mío, mi mujer! ¡Paca, oh no, joder!

–¡No puede ser, che! ¡La puta madre que me parió! ¡La concha de mi hermana! Mi coche, mi coche. ¡Mi *Mercedes* querido!

4083

La mujer no se separa para dejar de discutir con su marido, sino para *cambiar los temas de discusión.*

4084

–¿Cuántos contrabajistas gallegos son necesarios para cambiar una bombilla?

–Ninguno. *Un pianista lo puede hacer con su mano izquierda.*

4085

–Doctor, entonces ¿no hay más remedio que operarme?

–Desde luego.

–Pero ¡¡¡si no tengo nada!!!

–Mejor, así será más fácil la operación.

4086

–Y, doctor, ¿cómo encuentra a mi marido, el Pepe?

–Ya no tiene nada de gravedad.

–¿Está fuera de peligro?

–No, ya debe estar entrando en órbita.

4087

Sube un hombre totalmente ebrio al autobús.

Paga y se desploma en los primeros asientos. Un cura que está un par de asientos más atrás le dice:

–Hijo mío, de esta manera estás yendo al infierno.

El borrachín se levanta asustado y dice:

–¡No puede ser! ¡Me he equivocado nuevamente de autobús!

4088
Trabalengüita

Yo tengo una cabra ética, *perética, perimpimplética, peluda, pelada,* perimpimplada, que tuvo un cabrito ético, *perético, perimpimplético, peludo,* pelado, perimpimplado. Si la cabra no *hubiera sido ética, perética, perimpimplética,* peluda, pelada, perimpimplada, *el cabrito no hubiera sido* ético, perético, perimpimplético, *peludo, pelado, perimpimplado...*

4089

–Cuéntame, ¿cómo es tu mujer ideal, Paco?

–Pues del sexo femenino.

4090

Manolo en una reunión con sus amigos recordaba anécdotas de su juventud, y les decía:

En la revisión médica de la instrucción militar me preguntaron:

–¿Alguna enfermedad para declarar?

–Sí, soy miope.

–Demuéstremelo.

–¿Ve usted aquel cuadro que hay en la pared?, le contesté.

–¿Cuál?

–Aquel que tiene un mosquito parado encima de la firma del autor.

–Sí.

–Pues yo no lo veo.

4091

En un instituto psiquiátrico se estaba construyendo una nueva sala. Los obreros pensaron que podría ser bueno que los locos ayudaran. De pronto pasa un loco con la carretilla boca abajo.

–¿Por qué llevas la carretilla boca abajo?

–Porque cuando llevo los ladrillos todo el mundo viene y me los saca.

4092

–¿Por qué se dice que los brasileños son negros y putos?

–Creo que no hace falta tanta aclaración. Con decir brasileños es suficiente.

4093

Un par de borrachos caminaba por la calle principal del pueblo, cuando pasó junto a ellos una mujer muy pero muy gorda.

–¡Mira, ahí va un tanque!

La mujer lo escuchó y le soltó un carterazo en la boca.

El otro agregó:

–¡Y es de guerra!

4094

Comenzó la música y el borracho se levantó, con las piernas flojas. Se dirigió a una persona vestida de negro y le pidió:

–¡Hic!... ¿me daría el placer de acompañarme... hic... en esta pieza?

–No, por tres motivos: primero, porque está borracho; segundo, porque no es una pieza bailable, sino el Himno Nacional; y tercero, porque no soy señora sino el cura de esta iglesia.

4095

–Los colombianos tienen alma de actores de Hollywood
–¿Por?
–Siempre quieren quedarse con la heroína.

4096

El gallego Pepe era tan pero tan pero tan delgado que trabajaba limpiando mangueras... *por dentro.*

4097

–¿Qué le dijo la manzana a la licuadora?
–¡Detente! Estoy muy mareada.

4098

–Al gallego Pepe lo llaman Twingo.
–¿Por?
–Porque es chiquito, feo y lo maneja la mujer.

4099

Un grupo de enanos decide jugar al fútbol.
Alquilan una canchita y van todos contentos. Cuando llegan, como no había vestuario, deciden cambiarse en el baño del bar de al lado. Todos entran y van hasta el fondo, donde está el baño.
En eso llega un borracho, se acomoda en la barra y pide un trago.
Al rato, y luego de cambiarse, pasan delante del borracho los enanos del equipo azul.

El borracho los mira extrañado pero sigue bebiendo.
Después, pasan los jugadores del equipo rojo.
Entonces el borracho se acerca al dueño del bar y le dice:
–Manolo, ten cuidado que se te está desarmando el metegol.

4100

El gallego Manolo se levanta con el pito parado. Dice a la mujer que le prepara el desayuno.
–¡¡¡Pepa!!! ¡¡¡Mira lo que te pierdes por ser mi madre, joder!!!

4101
Trabalengüita

El suelo está entarabicuadriculado, *¿quién lo desentarabicuadriculará?* El buen desentarabicuadriculador *que lo desentarabicuadricule,* buen desentarabicuadriculador será.

4102

–Mamá, ¡en la escuela me dicen el Chapulín Colorado!
–Lo sospeché desde un principio.

4103

–Sabes Paco, posé desnuda para Manolo.
–¡Pero tú no eres modelo Pepa!
–¿Y qué? Manolo tampoco es pintor.

4104

En una iglesia gallega, el sacerdote dice la misa, de pronto, comienza a sentirse un terremoto. El clérigo, asustado, les indica:
–Hijos, recemos un Padrenuestro.
–Padre nuestro, que estás en los cielos...
Pero el temblor alcanza mayor in-

tensidad, y el sacerdote vuelve a mandar:
–Hijos, recemos un Avemaría.
–Dios te salve, María...
La intensidad del sismo arrecia, y las tablas del techo ceden y caen. Angustiado, el párroco advierte:
–Hijos, ¡¡¡las tablas, las tablas!!!
Asustados, los gallegos comienzan:
–Dos por uno dos, dos por dos cuatro, dos por tres seis...

4105

–¿Cómo estás, Pepe?
–Y.... vengo del médico.
–¿Qué te sucede?
–Me toco acá y me duele, me toco más acá y me duele, también si me toco aquí me duele y lo mismo si me toco aquí...
–¿Y qué te ha dicho el médico?
–Que tengo el dedo roto...

4106

El gallego Paquito llevaba las manos apretaditas:
–¿Qué te pasa, Paquito?
–He perdido veinte mil pesetas de mi padre.
–¿¿¿Veinte mil pesetas??? Si yo llegase a perder veinte mil pesetas, mi padre me arrancaría los huevos.
–¿Y tú qué crees que traigo entre las manos?

4107

Se puede vivir muy feliz
con una mujer...
siempre que no sea la misma.

4108

Dios no ha muerto.
Vive, está bien y trabaja en un
proyecto *bastante menos
ambicioso.*

4109

En la consulta del psiquiatra.
–*Doctor, tengo un problema de inseguridad, ¿o no?*
–A ver, ¿cuánto es 7 x 5?
–*Son 1000.*
–Bien.
El psiquiatra apunta la respuesta en una libreta y se dirige al segundo loco:
–A ver, ¿cuánto es 7 x 5?
–*Jueves.*
Vuelve a apuntar la respuesta en su libreta y se dirige al tercero:
–A ver, ¿cuánto es 7 x 5?
–*Pues 35.*
–¡Bien! ¿Cómo lo hiciste?
–*Fácil: dividí 1000 por jueves y me dio 35.*

4110

–*¿Por qué no hay comida para gatos con* sabor a ratón*?*

4111

–¿Cómo se dice *"asado"* en japonés?
–*Ricogató.*

4112

–¿En qué se parecen un caballo y una lámpara?
–*En que el caballo galopa.*
–¿Y la lámpara?
–*Pues la lámpararan pararan pararan pararan pararan.*

4113

–Doctor, no me decido a operarme.
–*¿Por qué?*

–Es una operación ¡¡¡carísima!!!
–*Y a usted qué más le da, ¡¡¡si la van a pagar sus herederos!!!*

4114

–Explíquese, Pepe... ¿Qué es lo que viene a pedirme? ¿La mano de mi hija o un préstamo de dinero?
–*Pues lo dejo a su voluntad, señor.*

4115

–¿Cuál es el colmo de un bailarín?
–*Dar un paso en falso.*

4116

–En los próximos meses, nada de fumar ni beber; nada de trasnochar ni de comer afuera; nada de viajes ni vacaciones.
–*¿Hasta que me recupere, doctor?*
–No, hasta que me pague todo lo que me debe.

4117

Un argentino:
–*Bueno, pero no hablemos más de mí. Hablemos de vos. Y hablando de vos, ¿qué te parezco?*

4118

–Bueno, se va a tomar en la mañana esta pastilla roja con un vaso de agua; luego al mediodía esta pastilla azul con un vaso de agua, luego en la tarde esta pastilla amarilla con un vaso de agua, y en la noche esta pastilla verde con un vaso de agua.
–*Pero doctor, ¿qué tengo?*
–Que no toma suficiente agua.

4119

Un viejito pedía limosna con su perro. Detrás de ellos tenía un letrero que decía: "Una limosna para este pobre cieguito, por piedad".
Las personas pasaban, les daba pena y dejaban un dinerito.
Un ladrón que andaba por ahí, al ver el sombrero del viejo lleno de monedas, decidió arriesgar su suerte; pero, al poner la mano en el sombrero del hombre, éste agarró su bastón y golpeó al ladrón en la mano, quien gritó:
–¡¡¡Ayyyy!!! ¿Pero no era ciego usted?
–*¡¡¡No!!! El ciego es el perro.*

4120

Telegrama de un estudiante que, desesperado por haber sido desalojado del departamento que alquilaba, y al no poder pagar el alquiler, envía a su padre después de rendir mal una materia:
"Casi apruebo, manda dinero, estoy en la calle".
Respuesta del padre:
"Casi mando, ¡cuidado con los autos!"

4121

Año 3000 en un mercado.
–¡Cerebros!... ¡vendo cerebros!...
–Una preguntita, ¿este cerebro cuánto cuesta?
–*Cuesta 25.000 dólares.*
–¿De quién era?

–De Picasso.
–¿Éste cerebro cuánto cuesta?
–Este vale 50.000 dólares.
–¡Epa!, ¿de quién era?
–Era de Cervantes.
–¿Y éste?
–Bueno, ése cuesta 150.000 dólares.
–¿De quién era?
–Ése es el cerebro de Einstein.
–¿Y ese cerebro?
–¡Ah!, ése cuesta 2 millones de dólares.
–¿¿¿Dos millones??? ¿De quién era?
–Era de un gallego.
–¿Y por eso cuesta tanto?
–¡Y claro!... ¡¡¡Está sin estrenar!!!

4122

–Su mujer está en las últimas.
–¿De su enfermedad?
–No, en la lista de espera.

4123

Una pareja se va a casar, él tiene 90 años y ella 85.
Entran en una farmacia y el novio le pregunta al farmacéutico:
–¿Tiene remedios para el corazón?
–Sí.
–¿Y remedios para la presión?
–Sí.
–¿Y remedios para la artritis?
–Sí.

–¿Y remedios para el reumatismo?
–También.
–¿Y remedios para el colesterol?
–Sí, también. Tenemos de todo.
Entonces el novio mira a su novia y le dice:
–Querida, ¿qué te parece si hacemos la lista de casamiento aquí?

4124

–¿Qué es lo que le da más rabia a Batman?
–Que lo robin.

4125

–Veo que hoy tose usted mejor.
–Sí doctor, es que he estado toda la noche entrenándome.

4126

Pepe Muleiro pregunta:
–¿Casada?
–Sí: dos veces.
–¿Edad?
–27 años.
–¿Dos veces, también?

4127

–Hola, ¿éste es el instituto antirrábico? Quiero traer a mi perro.
–¿Va a vacunarlo?
–No. Quiero que le corten el rabo.

4128

El viejito asmático sube con problemas cinco pisos por las escaleras. Entra en el consultorio del médico.
–Doctor, tengo mucha asma. ¿Qué me recomienda?
–Fácil: no fume, no beba, descanse y cómprese unos lentes.
–Y, ¿qué tienen que ver los lentes con el asma?

–Son para que encuentre la casa del doctor, que está abajo. Yo soy el pintor.

4129

–Oye Pepe, llevamos 30 años casados y nunca me has comprado nada.
–¡Ah...! ¿Pero vendías algo?

4130

Una lámpara en una fiesta le dice a otra:
–Te noto como apagada.
–No, es que estoy fundida.

4131

–¿Por qué los peruanos tienen el índice más alto de cólera?
–No sé.
–Nadie les gana haciendo cagadas.

4132

–Hola, ¿tienen ustedes pintura invisible?
–Sí, señor. ¿De qué color la quiere?

4133

El Manolo, enfadadísimo:
–¡Y ya lo sabes de una vez para siempre, Paca! ¡El segundo que manda en esta casa soy yo!

4134

"La Asociación de Amnésicos Anónimos tendrá su reunión anual el

día..
....
....
....
....
....
....

4135

Primer acto: Se ve el toro, la arena, y el torero.
Segundo acto: Se ve el toro, la arena, el torero y el cartero.
Tercer acto: Se ve la arena, el torero, y el toro leyendo una carta.
Cuarto acto: Se ve la arena, el torero, y el toro llorando en una esquina.
—¿Cómo se llama la obra?
—*"La carta delatora".*

4136
Adivinancita

Me pisas y no me quejo, *me cepillas si me mancho,* y con mi hermano gemelo *bajo tu cama descanso.*

Los zapatos.

4137

Entra un tipo a un bar y pide:
—*Déme un vaso de whisky.*
Y empieza a soltar puñetazos al aire como hacen los boxeadores cuando pelean con su sombra. El barman lo mira asombrado y no le hace caso. Al rato:
—*Déme otro vaso de whisky.*

Y continúa con el boxeo. Al rato:
—*Otro, por favor.*
Y sigue con el boxeo. El camarero, tomándolo por loco, le pregunta:
—¿Y? ¿Cuándo empieza la pelea?
—*Cuando usted quiera, no tengo dinero para pagarle.*

4138

—¡Camarero, es la segunda mosca que encuentro en el jugo!
—*¡Pues tiene usted suerte! ¿Ve aquel señor de la mesa que está en el rincón? ¡Él ya ha encontrado cuatro!*

4139

—Oye ¿cómo te llamas?
—*Silver O' Sullivan.*
—¿En qué quedamos?

4140

Un tucumano y un santiagueño discuten en una pulpería.
—*¡Estos santiagueños son inservibles, pillados. Vos sólo hablás de tu pueblo. ¡Pero si ese pueblo es una mierda! Ni siquiera tienen asfaltada la calle principal.*
—¡Qué no va a tener! ¡Qué no va a tener! Tiene. La tapamos con tierra para que no se la roben los tucumanos.

4141

—Doctor, ¿dice usted que estos granos son del tiempo?
—*Sí señor, del tiempo que hace que usted no se lava.*

4142

Un recluta gallego visita al médico castrense.
—*Doctor, me duele mucho el tubillo.*
—A ver, quítate la bota.

—*Pero... no es el del pie lo que me duele. Es el tubillo de mear.*

4143

Confía en todo el mundo, pero *corta tú* la baraja.

4144

—¿Por qué los gallegos hicieron un campo de fútbol de 72 kilómetros?
—*Porque se enteraron de que iban a jugar contra los del "resto del Mundo".*

4145

El guardia detiene a un vehículo que se había saltado un semáforo.
—¿Por qué lo ha pasado en rojo?
—*Perdone, pero es que soy daltónico.*
—¿Qué pasa? ¿Que en Daltonia no hay semáforos?

4146

La maestra pasaba lista:
—¿Juan Hernández?
—*Presente.*
—¿Pedro Figueroa?
—*Presente.*
—¿Anita González?
—*Presente.*
—¿Orlando Trigo?
—*Me pica el ombligo.*

Todos los niños ríen de la broma. Al día siguiente:

–¿Anita González?

–*Presente.*

–¿Orlando Trigo?

–*Me pica el ombligo.*

Nuevamente rieron todos los niños. La maestra pensó que tenía que hacer algo para no quedar en ridículo delante de sus alumnos, así que al día siguiente dijo:

–¿Trigo Orlando?

–*Me sigue picando.*

4147

Yo soy libre, tú eres libre: ¡*Viva la librería!*

4148

–¿Qué le dijo un poste de luz a otro poste?

–*El que se acuesta último apaga la luz.*

4149

–Oye, Manolo ¿sabes que tengo un hijo *invertido*?

–*¿Ah, sí? ¿Y a qué interés?*

4150

–Mi esposa está haciendo una dieta. Piensa rebajar 7 kilos por sema na. Si mis cálculos son correctos, *habrá desaparecido en 18 meses.*

4151

Manolo y Pepe estaban cazando cuando en el cielo apareció un aladeltista.

–*Oye, Pepe... ¡mira ese pájaro enorme que va allá! ¡¡¡Dispárale que es inmenso!!!*

Manolo le disparó tres veces, y Pepe lo reprendió:

–*¡Mira que eres bruto, hombre! ¡¡¡Le has errado!!!*

–Sí... ¡¡¡pero le he hecho soltar al hombre que llevaba!!!

4152

–¡Despierta, Manolo! ¡Es hora de tomar tu *somnífero*!

4153

–¿Cómo bautizan los narcos a sus hijos?

–*Ni idea.*

–Sicario Alberto, Narco Antonio, María de la Extradición, Coca Rubiera.

4154

El borracho, de aspecto lamentable, detiene un taxi:

–¿Adónde quiere ir?

–*A mi casa.*

–Hombre, si no me da más detalles...

–*¡Al cuarto de baño!*

4155

–Doctor, tengo un problema y es que no sé decir "sapato".

–*Repítalo despacio.*

–Sa-pa-to.

–*Pues yo lo oigo bien. Un poco de seseo, pero no importa.*

–No, doctor, no me entiende.

–*A ver ... ¿Cómo se lo explico? ¡Ah, sí! Mire: "Lunes, martes, miércoles, jueves, viernes ¡sa-pa-to! y domingo.*

4156

–¿Qué animal hace *pipí* por la boca?

–*No lo sé.*

–El correcaminos.

4157

–¿Sobre qué hablaste con Mariana por teléfono? ¿Hablaron mucho? ¿Te llamó ella o la llamaste tú? ¿Ella gusta de ti? ¿Es la primera vez que hablan? ¿Tiene linda voz?

–*¿Para qué quieres saber todo eso?*

–¡Oye... qué curioso eres!

4158

–Esto es un asalto. ¡Deme todo su dinero!

–*Óigame, ¿usted sabe con quién se está metiendo? Soy un político muy influyente.*

–En ese caso, ¡devuélvame todo mi dinero!

4159

–Dos niños en tercero de EGB se pelean; uno de ellos quiere ser político de mayor, y el otro quiere ser ingeniero. ¿Quién gana?

*–El que quiere ser político, por-
que tiene 17 años.*

4160

Muleiro enseña Kung Fu:
–Cuando te inclinas sobre ti mismo
y miras por entre tus piernas, ¿qué
ves?
–Dos huevos.
–Muy bien. Cuando veas cuatro, en
vez de dos ¡corre! Seguro que quieren darte por el culo.

4161

–Doctor, me sigue el dolor.
*–Bueh... usted, tranquilo. Cuando
lo alcance, venga a verme.*

4162

–Hace unos años le puse a mi hija
Milagros, porque el país necesitaba
un milagro.
*–¿Y a la que nació ayer cómo le
puso?*
–¡Socorro!

4163

Manolo y Paco acababan de llegar
a los Estados Unidos.
Consiguieron trabajo en una empresa de pompas fúnebres.
Lo primero que presenciaron fue el
funeral de un tipo de muchísimo dinero, con un traje de seda, anillos de
oro y cadenas de brillantes al cuello.

*–¿Ves Paco? ¡Esto es lo que yo
llamo vivir bien, coño!*

4164

**Jamás le digas
a un sordo que es sordo.**
No te oirá.

4165

Pepe Muleiro y Manolo. Náufragos
en una isla.
*–No aguanto más. Me corto la
polla y me la como ya.*
–Piensa en una mujer, Pepe.
*–¿Para qué? ¿De qué serviría
pensar en una mujer?*
–Piensa en una mujer: a ver si se
te pone gorda y comemos los dos.

4166

–¿Qué resulta de la mezcla de un
mono con un pato?
–Un monopatín.

4167

Hay dos locos en un manicomio,
quienes ya cansados de estar en-
cerrados deciden tramar su fuga.
Estos dos están tan chiflados, que
la única vocal que pueden pronunciar es la e.
–Ye tengue ene edee –dice uno–.
Se nes desfrezemes de queremeles

de deferentes seberes, ne nes ven
e requenecer, y pedremes seler per
le perte.
*–¿Pere de qué seberes nes desfre-
zemes?*
Después de una semana de preparación cuidadosa, se disfrazan y
deciden salir corriendo uno detrás
del otro.
El primero sale corriendo, y lo ve
un guardia del manicomio:
–¡Detente, demente!
El loco se detiene, completamente
insultado, y le responde al guardia:
*–¿Ne pedes ver? Ye ne see de
mente, ye see de chequelete.*

4168

–¿Qué se compra para comer y no
se come?
–Pues la cuchara.

4169

Manolo y Pepe son los únicos su-
pervivientes de un naufragio. Llegan a una isla desertísima.
*–¡Aquí nos vamos a morir de
hambre, Manolo!*
–¡Bah! ¡No te preocupes, hombre,
he traído dinero!

4170

El vecino le pidió ayuda al gallego
Manolo para mover un sofá que se
había atorado en la puerta.

Uno se fue a un extremo y el otro al opuesto. Forcejearon un buen rato hasta quedar exhaustos, pero el sofá no se movió.

–Olvídalo, jamás podremos meter esto, Manolo.

–*¡Ahh! ¿Había que meterlo, no sacarlo?*

4171

Paca, la gallega, era una pésima empleada.

–*¡Señora, señora! ¡He perdido al niño en la plaza!*

–¿Ah, sí? Pues se le descontará del sueldo.

4172

–¿Qué aves vuelan más alto que las montañas?

–*Todas. Las montañas no vuelan.*

4173

Los tucumanos son tan ladrones que para decir *"algarrobo"*, dicen *"algorrobo"*.

4174

–¿Es tuya aquella Ferrari?

–*De vez en cuando.*

–¿Qué quieres decir?

–*Cuando está recién lavada, es de mi mujer; cuando hay una fiesta en alguna parte, es de mi hijo; y cuando hay que echarle gasolina y pagar las reparaciones ¡es mía!*

4175 - 4190
Los dieciséis
milagros de América Latina

Un argentino humilde.

Un colombiano honesto.

Un boliviano alegre.

Un dominicano blanco.

Un chileno negro.

Un costarricense macho.

Un salvadoreño pacífico.

Un panameño inofensivo.

Un puertorriqueño inteligente.

Un hondureño intelectual.

Un peruano simpático.

Un mexicano sincero.

Un cubano mudo.

Un venezolano abstemio.

Un brasilero laborioso.

Un nicaragüense disciplinado.

4191

–Anoche salí con una mujer impresionante. Le invité unas copas, luego al teatro, a bailar y finalmente a un hotel. Pero, ¿a que no sabes?

–¿Qué Paco? ¿Qué ocurrió?

–¡Era un travesti!

–*¿Y, qué hiciste?*

–¿Con todo el dinero que había gastado? ¡Me sacrifiqué!

4192

–¡Estoy preocupada Paca, mi hija Manuela tiene 35 años y aún no tiene novio!

–*¿No te parece que necesita un psicólogo?*

–Psicólo, médico, atleta, político, abogado, lo que sea...

4193

Reciente descubrimiento gallego. Tomando medio litro de leche todas las mañanas durante 1.200 meses, se consigue *vivir más de 100 años.*

4194

–¿En qué se diferencia la cinta adhesiva de una nave espacial?

–En que la cinta adhesiva *pega* y la nave espacial *despega*.

4195

El policía de tránsito va en su motocicleta, listo para alcanzar a todo el que quisiera violar los límites de velocidad.

En ese instante pasa una mancha roja a toda velocidad. El agente

acelera la motocicleta y está por alcanzar al vehículo, cuando éste entra a un callejón sin salida y se estrella contra una pared.

El policía se baja de su moto y se dispone a hacer la inspección. Dentro del coche hay un muchachito bastante dolorido.

—Vamos a ver: no tiene placas de identificación, ni siquiera parabrisas, ni vidrios, no tiene bolsas de aire, y no logro ubicar el volante de dirección: bueno, muchacho... y tú, ¿de dónde sacaste este vehículo?

—*¡De, de, de la montaña rusa!*

4196

—¿Cómo se hace para que un cerdo se congele?

—*Se le saca la frazada.*

4197

Las únicas personas normales son las que uno *no conoce bien*.

4198

—Pepe, ¿cómo te fue con el nuevo psiquiatra?

—*¡Es maravilloso! Soy un hombre nuevo... ¿Te acordás que yo era un fóbico terrible? Que no me animaba a contestar cuando sonaba el timbre.*

—Sí...

—*Bueno, ¡ahora contesto el timbre, suene o no suene!*

4199

—Buenas tardes, querría comprarme un par de zapatillas.

—*¿De qué color?*

—¡Si será bruto, hombre! ¡Las dos del mismo!

4200

—¡Doctor! Todas las noches sueño que mi mujer y Catherine Zeta Jones se pelean por mí.

—*Pero eso está muy bien. ¿Cuál es su problema?*

—Que siempre gana mi mujer.

4201

—Papá, coche.

—*Sí, hijo mío, un coche.*

—Papá, gato.

—*Sí, hijo mío, un gato.*

—Papá, flor.

—*Sí, hijo mío, una flor.*

—Papá, nube.

—*Sí, hijo mío, una nube.*

—Papá, molino.

—*Sí, hijo mío, un molino.*

—Papá, molino.

—*Sí, hijo mío, otro molino.*

—Papá, molino.

—*Sí, hijo, molino.*

—Papá, meoliné.

4202

El gallego Manolo jamás había salido del pueblo. Un día fue a la ciudad para visitar al oculista. El gallego le cuenta a la enfermera que estaba tomándole los datos:

—He venido porque el médico del pueblo me ha dicho que necesito unas gafas.

—*¿Las quiere para lejos o para cerca?*

—Pues mira, son para Villanueva de Arriba, un pueblo que está a 17 kilómetros de aquí. No sé si será lejos o cerca...

4203

—¡Doctor, mi madre no fue una persona muy respetable que digamos, una gran masa de gente me lo dice muy a menudo!

—*Cálmese, para empezar, ¿en qué trabaja?*

—Soy árbitro de fútbol.

4204

La maestra explica potenciación a los alumnos.

—*A ver Matías, dame un ejemplo de potencia.*

—Dos al cuadrado, señorita.

—*¡Muy bien! A ver, Natalia.*

—Tres elevado al cubo.

—*¡Magnífico, excelente! A ver vos Jaimito, dame un ejemplo de potencia.*

—¿De potencia?

—*Sí, de potencia.*

—¡¡¡Cuatro al hilo!!!

4205

—¿A ti te gusta que tu mujer hable mientras hacéis el amor, Pepe?

—Pues no, mira, me gusta tener un poco de intimidad... preferiría que colgase el teléfono.

4206

Al entrar en una tienda, Pepe ve un letrero que dice:
"Cuidado con el perro".

Entra con precaución y se encuentra un perrito chiquito, chiquito, chiquito.
–¿Y es éste el perro del que hay que cuidarse?
–¡Pues así es! Antes de poner el letrero, *¡todo el mundo me lo pisaba!*

4207

–Bien, señora, su marido ya está curado y mañana puede ir a trabajar.
–*Qué bueno es usted, doctor, además de curar a mi marido, le encuentra trabajo.*

4208

–¿Qué le dijo la pelota a la raqueta?
–*Lo nuestro es imposible... ¡Siempre me estás pegando!*

4209

–No me gusta nada su enfermedad.
–*Pues, no tengo otra.*

4210

El gallego Paco era tan pero tan sucio, que un día se lavó las manos *y descubrió que tenía un reloj en la muñeca.*

4211

–Maestra, ¿me castigaría usted por algo que yo no hice?
–*No, Manolito. ¡Por supuesto que no!*
–¡Qué bueno, porque no hice la tarea!

4212

–Doctor, es que no puedo andar.
–*¡Quítese los zapatos!... lo que tiene son ojos de gallo.*

–Pues, tiene unas orejas de asno y yo no le he dicho nada.

4213

No hay que fiarse de los cirujanos: son expertos en manejar cuchillos, se ponen máscaras para que no los reconozcan, y usan guantes para no dejar huellas.

4214

–Hola, ¿hablo con el Ministerio de Cultura y Educación?
–*Sí, ¿qué cuernos quiere, pedazo de imbécil, tonto, tarado?*

4215

(Ring, ring...)
–¿Es la carnicería?
–*Sí, señor.*
–¿Tiene usted orejas de cerdo?
–*Sí, señor.*
–¿Y patas de cordero?
–*Sí, señor.*
–¿Y alitas de pollo?
–*Sí, señor.*
–¿Y cabeza de vaca?
–*Sí, señor.*
–Pues ¡vaya monstruo que debe estar usted hecho!
¡Clinc!

4216

–¿Tienes algún animal, Manolito?
–*Sí, tengo tres gatitos.*

–Esos gatitos ¿son machos o hembras?
–*Machos, ¿no ves que tienen bigotes?*

4217

–Manolo, ¿tú sabes cuál es el juguete favorito de los egoístas?
–*El yo-yo.*

4218

–Papá, me nombraron presidente del Club Gay...
–*¡¡¡Bien macho!!!*

4219

Si al primer intento no tuviste éxito, *destruye todas las pruebas de que estuviste intentándolo.*

4220

–El psicoanalista me resolvió el complejo de inferioridad.
–*¿Sí? ¿Y qué hiciste?*
–Le rompí la cara cuando me pasó la cuenta.

4221

–María, te voy a comprar algo para el cuello.
–*¡Ay, qué bueno!¿Un collar?*
–¡No! ¡¡¡Jabón!!!

4222

–Haré dos preguntas. Quien conteste bien la primera no deberá contestar la segunda. ¿Cuántos pelos tienen los caballos en el lomo?
–*Seiscientos setenta y un mil cua-*

trocientos cuarenta y siete, seño.
–¿Y cómo puedes saberlo, Manolito?
–*¡Aaah! Ésa ya es la segunda pregunta.*

4223

–¿Cuál es el colmo de un robot?
–*Tener los nervios de acero o tener las bolas de hierro.*

4224

–¿Cuál es la diferencia entre un hombre y el cáncer?
–*El cáncer evoluciona.*

4225

–¿Por qué los hombres usan corbata?
–*Porque se ven menos estúpidos que con una correa.*

4226

Una ventaja del médico es que *puede echar tierra sobre sus errores.*

4227

–¿Qué te parece si organizamos una pelea entre dos perros, y el ejército cuyo perro gane, se queda con el territorio?
–*Pues no está mal.*
–De acuerdo entonces, dentro de un mes quedamos en esta misma colina, cada uno con su perro.
Pasa el mes y se presentan los desafiados con un perro Doberman negro, gigantesco, con los ojos inyectados en sangre, echando espuma por la boca... ¡una verdadera bestia!
Entonces llegaron los del general que había inventado el combate con un perro tipo salchicha (o algo así) pero ¡muy grande!

Cuando ven aparecer al salchicha, los enemigos se parten de risa.
Se da una señal y empieza el combate.
El Doberman corre hacia su presa. El salchicha mueve la cabeza, y de un solo bocado se come al Doberman.
El general reconoce su derrota.
–*Hemos perdido. ¡Mala suerte! ¡Con el enorme esfuerzo que nos ha costado entrenar a esta bestia y!...*
–¡Vaya si te entiendo! Ni te imaginas lo que nos costó hacerle la cirugía estética al cocodrilo.

4228

Maestra de tercer grado de primaria:
–Hoy vamos a hablar de sexo, niñitos.
La gallega María levantó la manito y preguntó:
–*Señorita: las que follamos habitualmente, ¿podemos salir al patio a fumar un cigarrillo?*

4229

–¿Te gusta tu nueva escuela, Manolito?
–*Sólo en algunos momentos.*
–¿En qué momentos?
–*Cuando está cerrada, por ejemplo.*

4230

Un gitano que se va a casar le dice a su padre:
–*Papá, déjame unos calzoncillos de los tuyos, para que no vea mi mujer que no tengo calzoncillos.*
–Vale, hijo, agarra uno del cajón.
–*Papá, ¿cómo se pone esto?, que yo nunca he usado uno.*
–Fácil, hijo, lo amarillo para adelante y lo negro para atrás.

4231 - 4255
Usted, ¿qué tarjeta usa?

Tarjeta para homicidas:
Ahor-card.

Tarjeta para dentistas:
Apla-card.

Tarjeta para bandas caribeñas:
Azu-card.

Tarjeta para olvidadizos:
Bus-card.

Tarjeta para profesores:
Califi-card.

Tarjeta para automovilistas:
Cho-card.

Tarjeta para magos:
Tru-card.

Tarjeta para inspectores:
Confis-card.

Tarjetas para marinos:
Desembar-card.

Tarjetas para médicos:
Diagnosti-card:

Tarjeta para deportistas:
Dislo-card.

Tarjeta para arquitectos:
Edifi-card.

Tarjeta para maestros:
Edu-card.

Tarjeta para fotógrafos:
Enfo-card.

Tarjetas para estafadores:
Embau-card.

Tarjeta para industriales:
Fabri-card.

Tarjeta para mecánicos:
Lubri-card.

Tarjeta para restaurantes:
Masti-card.

Tarjeta para editores:
Publi-card.

Tarjeta para grúas:
Remol-card.

Tarjeta para perros:
Ras-card.

Tarjeta para bomberos:
Sofo-card.

Tarjeta para colchonerías:
Ron-card.

Tarjeta para vendedores de droga:
Trafi-card.

Tarjeta para masajistas:
To-card.

4256

–¿Por qué los hombres silban mejor que las mujeres?
–*Porque tienen cerebro de pájaro.*

4257

Se reúnen todos los puntos y se organizan tremenda fiesta, baile, chistes, cantos, de todo, pero al final del salón un punto está totalmente solo y no participa, entonces se le acerca otro punto y le dice:
–Vamos, hombre, ¡que la fiesta está muy buena!, ¿qué te pasa que no participas?
–*Es que soy punto y aparte.*

4258

–¿Has oído el cuento del almirante polaco que quería que le enterrasen en el mar?
–*No.*
–Ocho marineros murieron intentando cavar su tumba.

4259

–¿Cuál es el colmo de una azafata?
–*Hacer el amor sólo con el piloto automático.*

4260

–Doctor, no he notado mejoría con su tratamiento.
–*Pero, ¿se ha tomado el jarabe que le receté?*
–¿Cómo me lo voy a tomar, si en el frasco decía *"Consérvese bien cerrado"*?

4261

Un hombre va a visitar a su esposa, que llevaba varios años en coma. En esta visita decide acariciarle el pecho izquierdo en vez de solamente hablarle.
Al recibir la caricia, a la mujer se le escapa un suspiro. El hombre sale corriendo.
–Doctor, mi mujer ha reaccionado. *Le acaricié el pecho izquierdo y ella suspiró.*
–Es una muy buena señal. ¿Por qué no prueba acariciándole el pecho derecho?

El hombre entra en la habitación, le acaricia el derecho y esto hace que suspire aun más fuerte.
El doctor le sugiere al hombre que pruebe con sexo oral a ver si con eso se despierta. El hombre entra, y sale a los cinco minutos.
–*¡Doctor, mi mujer está muerta!*
–¿Por qué? ¿Qué ha ocurrido?
–*¡Se ahogó!*

4262

Cartel en la caja de una tienda judía norteamericana:
No aceptamos cheques. Estamos seguros de que usted tiene dinero en su cuenta, pero no le tenemos confianza a su banco.

4263

Entra una niña a la farmacia:
–*¿Me da una caja de condones?*
–Pero ¡si aún tienes los dientes de leche!
La nenita se los limpia con la mano y dice:
–*¿Me da ahora una caja de condones?*

4264

–¿Qué tienen en común un ex marido y un apéndice inflamado?
–*Con los dos una se siente muy mal y cuando se lo sacan, una se da cuenta de que no servían para nada.*

4265

–¿Cuántos años hace que te conozco, y siempre te pregunto: Cómo van tus negocios? Pero a mí nunca me preguntas.
–*Está bien, tienes razón. ¿Cómo van tus negocios?*
–¡Ni me preguntes!

4266

"Las Fuerzas Armadas no quieren estar de espaldas al pueblo, como nunca lo estuvieron y no deberían haberlo estado".

(Teniente General Enrique Bonelli en Telemundo, 21 de diciembre de 2005.)

4267

"Perdón que le pregunte, colega diputado, pero ¿dónde queda ese cuarto intermedio al que tenemos que ir?"

4268

El gallego Pepe Muleiro tenía 86 años. Era un viejito pícaro.
Una tarde entró en la farmacia:
—Disculpe joven, ¿me da un frasco de Viagra?
—¡Cómo no!, ¿me permite ver su receta?
—La receta no la traigo, pero si quieres ¡¡¡te muestro al enfermito!!!

4269

—Voy a comprarme un caballito de mar.
—¿Y para qué quieres tú un caballito de mar, Manolo?
—Pues ¡para jugar waterpolo!

4270

El servicio meteorológico gallego es tan malo que no acierta *ni el tiempo del día anterior*.

4271

En un pueblo se construía una carretera. Un pueblerino se sentaba largas horas a ver cómo se realizaba la obra.
—¡Hola! Soy George Frank Steven, el ingeniero que hizo los estudios y encargado de la obra y la maquinaria.
—Hola. Soy Federico Díaz, del pueblo vecino.
—Veo que nunca habías visto cómo se hace una carretera moderna, dime, ¿cómo hacen las carreteras en tu pueblo?
—Bueno, en mi pueblo cuando queremos hacer una carretera de un pueblo a otro soltamos un burro viejo y el animal escoge el camino más corto y más seguro y por ese camino hacemos la carretera.
—¿Y qué pasa si no tienen un burro?
—¡Llamamos a un ingeniero!

4272

Primer acto: Hago una fiesta. Invito al pato Donald.
Segundo acto: Invito también a Mickey.
Tercer acto: Me caen Vilma y Pedro de colados.
¿Cuál es el título de la obra?
"Convidados de piedra".

4273

Los hombres la pasan mucho mejor que las mujeres. Por un lado, se casan *mucho más tarde;* por otro, *se mueren antes.*

4274

Empleado y su jefe:
—No puede ser, me pagó un dólar menos de lo pactado.
—La semana pasada le pagamos un dólar de más. ¿Cómo es que no se quejó en aquella oportunidad?
—Es que un error se puede pasar por alto. Dos, no.

4275

El doctor oyó la voz familiar de su colega al contestar el teléfono.
—Te necesitamos para hacer cuatro y jugar al póker.
—Estaré allí enseguida.
—¿Es algo grave, querido?
—¡Gravísimo! ¡Fíjate que ya hay tres médicos en el lugar!

4276

—¿Qué horas son éstas de llegar, Manolito?
—Es que he tenido mi primera experiencia sexual, padre.
—Bueno. Siéntate y cuenta. ¿Cómo ha sido?
—Es que no puedo sentarme.

4277

—¿Por qué estás tan preocupado?
—Mi esposa fue a comprar el periódico hace tres días y no regresó.
—Tranquilo, Pepe: tres días sin periódico no pasa nada.

4278

—¿Cuál es el colmo de un matemático?
—Tener cálculos en la vesícula.

4279

—Tienes que venir a ayudarme. ¡Tengo un rompecabezas y no soy capaz ni de empezar, Pepe!
—¿Qué clase de rompecabezas, Manolo?
—Según la foto de la caja, es un tigre.
Fue a la casa de Manolo.

−Bueno, para empezar, lo siento mucho, pero no veo cómo unir estas piezas para formar el tigre. Y segundo, te aconsejo que te relajes, te tomes un café y después metas las Zucaritas de Kellogs en su caja...

4280

−Me da un condón.
−Por favor, sea más discreto. ¿No ve que hay gente?
−¡Vaaaaale! ¿Me da un calcetín pal nabo.

4281

−¡Increíble! No me pagó lo que me debe y lo sorprendo comiéndose un pavo.
−Si supiera por qué lo hago, tendría compasión de mí.
−¿Por qué se lo come?
−¡Porque no puedo mantenerlo!

4282

Paco era más pesado *que barrilete de piedra.*

4283

−Me paso el día trabajando mientras tú holgazaneas, ¿no conoces la fábula de la cigarra y la hormiga?

−Sí, pero no está bien que la recite mientras tú trabajas.

4284

−¿Por qué un sapo no puede ser matemático?
−Porque no tiene oreja para colocarse el lápiz.

4285

−¿Cuál es el colmo de lo imposible?
−Contarse los pelos del culo con guantes de box.

4286

Tengo dos noticias para darte: una buena y otra mala.
La buena: los argentinos tenemos la capacidad de reírnos de nuestras propias desgracias.
La mala: este año nos vamos a cagar de risa.

4287

−¿Por qué los gallegos se lavan la cabeza con lavandina?
−No sé.
−Para aclararse las ideas.

4288

−¡Mamá! Manolito me ha roto mi tren de juguete.
−¡Eso no se hace Manolito! ¿Cómo te lo ha roto, hijo?
−No ha apartado la cabeza cuando se lo tiré.

4289

Nerón mató a su mamá porque le puso nombre de perro.
¿Por qué será que tenemos ganas de hacer pis una vez que encontra-

mos *la posición justa para dormir?* Para hacer un soldado hay que deshacer un civil.

4290

Vi un libro que se llamaba *69 Posiciones.*
Lo compré inmediatamente seguro de que pasaría una noche sensacional con mi mujer.
¡Era un libro de ajedrez!

4291

Otro libro se titulaba: *La tengo dura y redondita.*
Era Pinocho.

4292

−Manolo, ¿cuál es el país más rico del mundo?
−Argentina: porque todos roban pero todavía queda.

4293

−¿Cómo evitar que cinco negros violen a una blanca?
−Dándoles una pelota de baloncesto.

4294

Cinco hombres alardeaban sobre la inteligencia de sus perros.

El primero era ingeniero, el segundo contador, el tercero químico, el cuarto experto en informática y el quinto empleado público. Para alardear, el ingeniero llamó a su perro:

–*Escuadra. ¡Haz tu rutina!*

Escuadra trotó hasta un escritorio, agarró un poco de papel y una lapicera, y rápidamente dibujó un círculo, un cuadrado y un triángulo.

Todos admitieron que esto era casi increíble.

Pero el contador dijo que su perro podía hacer algo mejor. Llamó a su perro y le ordenó:

–Formulario. ¡Haz tu rutina!

Formulario fue hasta la cocina y volvió con una docena de galletitas. Las dividió en cuatro pilas iguales de tres galletitas cada una.

Todos admitieron que eso era genial.

Pero el químico dijo que su perro podía hacer algo mejor.

–Medida. ¡Haz tu rutina!

Medida se levantó, caminó hasta la heladera, agarró un cuarto litro de leche, de pasada agarró un vaso mediano y lo llenó completamente de leche sin volcar ni una gota.

Todos aceptaron que esto era muy impresionante.

El experto en informática sabía que podía ganarles a todos.

–Disco Rígido. ¡Hazlo!

Disco Rígido atravesó el cuarto y encendió la computadora, controló si tenía virus, mejoró el sistema operativo, mandó un e-mail e instaló un jueguito excelente y novedoso.

Todos sabían que esto era muy difícil de superar.

Entonces, los cuatro hombres miraron al empleado público y le dijeron:

–*¿Qué puede hacer tu perro?*

El empleado público llamó a su perro y dijo:

–Descanso. ¡Haz tu rutina, chico! Descanso se incorporó de un salto, se comió las galletitas, se tomó la leche, borró todos los archivos de la computadora, acosó sexualmente a los otros cuatro perros, alegó que al hacer esto se había lastimado la espalda, interpuso una denuncia por condiciones insalubres de trabajo, reclamó mayores sueldos para los trabajadores y se fue a su casa con seis meses de licencia por enfermedad.

4295

No es lo mismo *"Las obras del Maestro Chapí"*, que la picha del maestro de obras.

4296

–Mamá, ¿puedo ir a una fiesta de 15 años?

–*No, Manolito, es demasiado larga.*

4297

–Salí con esta joven varias veces. Le regalé libros, la llevé al cine, la invité a tomar cerveza... ¿Crees que debería besarla, Paco?

–*Noooo... ¡¡¡Ya hiciste bastante por ella!!!*

4298

–Yo cuando tomo café no duermo.

–*¿Sabe? ¡Qué curioso!, a mí me pasa justo al contrario. ¡Cuando duermo, no tomo café!*

4299

–¿Qué se le dice a un gallego con un título universitario?

–Copión.

4300

–Berta, ¿cómo se llama ese viejito judío que nos vuelve locas?

–*¡Alzheimer, Ruth... Alzheimer!*

4301

En un baile gallego.

–¿Tú no haces el amor, Paca?

–*No, la verdad es que yo soy más tímida que la reputísima madre que me remil recontra parió, ¿me entiendes?*

4302

–Querida: antes de pegarle al niño me hubieras llamado a mí.

–*¡De eso nada! ¡A ti te toca mañana!*

4303

El pobre tipo, frente a un edificio lujoso.

Llevaba dos días sin comer. Miró hacia arriba. Vio a una mujer en un balcón del octavo piso y le gritó:

–¡Señora! ¿Tendría un alfiler?

–Sí, ¡pero si se lo arrojo desde el octavo piso no lo va a encontrar!

–¿Podría pinchármelo en un pollito, entonces?

4304

Dos albañiles mentirosos y exagerados hablaban sobre los edificios que habían construido:

–Nosotros hicimos un edificio tan

grande, pero tan grande, que cuando un trabajador se cayó *desde lo más alto, tardó cinco horas en caer.*
–¿Y se murió?
–No, porque cayó en la mezcla.
–*Pues nosotros hicimos una iglesia tan grande, pero tan grande, que cuando se cayó un trabajador, tardó veinticinco días en caer.*
–¿Y se mató al llegar al piso?
–*No, se murió de hambre durante la caída.*

4305

Una niña de 3 años:
–¡Qué fiesta más aburrida: en cuanto encuentre mis braguitas me marcho a casa!

4306

Me encantaría conocer a una mujer que tuviese la cabeza muy bien puesta sobre sus hombros... *¡odio los cuellos!*

4307

Entra un tipo muy cabezón a una tienda de sombreros:
–Buenas tardes, me gustaría ver un sombrero de mi talla.
–*¡¡¡A mí también!!!*

4308

–¿Por qué es mejor un piano de cola que uno vertical?
–Porque hará mucho más ruido cuando lo tires por el acantilado.

4309

Un gallego va al médico con un pato en la cabeza.
El doctor pregunta:
–¿En qué puedo ayudarle?
El pato responde:

–*¿Me puede quitar a este gallego del culo?*

4310

–¿En qué se diferencia un gallego de una lata de comida para gatos?
–*Ni idea.*
–En la lata suele haber trozos de cerebro.

4311

–¿Cuál es la diferencia entre un gallego y un cerdo?
–*Un cerdo tiene que emborracharse para comportarse como un gallego.*

4312

El problema con los pesimistas es que tienen razón la mayor parte de las veces.

4313 - 4332
Veinte frases para después del orgasmo

La frase optimista: *Me vas a volver a llamar, ¿verdad?*

La frase adolescente: *¡Vístete, mis papás ya vienen!*

La frase oficinista: *Ojo, ojo que mojas esos papeles.*

La frase higiénica: *Pasame un Kleenex por favor.*

La frase de pánico: *¿Terminaste adentro?*

La frase paranoica: *Revisa el condón.*

La frase adolorida: *Sóplame que me arde.*

La frase típica: *¿Te gustó?*

La frase cursi: *Te amo.*

La frase tardía: Ay, yo como que estoy en mis días de riesgo.

La frase tonta: *Y ahora qué vas a pensar de mí.*

La frase pudorosa: *No me mires hasta que me vista.*

La frase farsante: *Nunca me había sentido tan bien.*

La frase mentirosa: *Tú eres el primero.*

La frase insatisfecha: *¿Nos echamos el otro?*

La frase oral: *¿Te gustó el sabor?*

La frase adúltera: *¡Mi marido!*

La frase noviazgo: *Vístete rápido que ya es tarde, me van a regañar.*

La frase marital: *Ta mañana.*

La frase despistada: *¿Cómo dijiste que te llamabas?*

4333

En la noche de bodas, la recién casada le dijo a su nuevo esposo:
–*Ya que estamos casados, podemos ponernos de acuerdo sobre el sexo que tendremos de la siguiente manera: en las tardes, si mi pelo*

está arreglado significa que no quiero sexo para nada. Si está un poco desarreglado quiere decir que tal vez podríamos tener sexo. Y si mi pelo está completamente desarreglado significa que quiero sexo. ¿Me has entendido, querido?
–Cariño, cuando yo llego a casa usualmente me tomo un trago. Si sólo tomo uno, eso significa que no quiero sexo. Si me tomo dos, tal vez tengamos sexo. Pero si me tomo tres tragos, *¡tu pelo me va a importar un carajo!*

4334

En la consulta del dentista.
–Señor, voy a tener que ponerle una corona, pero le informo que le va a costar 1200 dólares.
–¿Mil doscientos dólares? ¿Y de quién es esa corona? ¿¿¿De la reina de España???

4335

–¿Cuál es el colmo de un bombero?
–Apagar el fuego con una galletita de agua.

4336

Cartel en un cine:
En caso de incendio se ruega a todos que mantengan la mayor cal-

ma posible. Tirando las paredes abajo este local se vacía en menos de 5 minutos.

4337

–En una orgía, ¿cómo saber cuál de los participantes es gallego?
–Es el único que está follando con su esposa.

4338

Frustró su carrera de médico por culpa de su apellido. Era el *Dr. Mata.*

4339

–¡Ya me enteré de que ha estado haciendo apuestas en la oficina, Manolo!
–¡Le juego cuatrocientos dólares a que no es cierto, jefe!

4340

El mosquito:
–Mamá, mamá. Quiero ir al teatro.
–Bueno. Pero ¡muchísimo cuidado con los aplausos!

4341

–¿De qué murió el señor que inventó la cama de piedra?
–De un almohadonazo.

4342

–¿Por qué los elefantes se pintan los testículos de rojo?
–Para camuflarse entre los cerezos.

4343

Primer acto: un rey en una biblioteca se lee todo lo que encuentra.
Segundo acto: el mismo rey pide

que le traigan todos los libros del palacio.
Tercer acto: el rey lee todos los libros del reino.
–¿Cómo se llama la obra?
–El Rey León.

4344

–¿Me da un café con leche corto?
–Se me ha roto la máquina, cambio...

4345

–Manolo, ¡júrame que si me muero no vas a querer a ninguna otra mujer!
–¡Vale, mujer! Pero primero tú júrame que vas a morirte.

4346

–¿Cuál es el lema de la Unión Gallega Solidaria?
–¡Sálvese quien pueda!

4347

–La mayoría de los hombres ¿qué creen que es Orgasmos Mutuos?
–Una compañía de seguros.

4348

Iba el argentino pedante y provocador a toda velocidad por la carretera en España. Pasado un tramo lo detienen en un control.

–*Caballero, en la curva anterior ha pisado la línea continua.*
–¡Y qué passaaa! ¿La rompí? ¿Eh? ¿La rompí?

4349

–¿Cuándo ha llegado el momento de dejar de follar estilo perrito?
–*Cuando ella empieza a ladrarle a los autos.*

4350

–Oye, Pepe, ¿qué es un gallego que tiene una cabra y un cerdo?
–Pues, un bisexual, ¡joder!

4351

–He decidido suicidarme. La vida me ha tratado muy mal. Aquí traigo una pistola, pero antes quiero pedirte un favor.
–*Sí, claro, el que quieras, para eso son los amigos.*
–Una cosa me ha faltado probar en mi vida: el sexo con un hombre. Quiero que me hagas el favor de metérmela. Nadie lo sabrá. Yo me voy a matar y no vas a decir nada. No muy convencido, el amigo acepta. Se van a la parte trasera del bar y ahí le da duro por el culo a su amigo. Cuando terminan, regresan a la mesa en la que estaban, y le pregunta al futuro suicida:

–*¿Entonces qué, a qué hora te vas a matar?*
–¿Matar? ¿Yo? ¡¿Ahora que he empezado a vivir?!

4352

–Doctor, me he comido un cordero entero y estoy fatal.
–*¿A quién se le ocurre comer tanta carne?*
–No, si lo que me ha sentado mal ha sido *la lana.*

4353

¡Último momento! Aeropuerto de Barajas, Madrid:
Se sorprendió a un grupo fundamentalista gallego *(liderado por el conocidísimo terrorista Pepe Muleiro)* conformado por 600 gallegos que habían *arrancado un edificio de 50 pisos de sus cimientos* y lo transportaban a mano para arrojarlo contra un avión estacionado en ese aeropuerto.

4354

–Doctor, me he zampado un lechón entero.
–*¿Y cómo lo ha hecho?*
–A fuerza de pan.

4355

Los árabes Alí y Saúl viajaban en avión sentados del lado de la ventanilla.
El judío David, en la misma fila, junto al pasillo.
Cuando el avión despegó, Saúl intentó incorporarse.
–*Voy a buscar una Coca-Cola.*
David se ofreció amablemente.
–No se preocupe. Voy a buscársela.
Cuando David se fue, Saúl agarró los zapatos que el judío se había

sacado para viajar más cómodo y se los escupió.
–David volvió con la Coca-Cola.
Al rato, Alí trató de incorporarse.
–*Quisiera una Coca-Cola.*
–Yo se la traigo...
Se fue David.
Alí hizo lo mismo que Saúl: escupió dentro de los zapatos de David.
–Aquí tiene su Coca-Cola...
David dormitó durante el resto del vuelo.
Al llegar, comenzó a ponerse los zapatos. Entonces, descubrió irritado lo que le habían hecho. Rugió:
–¿¿¿Hasta cuándo va a seguir esta rencilla entre nuestros pueblos??? ¿Hasta cuándo esta guerra? ¿Hasta cuándo este odio? ¿Este escupir dentro de los zapatos y *orinar en las Coca-Colas?*

4356

–Doctor, no puedo dormir, si me echo del lado izquierdo se me sube el hígado, y si me echo del derecho se me sube el riñón.
–*Pues duerma boca arriba.*
–Entonces se sube mi marido.

4357

La modelito llama al Servicio Meteorológico.
–*¿Podría decirme qué temperatura hará el 19 de setiembre que tengo un desfile al aire libre ese día?*

–Vea: hoy es 4 de marzo. No podemos decirle qué temperatura hará en una fecha tan lejana.
–*Pero ¿¿¿qué les pasa??? ¿No tienen almanaque ustedes?*

4358

–¿Qué es lo que produce mayor ruido en la selva?
–*Los monos comiendo cerezas.*

4359

–Doctor, no consigo dormir, ¿qué hago?
–*Cuente hasta 50.000 ovejitas durante la noche.*
–¿Y luego?
–*Luego ya será de día.*

4360

Él y ella se conocieron en un bar. Llegaron a la casa de ella y se pusieron a tomar trago tras trago. Empezó la acción.
El muchacho se sacó la camisa y se lavó las manos.
Se sacó el pantalón y se lavó las manos.
Se sacó el calzoncillo y se lavó las manos.
–¡Oye! ¿Tú eres dentista, no?
–Sí, ¿cómo lo notaste?
–*Fácil, te pasas lavando las manos.*
Siguió la acción. Ella, después de

hacer el amor, le dijo:
–*Debes ser un excelente dentista.*
–La verdad que sí. Soy de los mejores, pero... ¿cómo lo notaste?
–*Bueno, porque no sentí nada de nada.*

4361

–¿Por qué los americanos han dejado de usar gallegos en su programa espacial?
–*No sé.*
–Porque la cabeza les estalla cuando la asoman por la ventanilla.

4362

Los dos gallegos pasan a ciento veinte un semáforo en rojo y casi atropellan a una gallina.
–*¡Anda! ¡Que si llega a pasar un peatón!*
–¡O una persona!

4363

El gallego Paco en la librería:
–*Oiga, ¿tiene usted algo de Hemingway?*
–Sí, "El viejo y el mar".
–*Hummm... déme "El mar".*

4364

La gallega María bañaba a su hijo agarrándolo de las dos orejas y metiéndolo y sacándolo de la bañaderita.

El bebé chillaba como loco.
–Pero, María, ¡qué bestia! ¿Cómo bañas así al niño?
–*Pero hombre, ¿tú qué quieres?, ¿que me queme las manos? ¿Tú sabes lo caliente que está el agua?*

4365

–Mi novia tiene las tetas como cocos.
–*¿De grandes, Manolo?*
–No, de pelos.

4366

–¿Cuál es la diferencia entre un abogado y una prostituta?
–*¡¡¡Hay ciertas cosas que la prostituta no haría por dinero!!!*

4367

El gallego Muleiro era lo más bruto de la región. Pidió una sopa, pero se la sirvieron demasiado caliente y se quemó.
Entonces, se bajó los pantalones y metió su cacharro en el plato.
–Pero ¿qué hace?
–*¿La sopa me jodió? ¡Yo jodo a la sopa!*

4368

Era un pueblo perdido del interior de Galicia. Llegó un vendedor ambulante de pescado:
–¡Sardinas! ¡Besugo! ¡Langosta

viva! ¡Langosta viva! ¡Langosta vivaaaa!
Y contestaron todos:
–*¡Vivaaa!*

4369

Manolito era tan pequeño, tan pequeño, que pasó por una pastelería, se le hizo agua la boca... *y se ahogó.*

4370

–¡Pepe Muleiro!
–*¡Ausente, señor!*
–¡Usted se calla! ¡Déjelo contestar a él!

4371

El gallego Paco era una bestia. Tenía una panadería:
–*Paco, quiero tres panes. Y si tiene huevos, déme una docena.*
Y el gallego Paco le dio doce panes.

4372

Paco y Manolo querían comerse el último quesito que les quedaba. Como era muy pequeñito, decidieron echarlo a la suerte.
Paco escondió las manos tras la espalda y después mostró los puños cerrados.

–*Venga, si adivinas en qué mano está, te lo comes tú.*
–Pues... está en la mano del quesito.
–*¡Joder, tío! ¡Qué suerte tienes!*

4373

–Papá ¡quiero una pistola Magnum!
–*¡Basta ya! Eso no es cosa de niños.*
–¡Quiero una pistola Magnum!
–*¡Que no! Además... ¿Quién manda aquí?*
–Tú, papá. Pero ¡si yo tuviera una pistola Magnum...!

4374

–Oye, tú ¿cómo te llamas?
–*Bienvenido.*
–¡Joder! ¡Igual que mi felpudo!

4375

–Doctor, ronco tan fuerte que me despierto yo solo.
–*Eso tiene fácil remedio, váyase a dormir a otra habitación*

4376

La madre lleva a su hijo Agustín, de siete años, al psicoanalista.
–*Dígame doctor: un chico de siete años ¿puede casarse con una ex modelo, cantante y actriz como Nacha?*

–¡No! ¡De ninguna manera!
–*¿Entendés lo que te decía, Agustín? Así que ahora vas y ¡conseguís el divorcio!*

4377

El gallego Manolo masturbaba a su mujer, la Pepa:
–Manolo, ¿puedes quitarte el anillo que me haces daño?
–*¿Qué anillo? ¿Te refieres al reloj?*

4378

–Dime, Manolo, ¿qué harías con un perro sin manos ni pies?
–*Pues, ¡llevarlo a la rastra, joder!*

4379

–¡Joder! ¡qué poca gracia tiene tu niño, Pepe!
–*¡Psss! ¿qué le vamos a hacer? ¡Y mira que le pegamos para que se ría! ¡Vaya si le pegamos...!*

4380

–Doctor, me ha salvado, le debo la vida.
–*¡Y las visitas, hija, y las visitas!*

4381

–Manolo, ¿qué se le da a un elefante con diarrea?

–Muuuuuuuuuuuuuuuuuuuuuuuuuu
uuuuuuuuuuuuuuuuuuuuuuuuuuuuu
uuuuuuuuuuuuuuuuuuuuuuuuuuuuu
uuuuuuuuuuuuuuuuuuuuuuuuuuuuu
uuuuuuuuuuuuuuuuuuuuuuuuuuuuu
uuuuuuuuuuuuuuuuuuuuuuuuuuuuu
uuuuuuuuuuuuuuuuuuuuuuuuuuuuu
uuuuuuuuuuuuuuuuuuuuuuuuuuuuu
uuuuuuuuuuuuuuuuuucho espacio.

4382

–Suba al monte dos veces al día y adelgazará por lo menos 20 kilos. Vuelva dentro de tres semanas.
–*...Aquí estoy doctor, como me dijo.*
–Pero, si no ha adelgazado ni un kilo, ¿hizo lo que le dije?
–*Sí, doctor.*
–¿Y cómo no ha adelgazado?
–*Yo no adelgacé, pero mi burro se ha quedado en los huesos.*

4383

–Doctor, no sé lo que me pasa que cuando fumo, me entran unas ganas locas de hacer el amor. ¿Qué me aconseja?
–*De momento señorita, tome, fúmese un cigarrillo.*

4384

La Compañía Aérea Gallega ostenta un récord increíble: es la más insegura del mundo. *La semana pasada chocaron dos de sus simuladores de vuelo.*

4385

El argentino Cacho Vaccarini va a la casa de su amigo, el doctor Menéndez.
–*Che, Menéndez, necesito hablar con vos de un tema muy, muy reservado.*

–Está bien, viejo. Si es tan reservado, pasá al consultorio.
–Mirá... necesito tres mil dólares.
–Quedate totalmente tranquilo, Cachito: no se lo voy a decir a nadie.

4386

–¿Qué tal le fue la caja de pastillas que le receté?
–*Muy bien, doctor, pero hasta que conseguí tragarme el cartón.*

4387 - 4399
Trucos para ligar

Puede que no sea el tipo más guapo del local, pero soy el único que te está hablando.

¿Crees en el amor a primera vista o tengo que volver a pasar delante tuyo?

Si estás buscando el tocador de damas, no busques más... soy yo.

Mátame si no te sirvo, pero primero pruébame.

Estoy buscando Diosas para una nueva religión... y acabo de elegirte.

Uy qué perro más encantador, ¿tiene número de teléfono?

Realmente estoy luchando contra la necesidad de hacerte esta noche

la mujer más feliz del mundo.

Mañana... ¿te despierto con el codo o con el teléfono?

¿Te estudio o te trabajo?

Hola, soy nuevo acá, ¿me puedes decir dónde queda tu departamento?

¿Te importa si compartimos el taxi hacia mi casa?

Tengo bonitos relojes, ¿quieres ver mi mesita de noche?

Perdí mi número de teléfono, ¿me prestas el tuyo?

4400

Un santiagueño andaba con un tubo fluorescente bajo un brazo.
–*¿Estás cambiando el tubo?*
–¡No! Si voy a estar tomándome la temperatura.

4401

–¿Qué es un negro con un puñal clavado en la espalda?
–*Un pin del K.K.K.*

4402

En el entreacto de una ópera la gallega Paca regresó a su sitio.
–*¿Fue usted al que pisé al salir?*
–Sí, señora.
–*Gracias, sólo quería saber si éste era mi sitio.*

4403

En medio de un atasco de tráfico, una chica no lograba hacer arrancar su coche. Un conductor impaciente no hacía más que tocar y tocar la bocina.
–¿Quiere usted probar si puede

arrancar mi coche, mientras yo toco la bocina del suyo?

4404

Van un *hijo de puta y un cabrón* por la calle y le dice *el negro al judío...*

4405

Un paracaidista en su primer lanzamiento, aterrorizado:
–*¡Coraje, lánzate, coño!*
–Pero, señor, ¿y si el paracaídas no se abre?
–*¡No tiene importancia, joder! ¡Está el de seguridad! ¡Coraje, lánzate, coño, joder!*
–Pero, ¿si el de seguridad no se abre?
–*¡Lánzate igualmente! En ese caso, cuando llegues a la tierra, lo cambias por otro.*

4406

–¿Qué es un dilema para una madre judía?
–*Tener un hijo gay que sale con un médico.*

4407

En el cuartel:
–Mi general, miles de hombres están levantándose.
–*¿Qué pasa? ¿Una revolución?*
–No... es que son las seis de la mañana.

4408

–Ahora respire hondo y diga tres veces treinta y tres.
–*... Noventa y nueve.*

4409

–Doctor, ¿qué es lo que tengo?
–*Tiene piedras en el riñón.*

–Me lo imaginaba. Y eso que le digo a mi mujer que limpie bien las lentejas.

4410

–Doctor, ¿qué es lo que tengo?
–*Un cálculo en el riñón.*
–¿Y eso es grave?
–*No, es grava, como arenilla.*

4411

–El gallego Pepe era tan pero tan hipocondríaco que pidió que lo *enterraran junto a su médico.*

4412

–Doctor, tengo un dolor fortísimo aquí en el pecho.
–*¿Donde le ha empezado el dolor?*
–En la plaza de mi barrio.

4413

El psicoanalista chanta en la tele:
–*Lo cierto es que cuando el hombre y la mujer se casan se transforman en uno sólo. Lo malo empieza cuando tratan de decidir en cuál de los dos.*

4414

–Doctor, no puedo dormir.
–*Pues, tómese una copa de whisky cada media hora.*

–¿Y eso me hará dormir?
–*No, pero pasará una noche ¡titirititiri!*

4415

La gallega Paca es tan presumida que miente, incluso, *sobre la edad de su perro.*

4416

Un gallego entró por primera vez a un ascensor. Apretó un botón y se pasó 5 minutos *esperando que le diera una latita de Pepsi.*

4417

–Doctor, ¿qué quiere decir con que mi mujer tiene un soplo en los ovarios?
–*Lo que yo le he dicho es que se la han soplado varios.*

4418

–¡Para combatir la corrupción crearemos una comisión!
–*¿Qué tipo de comisión, señor ministro?*
–¡Del 10 por ciento!

4419

Un presidente de los Estados Unidos oyó hablar tanto de los gallegos que decidió invitar a un grupo a Washington. Quería conocerlos.
Fue personalmente a recibirlos al aeropuerto. Pero los gallegos no quisieron bajar.
Un funcionario del gobierno explicó los motivos al presidente.
—*Tienen miedo, señor.*
—¿De qué?
—*Preguntan quién es Well. Desde la ventanilla vieron el letrero que decía: "Well come gallegos".*

¿En serio creyó que si apretaba en la página 101
iba a pasar algo aquí?

¡Bueh!

4420

Psicópata asesino
busca chica
para relación corta.

4421

No es lo mismo poner
los huevos a "baño María"
que ponérsela a María hasta
los huevos en el baño.

4422

No creas que porque
el médico sabe dar un nombre
a tu enfermedad
sabe de qué cuernos se trata.

4423

–Doctor, me está saliendo un pene en la frente, ¿qué hago?
–*Creo que debe ir al oculista.*
–¿Al oculista?
–*Sí, porque cuando le salgan los huevos no verá nada.*

4424

–¿Por qué las arpas parecen ancianos?
–*Porque ambos son difíciles de meter y sacar de los coches.*

4425

Seguid mis consejos.
Yo, de todos
modos, no los uso.

4426

Doctor, por la noche estoy bien, pero durante el día tengo siempre la cara congestionada y a veces me falta la respiración.
–*A ver... permítame... ¡Ya está! ¿Se siente mejor ahora?*
–Desde luego. Pero, ¿qué tenía?

–*Tenía el cuello de la camisa muy apretado.*

4427

–Hice muy bien en recetarle los baños de mar.
–*¿Estoy ya curado, doctor?*
–No, pero está más limpito.

4428

–Veo que hoy tose mejor.
–*Desde luego, doctor, me he entrenado toda la noche.*

4429

–¿Qué tiempo es "estaría embarazada"?
–*¡Preservativo imperfecto!*

4430

–Doctor, un perro me ha mordido el pulgar derecho.
–*¿Lo ha desinfectado?*
–No he podido, se ha escapado enseguida.

4431

El doctor Isaac David Finkerlberg llamó a su madre por teléfono:
–*¡Hola! ¿Cómo estás?*
–Bien, muy bien. ¡Realmente muy bien!
–*Disculpe, debo estar equivocado.*

4432

–¿Cómo se dice leones peligrosos en alemán?
–*¡Rajen, raje, rugen, rugen!*

4433

–Doctor, vengo a decirle que mi mujer está embarazada.
–*Pero, ¿no ha usado los preservativos que le di?*

–Sí, doctor, sólo me los he quitado para hacer el amor y para mear.

4434

–¿Sabe Ud. que el alcohol mata dos millones de americanos al año?
–*No me preocupa, doctor, yo soy gallego.*

4435

El hombre
no está completo hasta
que se casa.
Después está terminado.

4436

–Tiene una pulmonía.
–*¿Una pulmonía?*
–Sí, debe dejar el tabaco, el alcohol y las mujeres por un tiempo.
–*¿Y me quedo sólo con la pulmonía?*

4437

–¡Querido, despierta! ¡Acabo de oír ratas comiéndose las sobras de la cena!
–*¡Tranquila y vuelve a dormirte! Mañana las entierro.*

4438

El borracho entra a un bar:
–¡Ojalá que todas esas bebidas las arrojen al fondo del mar, camarero!
–*¿Está en Alcohólicos Anónimos?*
–¡No, soy buzo!

4439

–Doctor, mi marido tiene un complejo de inferioridad tremendo.
–*¿Y qué quiere que le haga?*

–¿Que me diga lo que tengo que hacer para que no se cure?

4440

El gallego Paco era tan bruto, pero tan bruto que murió la semana pasada.
–Era hemofílico y quiso curarse con acupuntura.

4441

–Doctor, vengo a que me ponga el callo otra vez.
–¡Que le ponga el callo otra vez!
–Sí, es que me va grande el zapato.

4442

–¿Cómo distinguís a los argentinos en un restaurante chino?
–Ni idea.
–Son los que no comparten la comida.

4443

–Doctor, le traigo un perro que habla.
–No me lo creo.
–¿No? Tóquelo, verá qué duro está.
–No, está blando.
–¿Ve? Ya le decía yo que hablaba.

4444

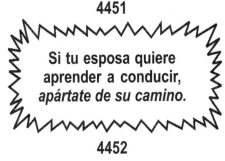

La mitad de las personas de este mundo *están por debajo del término medio.*

4445

Habían violado a una mujer. El gallego Manolo estaba entre los sospechosos.
Lo hicieron formar en la línea de reconocimiento junto a otros presos. Apenas entró la mujer violada, Manolo grito:
–¡Ésa! ¡Ésa es la mujer!

4446

–Doctor, hace una semana que sólo veo puntitos negros.
–¿Ha visto ya al oculista?
–Pero, no le estoy diciendo que sólo veo puntitos negros.

4447

–Esos deditos marcados en la puerta son tuyos, Pepito?
–No, mamita. Yo abro las puertas a las patadas.

4448

–¿Por qué las gallegas van siempre tan sonrientes?
–No sé.
–Porque llevan las trenzas muy, muy estiradas.

4449

–Doctor, me duele el pecho.
–Eso es del tabaco.
–Pero, si lo llevo en el bolsillo del pantalón.

4450

Déborah, la modelo argentina, fue a la peluquería.
Tenía un walkman y, puestos, unos auriculares.
–Roberto, cortame, pero no me saques lo auriculares
El peluquero cortó, peinó, mojó, desflequilló, rebanó, rizó, aclaró, oscureció, repeinó y onduló. Pero en determinado momento, para seguir, tenía que quitarle los auriculares de las orejas.

El peluquero pensó que no pasaría nada si se los quitaba.
Se los quitó.
Diez segundos después, Débora se incorporó. Se llevó las manos a la garganta. Comenzó a ponerse azul, se convulsionó, se puso completamente azul... ¡y murió!
Asombradísimo, el peluquero agarró los auriculares para oir qué estaba escuchando la modelo. Por los auriculares se podía escuchar:
–"Aspire... expire... tome aire... lárguelo... aspire... expire... tome aire... lárguelo... aspire... expire..."

4451

4452

–Mira querida: le traje un osito al bebé.
–¡Ay, qué adorable eres, mi amor ¡Un osito de felpa! Eres amoroso Manolo: ¡especialmente sabiendo que el bebé no es tuyo!

4453

–Doctor Muleiro, mi marido ha muerto.
–¿De qué?
–De gripe.
–Bah, eso no es nada.

4454

Pepe Muleiro fue a la veterinaria.
Vio una jaula con un cartelito
"Sapito mamador"
Aunque costaba 11. 000 dólares, lo compró.

Al día siguiente, su esposa lo sorprendió acostado en el piso de la cocina con el sapito mamador mamándole la polla.

–*¡Pero qué haces, Pepe! Pervertido! Degenerado!*

–Tú deja que el sapito aprenda a cocinar y verás cómo te mando a la putísima madre que te parió

4455

El brutísimo gallego Manolo pintaba el techo de su dormitorio.

–*Oye Manolo ¿quieres que te ponga papeles de diario abajo?*

–No, Pepa, tranquila: llego bien.

4456

–Mi médico es fabuloso: si no te alcanza el dinero para la operación, *él te retoca las radiografías.*

4457

Carta de una madre de Galicia a su hijo:

Querido hijo:

Te estoy escribiendo lentamente porque ya sé que tú no puedes leer rápidamente.

Nos hemos mudado, porque papá leyó en el periódico que la mayoría de los accidentes ocurren a menos de 20 kilómetros de casa. No te puedo dar la nueva dirección, porque la familia que vivía aquí antes se llevó el número de la casa para no tener que cambiar su dirección. Este sitio tiene un lavarropas. El primer día metí cuatro camisas, tiré de la cadena y desde entonces no las he vuelto a ver.

Sólo ha llovido dos veces esta semana, la primera vez durante cuatro días y la segunda sólo tres días.

El abrigo que querías que te mandásemos por correo pesaba demasiado debido a los botones, así que se los arrancamos. Pero no te preocupes, podrás encontrarlos dentro de los bolsillos del abrigo.

Recibimos una carta del servicio de pompas fúnebres. Dicen que si no pagamos el entierro de la abuela, la echan. Así que estamos preparando el cuarto para los invitados.

Tu hermana ha dado a luz esta semana. Todavía no sé si es un niño o una niña, así que no puedo decirte si eres tío o tía.

Tu primo se cayó en un barril de vino. Sus amigos intentaron sacarlo, pero él se resistió juguetonamente y murió ahogado. Al incinerarle, estuvo ardiendo durante tres días.

Ha habido un accidente. Tres de tus amigos iban en una camioneta cuando se cayeron por un puente al río. El conductor pudo abrir la puerta y se salvó, pero los otros dos, que iban afuera, no pudieron abrir la portezuela de atrás para la carga y se han ahogado.

En fin, sin noticias como puedes ver. Besos.

Tu madre.

4458

–Doctor, me ha dicho un médium que soy poseso.

–*¿Será poseído?*

–Pos eso.

4459

–No tiene Ud. nada grave, lo que probablemente sucede es que lleva una vida demasiado sedentaria. Salga a la calle y dé largos paseos

todos los días. A propósito, ¿de qué trabaja?
–*Soy cartero.*

4460

–¡Usted es un ladrón, Muleiro!
–*No señor juez: yo no soy ladrón. Lo que sucede es que encuentro las cosas antes de que los demás las pierdan.*

4461

El agua del zoológico está realmente podrida. Ayer, el oso pidió por favor *si lo podían convertir en alfombra.*

4462

–Doctor, tengo una indigestión de ciruelas.
–*Pero, si ahora no es temporada de ciruelas.*
–Bueno, pues ya vendré más adelante.

4463

–¡Opa, Opa, Opa!
–*¿Qué? ¿Arriando las vacas, Muleiro?*

–No, llamando a mi hijo: ¡Opa, Opa, Opa!

4464

–Doctor, se me cae el pelo, ¿qué debo hacer?
–*No se acerque a la sopa.*

4465

Pepito Muleiro vuelve a casa después de su primer día de clases
–*Qué tal tu maestra, Papito?*
–Pues... algo más que yo, sabe.

4466

El dinero no es realmente importante.
–¿O acaso un tipo con *15 millones de dólares* es más feliz que un tipo con *14.800 dólares*?

4467

–¿Cómo se llama su rancho?
–*Mi rancho se llama X O Doble V ScreenRach Pondeross Corner Inn W YW PP Cash Road.*
–¡Qué bárbaro! ¡Seguramente tendrá un montón de ganado!
–*Pues no. Las vacas, apenas ven*

que me acerco con el hierro caliente para marcarlas, ¡huyen desesperadas!

4468

–¿Qué sucede cuando un negro le pone *Devor Olor* a los zapatos?
–*El negro desaparece.*

4469

–¿Cómo se le dice a algo gallego con un cociente intelectual de 180?
–*Ni idea.*
–Galicia.

4470

–¿Cuál es el colmo de un árbitro?
–*Que los jugadores le toquen el pito.*

4471

Fracasa una conferencia sobre la impotencia; *no se levantó ni la sesión.*

4472

–Verá doctor: este problema de soledad que tengo viene de muy lejos. Nací en un pueblo tan, pero

tan pequeño que el parte de diversiones tenía sólo un autito chocador.

4473

La gallega Paca se topó con dos negros enormes en África:
–*Tú tener suerte. Mungu ser un achicador de cabezas. Mi ser un agrandador de culos.*

4474

–Doctor, cuando subo la pendiente para llegar a casa me fatigo muchísimo, ¿qué me aconseja tomar?
–*Un taxi, señora, tome un taxi.*

4475

Muleiro meteorólogo de la tele:
–*Lluvias: Hoy quizás si, quizás no. Más probablemente no.*

4476

Lo que tienen de bueno los comerciales de la tele es que los dan *sin interrupciones.*

4477

Compré un barómnetro hecho en Taiwán. *Sólo marca la humedad que hace en Taiwán.*

4478

–Doctor, hace cinco años me dijo que la humedad era mala para el reuma.
–*Sí, lo recuerdo.*
–Ahora que estoy un poquito mejor, ¿me puedo volver a lavar

4479

El viejito judío David Kañevsky es internado en el sanatorio *"La Pequeña Compañía de Jesús".*

La madre superiora, le pregunta:
–*¿Quién se hará responsable del pago de facturas y gastos que requiera su internación?*
–La única persona allegada a mí es una hermana vieja y solterona que se convirtió al cristianismo y ahora es monja.
–*Un momento. Nosotras no somos solteronas: ¡¡¡estamos casadas con Jesús!!!*
–Bueno. En ese caso... ¡envíenle la cuenta a mi cuñado!

4480

La mafia inventó la acupuntura. Sólo que ellos usan *un picahielos.*

4481

–Debe tomar una de estas pastillas, tres veces al día.
–*Pero doctor ¿cómo puedo tomar tres veces la misma pastilla?*

4482

–Mamá, ¿cómo se llaman los que tocan los tambores?
–*Pues tamborileros.*
–¿Y los que tocan las trompetas?
–*Trompeteros.*
–¿Y los que tocan los timbres?
–*Timbreros...*
–Entonces ¿a mí por qué me llaman ¡¡¡estúpido, desgraciado, maldito del quinto piso!!!?

4483

–Yo sé cuándo llueve por mis callos.
–*Claro, si le duelen, va a llover.*
–No, si están mojados, llueve

4484

–Doctor, me toco la pierna y no la siento, ¿es que me la han cortado?
–*No, lo que le hemos cortado ha sido la mano.*

4485

La novia era tan, pero tan fea que todos *hacían cola para besar al novio.*

4486

Yo no sé cuántos años tendrá Pepa... pero cuando Caín mató a Abel, ella *fue miembro del jurado.*

4487

–¡Camarero! ¡Un café solo, por favor!
–*¿Solo? ¡Todo el mundo fuera!*

4488

Había una vez un pollito tan pero tan inteligente que en lugar de decir *"pi"* decía *3,1416.*

4489

–¿Puedes casarte con el hermano de tu viudo?
–*No, porque estarías muerta.*

4490

El castellano es un idioma muy complicado.
Una prueba: *Todo junto se escribe*

separado. Y *separado* se escribe todo junto.

4491

—Manolito, ¿tu reloj es sumergible?
—*No.*
—Entonces, ¿para qué tiene malla?

4492

—¿Saben qué es una mancha amarilla en una montaña?
—*Un pollito guerrillero.*

4493

—Mamá, ya no quiero más espaguetis de estos rojos y azules.
—*Cállate o te arranco las venas del otro brazo.*

4494

El súper haragán:
—*¿Tienes un remedio para la picadura de tarántula?*
—No, ¿por qué? ¿Te picó una?
—*No, pero ¡allá viene una!*

4495

Llega el gallego Muleiro al bar del pueblo y deja atada su perra a un árbol. Al instante, veinte perros se arremolina a su alrededor tratando de conquistarla. Ladridos, gruñidos, mordiscos y aullidos.
El policía del pueblo entra al bar.
—*A ver: ¿quién es el dueño de esa perra?*
Muleiro levanta la mano y dice:
—¡Yo!
—*Su perra está alzada.*
—No puede ser: yo la dejé en el suelo.
—*Quiero decir que está en celo,*
—No puede ser. Yo jamás le di motivos. Ni miro a otras perras.
—*Digo que está caliente ¿me entiende?*

—No, no lo entiendo: yo la dejé a la sombra.
—*Óigame, su perra quiere tener relaciones sexuales.*
—¡Ah, joder! ¡Haberlo dicho antes! ¡Adelante, agente, siempre quise tener *un perro de policía.*

4496

Un vasco entra en una librería:
—*Buenas, ¡déme un mapamundi de Bilbao!*

4497

Está la fiesta en su máximo esplendor. En eso llega el gallego Manolo. Se acerca a una chica y le pregunta:
—*¿Vas a bailar?*
—¡¡¡Sí!!!
—*Entonces, préstame tu silla.*

4498

Yo fui un niño no deseado por mis padres. Con decirte que al nacer *tuve que tomarme un taxi para ir del hospital a mi casa.*

4499

—Mi amor, supongo que no querrás ir al estreno de esta noche sin un vestido nuevo.
—*Claro que no.*

—Me lo imaginaba. Por eso he comprado sólo una entrada.

4500

—¿Cómo es posible que mi esposa pueda ver un pelo rubio en mi solapa a 20 metros y *no pueda ver la puerta del garaje a medio metro*?

4501

La comida que me hacía mi esposa se derretía en mi boca. *Ahora la convencí para que antes la descongele.*

4502

Pepe Muleiro es tan bruto que en lugar de poner a su esposa en un pedestal, la tuvo treinta años *debajo de una piedra.*

4503

Mi esposa hacía comidas congeladas aún *antes de que existieran los frízers*

4504

—Doctor, doctor me siento como si fuera unas enormes tijeras.
—*¡Cortelá, che con eso, cortelá!*

4505

—¿Qué le dijo una ratita a otra ratita?
—*No sé.*
—Estoy esperando un ratito.

4506

—Doctor, gracias a las hormonas de mono que usted le dio a mi mujer hace nueve meses, acaba de dar a luz hace un rato.
—*¿Qué ha sido, niño o niña?*

–No lo sabemos, nada más nacer se ha subido a una lámpara.

4507

Trabajé dos años junto al Presidente. Lo pasé muy mal. Tuve mucho miedo de abrir la boca: *como tengo dos muelas de oro.*

4508 - 4528
Un poco de culturita
Sabían que...

Es imposible chuparse el codo.

La Coca Cola era originalmente verde.

Es posible hacer que una vaca suba escaleras pero... no que las baje.

American Airlines ahorró 40.000 dólares en 1987 eliminando una aceituna de cada ensalada que sirvió en primera clase.

Cada rey de las cartas representa a un gran rey de la historia: Espadas: El rey David. Tréboles: Alejandro Magno. Corazones: Carlomagno. Diamantes: Julio César.

Si multiplicas 111.111.111 x 111.111.111 da como resultado 12.345.678.987.654.321.

Según la ley, las carreteras interestatales en Estados Unidos requieren que una milla de cada cinco sea recta. Estas secciones son útiles como pistas de aterrizaje en casos de emergencia y de guerra.

El Pentágono tiene el doble de baños de los necesarios. Cuando se construyó, la ley requería de un baño para negros y otro para blancos.

Es imposible estornudar con los ojos abiertos.

Los diestros viven en promedio nueve años más que los zurdos.

Durante la guerra de Secesión, cuando regresaban las tropas a sus cuarteles sin tener ninguna baja, ponían en una gran pizarra "0 Killed" (cero muertos). De ahí proviene la expresión "O.K." para decir que todo está bien.

La cucaracha puede vivir nueve días sin su cabeza, antes de morir de hambre.

Los elefantes son los únicos animales de la creación que no pueden saltar (afortunadamente).

Una persona común ríe aproximadamente 15 veces por día.

Thomas Alva Edison temía a la oscuridad.

La palabra "cementerio" proviene del griego koimetirion, que significa: dormitorio.

En la antigua Inglaterra la gente no podía tener sexo sin contar con consentimiento del rey (a menos que se tratara de un miembro de la familia real). Cuando la gente quería tener un hijo debían solicitar un permiso al monarca, quien les entregaba una placa que debían colgar fuera de su puerta mientras tenían relaciones. La placa decía "Fornication Under Consent of the King" (F.U.C.K.). Ése es el origen de tal palabrita.

Se tardaron 22 siglos en calcular la distancia entre la Tierra y el Sol (149.400.000 km). Lo hubiésemos sabido muchísimo antes si a alguien se le hubiese ocurrido multiplicar por 1.000.000.000 la altura de la Pirámide de Keops , que fue construida 30 siglos antes de Cristo.

El graznido de un pato (cuac, cuac) no hace eco y nadie sabe por qué.

Cuando los conquistadores ingleses llegaron a Australia, se asombraron al ver unos extraños animales que daban saltos increíbles. Inmediatamente llamaron a un nativo (los indígenas australianos eran extremadamente pacíficos) e intentaron preguntarles mediante señas. Al notar que el indio decía "Kan Ghu Ru" adoptaron el vocablo ingles "kangaroo" (canguro). Los lingüistas determinaron tiempo después el significado, el cual era muy claro, los indígenas querían decir "No le entiendo".

El 80 por ciento de las personas que lean estas líneas, intentarán chuparse el codo.

4529

Yo tardé tres autos y medio en aprender a conducir.

4530

Vasectomía significa nunca tener que decir *"lo siento"*.

4531

En un restaurante, al momento de pagar:
—¡Me he olvidado la billetera!
—*No se preocupe, me pagará cuando pase por aquí. Mientras escribiremos su nombre en aquella pizarra.*
—Perdón, pero no voy a dejar mi nombre expuesto a la vista de todos.
—*¡No lo verá nadie! ¡Dejaremos colgado delante su abrigo y lo retirará cuando venga a pagar!*

4532

—A mi esposa la Pepa la han operado y le han quitado la teta derecha.
—*Y tú qué has hecho, Manolo?*
—¡Hombre! Pues cambiar de mano!

4533

La beata recalcitrante fue a la iglesia como todas las mañanas y se arrodilló.
—*Señor, a veces no entiendo tu Sabiduría. Cada mañana te pregunto lo mismo. ¿Cómo es posible que mi* vecina, una recién venida al barrio, una nueva rica insoportable, goce de tu bondad? Ella... que se acuesta con cuatro hombres diferentes cada semana, que peca, que no reza, que vive licenciosamente, ¡tiene cuanto quiere!: un esposo que la adora, viajes al lugar del mundo que elija, pieles, joyas, coches. Y yo que cada día te pido, y me arrodillo ante Ti... yo, que pertenezco a una familia que respeta la tradición, la familia, la propiedad, no gozo de los mismos beneficios.
¿Por qué a ella todo y a mí nada Señor, Dios mío?
—¿Quieres saber por qué?
—Sí, ¿por qué, por qué, Señor?
—¡Porque ella no me rompe las pelotas!*

4534

—Vea Muleiro ¡va a tener que dejar el cigarrillo!
—*¡No, doctor! ¡No me pida eso, por favor! ¡Eso no!*
—¿Y cómo cuernos quiere que le revise la boca, Muleiro? ¿Con el cigarro entre los labios?

4535

Cuando estuve en el hospital me tocó una enfermera muy ruda: *era cinturón negro en enfermería.*

4536

—Hola, buenas, venía a pedir la mano de su hija.
—*¿Ha visto ya a mi mujer, Pepe?*
—Sí, pero prefiero a su hija.

4537

—Doctor, mi hija cree que es una vaca, come hierba todo el día y duerme en el establo.
—*Tráigamela y la curaremos.*
—¿Y que hago mientras tanto si necesito leche?

4538

Recuerde: *ser supersticioso trae mala suerte.*

4539

—¡Camarero! ¡Este plato está húmedo!
—*¡No diga tonterías! Ésa es la sopa.*

4540

—¡Doctor, tengo un problema muy grave de identidad!
—*¡Cálmese, señor!*
—¡Se-ño-ri-ta!

4541

—Doctor, ¿puedo seguir haciendo gárgaras con la diarrea?
—*Si no le dan náuseas...*

4542

—Pepe, ¿qué te gustaría hacer hoy?
—*Pues no estoy seguro... ¡pensemos!*
—No, mejor algo que puedas hacer tú también.

4543

—Mi amor... necesito ir al oculista: veo todo nublado.

–Tranquila, querida. No hay por qué gastar: ¡ya va a llover, ya va a llover!

4544

–¡Ring, ring, ring!
–*Sí, diga.*
–Hola, Manolo, ¿te acuerdas de mí?
–*A ver, a ver... Espera un momento que me pongo las gafas.*

4545

–Estoy muy preocupada doctor. Creo que mi marido no tiene cerebro.
–*Verá señora: su marido Pepe tiene cerebro. Lo que sucede es que todavía no le ha llegado a la cabeza.*

4546

El típico argentino :
–*¡Cristo sí que era modesto!*
–*¿Por qué, Cacho?*
–*¡Y claro, bolú! Pudiendo nacer en Buenos Aires el tipo se fue a nacer allá en Belén que queda en el fin del mundo ¿te das cuenta, loco?*

4547

–Entonces, doctor, ¿qué es lo que tiene mi mujer?
–*Su mujer no me gusta nada.*
–Toma, a mí tampoco, pero habrá que intentar curarla.

4548

–Pero, Paco, joder, ¿cómo dejas que tu hijo clave semejante cantidad de clavos en los muebles?
–*No son tantos.*
–¡Joder! Ha clavado más de mil clavos en el ropero, en la mesa, en la cama, en la biblioteca. Clavó todo.
–*Es que de esa manera no se aburre.*

–¿No te parece un poco caro el entretenimiento?
–*¡Pues no, joder! ¡En mi trabajo consigo los clavos gratis!*

4549 - 4561
¿Qué es el divorcio?

Divorcio es cuando tu mujer decide vivir con tu sueldo pero sin ti.

Es cuando te separas de tu mujer y te casas con un abogado.

Divorcio es el mayor problema de nuestro tiempo, después del matrimonio.

Es cuando tu media naranja ya está exprimida, y comienza a exprimir tus bolsillos.

Es cuando pelearte con tu pareja ya es aburrido y contratas unos abogados para que animen la discusión.

Es cuando vas a la casa de animales domésticos y pides que te cambien la foca por una sirena.

Reanudación de relaciones diplomáticas con rectificación de fronteras.

El único placer del que no disfrutan los solteros.

Por cada 100 matrimonios hay 210 divorcios.

Vida después de la muerte.

Cuando la felicidad te pasa a costar el doble.

Es por lo que muchos se animan a casarse.

Es el corrector ortográfico de la vida.

4562

La locura nunca es causa de divorcio. *Pero muchas veces es causa de matrimonio.*

4563

–Doctor, me duele aquí.
–*Pues póngase allí.*

4564

Discurso presidencial
–*¿Me aplauden? ¿A mí? ¿Qué gilipollez se me escapó ahora?*

4565

–Señora, dígale a su hijo que deje de imitarme.
–*Niño, ¡deja ya de hacer el idiota!*

4566

–¿Cómo se sabe que una gallega está avergonzada de sus largos y negros cabellos?
–*Porque usa guantes largos para taparlos.*

4567

–*¿Qué te pasa, Manolo? ¡Traes una cara!*
–¡Joder! Es ésa la fórmula en la que he trabajado durante cinco años.

Ayer, luego de millones de pruebas, funcionó.

–¿Y en qué consiste?

–Una sola gotita de mi preparado hace que el órgano sexual se agrande veinte centímetros y que se ponga duro como una roca.

–Pero ¡eso es genial, Manolo! ¿Por qué estás deprimido?

–¡Hombre, pues porque funciona sólo con mujeres!

4568

–El dinero no es lo más importante. El amor es lo más importante. Por suerte, yo amo el dinero.

4569

–Hijo, no leas el diario íntimo de tu hermana.

–Está bien, mamá, pero explícame: ¿qué significa perder la virginidad?

4570

En la tele gallega.

–Pronóstico para esta noche: ¡estará oscuro!

4571

–¿Cómo se deja intrigado a un idiota por 24 horas?

–No sé.

–Mañana te lo digo.

4572

El marido era una persona muy holgazana, que se pasaba el día tumbado en la cama o yendo de una silla a otra, sin hacer absolutamente nada, en tanto que la pobre mujer no paraba de trabajar. Cuando al final de la jornada, después de catorce horas, caía extenuada en un banquito, el hombre la contemplaba con satisfacción y le decía con orgullo a su hijo, señalándola con el dedo:

–Así me gusta ver a tu madre, descansada y gozando de la vida.

4573
Adivinancita

Unas son redondas, otras ovaladas; unas piensan mucho, otras casi nada.

La cabeza.

4574

–¿En qué se parece un elefante a una hormiga?

–En que los dos empiezan con H.

–Pero ¡si elefante no se escribe con hache!

–Es que el elefante se llama Hugo.

4575

Dos vacas inglesas:

–Oye, ¿sabes que dicen que nosotras estamos locas?

–¿Y me lo dices a mí que soy una gallina?

4576

Llorando con la tortuguita en la mano.

–¡Mami, la tortuguita está muerta!

–No te apenes mi amor. Lamenta-blemente nadie vive para siempre. Pero vamos a hacer algo muy bonito: un gran funeral. Vamos a invitar a todos los niños del barrio y le pondremos muchas flores. Después, para consolarte, te voy a llevar al Parque de Diversiones, a los videojuegos, al cine y a tomar helados. ¿Te parece bien, hijito?

En ese momento, la tortuguita movió la cabeza.

–Mira, mamá: ¡la tortuguita está viva! ¿Puedo matarla?

4577

El gallego Muleiro iba en el coche con su hija. De pronto otro auto lo chocó y le rompió un faro.

–¿Dónde vas, papá?

–A pedirle el nombre a ese señor.

Al cabo de un rato, Muleiro volvió al coche:

–Y ahora ¿cómo te llamas, papá?

4578

–Tía, ¡qué tonta eres!

–Pero ¿cómo le dices eso a tu tía? ¡Dile ahora mismo que lo sientes!

–Está bien. Tía, siento mucho que seas tan tonta.

4579

En plena noche de Año Nuevo, el marido a su mujer:

–Este año, mi deseo es perder 70 kilos.

–¿No es mucho?

–¿Mucho? ¡Es lo que pesas!

4580

El matrimonio había organizado una fiesta grandiosa.

Pero su hijo arruinó todo.

Había roto los platos.

Había arrojado la torta por la ventana.

Había meado en la alfombra.

Su madre era incapaz de ponerle límites.

Finalmente su padre le pidió al portero, el gallego Manolo, que hiciese algo.

–*Déjenme solo con el pequeño.*

El gallego se llevó al pequeño a otro cuarto.

Regresó después de diez minutos. No se oyó un solo ruido más. Pasaron dos horas y el chico seguía en el cuarto, calladito, calladito.

–¡Pero usted ha hecho un milagro! ¿Cómo hizo para que se quedara tan calladito?

–*Pues, ¡nada del otro mundo, hombre! ¡Le enseñé a masturbarse!*

4581

–*¿Sabés que hace un perro en un microondas?*

–Ni idea.

–*¡Plofff!*

4582

–Pepe, ¿sabes que cada mujer que llevé a mi mamá no le gustó? Era demasiado alta o baja; o muy callada o gritona. ¡Siempre le encontraba algún defecto!

–*Es fácil, Paco. Consigue una mu-jer lo más parecida a tu madre y después me cuentas.*

–*¿Cómo te fue, Paco?*

–He seguido tus consejos. Busqué una mujer igual a mi madre. El mismo peso, la misma altura, la misma personalidad, idéntico carácter...

–*¿Y?...*

–Mi padre la odia.

4583

En la farmacia:

–*¿Tiene algo contra el reuma?*

–Particularmente, nada. Al contrario: me trae mucha clientela...

4584

–¿Cómo es el caballo de Drácula?

–*No sé.*

–Pura sangre.

4585

–¿Cuántas madres judías hacen falta para cambiar una lamparita?

–*Ni idea.*

–Cuatro. Una para cambiarla, otra para *quejarse* de que están enroscándola en el sentido contrario, otra para *quejarse del precio* de la lamparita y la cuarta para *sentirse culpable* porque se quemó la lamparita vieja.

4586

–*¿Cuál es el animal que tiene los pies en la cabeza?*

–Ni idea.

–*El piojo.*

4587

–Me habría encantado que una mujer se hubiera suicidado por mi amor.

–*¿Y?*

–Nada, ahí sigue viva diciéndome *"querido lleva a los chicos a casa de mamá".*

4588

Una serpiente le pregunta a otra:

–*¿Es cierto que somos venenosas?*

–Sí, ¿por qué?

–*Porque me acabo de morder la lengua.*

4589

–*Sí, mamá, ya sé que estoy mal en Geografía y en Gramática, pero estoy seguro de que en la escuela voy*

a conseguir el primer puesto en Música.
–¿Por qué, hijo?
–Porque siempre que cantamos en coro, yo soy el primero en terminar.

4590

Después de 40 años de casados:
–Oye, Manolo, ¿nunca se te ha ocurrido comprarme flores?
–¿Para qué? ¡Si todavía estás viva!

4591

–Mamá, ¿cuál es la definición de flatulencia?
–Hijo mío... ¡esta pregunta me huele mal!

4592

–¿Cómo hacen el amor dos viejos de noventa y cinco años?
–Con muchísima suerte.

4593

–¿Cómo se le cambia de sexo a un burro?
–Se le pone mirando hacia una pared hasta que se aburra.

4594

Existen tres tipos de calvos:
Aquellos cuya calvicie se inició por adelante: se dice que "piensan".
Aquellos cuya calvicie se inició por atrás: se dice que "follan mucho".
Aquellos cuya calvicie es similar tanto adelante como atrás: son los que "¡piensan que follan mucho!".

4595

Benditos sean los pesimistas porque *ellos hacen copias de seguridad*.

4596

–¿Por qué en México se escoge un presidente cada seis años?
–Porque no hay tantas personas con tan poco cerebro.

4597

–¿Crees que debo darle el sí a mi novio, mami?
–Depende de la pregunta que te haya hecho, hija.

4598

–Antes de morir, ¿tienes un último deseo, Patxi?
–¡Sí! ¡Quisiera fumar!
–¡Toma! Aquí tienes.

–No, prefiero con filtro: hace menos daño.

4599

Una madre iba por la calle llamando a su hijo:
–¡Coné, Coné!
–¿Por qué lo llama Coné?
–Porque cuando lo íbamos a bautizar, el cura nos preguntó: "¿Cómo se llama el niño?"
"Pues, Ugenio".
Y el cura respondió: "Será con E". "Pues como usted diga", y por eso se llama Coné.

4600

–¿Cuál es el Pokémon más tonto?
–Pikachu, porque cuando hace sus poderes dice: pika, pika... ¡y no se rasca!

4601

Manolito, con su autito a pedales, atropelló al vecino.
–¡Maldición! Aún no sabes manejar esa máquina.
–Lo manejo perfectamente. Lo que no sé manejar bien es la bocina.

4602

El gallego Manolo iba por el desierto. De pronto encontró un pie.

–¡Coño, un pie! ¡Qué cosa más rara!

A los pocos minutos, una mano.

–¡Coño, una mano! ¡Qué raro es esto!

Al rato, una pierna.

–¡Ahora, una pata!

Después un brazo.

–¡Y ahora un brazo!

Acto seguido, un cuerpo.

–¡Me cachis en la mar! ¡Si es un tronco!

Inmediatamente encontró una oreja. Acercándosela a la boca le gritó:

–Oye... ¡¡¡que vas perdiendo todo!!!

4603

–¿Por qué los chinos son tan malos conductores?

–Falta de visión periférica.

4604

–¿Por qué un inglés cierra lo ojos cuando hace el amor?

–Porque no le gusta ver a una mujer desilusionada.

4605

El juez al borracho:

–¿No le da vergüenza emborracharse? La última vez me prometió que no bebería más.

–Y es verdad, sigo bebiendo lo mismo.

4606

–El dinero no lo es todo. Hay cosas mucho más importantes que el dinero.

–¿Y usted tiene esas cosas?

–No, porque son muy caras.

4607

–¡Mira lo que hoy voy a comer: dos pollos fritos, media pierna de cerdo, carne en adobo, pescado frito, siete huevos crudos, plátanos con crema y una pizza!

–¡Ay, Paquito! ¡Por eso estás tan gordo! ¡Deberías comer la mitad!

–¡Esto es menos de la mitad!

4608 - 4669
Sesenta y dos disparates en clase

Reproducción sexual: Para que se provoque la fermentación, tienen que estar el órgano masculino dentro del femenino.

¿Derivados de la leche?: La vaca.

Estimulantes del sistema nervioso: El café, el tabaco y las mujeres.

Alfarero: El que tiene un farol.

Marsupiales: Los animales que llevan las tetas en una bolsa

Coleccionistas de sellos: Sifilíticos.

Polígono: Hombre con muchas mujeres.

Comentar algo del 25 de Mayo: ¿De qué año?

Cogito, ergo sum: Le cogí lo suyo. (Por pienso, luego existo)

Ave César morituri te salutan: Las aves de César murieron por falta de salud. (En lugar de Los que van a morir te saludan)

La sal común: Tiene un curioso sabor salado.

Derivados de la leche: El arroz con leche.

El arte griego: Hacían vasijas.

Pediatra: Médico de pies.

Trabajo y energía: Trabajo es si cogemos una silla y la ponemos en otro sitio, energía es cuando la silla se levanta sola.

Ejemplos de nematoceros (mosquitos): El "buo", el "buo" real y el mochuelo.

Quevedo: ¡Era rengo!, pero de un solo pie.

Brisa del mar: Es una brisa húmeda y seca.

Un gusano que no sea la lombriz de tierra: La lombriz de mar.

Un marsupial: El chimpancé.

El oído interno: Consta de utriculo y draculo.

Monotremas: Son mamíferos de forma humana, y son los monos. (Son los mamíferos que ponen huevos, en realidad)

¿Conoces algún vegetal sin flores?: Conozco.

Moluscos: Son esos animales que se ven en los bares, por ejemplo el cangrejo.

La abeja: Se divide en reina, obreras y "zagales"

El alantoides: Es una especie de rabo que tiene el pollo para respirar.

Ejemplo de reptil: La serpiente "Putón"

Reptiles: Son animales que se disuelven en el agua. Un reptil peligroso de España es el cocodrilo.

Calamar: Se llama así porque cala los mares.

Palabra derivada de luz: Bombilla.

Terremotos: Son movimientos bruscos que se tragan a las personas.

Insectos: Son una especie de aves pequeñísimas.

Movimientos del corazón: El corazón siempre está en movimiento, solo está parado en los cadáveres.

Volcanes: En Mallorca está el Teide. El agua de mar se solidifica y sale por el cráter.

Arterias: Son unos tubitos de plástico flexibles.

Mahoma: Nació en La Meca a los cinco años.

La Santísima Trinidad: Son el Padre, el Hijo y una Palomita que vive con ellos.

Qué es una encíclica: Es un buque de hierro que flota en el mar.

Animales polares: Son la Osa mayor y la Osa menor.

El sexto mandamiento: No fornicarás a tu padre y a tu madre.

Minerales: Son animales sin vida.

El voltio: Fue inventado por Voltaire.

Peces: El caviar se hace con huevos de "centurión".

Dónde fue bautizado Jesucristo: En Río Janeiro.

Napoleón: Está enterrado en "Los Paralíticos", en París. (En lugar de Les Invalides)

Canciones napolitanas: Fueron escritas por Napoleón

Geografía: En Holanda, de cada cuatro habitantes, uno es vaca.

Religión: Caín mató a Abel con una molleja de burro.

Fósiles: Son unos señores muy antiguos. Son animales que se extraen de los grandes museos, como el de Madrid.

Australia: Es un país lleno de canguros y "orinocos".

El cerebelo: Es el fruto del cerebro.

Animales suptores: Son los que chupan, como el elefante.

Sancho Panza: Era muy aficionado al vino, a las mujeres y a las drogas.

Insectos: El paludismo es producido por la mosca "SS" (En lugar de Tsé Tsé)

¿Qué significa leucocito?: Como su nombre indica leu significa animal, y cocito, pequeño.

Anfibios: De los huevos de rana salen unas larvas llamadas cachalotes.

La médula espinal: Es un tubo de 10 a 12 metros donde decían los antiguos que residía el alma.

La piel: Es un vestido sin el cual no resistiríamos los porrazos, es además un muro de contención para que no se nos salgan las carnes.

Huesos del cráneo: Un vélez, dos pópulos y un espoides.

¿Quién fue Aníbal?: Fue un jefe cartilaginoso.

La conquista de México: Fue realizada por dos extremeños: Menéndez y Pelayo.

Cómo se llaman las escamas del tiburón: No tiene escamas sino pelos.

4670

La última voz audible antes de la explosión del mundo será la de un experto que diga:
–*¡Es técnicamente imposible!*

4671

En la prisión. Hora de visita.
–*Querido, ¿tuviste problemas con la lima que te puse en el pastel?*
–Sí. Me operan mañana.

4672

–Muleiro ¿cree que lloverá?
–*Y... depende del tiempo.*

4673

–¿Cómo te fue en la casa de tu novia?
–*Muy mal, papá, me cortó, ¡terminó con nuestra relación!*
–¿Por qué?
–*Bueno, ella me dijo que subiera a su cuarto, que me desnudara (nos desnudamos)... que apagara la luz (la apagué) y luego me dijo que hiciera cochinadas.*
–¿Y qué hiciste?
–*Pues... Me cagué.*

4674

El gallego Manolo se tiró un pedo en un colectivo repleto de pasajeros.

Para disimular, giró la cabeza como buscando culpables.
De pronto, le tocaron el hombro.
–*Oiga, no se moleste más en buscarlo. Su pedo lo tengo yo en la nariz.*

4675

Un piloto argentino fanfarrón:
–Soy experto y no necesito reflectores para aterrizar, puedo hacer un aterrizaje perfecto sólo con que me pongan una vela en la pista.
–*La vela ¿tiene que estar encendida o apagada?*

4676

–¿Cómo es una película porno irlandesa?
–*Un minuto de sexo y 59 de comerciales de whisky.*

4677

–Debido al accidente han tenido que amputarme una pierna, ¿sabes, Patxi?
–*¡Oh! ¡Qué barbaridad! Pero, al menos, el pie ¿lo has salvado?*

4678

Ceremonioso, un agente del servicio secreto estadounidense se dirigió al presidente Bush:
–*Señor presidente: ¡Las gemelas, las gemelas!*
–¡¿Qué?! ¡Otra vez bebiendo esas desgraciadas!

4679

El viejito encuentra a un niñito que llora en un portal.
–*¿Qué te pasa, por qué lloras?*
–Porque no puedo hacer lo que hacen los hombres...

El viejo se sentó junto a él y *también se puso a llorar.*

4680

–*El mes pasado jubilaron a mi marido.*
–Qué bien, así podrá estar en casa más tiempo.
–*Sí, ahora tengo doble marido con la mitad de sueldo.*

4681

Bin Laden llamó a George Bush y le dijo:
–*Hola, George, te llamo porque tengo dos noticias, una buena y una mala.*
–¿Cuál es la buena?
–*Lo he decidido, ¡me entrego!*
–¿Y la mala?
–*¡Voy en avión!*

4682

–Mamá tengo la polla más grande de todo tercer grado ¿es porque soy negro?
–No, hijo: es ¡porque tienes 19 años!

4683

Un pícaro entra al cementerio chino para burlarse de un visitante que pone frutas y verduras en la tumba de un familiar. Entonces se le acerca y le dice:

–*Chinito, ¿te puedo hacer una pregunta? ¿A qué hora sale tu muerto a comer esas frutas?*
–A la misma hora que sale el tuyo a oler las flores.

4684

Los solteros saben que todos los matrimonios son desgraciados. Los casados creen que el *único matrimonio desgraciado es el suyo.*

4685

–*¡Mozo, mozo, una mosca, una mosca!*
–Cálmese. Eso es normal en lugares como éste.
–*Será normal, pero la mosca que yo digo se acaba de llevar en la boca mi bife con fritas.*

4686

–¿Quién es el 101 dálmatas?
–*Michael Jackson. Porque es blanco con las bolitas negras.*

4687

–*¡María!, ¿tú sabes contar?*
–¡Claro! ¿Qué pregunta haces?
–*Pues no cuentes conmigo esta noche.*

4688

Lo que teme un hombre cuando piensa en matrimonio *no es atarse a una mujer,* sino separarse de todas las demás.

4689

–Oiga maestro, ¿qué tiene de bueno para las ratas?
–*Queso.*

4690

–*¿Qué hora es, Manolo?*
–Las seis y cinco, Pepe.
–¡Qué tarde es...!
–Pues hubieses *preguntado antes.*

4691

–¡Papá, papá, llevame al circo!
–*No, hijo. Quien quiera verte que venga a casa.*

4692

–¿Cuál es el animal más fuerte?
–*Ni idea.*
–El hormigón.

4693

Escoceses en Tierra Santa:
–¿Cuánto cuesta la travesía por el lago?
–*Cien dólares.*
–¡Eso es abuso!
–*Piense que Jesús caminó por estas aguas.*
–¡No me extraña! ¡Con estos precios!

4694

Iban dos ratonas por la calle. Pasó un murciélago.
–*¿Qué fue eso?*
–Ah, nada. Era mi novio, que es piloto.

4695

La política en tres actos.
Primer acto: aparece un político.
Segundo acto: aparece otro político.
Tercer acto: aparece otro político.
¿Cómo se llama la obra?
No sé. Porque se robaron el cartel, faltan butacas, el telón se cayó por falta de mantenimiento y el teatro tiene una deuda de 5 millones de dólares.

4696

–¿Cuándo se puede llevar agua en un colador?
–*Cuando está helada.*

4697

Decía el gallego Muleiro:
Para no golpearse con el martillo en los dedos al clavar un clavo en la pared, *basta con sostener el clavo con las dos manos.*

4698

–¿Por qué los norteamericanos no dejan a los árabes jugar ajedrez?
–*Porque les tumban las torres.*

4699

–¿Por qué las mujeres no saben esquiar?
–*Porque de la cocina a la cama no hay nieve.*

4700

No se debe pegar a los niños. *Salvo que sea en defensa propia.*

4701

Un turista estaba mirando unos huesos de dinosaurio en un desierto americano. Le preguntó a un viejo indio que hacía de guía:

—Oiga, ¿sabe qué edad pueden tener estos huesos?

—Tienen 100 millones de años y dos semanas.

—¡No! ¿Y cómo es que lo sabe con tanta exactitud?

—Pues porque estuvo un entendido aquí y dijo que tenían cien millones de años y de eso hace dos semanas.

4702

El judío Jamel reunió a toda su familia.

—¿Qué haréis cuando me muera y os deje?

—Nos dejes... ¿cuánto?

4703

Un manco, un cojo y un parapléjico fueron a la fuente de la ciudad de Lourdes, para curarse.

Cuando llegaron a la fuente de Lourdes el manco sin perder tiempo metió el muñón en el agua bendita.

Al rato sacó el brazo y tenía la mano completa.

—¡¡¡Dios mío!!! ¡Gracias por este milagro! ¡Te rezaré todos los días!

El cojo quedó alucinado y decidió meter su pierna.

Al rato la sacó y gritó:

—¡¡¡Dios mío!!! ¡Milagro! ¡Mi pie vuelve a estar en su sitio, y con todos sus dedos, gracias!

El parapléjico dijo:

—Por favor, compañeros métanme a mí entero en el agua, a ver si yo también me curo.

Lo metieron con silla de ruedas y todo dentro del agua.

Al rato, lo sacaron:

—¿Qué pasa? ¿Cómo te sientes? ¡Intenta levantarte!

El inválido trató de levantarse, pero tras varios intentos se rindió:

—No puedo, esto no ha servido de nada.

—¿Cómo que no ha servido de nada? Mira tu silla, llantas de aluminio, espejo retrovisor, alerón trasero...

4704

—¿Por qué los argentinos no quieren jugar a las escondidas?

—No sé.

—Porque nadie quiere salir a buscarlos y muchísimo menos encontrarlos.

4705

—Nunca les cobran los corners a los jamaiquinos.

—¿Por qué?

—Porque apenas les dan un pedacito de terreno plantan marihuana.

4706

—¿Qué es un psicoanalista?

—No sé.

—Un tipo que usa la cabeza de los demás para construir su living.

4707

Se encuentran dos mariquitas leperos:

—Ayer fui al médico.

—¿Y te reconoció pronto?

—A la primera. Me dijo: "¡Mariquita, pasa y siéntate!".

4708

En la vida es bueno ser un próspero comerciante. Si no lo logras, dedícate a estudiar.

4709

El primer grado de locura es creerse cuerdo, y el segundo proclamarlo.

4710

—Pepe, estoy en condiciones de decirte que ¡tu esposa nos engaña!

4711

—¿Sabes, Paco? La vida es como una taza de té.

—¿Por qué?

—¿Por qué debería saberlo? ¿Acaso soy filósofo yo?

4712

—¿Cuál es la diferencia entre los verdaderos regalos de los hombres y los regalos por culpa?

—Los regalos por culpa son más caros y bonitos.

4713

—¿Sabes dónde estaríamos si no hubiesen existido las mujeres?

—¡En el paraíso!

4714

El gallego Muleiro sufrió un accidente: una máquina le atrapó una pierna.

—¿Cómo lo ve, doctor?

—Muy mal, muy mal. Lo siento, pero tendremos que cortarle la pierna.

—Pues, córtela. ¿Qué espera?

—Aún no se la podemos cortar.

Tiene que venir el anestesista.
–*¿Y para qué? Usted corte ¡y ya está!*
El doctor empezó a cortar en carne viva con una sierra: ¡ñic-ñac, ñic-ñac!
–¡Huy! ¡Huy!
–Sí, esto ¡debe doler muchísimo!
–*No, no: siga. Es que ahora que llega al hueso me hace chirriar los dientes.*

4715

–¿Qué es lo peor que puede pasarle a un barrabrava cuando lo echan del trabajo?
–*No sé.*
–Conseguir otro.

4716

Cuando a los barrabravas les sacan una foto, no dicen *"whisky"*; gritan: ¡Tetra brik!

4717

Adán y Eva paseaban por el paraíso.
–*Adán, ¿me amas?*
–¿Tengo otra alternativa?

4718

–¡No sabía que tenías trillizos!
–*No son trillizos. Es que mi hijo es muy inquieto.*

4719

A la gallega Paca le dicen pavo real porque *lo mejor que tiene es la cola.*

4720

–¿Me explicas qué quiere decir viceversa, Manolo?
–*Pues verás... esteee... mira: es lo mismo que si tú al acostarte pusieses los pies en la almohada, ¡eso es!*

4721

Todo hermano se interesa por una hermana, *sobre todo si esa hermana es de otro.*

4722

Los japoneses quieren *abrirle los ojos al mundo.*

4723

Se encontraba una noche el Conde Drácula muy atareado reparando su ataúd y gritó:
–¡Igor!
–Diga, señor.
–*Pásame el destornillador.*
En un rato llegó Igor con el encargo y Drácula gritó:
–*Aaayyggh, ¡noooo, el de cruz no, estúpido!*

4724

–Mi amor, ¿crees en el amor a primera vista?
–*Lógico. Si te hubiera mirado dos veces no me habría casado.*

4725

–¿Puede usted describir al sujeto?
–*Era de talla media y tenía barba.*
–¿Era hombre o mujer?

4726

Una pareja de guardias civiles se acercó a una joven mujer que se encontraba al borde de un acantilado mirando al mar.
–Señora, ¿qué le sucede?
–*Estoy muy preocupada. Mi esposo, el Iñaqui, se cayó aquí la semana pasada y ¡aún no ha salido!*

4727 - 4736

Diez definiciones de salario

Salario canalla: No te ayuda en nada. Sólo te hace sufrir, pero no puedes vivir sin él.

Salario cebolla: Lo ves, lo agarras... y te pones a llorar.

Salario humor negro: Te ríes por no llorar.

Salario preservativo: Te corta la inspiración y te quita las ganas.

Salario impotente: Cuando más lo necesitas te abandona.

Salario dietético: Con él comes cada vez menos.

Salario del ateo: Ya dudas de su existencia.

Salario menstruación: Viene una vez al mes y dura tres días.

Salario tormenta: No sabes cuándo va a venir, ni cuánto va a durar.

Salario teléfono celular: Cada vez vienen más chiquitos.

4737

Test en el manicomio para ver quién estaba curado y podía marcharse. Dibujaron una puerta en la pared. Al que se diera cuenta de que la puerta no era de verdad lo dejarían salir.

El primer loco: Trató de abrir la puerta.

Un loquito que contemplaba la escena comenzó a reírse.

Segundo loco: Intentó abrir la puerta dibujada en la pared.

El loquito que miraba casi se tiró al suelo de risa.

Tercer loco: también trató de abrir la puerta.

El loquito que miraba ya se revolcaba de risa.

El médico pensó que si el loquito seguía riéndose seguramente estaba curado.

–A ver, dime, ¿de qué te ríes?

–De que éstos están todos locos. ¿Cómo van a querer abrir esa puerta?

–*¿Y por eso están locos?*

–¡Claro! ¡¡¡Si las llaves *las tengo yo*!!!

4738

Dos madres gallegas hablaban de sus respectivos hijos:

–*¡Tengo un hijo más tonto!*

–¡Pues anda que yo!

Los dos hijos se acercan, y dice la madre 1:

–*Anda, Marianico, vete a casa a ver si estoy.*

Y el niño se va. Y dice la madre 2:

–Anda, Santiaguico, toma esta peseta y cómprame una tele en color.

Y el niño también se va. Durante el camino, se encuentran los dos, y dicen:

–*¡Tengo una madre más tonta!*

–¡Pues anda que yo!

–*Fíjate, la mía me manda ir a casa a ver si está y no me da la llave.*

–Pues fíjate la mía, que me da una peseta para comprar una tele en color, y *no me dice de qué color la quiere.*

4739

–Pepe, ¿tú tomas para olvidar?

–*Hombre, claro. Mira si voy a tomar para recordar.*

4740

A quien madruga, *le da sueño más temprano.*

4741

Más vale *pájaro en mano* que *elefante al hombro.*

4742

–¿Qué haría usted como primera medida al llegar a un incendio, Pepe?

–*Entraría en puntas de pie.*

–¿Para?

–*Para que el fuego "no se avive".*

4743

El colmo de una mujer estéril: que se llame *Concepción Segura.*

4744

Era tan pero tan viejo que conoció al Mar Muerto cuando *todavía estaba enfermo.*

4745

Primer acto: la señora Rita agarra un balde con agua y se lo tira a una amiga.

Segundo acto: la señora Rita agarra un balde con agua y se lo tira a su esposo.

Tercer acto: la señora Rita agarra un balde con agua y se lo tira al vecino.

–*¿Cómo se llama la obra?*

–Mojarrita.

4746 - 4750
Más inventos inútiles

Las puertas corredizas para submarinos.

Tablas de surf de azúcar.

Un diccionario con índice.

Veleros de cemento.

Recargador de pilas a pilas.

4751

–¡Camarero! ¿La sopa está bien caliente?

El camarero metió dos dedos en la sopa y luego se los llevó a la boca.

–¡Si estará caliente! ¡¡¡Me he quemado la lengua!!!

4752

–Puede que empiecen bien, puede que empiecen mal, pero dime,

¿generalmente cómo terminan las cosas?

–*A menos que tengas problemas de dicción o de ortografía, las cosas termina con "s".*

4753

–¿Cuál es el colmo de un boxeador?
–*Que su fruta preferida sea la piña.*

4754

Adivinancita

Tengo dos pelos, tres ojos, dos narices y un dedo. ¿Qué soy?

Deforme

4755

Un ciclista entró en un bar en las montañas.
–¡Camarero, por favor! ¿Me da un cajón de Coca Cola?
–¿Común o light?
–*Me da igual: es para sentarme.*

4756

¡¡¡Ring, ring, ring, ring!!!
–¿Hola?
–*¿Está tu papá?*
–Sí, pero no lo puede atender.
–*¿Y tu mamá?*
–También, pero no lo puede atender.
–*¿Tus hermanos están por ahí?*

–Sí, pero no lo pueden atender.
–*¿Por qué no hay nadie que me pueda atender? ¿Qué están haciendo todos?*
–Buscándome. Yo estoy con el inalámbrico dentro del placard.

4757

–¿Qué vas a ser cuando seas grande, Pablito?
–*Lo mismo que mi papá.*
–¿Actor?
–*Desocupado.*

4758

–¡Camarero! ¡Déme un refresquito con hielo!
–Aquí tiene, Paco.
–¡Pues no! Pensándolo bien, preferiría tomar una cerveza. Sí, cámbiemelo por una cerveza helada. Paco se tomó la cerveza y se dirigió hacia la puerta.
–¡Ey, Paco! ¡Que se va sin pagar la cerveza!
–*Pero ¡si la he cambiado por un refresco!*
–Pues, ¡págueme el refresco!
–*¡Pero si yo no me he tomado ningún refresco!*

4759

"Mi marido vive yéndose por las ramas".
La esposa de Tarzán.

4760

–¿Cuál es el colmo de un perro salchicha?
–*Llamarse Pancho.*

4761

Era una iglesia tan pero tan iluminada, que Jesucristo en vez de estar con los brazos en cruz, *estaba con los brazos cruzados sobre la cara.*

4762

–¿Cuál es el colmo de un fotógrafo?
–*Que se le revelen los hijos.*

4763

–Paco es sin duda un cantante de primera fila...
–*¿Por?*
–Porque desde la segunda, no se le oye nada.

4764

–¿Cuál es la diferencia entre el circo y la Casa de Gobierno?
–*Ni idea.*
–En el circo los payasos no hablan.

4765

Tres gallegos en el aeropuerto:
–¡Me han dicho que nuestro avión va a 200 kilómetros por hora!
–*No, yo creo que a 1.000.*
–¡Sí, hombre! ¡Y hasta volará!

4766

El gallego Muleiro escribió en el periódico gallego:
"La terminación de la Segunda Guerra Mundial fue recibida por los habitantes de Hiroshima con una explosión de júbilo".

4767

Joven necesitado vende
madre usada en perfectas condiciones.
Excelente cocinera, buen trato
y servicio de despertador.
No hacer caso de las lágrimas.

4768

Psicoanalista:
individuo que sabe
positivamente que él
no es Napoleón.

4769

La mejor manera de cazar elefantes en África es esconderse en la jungla *e imitar el sonido de un cacahuate.*

4770

—Pepe, mi amor... ¡¡¡¡¡¡Estoy excitada!!!!!!
—*¡¡¡ Felicitaciones, mujer!!!... ¡¡¡Me alegro de tu éxito!!!*

4771

Placita del barrio.
Tardecita de otoño con hojitas amarillentas en los caminos.
Las dos ancianitas disfrutaban del calorcito. Así durante los últimos veintidós años.
Cada mañana se habían encontrado en el mismo banco, a la misma hora.
Durante veintidós años.
—Perdona la pregunta. Pero después de tantos años nunca te he preguntado cómo te llamas...
La otra ancianita, apenas escuchó la pregunta, hizo un gesto de preocupación. Luego de unos minutos interminables, balbuceó:
—*¿Necesitas esa información urgentemente?*

4772

De vuelta del primer día de clase el galleguito Marcelo le dice a su madre:

—*La verdad, ¡no sé para qué memandas al colegio! No sé leer ni escribir... ¡y la maestra no me deja hablar!*

4773

—¿Cuál es el santo de las duchas?
—*Sanpú.*

4774

Recuerde:
hoy es el último día de algo de su vida.

4775

—Camarero, hay una mosca muerta en mi sopa.
—*¿Y qué esperaba por este precio? ¿Una viva?*

4776

La Paca era tan pero tan pero tan gorda que se hizo un vestido de flores *y se acabó la primavera.*

4777

—¿Cuantos hippies de los años sesenta hacen falta para cambiar una lámparilla?

—Cuatrocientos setenta y dos. Uno para cambiarla y los otros cuatrocientos setenta y uno para compartir la experiencia.

4778

—¿Sabes en lo que se parece un cangrejo a Mike Tyson?
—*En que el cangrejo es un animal de mar... y Mike Tyson es la mar de animal.*

4779

Tiroteo. Los dos guardias civiles, mientras continúan los tiros, hacen una pausa.
—*Me voy a cagar, Paco.*
—Te acompaño, Manolo.
Cagan.
—Manolo, ¿tienes miedo?
—*No, Paco.*
—¿Estás nervioso, Manolo?
—*No, para nada. ¿Por qué me lo preguntas, Paco?*
—Porque me estás limpiando el culo a mí, Manolo.

4780

Gerardo es tan pero tan engreído que suele decir:
—*Cuando pienso en lo que valgo, ¡se me pone la carne de faisán!*

4781

—¿Por qué los gallegos ponen escaleras a la orilla del mar?
—*Ni idea.*
—Para que suba la marea.

4782

En el campo, Pepito y Manolito observan un huevo que está a punto de abrirse, y Manolito exclama:
—*¿Cómo hará el pollito para salir?*

—¡Realmente a mí lo que me gustaría saber es cómo ha hecho para entrar!

4783

En el sur de Galicia, fruto de un apareamiento entre un erizo y una serpiente, *han salido 200 metros de alambre de púas.*

4784

Por teléfono. Desde San Sebastián.
—Hola, ¿Luis? ¡Qué suerte que te encuentro! Debo pedirte un favor. Estoy en un aprieto, me tienes que ayudar, necesito que me mandes cien mil pesetas.
—*¿Qué, qué? No oigo.*
—Que necesito cien mil pesetas.
—*No oigo nada, la línea está estropeada.*
Intervino la operadora:
—*Qué raro señor, yo oigo perfectamente.*
—¿Ah, sí? Pues entonces mándele usted el dinero.

4785

Tenía tan poca suerte, que se sentó en un pajar *y se pinchó con la aguja.*

4786

—¿Sabías que se utilizan 6.000 elefantes cada año para hacer teclas de pianos?

—*¡Qué increíble! Los elefantes se pueden amaestrar para que hagan de todo, ¿no?*

4787

—¿Por qué construyeron un campanario más alto en el pueblo gallego?
—*No sé.*
—Porque la soga nueva era demasiado larga.

4788

Anuncio en el periódico:
Hombre rengo del pie derecho, *busca mujer renga del pie izquierdo* para dar un paseo en bicicleta.

4789 - 4839
Entretenimiento para gallegos muy, muy gilipollas

Cincuenta y una maneras divertidas de pedir una pizza por teléfono

Invéntese un número de tarjeta Visa. *Pregúntele si la aceptan.*

Háblele con jerga de *radioaficionado.*

Si usa un teléfono de tonos, presione al azar números mientras la pide. Pídale a la persona que está tomando su pedido *que pare de hacer esos ruidos.*

Pida un *Big Mac* Grande.

Justo antes de terminar la llamada y ordenar la pizza, diga: *"Recuerde, nosotros nunca tuvimos esta conversación".*

Diga que tiene en la otra línea a otra pizza a domicilio rival, *y que vas con el postor más bajo.*

Déle sólo su dirección, ni piso ni apartamento, y diga *"¡Sorpréndame!"* y cuelgue.

Responda a sus preguntas *con preguntas.*

Cante el pedido con la melodía de su canción favorita de *Metallica.*

No nombre los ingredientes que desea... Mejor, *deletréelos.*

Salte la palabra *pizza*. Evite decirla a toda costa. Si él la dice, dígale: *Por favor, no mencione esa palabra.*

Pida una comida disponible *en alguna otra parte.*

Pregúntele *qué ropa lleva puesta.*

Cruja sus nudillos *en el micrófono del teléfono.*

Dígale que está deprimido. Logre que él o ella *alegre su ánimo.*

Ordene mientras tira de la cadena del inodoro varias veces

Ordene 52 rodajas de pepperoni tal y como se inventó en un dibujo *fractal* (objeto geométrico) a con

secuencia de una ecuación que le va a dictar. *Pregúnte si necesita papel.*

Diga: *"¿Dígame?"*, y no hable en cinco segundos, entonces compórtese como si ellos fueran quienes le llamaron.

Cambie su acento *cada tres segundos.*

Dígale que su voz le suena de alguna parte... *pregúntele si antes trabajó en una línea erótica.*

Ordene una porción, *no una pizza entera.*

Empiece su orden con un *"Me gustaría..."*. Un momento más tarde dése una bofetada y diga: *"No, no me gustaría".*

Pida ver un menú.

Imite la voz de quien *recoja la llamada.*

Pregunte si puede quedarse con el cartón de embalaje de la pizza. Cuando digan sí, suspire diga *"¡Ahhhh qué bonitooooo!"* y déle las *gracias muy, muy, muy afectuosamente.*

Aléjese del micrófono y hable siempre *muy bajito* mientras pide. Cuando la llamada vaya a finali-

zar, péguese al micrófono y grite con todas sus fuerzas: *"¡Adios!"*

Pregunte qué pizza va mejor con un vino *Chardonnay 1998. Elaborado por: Barons Philippe de Rosthchild.*

Elimine *verbos* de su lenguaje.

Eructe directamente por el teléfono; entonces dígale a su perro *"¡Deberías estar avergonzado Sultán, fuera de aquí!"*

Trate de *alquilar* una pizza.

Ronque en el medio del pedido, y diga: *¿Donde estaba yo? ¿Quién es?*

Psicoanalice al recepcionista.

Pregúntele cuál es su número de teléfono. *Cuelgue, llámelo y pida.*

Aprenda a pronunciar correctamente los compuestos de su remedio favorito. *Pida que se los incluyan en la pizza.*

Llame para quejarse por del servicio. Más tarde, llame para decir que lo mejor es el servicio pero la pizza es horrible. Vuelva a llamar e invierta los términos.

Cuando repita su pedido, cámbielo ligeramente. Cuando se lo repita otra vez, cambio de nuevo. Si se

mosquea en el siguiente cambio de pedido, diga: *Usted sólo tome nota que es su trabajo.*

Diga al recepcionista que dé la orden de decir al gerente que *su supervisor le despide.*

Informe que quien le ha traído la pizza se olvidó la billetera en su casa pero *no le dé la dirección.*

Pregunte por el tipo que *le tomó su pedido la última vez.*

Trate de hablar mientras está *bebiendo algo.*

Pregunte por *mantenimiento de la pizza y reparación.*

Muéstrese muy muy impreciso en su orden.

Cuando repitan su orden, pida *un pequeño ingrediente más* cada vez.

Si usa un teléfono de tonos, apriete 9-1-1 cada cinco segundos por todas partes durante la conversación.

Después de pedir diga: *Deseo saber qué hace* este *botón del teléfono. Simule un corte de llamada.*

Pregunte si conocen el término *"Manotada a una pizza"* Invente una descripción que vaya con el término. Pida que se lo hagan a su pizza.

Diga.*¡¡¡Shhhhhhhhhhhhsssssssss sssssssssssssssssssssssssssssht!!!* bastante fuertemente en el teléfono. Pregunte asustadísimo: *"¿Ha oído eso?"*

Descubra el *"aura psíquica"* del recepcionista del pedido.

Pida una pizza de *dos centímetros.*

Ordene un seguro de vida por la duración del pedido.

Pregunte *cuántos delfines se matan* para hacer esa pizza.

4840

–¿Cuál es el colmo de un abanico?
–*¡Darse aires!*

4841

–Mi mujer me pide siempre dinero. La semana pasada fueron trescientos euros, ayer seiscientos y hoy mil!
–¿Y qué hace con todo ese dinero?
–No lo sé, nunca le he dado...

4842

Una cigarra viajó a Ámsterdam para cambiar de sexo.
Después de la exitosa operación, la cigarra quedó convertida en un

hermosísimo *cigarro.*
Entonces un enfermero lo vio en la habitación y *¡¡¡se lo fumó!!!*

4843

–¿Qué hace un gallego si encuentra una venda?
–*Se hace un corte para aprovecharla.*

4844

–Oye, Paco, ¡llevas la rueda trasera de la bicicleta pinchada!
–*Sí, es por abajo. Pero por arriba va bien.*

4845
Adivinancita

Este banco está ocupado por un padre y por un hijo; el padre se llama Juan, y el hijo ya te lo he dicho.

Esteban

4846

–¡Oiga, mozo! Esta sopa está aguada.
–*¡Espere a probar nuestro café!*

4847

El ejército está reclutando mercenarios para realizar una misión de mucho riesgo, así que consiguen contratar a la peor calaña. Cuando están en el avión que los llevará a

su destino, uno de los mercenarios le pregunta al capitán:
–Perdone, pero ¿por qué en vez *de lanzarnos desde 3.000 no nos lanza desde 200 metros? Es que la tropa está un poco asustada.*
–Pero eso sería una locura, no daría tiempo a abrirse el paracaídas.
–*¡Ah! Pero ¿tenemos paracaídas?*

4848

–¿Por qué a los niños gallegos no les dejan usar el encendedor?
–*No sé.*
–Para que no enciendan el televisor.

4849

Apuradísimo, Pepe llegó a la calle. Iba con su hijo Manolito.
–*¡Joooder! Tengo 10 minutos para tomar el tren. Creo que olvidé la tarjeta de crédito sobre la mesa. ¿Puedes subir Manolito a ver si la dejé allí?*
Manolito subió los 10 pisos y bajó en 5 minutos.
–Sí, padre, la tarjeta está sobre la mesa.

4850

Entró un mexicano en un bar:
–*¡¿Quién carajo me pintó el caballo de verde?!*
Nadie contestó.
–Repito: ¡¡¡¿¿¿Quién carajo me pin-

tó el caballo de verde???!!!
Silencio mortal.
–¿¿¿Quién pintó mi caballo de verdeeee??? ¡Que salga el hijo de puta que pintó mi caballo...!
De pronto se levantó de la mesa un hombre enorme.
–*El hijo de puta fui yo... ¿Passssa algo?*
–Pero no. ¿Qué va a pasar? Quería decirle que, cuando le venga bien, ¿puede darle la segunda mano?

4851

–¿Qué consejo le daría a la madre de un alumno, profesor Muleiro?
–*Que lo alimente livianito antes de mandarlo a la escuela.*
–¿Por qué?
–*Para evitar que repita.*

4852

En un bar:
–*Camarero,¿quiere que le cuente el cuento de la buena pipa?*
–No, señor, éste es un espacio para no fumadores.

4853

¿En qué se parece un tren a una silla?
–*No sé.*
–El tren pasa por Kansas City y la silla es por Siti Cansas.

4854

–*Véndame una pistola calibre 32.*
–¿Para defenderse, señora?
–*No. Para defenderme ya conseguiré un abogado. Ahora véndame la pistola.*

4855

–¡Mamá, mamá, en el colegio me dicen Rambo!

–No te preocupes, que mañana iré a hablar con el director.
–¡Nooo! ¡Ésa es mi guerra!

4856

En la peluquería, después de que le lavan la cabeza a una cliente.
–*¿Le envuelvo la cabeza con una toalla?*
–No, me la llevo puesta.

4857

–¿Por qué los gallegos ponen al niño Jesús en el horno?
–*Para'dorarlo.*

4858

Era un cazador tan pero tan malo que cuando salía a cazar, las liebres, en lugar de huir, *le pedían autógrafos.*

4859

Los gallegos Manolo y Pepe, muy viejitos, sentados en el parque:
–*¿A ti qué te gusta más, Manolo? ¿El sexo o la Navidad?*
Pasa un rato...
–A mí me gusta más el sexo, Pepe.
Pasa otro rato...
–*Tienes razón, Manolo: el sexo es más bonito. Pero la Navidad ¡es más a menudo!*

4860

–¿Cuál es el colmo de un campesino?
–*Abrir la tranquera para que se ventile el campo.*

4861

Primer acto: un pelo en un vaso de agua.
Segundo acto: un pelo en un vaso de vino.

*Tercer acto:*un pelo en un vaso de jugo.
Título de la obra:
Me están tomando el pelo.

4862

–¿Cómo se dice *"stop"* en japonés?
–Kié To Aí.

4863 - 4875
Trece maneras de saber que estás en el siglo XXI

Justificas que no te comunicas con la familia porque *ellos* no tienen correo electrónico.

Tienes una lista de *quince números* telefónicos donde llamar a los *tres* miembros de tu familia.

Todos los anuncios de la tele tiene una *dirección Web* en la parte inferior de la pantalla.

Te compras un ordenador y a los tres meses ya está obsoleto y *vale la mitad de lo que pagaste por él.*

Vas al microondas *y tratas de teclear tu contraseña.*

Tu idea de ser organizado es *utilizar etiquetas autoadhesivas multicolores.*

Si usas dinero contante y sonante en lugar de crédito o débito, *te cau-*

sa confusión y te exige planifi- cación.

La mayoría de los chistes que te cuentan *es por correo electrónico* y no personalmente.

Si sales de la casa sin el teléfono móvil, el cual no tuviste en los primeros veinte o treinta años de tu vida, *entras en pánico y te vuelves a buscarlo.*

Al desconectarte de Internet sientes la terrible sensación de *haberte separado de un ser querido.*

Solicitas una línea telefónica extra a fin de poder *recibir llamadas telefónicas.*

Al levantarte te conectas *antes de beber café.*

Te despiertas a las dos de la mañana para ir al baño y *de paso echas un vistazo al correo electrónico.*

4876

El galleguito Manolo fue a comprar cigarrillos y le dijo al quiosquero:
–Señor, *¿tiene cigarrillos de colores?*
–No, nene, no tengo.
Al día siguiente:
–Señor, *¿tiene cigarrillos de colores?*

–No, nene, ya te dije que no tengo.
Esa misma noche el quiosquero agarró un paquete de cigarrillos de cada marca y los pintó todos de diferentes colores.
Al otro día el chico volvió al quiosco.
–Señor, ¿tiene cigarrillos de colores?
–Sí, ¿qué color quieres?
–¡Blanco!

4877

Piensa Muleiro: *El hombre viaja ahora más rápido, pero no sé si llega más lejos*

4878

–¿Cómo se distingue un libro de cocina vegetariana de otro de cocina carnívora?
–En el lomo. Si un libro de cocina vegetariana tiene lomo, es un verdadero fraude.

4879

La hermana Paca le pidió al cura Manolo que, por favor, la llevase hasta un templo cercano.
La monja subió al auto y se sentó en el asiento del copiloto. Cruzó las piernas y el hábito se le abrió dejando ver la pierna.
El cura se quedó mirando y siguió conduciendo.
Al rato, le tocó la pierna. La monja le dijo:
–Padre, ¡acuérdese del Salmo 129!
El Padre le pidió disculpas y siguió conduciendo.
Al rato, otra vez le tocó la pierna.
Y la monja:
–Padre, ¡acuérdese del Salmo 129!
–Perdóneme, hermana, pero, usted sabe, la carne es débil.
Cuando el cura llegó a su parroquia,

se fue rápidamente a buscar en la Biblia el Salmo 129, que decía:
"Seguid buscando y allí arriba encontraréis la Gloria..."
Moraleja para las mujeres: Si no se quieren quedar con las ganas ¡¡¡hablen claro!!!
Moraleja para los hombres: ¡Entiendan de una vez por todas que las mujeres *jamás les van a decir "sí" directamente!*

4880
¡Muy curioso!

Prueba de coordinación. ¿Cuán coordinado es tu pie derecho?
Esto es tan curioso como real. Nunca vas a entender por qué ocurre. Mientras más trates, menos lo logras. En realidad es imposible realizarlo.
Trátalo... ¡No vas a poder!

a) Mientras estás sentado/a al frente de tu mesa, levanta tu pie derecho del suelo y haz círculos con el mismo pie, en dirección de las manecillas del reloj.
b) Ahora, mientras haces esta acción, escribe en el aire el número 6 con tu mano derecha. Tu pie, inmediatamente ¡cambiará de dirección!

Te lo dije... y no hay nada que puedas hacer... es así...

4881

El gallego entró en una pinturería y pidió un litro de pintura verde para pintar a su canario.
–¿Va a pintar de verde a su canario? ¿Está loco?
–Es que no me gusta su color.
–Pero ¿no ve que lo va a matar?
–¡Qué va, hombre!

–Pues yo le digo que sí. ¿Nos apostamos 1.000 pesos?

–Vale.

Al cabo de un par de días, el gallego volvió a la pinturería con cara triste y le dio los 1.000 pesos al dependiente.

–¿Y? Lo mató al pintarlo, ¿no es cierto?

–Pues no, pero el caso es que se murió mientras intentaba quitarle la pintura que ya tenía con la espátula...

4882

**Témele al mañana.
Dios ya ha estado allí.**

4883

–Madre, cuando el abuelito murió, ¿fue al cielo?

–*Claro, Paquito.*

–Pues seguro que no encontró el camino: se ha dejado aquí olvidadas las gafas.

4884

–Manolo, ¿qué me cuentas de tu hija, María?

–*Mi hija está alta, fuerte, dura, resistente, madura, seria, responsable, muy efectiva, trabajadora y valiente.*

–¡Por lo que me cuentas debe estar hecha *todo un hombre*!

4885

El gallego va al médico.

–¿Usted bebe, Manolo?

–*¿Qué? ¿Piensa invitar, doctor?*

4886

El paciente se empieza a recuperar de la anestesia y pregunta:

–Doctor, ¿ha sido usted capaz de conservarme la mano?

–*Sí, aquí la tiene, en un frasco de formol...*

4887

–¿Por qué los gallegos ponen zanahorias en las ventanas?

–*Porque les dijeron que eran buenas para la vista.*

4888

–Oye, Paco, ¿tú sabes cómo terminó el partido Real Madrid-Barcelona?

–*Sí. Empataron 2 a... este... empataron 2 a... ¡Caray, no recuerdo 2 a cuánto!*

4889

–Buenas, ¿puedo hablar con el dueño de este taller?

–¿*Mukenschnabl?*

El cliente se queda mirando al mecánico un momento y luego le pregunta a otro tipo.

–Hola, buenos días, ¿puedo hablar con el dueño del taller?

–¿*Mukenschnabl?*

Se da vuelta, y le pregunta a otro mecánico, hablando lentamente:

–¡Ho-la! Quie-ro ver al due-ño del ta-ller.

–¿*Mukenschnabl?*

–Pero, ¿nadie aquí habla español?

–¡*Sí! ¡Yo soy Mukenschnabl!*

4890

–¿Qué tal te fue en Londres?

–El clima es pésimo. Fíjate que me fui a comer a un restaurante al aire libre, y de pronto empezó a llover.

–¿*Te mojaste?*

–Eso fue lo de menos. Lo malo es que tardé dos horas en acabar con la sopa.

4891

–Me han informado que usted es experto en mantenimiento, ingeniero.

–*Así es.*

–¿Y qué posibilidades hay de que nos *mantenga a mi esposa, a nuestros hijos y a mí*?

4892

Dice Muleiro: *Los libros de medicina no deberían tener apéndice.*

4893

El gallego Muleiro era *muy creyente.* Jamás dejaba de peregrinar a Santiago. Un otoño llegaron *las inundaciones.* Su casa quedó completamente aislada. Muleiro *alcan-*

zó a subir al techo. Allí pasó más de diez horas. Hasta que se acercó en medio de *una tormenta horrorosa* un bote tripulado por dos policías:
–*¡Salte, Muleiro! ¡Salte que lo rescatamos!*
Muleiro estaba aferrado a la chimenea.
–¡No, Dios me salvará! ¡Yo tengo fe y el Señor me salvará!
El agua ya llegaba hasta el pecho de Muleiro. Dos horas después, se acercó un helicóptero en medio del viento.
Le arrojaron una escalera de soga:
–*¡Agárrese a la escalera, Muleiro! ¡Lo sacaremos de allí!*
–¡No, Dios me salvará!
Quince minutos después, el gallego Muleiro murió ahogado.
Cuando llegó al cielo, lo primero que hizo fue reprocharle al Señor.
–*¡Coño, joder! He sido un cristiano devotísimo durante sesenta años. ¿Puede saberse por qué no me salvaste?*
–¿Por qué no te salvé? ¿¿¿Por qué no te salvé??? ¡No me jodas, Muleiro!: *te mandé un bote, te mandé un helicóptero, ¿qué mierda pretendías, coño?*

4894

–Mamá, ¿a quién le mandas ese paquete grande que dice "África"?
–*¡Cállate y vuelve a la caja!*

4895

–No encuentro la razón de sus dolores de estómago, pero francamente creo que esto se debe a la bebida.
–*Bueno, entonces volveré cuando esté usted sobrio, doctor.*

4896

Se sacan una foto los alumnos, y la maestra dice:
–*Por favor, sin flash...*
Y Flash se fue llorando.

4897

Cuatro gusanos fueron puestos en cuatro frascos separados:
El primer gusano en un frasco *con alcohol.*
El segundo gusano en un frasco *con humo de cigarrillo.*
El tercer gusano en un frasco *con esperma.*
El cuarto gusano en un frasco *con tierra fértil.*
Después de haber pasado un día...
El primer gusano: *Muerto.*
El segundo gusano: *Muerto.*
El tercer gusano: *Muerto.*
El cuarto gusano: *Vivo.*
Lección aprendida del experimento: Mientras tomes, fumes y tengas sexo... ¡no tendrás gusanos!

4898

La gallega Paca llegó a donar sangre. Le preguntó un médico:
–*Señora ¿usted vende la sangre o la dona?*
–Por ahora la sangre, pero con esta crisis voy a empezar *a vender la dona.*

4899

A ver Muleiro: ¿en qué se parecen un tomate y una pera?

–*Muy fácil: ¡en que los dos son rojos! Bueno... la pera, no.*

4900

Durante un apagón en Galicia, quedaron dos mil gallegos atorados en los elevadores de los edificios durante dos horas... *siete mil más, atorados en las escaleras mecánicas.*

4901

Una niña pide limosna a una señora que, muy duramente, le dice:
–Es una vergüenza. En lugar de estar aquí deberías ir a la escuela.
–*He estado en la escuela, pero sólo había niños pequeños sin dinero. ¡No he conseguido ni una moneda!*

4902

Recuerda: si hablas de los demás eres chismoso. *Si hablas de ti mismo eres aburrido.*

4903

Estaba sentado el otro día delante de mi ordenador cuando me acordé de que tenía que llamar por teléfono a un compañero. Descolgué el auricular y marqué el número de memoria. Me contestó un tipo con muy mal humor diciendo:
–¿Qué quiere?

-Soy Ignacio Martínez, ¿podría hablar con Roberto Gorriti?, dije amablemente.

–Te has equivocado, gilipollas, me respondió. Y colgó.

No daba crédito a lo que me estaba ocurriendo. Consulté mi agenda para buscar el número de mi compañero y comprobé que, efectivamente, me había equivocado.

Pero como aún recordaba el número "erróneo" que había marcado anteriormente, decidí volver a llamar a aquel tipo y cuando me atendió el teléfono no esperé a que contestase y le dije:

–*Eres un hijoputa... y colgué rápidamente.*

Inmediatamente apunté aquel número en mi agenda junto a la palabra *"hijoputa"*.

Cada dos o tres semanas, cada vez que estaba cabreado porque me llegaba una factura inesperada o un aviso de multa, o discutía con mi mujer, o alguna situación por el estilo volvía a llamarlo y sin dejarle contestar le decía:

–*Eres un hijoputa.*

Esto me servía de algún modo como terapia y me hacía sentir mucho más relajado.

Unos meses después, la maldita Telefónica introdujo el servicio de identificación de llamadas, lo cual me deprimió un poco porque tuve que de-jar de llamar al *"hijoputa"*. Pero, de repente, un día se me ocurrió una idea: Marqué su número de teléfono y cuando escuché su voz le dije:

–*Hola, le llamo del departamento de ventas de Telefónica para ver si conoce nuestro servicio de identificación de llamada.*

–No –me dijo el tío grosero... y colgó. Rápidamente lo volví a llamar y le dije:

–*Eres un hijoputa.*

Un mes después, estaba yo esperando con mi coche a que una anciana saliera de la plaza de aparcamiento del supermercado. Lo hacía muy lentamente y cuando terminó la maniobra y me disponía yo a ocupar la plaza libre, apareció un Golf GTI negro a toda velocidad y se metió en el hueco que iba yo a ocupar. Comencé a tocar el claxon y a gritar:

–*¡Eh, oiga!, ¡que estaba yo esperando!, ¡no puede hacer eso...!.*

El tipo del Golf se bajó, cerró el coche y se fue hacia el centro comercial ignorándome como si no me hubiera oído. Yo me quedé completamente frustrado y pensé:

–*Este tío es un hijoputa. El mundo está lleno de ellos.*

Justo en ese momento vi un letrero de "*Se vende*" en el cristal de atrás del Golf. Lógicamente anoté el número y me fui a buscar otra plaza de aparcamiento.

A los dos o tres días, vi en mi agenda el número del *"hijoputa"* y me acordé que había anotado el número del tipo del Golf.

Inmediatamente, le llamé y le dije:

–*Buenos días. ¿Es usted el dueño del Golf GTI negro que se vende?*

–Sí, yo mismo.

–*¿Podría decirme dónde puedo ver el coche?*

–Sí, por supuesto. Yo vivo en la calle Ramón de la Cruz esquina con Montesa, es un bloque amarillo y el coche esta aparcado justo enfrente de la casa.

–*¿Cómo se llama usted?*

–Enrique Juárez.

–*¿Qué hora sería la mejor para encontrarme con usted y discutir los detalles de la operación, Enrique?*

–Pues yo suelo estar en casa por las noches.

–*¿Puedo decirle algo, Enrique?*

–Si, claro.

–*Enrique, eres un hijoputa de la hostia...* –y colgué el teléfono.

Inmediatamente después de colgar anoté el número en mi agenda al lado del otro, pero en este puse el nombre de *"hijoputa II"*.

Ahora tenía dos *"hijoputas"* para llamar y así estuve durante dos o tres meses, llamando ahora a uno, ahora a otro; hasta que comenzaba a aburrirme un poco.

Me puse a pensar en serio sobre cómo resolver este problemilla y al cabo de un par de copas se me ocurrió algo.

Primero llamé al *"hijoputa I"*:

–Dígame.

–*Hola hijoputa.* –pero esta vez no colgué.

–¿Estás ahí todavía, verdad, cabrón?

–*Sí, hijoputa.*

–Deja ya de llamarme o...

–*¿O quééé?*

–Si supiera quién eres te rompía la boca, me dijo.

–*Me llamo Enrique Juárez y si tienes cojones vienes a buscarme. Vivo en la calle Ramón de la Cruz esquina Montesa, en un bloque amarillo, justo en la puerta donde hay aparcado un Golf GTI negro, hijoputa.*

–¡¡¡Ahora mismo voy para allá!!! Tú sí que eres un hijoputa y ya puedes ir rezando todo lo que sepas. Te voy a matar a hostias.

–*¿Sí? ¡Qué miedo me das, hijoputa...! ¡Te espero abajo en la calle, al lado del coche, para que no te confundas!* –y colgué el teléfono.

Inmediatamente llame al *"hijoputa II"*:

–Dígame...

–*Hola hijoputa* –y no colgué.

–¡Como te agarre algún día...!

–*¿Qué me vas a hacer, hijoputa?*

–Te voy a patear las tripas, pedazo de cabrón.

–*¿Sí?, pues a ver si es verdad, hijoputa. Ahora mismo voy hacia tu casa... y te voy a destrozar tu coche para darte más motivos todavía* –y colgué.

Por último, llamé a la policía. Les dije que estaba en la calle Ramón de la Cruz esquina con Montesa y que iba a matar a mi novio homosexual en cuanto llegara a casa.

Luego hice otra llamada rápida al Telediario y les dije que iba a haber una pelea de pandillas en la calle Ramón de la Cruz esquina Montesa. Entonces me monté en mi coche y me fui para allá a toda leche. Os juro que es una experiencia que nunca olvidaré. ¡La mayor pelea que he visto en mi vida! ¡¡¡Hasta los cámaras de Telediario salieron lesionados!!!

En fín, después de esto espero que cuando te llame por teléfono me contestes en tono amable ¡¡¡ y no me hagas enfadar!!!

4904

La modelo argentina en el lugar más oscuro de la discoteca mientras suena Luis Miguel:

–Sergio, quiero decirte que sos el hombre con el que me he sentido más segura en toda mi vida.

–¡Ah, sí! Y ¿por qué?

–Porque sos el forro más grande que conozco.

4905

Pepe Muleiro fue a Roma por primera vez. Tenía una lista de los principales monumentos que debía visitar. Antes de salir preguntó a un empleado:

–*¿Dónde está la Basílica de San Pedro?*

–¡En la plaza de San Pedro!

–*Bien, ¿en qué número?*

4906

Gran final del Campeonato Gallego de Ajedrez. Dos grandes maestros estaban acodados sobre la mesa y contemplaban fijamente las piezas. La radio, la televisión y los periódicos esperaban el siguiente movimiento. Pasaron horas. Más horas. Pero nada pasó. Más horas. Hasta que el gran maestro gallego levantó la mirada:

–*¡Ah, coño! ¿Me tocaba a mí?*

4907

Después de dos horas y media de vuelo, el ejecutivo no aguantó más.

–*Disculpe, señorita, pero ¿podría cambiarme de asiento? Quisiera fumar y estoy en zona de no fu-*

madores. ¿Puedo pasarme a la zona de fumadores?
–Por supuesto señor. Venga conmigo por aquí...
La azafata lo acomodó junto al gallego Paco, quien inmediatamente se presentó:
–¡Hola! Soy Paco, encantado de conocerlo. ¿Qué? ¿Acaba de subir?

4908

–A ver, Manolito: si en un bolsillo tienes 10.000 dólares y en otro 34.000 dólares, ¿qué tienes en total?
–Pues los pantalones de otro.

4909

Dios decidió llevar al diablo ante una corte y finalmente aclarar sus diferencias. Cuando Satán escuchó la noticia le dijo muerto de risa:
–¿Y de dónde vas a sacar un abogado allí en el cielo?

4910

Actuaba el Gran Mago Gallego David Sardinas.
Pidió la colaboración de un espectador. Subió el vasco Patxi.
–Pégame bien fuerte acá en la nuca con mi martillo, pero ¡¡¡ bien,bien fuerte!!!
–Noooo, ¡imagínese! ¡Lo mato y me meten a la cárcel!

–No hay peligro... ¡¡¡Tú golpea con toda tu alma!!!
El vasco le dio al pobre mago gallego en toda la nuca.
–¡Zakaplummmm!
El mago Sardinas cayó redondo al piso. Sangre. Llevan al mago gallego al hospital: coma profundo.
El vasco, agresor involuntario, estaba atormentado por lo que había provocado.
Todos los días visitaba al mago gallego. De día, de noche. Le llevaba chocolates, flores, globos...
Así, durante nueve años años, siete meses y tres días que duró el coma.
Una mañana, el mago movió un párpado. Tres segundos después... el brazo derecho.
El vasco Patxi, al ver aquello, agradeció al cielo. Estaba a punto de llorar.
El mago Sardinas comenzó a estirar una mano.
El vasco soltó una lagrimilla de ternura. Por fin, el mago gallego estiró los dos brazos, y gritó:
–¡¡¡¡Taráááánnn!!! ¿¿¿Qué tal el truquito???

4911

Era una señora tan gorda, tan gorda, tan gorda que fue a comer al campo y se sentó afuera.

4912

–Doctor, estaba tocando la armónica y me la tragué por accidente.
–¡Suerte que no estaba tocando el piano!

4913

–Estoy iniciando un negocio sensacional, ¡pienso abrir un bar en el Sahara!

–Estás loco, Manolo, no irá ni un solo cliente en medio del desierto.
–Puede ser. Pero si va alguno, ¿te imaginas la sed que tendrá?

4914

–¿Sabes? He leído que el sexo es una de las siete razones para reencarnarse.
–¿Cuáles son las otras seis?
–¿Y qué más da?

4915

Pepe era tan bajo, tan bajo, que fue a que le limpiaran los zapatos y le tiñeron el pelo.

4916

–Oye, Pepito: ¿Por qué los elefantes no pueden entrar en el ejército?
–No lo sé.
–Porque tienen los pies planos.

4917

Llegó el gallego Manolo a un burdel.
Tocó a la puerta.
Le abrió la encargada y al ver su vestimenta tan campesina le preguntó:
–¿Qué se te ofrece?
–¡Quiero una mujer, joder!

−¿Tienes experiencia?
−*No, yo vivo en la montaña.*
−Entonces vete allá a la sierra donde vives, búscate un tronco de árbol que tenga un agujero, practicas allí durante un mes y luego vuelves, ¿de acuerdo?
El gallego Manolo se fue.
Practicó durante todo un mes con un tronco.
Regresó al prostíbulo, pero llevaba una tabla muy gruesa debajo del brazo.
−*¡Quiero una mujer, ya tengo experiencia!*
Llamaron a María para que lo atendiera.
María y el gallego subieron al cuarto, ella se desnudó y se hincó en la cama para acostarse. Entonces el gallego le dio tremendo tablazo en las nalgas.
−Pero, ¿qué te pasa, gallego gilipollas? ¿Por qué me pegaste con la tabla?
−*¡Joder! ¡Quería asegurarme de que no tienes avispas en el agujero!*

4918

Un mexicano y un puertorriqueño viajaban en un avión.
El puertorriqueño empezó a vomitar y el mexicano se moría de risa.

−*¡Es la primera vez que veo a un puertorriqueño devolver algo!*

4919

−Aquí tienes los cincuenta pesos que te ofrecí por romperle a tu hermana las cuerdas de su violín. ¿Qué vas a hacer con el dinero?
−*Comprarme un trombón.*

4920

Chiste de los años 60:
−*¿Cuál es la diferencia entre los Estados Unidos y la Unión Soviética?*
−No sé.
−*En los Estados Unidos la mayoría pasa las noches mirando televisión; en Rusia la televisión los mira a ellos.*
El mismo chiste en 2006
−*¿Cuál es la diferencia entre los Estados Unidos y Rusia?*
−No sé.
−*En Rusia la mayoría de la gente pasa las noches mirando televisión; en Estados Unidos la televisión los mira a ellos.*

4921

−¿Cómo se llama el ministro chino sin cartera?
−*Me Lan Kitao.*

4922

En el restaurante:
Manolo acababa de comer como una bestia.
−¿Desea la cuenta el señor?
−*No, gracias; no quiero nada más.*

4923

Llevan a un diputado acusado de corrupción, blanqueo de dinero, tráfico de armas e influencias, ante el juez.
−*Verá, señoría, es que yo soy diputado y...*
−La ignorancia no es una excusa.

4924

Decía el porteño:
−Mi viejo era tan pobre que cuando pagaba el alquiler dos meses consecutivos, la policía llegaba a preguntar *cómo había conseguido el dinero.*

4925 - 4943

Una recopilación de frases geniales y/o hilarantes del eximio estadista tejano.

Son todas absolutamente reales

Con los vientos de guerra que soplan, estamos en manos del hombre más poderoso del mundo: George W. Bush. Y es que, hoy en día, nadie pretende, como sostenía Platón, que los estados sean gobernados por filósofos, *pero al menos no estaría mal que estuviesen en manos de personas con ideas claras.*

Umberto Eco.
Profesor de Semiótica y escritor.

Nunca dejan de pensar en nuevos métodos para perjudicar a nuestro

país y a nuestro pueblo; *nosotros tampoco.*

Nuestros enemigos son innovadores e ingeniosos; nosotros también.

Poderes: "Estoy alerta no sólo para la preservación de mis poderes ejecutivos, *sino también de los de mis predecesores*".

Aborto: "Mi posición pro vida (contra el aborto) es que yo creo que la vida existe. No necesariamente basada en la religión. Pienso que hay una vida allá, por tanto una noción de la vida, de la libertad y la búsqueda de la felicidad".

Ambición: "Estoy esperanzado. Yo sé, obviamente, que hay mucha ambición en Washington, *pero espero que los ambiciosos perciban que tienen más oportunidades de éxito con el éxito y no con el fracaso*".

Luz: "El apagón de California es verdaderamente un resultado de no haber plantas generadoras de energía suficientes *y entonces no hay energía suficiente para energizar las plantas de energía*".

Informado: "Yo mantengo la confianza en Linda. Ella será una excelente secretaria de trabajo. *Por lo que he leído en la prensa, está perfectamente calificada*".

Clasificación: "El gas natural es hemisférico. Me gusta llamarlo hemisférico en su naturaleza porque *es un producto que podemos encontrar en nuestros barrios*".

Poderes II: "Conozco la diferencia entre la rama ejecutiva y la legislativa. Yo garantizo a todos que sé la diferencia. *Y la diferencia es que ellos aprueban las leyes y yo las ejecuto*".

Poderes III: "El papel del Poder Legislativo es escribir la ley. *El papel del Ejecutivo es interpretar la ley*".

Orgullo: "Lo grandioso de Norteamérica es que todo el mundo *debería votar*".

Economía y empleo: "Dick Cheney y yo no queremos que esta nación entre en recesión. *Queremos que cualquiera que encuentre un trabajo consiga trabajar*".

Capacidad: "Si una persona no tiene la capacidad que todos queremos que esa persona tenga, *sospecho que la esperanza está*

en un futuro distante, por lo menos".

Mundo: Pero yo también le aclaré (a Vladimir Putin) que es importante pensar más allá de los viejos días en que teníamos el concepto que si nos volábamos uno al otro *se salvaría el mundo*".

Comercio: "Para los muchachos es muy importante comprender que cuando hay más comercio, *hay más comercio*".

Eficiente: "Esta administración está haciendo todo lo que podemos para terminar el estancamiento de una manera eficiente. *Estamos tomando las decisiones correctas para llevar la solución a un final*".

Geografía: "Sería provechoso si abriéramos un refugio nacional de vida silvestre en el Ártico. Creo que es un error no hacerlo. *Y los exhorto a todos a viajar hacia allá y apreciarlo, y podrán determinar lo bello que es ese país*".

Práctica inhumana: "Los estados tienen el derecho de establecer leyes y restricciones particularmente dirigidas a *erradicar la práctica inhumana de terminar*

una vida que de otra manera podría vivir".

4944

–Oiga, por favor, ¿me podría decir dónde está la barbería?
–*No puede perderse, siga el reguero de sangre arriba.*

4945

En pleno juicio de divorcio, habla la esposa:
–Señor juez, ésta fue mi versión de la historia. Ahora le voy a contar *la de él.*

4946

Un sádico, un masoquista, un asesino, un necrófilo, un zoofílicolo y un piromaníaco están sentados en el jardín de un hospital neuropsiquiátrico, sin saber cómo ocupar su tiempo.
Muy aburrido, el zoofílico dice:
–*¿Y si nos follamos un gato?*
Entonces el sádico dice:
–*¡Eso, vamos a follarnos un gato y después ¡¡¡lo torturamos!!!*
El asesino agrega:
–*Vamos a follarnos un gato, torturarlo y ¡¡¡ después lo matamos!!!*
El necrófilo:
–*Vamos a follarnos un gato, tor-*

turarlo, matarlo y ¡¡¡después lo follamos otra vez..!!!*
Y el piromaníaco:
–*¡Vamos a follar con un gato, torturarlo, matarlo, volver a follarlo otra vez ¡¡¡y prenderlo fuego!!!*
Se hace un repentino silencio, y todos miran al masoquista.
Y le preguntan:
–¿Y, tú no dices nada, nada?
Y el masoquista dice:
–*¡¡¡Miauuu!!! ¡¡¡Miauuu!!!*

4947

–¡Vaya abogado que es usted! ¡Siempre con el traje lleno de manchas!
–*Es que sólo intervengo en asuntos sucios.*

4948

En el circo se presentaba al "Fabuloso Bertini", que era un clavadista muy bueno.
–*Señores y señoras, niños y niñas... ¡¡¡El superhombre Bertini se lanzará en clavado desde 50 metros de altura y caerá en un barril lleno de agua!!!*
Bertini trepó ágilmente por una escalera, se tiró en clavado, cayó al agua.
Salió del barril y saludó al público.
–¡Bravo! ¡Bravo! ¡Bravoooo!
–*¡¡¡Ahora el gran Bertini se tirará*

en clavado y caerá de cabeza en un balde con agua desde una altura de 75 metros!!!*
Bertini subió ágilmente por la escalera, se arrojó al vacío, dio un giro en el aire y cayó de cabeza justo dentro del balde.
Salió del balde y saludó al público.
El público se levantó emocionado.
–¡Bravo! ¡Bravo! ¡Bravoooo!
–*¡¡¡Y lo más asombroso!!! Bertini se lanzará desde 100 metros de altura y caerá ¡¡¡sobre una toalla mojada!!!*
La gente se pone eufórica.
Bertini trepó ágilmente la interminable escalera.
Se arrojó al vacío, dio dos giros en el aire, cayó de cabeza sobre la toalla y ¡¡¡plack!!!, sonó la cabeza de Bertini contra el piso.
Bertini se incorporó magullado, sangrante, casi despedazado. Sólo con las fuerzas necesarias para gritar:
–*¿¿¿Quién fue el desgraciado que secó la toalla???*

4949

Varias personas se detienen frente a un edificio atraídos por los gritos que llegan desde el balcón del séptimo piso. Se observa que un hombre trata de tirar hacia abajo

a una anciana. *La vieja se agarra con las últimas fuerzas de la baranda y grita. La gente empieza a protestar:*
–¡Suelta a la pobre mujer! ¡Asesino!
–¡Es mi suegra!
Silencio. Luego un hombre de la multitud comenta:
–¡Miren cómo se agarra esa desgraciada!

4950

El gallego Manolo va al médico con un hacha clavada en la cabeza:
–*Doctor, doctor, vengo a que me examine de la panza.*
–Pero ¿y el hacha?
–*¡Es que cada vez que estornudo me doy el mango en la panza!*

4951

–¿Me podrías prestar cinco mil dólares?
–*Lo lamento, pero el dinero pone en peligro nuestra amistad. Y nuestra amistad vale más que cinco mil dólares.*
–Bueno, entonces préstame *diez mil.*

4952

–¿En qué se parece el Viagra a las filas que se hacen en los parques de Disneylandia?

–*En que hay que esperar una hora... ¡¡¡para disfrutar apenas cinco minutos!!!*

4953

Una gran fábrica de zapatos mandó al centro de África dos promotores de ventas, uno pesimista y el otro optimista, para que investigaran el mercado.
El primero telegrafió:
"Posibilidades nulas, aquí nadie usa zapatos".
El segundo comunicó:
"Grandes posibilidades, aquí todos andan descalzos".

4954

–¿Qué es lo que hacemos todos al mismo tiempo?
–*Envejecer.*

4955

Ésta es la transcripción textual de una conversación por radio entre un buque de la Armada de los Estados Unidos y autoridades costeras gallegas.
Los americanos:
–Por favor, cambien su curso 15 grados al Norte a fin de evitar colisión.
Los gallegos:
–*Recomendamos que usted cambie su curso 15 grados al Sur a fin de evitar la colisión.*
Los americanos:
–Les habla el capitán de un buque de la Armada de los Estados Unidos. Repito: cambien su curso.
Los gallegos:
–*No. Repetimos: ustedes deben cambiar su curso.*
Los americanos:
–Éste es el portaaviones Abraham

Lincoln, el segundo buque en tamaño de los Estados Unidos de América en el Atlántico. Nos acompañan tres destructores, tres cruceros y numerosos buques de apoyo. Demando que usted cambie su curso 15 grados al Norte, o tomaremos medidas para garantizar la seguridad de este buque.
Los gallegos:
–*Entendido. Éste es un faro. Así que ustedes verán.*

4956

–¿Cuál es la diferencia entre hacer el amor y ver la tele?
–*No lo sé.*
–Entonces sigue viendo la tele.

4957

Un gallego apareció en el Libro Guinness como la persona que había comido ciento veinte huevos duros sin parar:
–¿Y cómo consiguió comer usted tantos huevos seguidos?
–*Ya ve: ¡a fuerza de empujarlos con pan!*

4958

El compañero de Manolito se había quedado dormido:

—*Manolito, despierta a tu compañero.*
—Ah, no señor: usted lo ha dormido, ¡usted lo despierta!

4959

Con la mimosa voz que las mamás usan para hablar con sus hijos pequeñitos:
—*¿De quién es este muchachito?*
—¡Espero que no me salgas ahora con que no sabes quién es mi papá!

4960

—Papá ¿te acuerdas de que me ofreciste una bicicleta si salía bien de los exámenes?
—*Sí, hijo.*
—Pues fíjate qué suerte tienes... ¡no tendrás que comprármela!

4961

—Oye, Samuel, ¿te interesaría comprar un caballo?
—*¿Un caballo?*
—Sí, un caballo, pero no es un caballo normal ¿eh?
—*¿Qué querés decir con eso, David?*
—Es un caballo que habla nueve idiomas, te limpia la casa, te hace las camas, te lleva los chicos al colegio, te prepara el té. Un fenómeno: ¡te lo soluciona todo!
—*¿Pero qué dices?*
—Es cierto. Y hasta te va a hacer compras. Es una joya, y te lo vendo por sólo cincuenta dólares.
—*¿Y por qué lo vendes si es tan joya?*
—Es que me acabo de separar de mi mujer y tengo muchos gastos. Me voy a vivir solo y ya no lo voy a poder tener conmigo. Si lo quieres, te lo vendo.
—*¡Claro que lo quiero!*
Lo compró. Pasaron varios meses.
—*Vengo a decirte algo: el caballo que me vendiste es una porquería: no habla nada, no va de compras, no te lleva los chicos al colegio, ni te hace las camas. No hace un carajo, David. ¡Ese caballo es una mierda!*
—Pará, Samuel, pará. Como sigas hablando así, ese caballo no se lo vendés a nadie en tu puta vida.

4962

—¿Qué es un genio?
—*No sé.*
—Un estudiante del montón con una madre judía.

4963

—¿Alistarse a los cincuenta y ocho años? ¡Es usted demasiado viejo para ser un buen soldado, Manolo Muleiro!
—*Pero ¿cómo? ¿Ustedes no necesitan generales?*

4964

Los polacos tienen este dicho sobre la capacidad de la propaganda comunista para reinterpretar la historia:

"No sólo el futuro es incierto; el pasado también cambia contínuamente".

4965

—¿Cuál es el colmo de un canguro?
—*Perder su dinero en la bolsa.*

4966

—¿Qué debo hacer para que mi hija no tenga los ojos tan saltones?
—*Aflójele el moño, señora.*

4967

—Mami, ¿yo nací de día o de noche?
—*De noche, cariño.*
—¿Y te desperté?

4968

El futurólogo gallego Paco miró la palma de la mano izquierda de una señora y le pronosticó que tendría un bebé. *Una semana después nació un niño precioso.*

4969

Paco Muleiro era lechero.
Con su camioncito repartidor, giró rápidamente a la izquierda sin hacer la señal de advertencia.
De ese modo obligó a un taxista

que iba detrás a dar un frenazo.
–¡Animal! ¿No podrías advertir que ibas a girar con el brazo izquierdo, pedazo de bestia?
–¿Advertir? ¿Y para qué? ¡Si hace diez años que yo giro en esta esquina siempre a la misma hora, coño!

4970

El galleguito cabezón:
–¡Mamá! ¡¡¡Si mi cabeza fuera de oro seríamos multimillonarios!!!
–Hijo, si tu cabeza fuera de barro también, ¡¡¡imagina la cantidad de jarrones que podríamos hacer!!!

4971

–¿Por qué hizo Dios antes a los hombres que a las mujeres?
–Para que pudiéramos hablar un poco.

4972

–Mi hermana María cumple quince años mañana.
–¿Y le van a hacer tarta?
–Sí, una tarta enorme. De cinco pisos.
–Yo creo que la de mi hermana era mucho más grande, ¡hasta tenía cuarto de baño!

4973

–¿Cuánto vale el canario?
–Cien euros.
–¿Y la cacatúa?
–La caca mía no se vende.

4974

En una escuela en la edad de piedra hacían un dictado.
–Fue en ese momento que los del clan del valle vecino nos atacaron...

Los alumnos tallaban la piedra a toda velocidad.
–...pero nuestros valerosos guerreros...
–Profesor, profesor, "valerosos" ¿se escribe con dos huevos o con tres?

4975

–¿Por qué te peleaste? ¿No te dije que contaras hasta diez?
–Sí, pa, pero el otro no debió contar más que hasta cinco.

4976

–¿Qué hace una gallina blanca que una gallina negra nunca puede hacer?
–Poner los huevos de su color.

4977

Recuerda ser solidario. Cada vez que puedas, masturba a un manco.

4978

(De la antología de los chistes de Bush sobre los comunistas que se comen a los chicos crudos)
Fidel Castro le hablaba a una enorme multitud en La Habana:
–Me acusan de intervenir en Angola...
En ese momento se escuchó entre la multitud una voz que decía:
–Maníes, maníes, vendo maníes.
Castro volvió a empezar:
–Me acusan de haber intervenido en Mozambique...
Una vez más lo interrumpe el grito:
–¡¡¡Maníes, maníes, vendo maníes!!!
Castro retomó su discurso por tercera vez:
–Me acusan de haber intervenido en Nicaragua...
Por tercera vez:
–¡¡¡Maníes, maníes, vendo maníes!!!
–¡Carajo! Si ese bastardo capitalista vuelve a gritar: "Maníes, maníes, vendo maníes", yo mismo le pegaré una patada en el culo que lo mandaré hasta Miami.
Entonces todo el público empezó a gritar:
–¡¡¡Maníes, maníes, vendo maníes!!!

4979

Por todos los medios imaginables, la madre trataba de hacer que su hijo tomase la sopa.
–Anda, bonito: haz de cuenta que es tierra.

4980

¡Te he dicho quince mil trescientas cuarenta y dos millones setecientas cincuenta y nueve mil doscientas cuarenta y seis veces que no seas tan exagerado!

4981

–Lo que le voy a decir, Muleiro, no es bueno. Le está saliendo un pene en la frente.
–Pero, coño, entonces ¡no voy a poder ver a nadie!
–Eso, cuando le salgan los huevos, Muleiro. ¡Ahí sí que no va a poder ver a nadie!

4982

¿Cómo se mantiene
entretenido durante
días *a un gallego*?

(Dar vuelta la página)

(Volver a la página anterior)

4983

–Nena, ¿quieres que te muestre dónde me operaron de apendicitis?
–*No, nene, odio los hospitales.*

4984

En una ruta gallega.
–¡Oficial, oficial! ¡Acaban de robarme el volante y el pasacasete!
–¡Siéntese adelante, hombre! ¡Siéntese adelante!

4985

–¿Qué le dijo un español a un chino?
–*¡Hola!*
Y el chino le respondió:
–*Las dos en punto.*

4986

–Nuestro matrimonio funciona muy bien porque está basado en una relación muy pero muy justa del 40 y el 60: *mi marido gana el 40 por ciento y yo gasto el 60 por ciento.*

4987

–¡Ropa usada! ¡Ropa usada! ¡Vendo ropa usada!
–*Usted dice que vende ropa usada pero ¿dónde está la ropa?*
–Puesta. ¿No ve?

4988

–¿Cómo le van los estudios de violín a tu hijo?
–*Le han pagado una beca para terminar los estudios en Austria.*
–Quién, ¿el gobierno?
–*No, los vecinos.*

4989

–¿Qué hizo el negro cuando ganó la lotería?
–*Se compró una limusina y contrató a un blanco para llevarlo en el asiento de atrás.*

4990

–¿En qué se parece una pizza quemada a una mujer embarazada?
–*En que con haberla sacado a tiempo hubiese bastado.*

4991

–Oye, Pepa, aquí en el periódico hay una estadística que dice que cada vez que respiro, mueren tres chinos.
–*¡Joder, Pepe! ¿No te decía yo? ¡Deja de comer tanto ajo, coño!*

4992

–Ya sé, Berta, que no te quiero como cuando éramos novios, pero *¡es que nunca me han gustado las mujeres casadas!*

4993

–Amor mío, ¿qué harías si yo me muriera?
–Me volvería loco.
–*¿Te volverías a casar?*
–No, eso ¡ni estando loco!

4994

Al boxeador gallego Manolo *"Manolbosta"* Muleiro lo estaban cagando a trompadas.
El entrenador, en el rincón.
–*¿Le tiro la toalla, Manolo?*

–No, por Dios, a ver si se ofende y me pega todavía más...

4995

El gallego Pepe Muleiro era tan pero tan infeliz que una vez subió a la cima de una montaña, gritó su nombre al borde del abismo y el eco le contestó: *"¡Salta!"*

4996

–¿Qué aprendiste hoy en el colegio, Manolito?
–*No mucho: tengo que volver mañana.*

4997

–¿Cómo te das cuenta de que una modelo es argentina?
–*Cuando acaba, en lugar de gritar: ¡Oh, Dios!, grita: ¡Oh, yo!*

4998

–Oye, Ambrosio ¿es cierto que eres el mejor de tu ramo?
–*No, ¡qué dices! Yo de flores, nada de nada...*

4999

–Manolito, espero no sorprenderte copiando en el examen.
–*Pues yo también lo espero, maestra.*

¡5000!

–A mi tío lo llevaron preso cuando estaba sacando una platea en la cancha.

–*¿Y qué delito es sacar una platea?*

–Es que lo agarraron justo cuando sacaba el último tornillo de la butaca.

MUCHO MÁS QUE SÓLO 5000 CHISTES

TODOS LOS BOLUDOS

EN LA ARGENTINA A UN TIPO DESENFRENADAMENTE IMBÉCIL SE LE DICE *BOLUDO.*
EN ESPAÑA, *GILIPOLLAS;* EN ESTADOS UNIDOS, *NERD;* EN MÉXICO, *PENDEJO.*
TAMBIÉN SE LES DICE *HUEVONES, GILES, PELMAZOS, MAMILAS O ESTÚPIDOS.*
EN TODOS LOS CASOS, *RELIGIOSAMENTE,* SON UNOS *REVERENDOS BOLUDOS.*

USTED
¿QUÉ CLASE DE BOLUDO ES?
PARTE 1

Boludo abanderado: Va delante
de todos los boludos.

Boludo abatido: No ganó el
concurso de boludos por boludo.

Boludo abúlico: Hace boludeces sin apuro.

Boludo absorto: Hace una
boludes y se queda pensando.

Boludo acelerado:
¡Ahí viene el boludo! ¡El boludo ya pasó!

Boludo anestesia: Boludo inconsciente.

Boludo agónico: Boludo hasta la muerte.

Boludo alérgico: Si no hace
boludeces, se brota.

Boludo amansado: "Y... aquí...
boludeando".

Boludo amaestrado: Si le gritan
"¡Boludo!", da la patita.

Boludo ambicioso: Sueña con
llegar a ser *muy boludo.*

Boludo ametralladora:
Es ta-ta-ta-ta-ta-ta, ¡tan boludo!

Boludo amigable: Se hace
amigo de todos los boludos.

Boludo analizado: Necesita
que le expliquen qué es boludo.

Boludo aplicado: Se preocupa
por aprender boludeces.

Boludo camaleón: Según con quien
esté, es boludo, muy boludo,
tremendamente boludo
o irremediablemente boludo.

Boludo antena: Recepciona toda
la boludez que hay en el aire.

¡QUÉ NOMBRES BOLUDOS!

MARTÍN TORERO
MARY QUITA
MATÍAS QUEROSO
MATILDE PILATE
MERCEDES CARADA
MÓNICA CHETUDA
MÓNICA GALINDO
NÉSTOR E. JON
NÉSTOR MENTA
NÉSTOR PEDERO
NICO CODRILO
NICOLÁS QUEROSO
NICOLÁS TIMADO
NORMA CITA
OLGA SEOSA
OMAR GARITA
OMAR ICÓN

—¿CUÁL ES LA DIFERENCIA
ENTRE UNA CONVENCIÓN DE
MODELOS Y MARTE?
—NO SÉ.
—PODRÍA HABER VIDA INTELI-
GENTE EN MARTE.

—¿POR QUÉ LOS CHISTES DE
MODELOS SON TAN BOLUDOS?
—NO SÉ.
—PARA QUE LAS MODELOS
PUEDAN ENTENDERLOS.

Boludo aritmético:
Hace boludeces cada 2 x 3.

Boludo atlético: Hace 1000
boludeces en l' 12".

Boludo auxiliar: Ayuda a
todos los boludos.

Boludo benigno: No hizo falta
extirparle la boludez.

Boludo barrabrava:
¡Qué boluuuu! ¡Qué boluuuu!

Boludo bromista: Cree que
ser boludo es una joda.

Boludo bus: Con capacidad para
20 boludos sentados y 40 parados.

Boludo campana:
Es ton, tan, ton, ¡tan boludo!

Boludo cash: Hace boludeces
y queda pagando.

Boludo cagón: Hace boludeces
y le salen para la mierda.

Boludo ceremonioso:
Pide permiso para decir boludeces.

LA MODELO FUE A VISITAR A
SU MADRE AL SANATORIO.
–MAMÁ, TE VOY A SACAR YA
MISMO DE ESTE SANATORIO.
–PERO, ¿POR QUÉ?
–PORQUE TU MÉDICO NO SABE
NADA SOBRE VOS. VOS SOS DE
GÉMINIS Y ÉL ANDA DICIENDO
POR AHÍ: "CÁNCER, CÁNCER,
CÁNCER".

¡QUÉ NOMBRES BOLUDOS!

JUANJO SEFINA
JULIETA RADA
KAREN LATADA
LALI CUADORA
LOLA MERAZ
LUCAS POSO
LUCILA TANGA
JOSÉ DIENTO
JOSEFA NÁTICA
JOSEFA SITO
JUAMPA CÍFICO
JUAMPA TÓN
JUANCA DÁVER
MARITE NEBROSA
MARTA TUADA
MARTÍN DÍGENA
MARINO PORTUNO

Boludo changuita: Cuando hace
boludeces no le importa que lo carguen.

Boludo Chiquititas: Haga
la boludez que haga, desentona.

Boludo chismoso: Cuando hace una
boludez se entera todo el mundo.

Boludo cholulo: Le pide autógrafos
a cuanto boludo se le cruza.

Boludo chupacirios: Confiesa
sus boludeces.

Boludo comunista: Quiere que todos
sean tan boludos como él.

Boludo conservador: "Yo nací boludo
y no quiero otra cosa que morir boludo".

Boludo de boda: Es boludo en la
pobreza y en la riqueza, en la salud
y en la enfermedad.

Boludo cortés:
"¿Me permitiría una boludez?"

Boludo creyente:
Cree en un montón de boludeces.

Boludo de alto vuelo: Antes de hacer
una boludez dice: "Su atención, por favor".

—CHE, FLOR, ¿VOS SABÉS
CUÁL ES LA DIFERENCIA EN-
TRE DURO Y OSCURO?
—NI IDEA.
—OSCURO ESTÁ TODA LA
NOCHE.

—¿CÓMO SE LE DICE A UN TIPO
QUE NO PUEDE FOLLARSE A
ANGELINA JOLIE, A JULIA RO-
BERTS O A SHARON STONE?
—NO SÉ.
—UN GAY CERTIFICADO.

Boludo de emergencia: Es el boludo que uno tiene cerca... por si acaso.

Boludo depresivo: "¡Si yo fuera más boludo me iría mucho mejor!"

Boludo diabético: Si uno es muy dulce con él, el muy boludo se muere.

Boludo disidente: Está exiliado por boludo.

Boludo disléxico: "¡Soy un dolubo!".

Boludo divo: Boludo con todas las luces.

Boludo ecuánime: Es igual de boludo con todo.

Boludo ejecutivo: Le decís una boludez y te asciende.

Boludo elefante: Si le dicen boludo, se entrompa.

Boludo en desgracia: Ya ni se aviva de que es boludo.

Boludo enciclopédico: Sabe un montón de boludeces.

Boludo equilátero: Vista su boludez desde tres lados, siempre tiene la misma magnitud.

MARIANA, LA MODELO, ERA TAN BOLUDA, QUE UN DÍA SE LE APARECIÓ UN EXHIBICIO-NISTA Y ELLA LE DIJO:
—"¡OHHH, SEGURO QUE AHO-RA QUERÉS QUE TE MUESTRE LA MÍA!"

—¿POR QUÉ ELVIS ESTÁ ENTE-RRADO EN EL PATIO DE ATRÁS DE SU CASA COMO SI FUERA UN HAMSTER?
—ESTABA TAN GORDO QUE NO LO PUDIERON TIRAR POR EL INODORO.

Boludo estatua:
Es el monumento al boludo.

Boludo estupefacto: ¡No puede creer lo boludo que es!

Boludo fatalista: Yo no podría ser otra cosa que boludo.

Boludo fosforescente: Hasta en la oscuridad se nota que es boludo. Apagá la luz y mírate las manos.

Boludo kantiano: A veces duda de que es boludo.

Boludo garante: Para salir de garante sí que hay que ser boludo.

Boludo gardeliano: Cada día boludea mejor.

Boludo homeopático: Se nota que es boludo pero muy de a poquito.

Boludo incapaz: Hace boludeces... pero mal.

Boludo increíble: ¿Cómo se puede ser *tan* boludo?

Boludo impaciente: Antes de terminar una boludez, ya está pensando otra.

LA MODELO EN EL HOSPITAL.
–DOCTOR, ES REIMPORTANTE QUE ME DIGA: ¿CUÁNTO TIEMPO TIENE QUE PASAR DESPUÉS DE LA OPERACIÓN PARA QUE YO PUEDA HACER EL AMOR?
–REALMENTE, NO LO SÉ. ES LA PRIMERA VEZ QUE ALGUIEN ME PREGUNTA ESTO DESPUÉS DE UNA OPERACIÓN DE AMÍGDALAS.

Boludo neutro: Cuando le pregunta si es boludo, contesta: *"Bueno, ni sí, ni no".*

Boludo Internet: www.boludo.com.

Boludo jabonoso: Le resbala ser tan boludo.

Boludo jubilado: Vive recordando, como un boludo, los tiempos en los que era mucho más boludo.

Boludo Judas: Hace una boludez y se lava las manos.

Boludo Lázaro: Se levanta y anda para hacer boludeces.

Boludo legal: Hizo poner en su documento, *Profesión: boludo.*

Boludo limítrofe: Vive al borde de las boludeces.

Boludo Paulo Coelho: Escribe un montón de boludeces.

Boludo maduro: Se cae de boludo.

Boludo malabar: Siempre está haciendo equilibrio entre la boludez y la pelotudez.

Boludo madrugador: Boludo, pero al pedo.

−¿QUÉ TE PASA FLACO QUE TRAÉS ESA CARA?
−¡¡TENGO TANTO DOLOR!! ¡LORENA ME PATEÓ!
−¿Y TE SENTÍS ASÍ POR ESA MODELO DE MIERDA?
−¡CLARO, BOLUDO! ¡ME PATEÓ LOS HUEVOS!

YO NO LE DESEO LA MUERTE A NADIE... SIEMPRE QUE NO ME FALTE TRABAJO.
EL ENTERRADOR

LA REALIDAD ES UNA ALUCINACIÓN CAUSADA POR LA FALTA DE ALCOHOL.

HAY GENTE QUE ESTÁ DEMASIADO EDUCADA PARA HABLAR CON LA BOCA LLENA PERO NO LE IMPORTA HACERLO CON LA CABEZA HUECA.

401

Boludo mamarracho: Hace
boludeces que no se entienden.

Boludo matón: Te amenaza
con boludeces.

Boludo menemista: Hace sólo
boludeces pero ya a nadie le importa.

Boludo McDonald's: Cada
boludez sale con fritas.

Boludo menstrual: Boludo
en toda la regla.

Boludo meteorológico: Boludea
llueva o truene.

Boludo mimado: Todos
le dicen "boludito".

Boludo místico: ¡Dios! ¡Qué boludo!

Boludo MTv.: Hace boludeces
cortitas, muy rapidito y a todo volumen.

Boludo navideño: Es boludo
hasta las bolas.

Boludo Ogino: Es
boludo algunos días de cada mes.

Boludo Neardenthal: Antes era un animal.

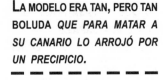

Boludo avestruz: Más que boludo, huevón.

Boludo objeto: Sólo
lo quieren por su boludez.

Boludo optimista: Cree que no es boludo.

Boludo Papá Noel: Hace una boludez
al año, pero no te la olvidás nunca.

Boludo pasmado: "¡No puedo
ser *tan* boludo!"

Boludo perplejo: "¿Yo? ¿Boludo yo?
¿ Yo boludo?"

Boludo pesimista: Cree que
sólo él es boludo.

Boludo Picasso: Cada boludez
la pone en un marco.

Boludo sangre azul: Es hijo, nieto
y bisnieto de boludos.

Boludo necesitado de ternura:
"¡Decime que soy un boludo, mamita!"

Boludo semáforo: En cada
esquina hace una boludez.

Boludo polaroid: Instantáneamente boludo.

Boludo por cable: Más de 66 opciones de boludo.

Boludo predestinado: Nació con tres bolas pero lo loperaron.

Boludo predicador: Todos los boludos son sus her manos.

Boludo prelavado: Hace boludeces y no se achica.

Boludo profiláctico: Además de boludo es un forro.

Boludo reversible: Lo mires por donde lo mires es un boludo.

Boludo regresivo: Para que haga una boludez faltan 5-4-3-2-1...

Boludo Seven Up: La imagen no es nada, la boludez es todo.

Boludo Sheakspeare: Cada acto de boludez es un drama.

Boludo Sherlock Holmes: Elemental, boludo.

Boludo silencioso: ¡Callate, boludo!

Boludo Sinatra: La Voz de los boludos.

—¿POR QUÉ LAS MODELOS TO-
MAN LA PÍLDORA?
—NI IDEA.
—PARA SABER QUÉ DÍA DE LA
SEMANA ES.

Boludo Canal Sony: Cada media hora una boludez diferente.

Boludo submarino: Profundamente boludo.

Boludo suicida: "Señor juez: sé que esto es una boludez".

Boludo sutil: Ni él se da cuenta de sus boludeces.

Boludo telegráfico: Es b-o-l-u-d-o.

Boludo tenaz: Es boludo y es boludo y es boludo...

Boludo testaferro: Da la cara por otros boludos.

Boludo trasvesti: Esconde una boludez.

Boludo tirabuzón: Siempre se destapa con alguna boludez.

Boludo tortilla: Primero rompe los huevos y después hace boludeces.

Boludo víctima: Cree que es un pobre boludo.

Boludo vestido de seda: Boludo queda.

Boludo virtuoso: Con una sola mano.

Boludo vocacional: Eligió ser boludo.

Boludo xenófobo: La mejor boludez está en su país.

Boludo Zip: Diez veces más boludo de 10 que parece.

Boludo Zorro: Te deja marcado para toda la vida.

Boludo 007: Ludo. Boludo.

Boludo 110: Se le puede preguntar cualquier boludez y te contesta.

Boludo 2,10 m: Es altamente estúpido.

Boludo a crédito: Una vez al mes... una boludez.

Boludo a fricción: Lo frotas contra el piso un par de veces y sale haciendo boludeces.

Boludo Nike: Just do boludeces.

Boludo a secas: Simplemente boludo.

Boludo abogado: Es boludo por derecho.

ROXANA, LA MODELO, ENCONTRÓ LA LÁMPARA DE ALADINO, LA FROTÓ Y DIJO:
—¡QUIERO QUE ME HAGAS RICA!
EL GENIO LA HIZO TAN, PERO TAN, PERO TAN, PERO TAN RICA, ¡QUE SE LA COMIÓ!

—¿POR QUÉ NO HAY CARTERISTAS PORTORRIQUEÑOS?
—PORQUE HACEN FALTA LAS DOS MANOS PARA SOSTENER LA RADIO.

406

Boludo acomodado: Necesita "palanca" para hacer boludeces.

Boludo adherente: Se le pegan todas las boludeces.

Boludo adivino: Ve claramente que va a hacer boludeces pero igual las hace.

Boludo adorado: El dios de los boludos.

Boludo ahorrativo: Se guarda sus boludeces para cuando las necesite.

Boludo al revés: Dolobu.

Boludo alérgico: Si no hace boludeces, se brota.

Boludo altanero: "No hay nadie más boludo que yo, ¡¡¡entendiste???"

Boludo alternativo: Hace tanto boludeces como pelotudeces.

Boludo amigable: Se hace amigo de todos los boludos.

Boludo amnistiado: Se salvó porque es un boludo.

Boludo anatómico: Ajusta perfecto a la descripción de boludo.

—¿Cuántas modelos hacen falta para cambiar una lamparita?
—Ni idea.
—Una para llamar al encargado y la otra para traer la Coca Light.

—¿Qué dijo la modelo muy, muy idiota, cuando descubrió que estaba embarazada?
—No sé.
—Dijo: "¡Espero que no sea mío!"

Boludo andrajoso: Boludo
e impresentable.

Boludo ángel de la guarda:
Todos tienen un boludo de estos.

Boludo anticipado: Antes
de que reacciones ya hizo su boludez.

Boludo añejo: Con el tiempo
se vuelve más boludo.

Boludo apestoso: Se le huele
lo boludo a mil kilómetros.

Boludo aplicado: Se preocupa
por aprender más boludeces.

Boludo argentino: Según
él, es más boludo que todo el mundo.

Boludo apto para todo público: Hace
boludeces para niños de 2 a 90 años.

Boludo Xerox: Copia
las boludeces de los demás.

Boludo Arguiñano: Hace
boludeces muy, muy ricas.

Boludo aristócrata: Hijo,
nieto y bisnieto de boludos.

—¿POR QUÉ MICHAEL JACK-
SON PASA TANTO TIEMPO CON
SUS AMIGUITOS MUY JÓVENES?
—NI IDEA.
—PORQUE LE GUSTA "APOYAR-
LOS" EN SUS COMIENZOS.

Boludo arrepentido: "Lástima
que hoy no pude hacer más boludeces".

Boludo asalariado: Le pagan
para que haga estupideces.

Boludo aséptico: Boludea,
pero no contagia.

Boludo cotillón: Un boludo alegre.

Boludo astuto: Cree
que a todo el mundo lo toma de boludo.

Boludo atómico: Cualquiera
de sus boludeces puede desintegrarte.

Boludo automotriz: Da 100
boludeces con 20 litros.

Boludo clavel: ¡Flor de boludo!

Boludo bautizado: Una
"pila" de boludeces.

Boludo belicoso: ¡Si me
volvés a decir boludo, te mato!

Boludo boludo: No consigue
convencer a nadie de que es boludo.

Boludo bombero: Las
boludeces le salen a chorros.

—¿POR QUÉ MICHAEL JACK-
SON DESAPARECE DURANTE
UNA HORA DESPUÉS DE QUE SE
VAN SUS AMIGUITOS MUY JO-
VENCITOS?
—NO SÉ.
—TARDA UNA HORA EN DES-
PEGARSE EL CHICLE DE LA
POLLA.

Boludo bonachón: Sus
boludeces son muy buenas.

Boludo broker: Sus
boludeces cotizan en Bolsa.

Boludo Burger King: Ofrece
un combo de boludeces.

Boludo burlón:"Hago
boludeces pero me cago de risa de todos".

Boludo burócrata: Hace boludeces de
lunes a viernes de 8 a 12 y de 14 a 18.

Boludo ultraburócrata:
Lo mismo que un burócrata pero se
abstiene a la hora del desayuno.

Boludo calvo: Cree que
no tiene un pelo de boludo.

Boludo canal Sony: Una
serie de boludeces.

Boludo caracol: Babea
y se arrastra con tal de boludear.

Boludo carnavalesco: Es tan
boludo que hasta se disfraza de boludo.

Boludo fanfarrón: "Nadie, ¡entiéndanme
bien! Nadie es más boludo que yo".

–¿Qué le dijo la soda al
vaso?
–Ni idea.
–¡Shhhhhhhhhhhhhhhhhh!

–¿Por qué a Madonna le
gusta tanto masturbarse?
–Porque masturbarse es
tener sexo con alguien a
quien ella ama realmente.

Boludo evolucionado:
Ya es un boludo virtual.

Boludo fantasma:
¡Booooooooooooludo! ¡Boluuuuuuudo!

Boludo fascista: Todos
deben ser tan boludos como él.

Boludo celular: Hace
boludeces sólo si tiene cobertura.

Boludo centinela: No hay
boludez que se le escape.

Boludo ceremonioso: Pide
permiso para decir boludeces.

Boludo chiche: Al apretarlo
dice mamá, papá y boludo.

Boludo chistoso: "¿Saben
aquel del boludo que…?"

Boludo ciego y sordo:
Sólo dice boludeces.

Boludo ciego: Todos ven
sus estupideces, menos él.

Boludo cinematográfico: Hace boludeces
siempre rodeado de un gran reparto.

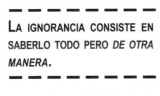

FRASES MUY BOLUDAS

LA CONVERSACIÓN ES *EL TURIS-MO* DE LA INTELIGENCIA.

NADA DURA TANTO COMO LA FELICIDAD AJENA.

LO MALO DEL CORAZÓN ES QUE ESTÁ MUY *CERCA DEL ESTÓMAGO.*

LA MEDIOCRIDAD ES EL ARTE DE *NO TENER ENEMIGOS.*

DOS RADIOS NO HACEN UN *DIÁMETRO.* HACEN UN ESCÁNDALO.

CUANDO SE HABLA DE GENTE DECENTE NO CONVIENE DARSE POR *ELUDIDO.*

LA IGNORANCIA CONSISTE EN SABERLO TODO PERO *DE OTRA MANERA.*

JUGUEMOS A LA BUROCRACIA: *EL QUE SE MUEVE PRIMERO, PIERDE.*

411

Boludo clandestino: Se
esconde para hacer boludeces.

Boludo cleptómano: Roba las boludeces
de los demás y las presenta como suyas.

Boludo Coca Cola: Boludea para los que
aman, para los que pueden, para los que…

Boludo compacto: ¡Q' bolú!

Boludo compadre: Hace boludeces
y te manda a la concha de tu madre.

Boludo compensado: Estuvo
muy boludo pero ahora parece mejorar.

Boludo completo: Tiene cara,
pinta y encima es boludo.

Boludo con pedigrí: Desciende
de boludos campeones.

Boludo consciente: Sabe que es boludo.

Boludo condenado: Lo
pescaron robando boludeces.

Boludo confirmado: A través de los años
sigue siendo el mismo, el mismo boludo.

Boludo conocido: El boludo de siempre.

–¿CÓMO SE LE DICE AL ESQUE-
LETO DE UNA MODELO HALLA-
DO DENTRO DE UN ROPERO?
–NO SÉ.
–GANADORA DEL "CAMPEONA-
TO DE ESCONDIDAS" DEL AÑO
PASADO.

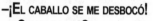

–¡EL CABALLO SE ME DESBOCÓ!
–¿SE TE SOLTÓ?
–NO, SE PUSO A DECIR MALAS
PALABRAS.

412

Boludo contador: Hace
continuos balances de sus boludeces.

Boludo convicto: Está preso por boludo.

Boludo wagneriano:
Grandiosamente boludo.

Boludo cosmopolita: Hace
boludeces con franceses, italianos,
canadienses, japoneses…

Boludo crédulo: Si le dicen que
no es boludo, se lo cree.

Boludo culpador: "Yo seré
boludo, pero ustedes…"

Boludo curioso: Busca y pregunta
nuevas boludeces incansablemente.

Boludo de campo: Es boludo y grasa.

Boludo de dos litros: Boludo familiar.

Boludo de jardín: Hace
boludeces cuando lo riegan.

Boludo de turno: Hace boludeces después
de las 10 de la noche y los fines de semana.

Boludo delivery: Va a tu casa,
entrega sus boludeces y pide propina.

¡QUÉ NOMBRES BOLUDOS!

ELVIS COCHUELO
ELVIS NIETO
EMILCE MENTO
EMILIO NDOLARS
ENRIQUE BRADO
ENRIQUE MADO
ERNESTO MADO

¡QUÉ NOMBRES BOLUDOS!

ESTEBAN PIRO
EDGAR GANTA
ELBA SURERO
EVELIN MUNDA
FAUSTINO DORO
JORGE LATINA
JORGE NITALES

413

Boludo demagogo: Cree
que el pueblo es boludo.

Boludo demócrata: Vota.

Boludo dependiente: Depende
de otros boludos más boludos que él.

Boludo descalcificado:
Si le dicen boludo, *se quiebra.*

Boludo desconocido: "¿Cómo
es que se llama ese boludo?

Boludo desesperado: "¡No se
me ocurre ninguna boludez!"

Boludo desocupado: Usted porque tuvo
tiempo de leer todas estas boludeces.

Boludo despejado: Hace una
boludez y se ve desde 10 km a la redonda.

Boludo despilfarrador: Hace
boludeces y las distribuye.

Boludo despilfarrador: Hace
siempre una boludez de más.

Boludo deprimido: No soporta ser boludo.

Boludo disfrazado: Es
más boludo de lo que aparenta.

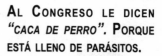

AL CONGRESO LE DICEN
"CACA DE PERRO". PORQUE
ESTÁ LLENO DE PARÁSITOS.

DECÍA ROXANA, LA MODELO
MUY BOLUDA:
—*EL MATRIMONIO ES UNA
BUENA FORMA DE QUE UNA
MUJER SE MANTENGA OCUPA-
DA HASTA QUE LLEGUE UN
HOMBRE ADECUADO.*

DÉBORAH, LA MODELO, DECÍA
QUE ELLA EN LA VIDA PODÍA
HACER CUALQUIER COSA QUE
QUISIERA.
*APARENTEMENTE QUERÍA SER
UNA BOLUDA.*

Boludo disfrazado: Por dentro es más boludo de lo que se le nota por fuera.

Boludo doméstico: Hace boludeces como si estuviese en su casa.

Boludo ecológico: Boludo por naturaleza.

Boludo economista: Sus boludeces joden a todo el mundo.

Boludo egoísta: No quiere ver a ningún otro boludo a su alrededor.

Boludo en cuotas: Boludez con interés.

Boludo enano: Es medio boludo.

Boludo ególatra: Sólo habla de sus boludeces.

Boludo elegante: Le queda bien cualquier boludez.

Boludo en aerosol: Te rocía con sus boludeces.

Boludo enamoradizo: Le gusta cualquier boluda.

Boludo en ciernes: Siempre está a punto de cometer una boludez.

La Cuota al Día

"Yo Jamás Pertenecería a un Club que me aceptase Como Socio"

El club del Parkinson anuncia el inicio del curso de coctelería.

El club de forenses debió suspender la cena aniversario porque después nadie levantaba el muerto.

El club de onanistas llama a combatir la mano de obra desocupada.

El club gay convoca a todos sus miembros.

El club de cinéfilos asegura que el film justifica los medios.

El club de precavidos prefiere no decir nada, por las dudas.

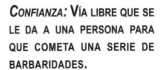

Confianza: Vía libre que se le da a una persona para que cometa una serie de barbaridades.

419

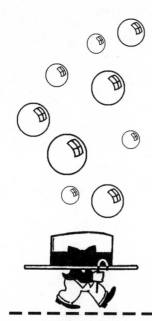

El club de peluqueras informa que se encuentra en sesión permanente.

El club de asmáticos llama a todos los aspirantes.

El club de pesimistas festejará su aniversario el próximo sábado con un asado al aire libre, si es que no llueve.

El club de reas llama a una asamblea ordinaria.

El club de impotentes desmiente rotundamente el refrán que dice: "Siempre que llovió, paró".

El club de frígidas comunica que realizará una asamblea el lunes a las 20 horas. Lo que no saben es cuándo acabará.

El club de coimeros hace saber por este medio que están cerradas las inscripciones (aunque todo se puede arreglar).

El club de indecisos cita a asamblea extraordinaria, el 25 o el 26 del mes en curso.

El club de videntes informa que ha sido muy positiva la reunión del próximo jueves.

El club de postergados nos mandó un comunicado, pero lo vamos a difundir más adelante.

COSAS INÚTILES

UN HOMBRE CON UNA SOLA PIERNA EN UN CONCURSO DE PATADAS EN EL CULO.

UN GUARDAVIDAS CIEGO.

VELEROS DE CEMENTO.

VELOCÍMETROS BRAILE.

VENTILADORES A ENERGÍA EÓLICA.

TELÉFONOS SILENCIOSOS.

"Nuestro reparador capilar es tan poderoso que cuanto menos use... mejor"
(Aviso real en una peluquería gallega)

–¿Qué haces Pepe? Para suicidarte ¡debes pasar la cuerda alrededor del cuello!
–Me la puse alrededor del cuello, te juro Manolo... ¡pero me estaba matando!

¿Sube o Baja?

Cincuenta Formas de Divertirse en un Ascensor

Hacer ruidos de
carros cuando alguien entre o salga.

*Sonarse la nariz y mostrarles el
contenido del pañuelo a los otros pasajeros.*

Hacer ruidos de dolor, darse un
golpe en la frente y decir "¡¡Cállense,
todos ustedes cállense!!"

*Silbar incesantemente las siete
primeras notas de "Es un mundo pequeño".*

Vender galletas de niña exploradora.

*En un viaje largo, ladearse
lado a lado a la frecuencia del elevador.*

CALAMIDAD: DESGRACIA QUE AFECTA A MUCHAS PERSONAS. A VECES, POR EXTENSIÓN, SE DENOMINA GOBIERNO.

CUANDO MI MADRE Y MI PADRE SE CASARON TODOS ÉRAMOS JÓVENES. ÉL TENÍA 18, MI MAMÁ 16 Y YO 3.

Abrir su mochila o su bolso, asomarse y preguntar: "¿Habrá suficiente aire allí?"

Ofrecer etiquetas con los nombres de cada uno de los pasajeros. Usar la propia al revés.

Quedarse callado y sin moverse en una esquina, mirando la pared.

Al llegar a su piso gruñir para que le abran la puerta. Cuando lo hagan, hacerse el avergonzado.

Acercarse a otro pasajero y susurrarle: "Las patrullas ya vienen".

Afeitarse.

Saludar con un caluroso apretón de manos a cada persona que suba al elevador y pedir que lo llamen almirante.

Una palabra: ¡Flatulencia!

En el último piso mantener la puerta abierta y decir en voz alta que se quedará abierta hasta escuchar a la moneda que tiró hacer "plink" en el primer piso.

Practicar el Tai Chi.

Mirar fijamente, sonreírle a un pasajero y luego decirle : "¡Tengo medias nuevas!"

ERA UNA MUJER CON LA VISTA TAN PERO TAN CANSADA QUE LA TENÍA QUE SENTAR EN UNA SILLA.

LA GALLEGA PACA ERA TAN PERO TAN FEA QUE CUANDO MANDÓ SU FOTO POR CORREO ELECTRÓNICO... *LA DETECTÓ EL ANTIVIRUS.*

CAMBIO ALTOPARLANTE POR *ENANO MUDO.* VENDO AUDÍFONO, *NO ESCUCHO OFERTAS.*

EL GORDO BENÍTEZ ERA TAN PERO *TAN RICO* QUE EN LA MANO EN VEZ DE LÍNEAS TENÍA BINGOS.

ME DICEN QUE SOY CRÉDULO... *Y LES CREO.*

424

La *RISA* es la distancia *MÁS* CORTA entre dos personas.

*Apueste con otros pasajeros
que puede meter una moneda en su nariz.*

Poner cara de esfuerzo y decir:
"Ya viene... ya viene..." y luego "ups!".

*Enseñar una herida a los otros pasajeros
y preguntarles si está infectada.*

Leer la Biblia en voz alta.

Maullar ocasionalmente.

Eructar y decir "¡Hmm... rico!"

Dejar una caja entre las puertas.

Cuando hayan subido al menos 8
personas, gemir desde el fondo: "¡Oh no
ahora, maldita enfermedad del movimiento!"

*Tararear el himno nacional mientras
rítmicamente se aprietan los botones.*

Gritar: "¡¡Fuera abajo!!",
cuando el ascensor descienda.

*Caminar con una nevera con
una etiqueta que diga "cabeza humana".*

Mirar fijamente a un pasajero y gritar:
"¡Es uno de ellos!". Luego
ir a la esquina opuesta del ascensor.

DICEN QUE TODO, EN EXCESO, ES MALO. ¿Y *EL SEXO?*

CUANDO LA MUJER PIDE EN-SALADA DE FRUTAS PARA DOS, *PERFECCIONA EL PECADO ORI-GINAL.*

EL GALLEGO PACO LLEGÓ TO-TALMENTE BORRACHO A SU CASA. LA ESPOSA LO ESPERA-BA EN LA PUERTA:
–¿TOMASTE?
–Y LECHUSGA.

–¿CUÁLES SON LAS MUJERES QUE MEJOR CONOCEN SU CUER-PO?
–LAS QUE SE MASTURBAN: PORQUE LO CONOCEN "AL DE-DILLO".

*Preguntar a cada pasajero que
sube si puede apretar el botón por ellos.*

Ponerse una media en la mano y hablar
con los otros pasajeros por medio de ella.

Cantar.

Cuando el elevador esté en silencio,
mirar alrededor y preguntar a un
pasajero: "¿Ése es tu bíper?"

Tocar la armónica.

Dibujar cajas.

Decir "¡Ding!" en cada piso.

Apoyarse sobre los botones.

*Decir "¿Qué hará esto?"
y apretar los botones rojos.*

Escuchar las paredes
del elevador con un estetoscopio.

*Dibujar con tiza un cuadrado, pararse
sobre él y anunciar a los otros
pasajeros que ése es su "espacio personal".*

Mirar su pulgar y decir
"¡creía que era más grande!"

LE DIJERON A DÉBORAH, LA MODELO:
–¿SABÉS, FLACA?, TU AUSEN-
CIA ES LA MEJOR COMPAÑÍA.

DÉBORAH, LA MODELO, ES
TAN PERO TAN BOLUDA QUE
FUE AL JUEGO DE LOS MA-
TRIMONIOS SOLA Y ¡NO HUBO
COINCIDENCIAS!

*Comer un pedazo de sándwich y
preguntar a otro pasajero: "¡Quieref
verh queh hay en mif bocah?"*

Hacer globitos de saliva.

*Sacarse el chicle
de la boca y comenzar a hacer tiras.*

Usar una silla.

*Decir con voz demoníaca: "¡Debo
encontrar otro cuerpo para la posesión!"*

Ponerse una sábana y
usarla como protegiéndose de algo.

*Hacer ruidos de explosiones
cuando alguien presione un botón.*

Usar "Antojos de rayos X"
de juguete y mirar a la gente con placer.

Si alguien le roza, retroceda y grite.

—¿SABÉS CÓMO LE DICEN A
LOS GALLEGOS? HOTEL DE 1
ESTRELLA.
—¿POR QUÉ?
—NUNCA TIENEN JABÓN.

—¿POR QUÉ LOS POLICÍAS GA-
LLEGOS LLEVAN NÚMEROS EN
LA PLACA?
—NO SÉ.
—POR SI SE PIERDEN.

La gallega Paca compró una de esas balanzas
que dicen el peso a través de un parlante. Cuando se subió por primera vez,
la voz dijo: *"¡De a uno a la vez, por favor, de a uno a la vez!"*

EPITAFIOS
¡PARA MORIRSE DE RISA!

LA VIDA ES ESO QUE OCURRE *CUANDO TENÍAMOS OTROS PLA-NES.*

SUEGRA: LENGUA MATERNA.

AMIGO VERDADERO ES EL QUE NOS PIDE DINERO PRESTADO Y *NOS SIGUE SALUDANDO.*

HAY CANDIDATOS QUE SALEN ELEGIDOS POR UNA NIMIEDAD DE VOTOS.

CLASE MEDIA: SOCIEDAD ANÓ-NIMA.

NO HAY NADA MENOS PRÁCTI-CO *QUE LA TEORÍA.*

"A ver, ¿qué tenía Lázaro que yo no tenga?"

Si de verdad no quieres hacer nada ¡reúnete conmigo!

"Todo llega..."

"Esta postura me está matando".

"Ya sabía yo que esto acabaría así".

"Esto es pequeño, sí, pero queda a diez minutos del centro".

"Tenían razón, debería haber revisado los frenos".

Le voy a decir algo... ¡No sea ingenuo! ¿De veras cree que puedo hablar...?

–¿QUÉ HARÍAS SI ENCONTRA-SES UN MILLÓN DE DÓLARES, MARÍA PÍA?
–*AVERIGUARÍA SI PERTENECEN A UNA PERSONA POBRE, EN-TONCES, SE LO DEVOLVERÍA, ¿MENTENDÉS?*

SIEMPRE SE ENCUENTRA ALGO EN EL *ÚLTIMO LUGAR EN EL QUE SE MIRA.*

EL NORTEAMERICANO ES UN INGLÉS *QUE COLGÓ LOS HÁBI-TOS.*

LO PEOR QUE PUEDE OCU-RRIRLE A UN MUDO *ES DAR QUE HABLAR.*

¡Esto no es serio! No me van ha dejar
aquí, hasta que se me ocurra algo ¿no?

"En este momento no puedo atenderle.
Deje su mensaje después de..."

Si estás leyendo esto es que estoy muerto.

Gracias, Señor, por salvarme...
del pago de la hipoteca.

"No cagarse en los muertos ¡joder!"

Por favor, no se molesten,
déjenme en cualquier sitio.

¡Lástima nacer y no salir con vida!

Disculpen si no huelo a rosas.

"Aquí siguen descansando
los restos mortales de Fernando".

"Yo les dije que esto iba a pasar,
y me dijeron hipocondríaco".

Advertencia a los necrófilos:
La sífilis y la tuberculosis sobreviven.

Es falso que los muertos podamos regresar
de la tumba. Nos pasamos todo el tiempo
gritando: ¡¡¡Que nos saquen de aquí!!!

NO HAY NADA *COMO LA NO*
EXISTENCIA.

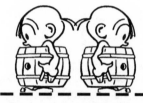

—PAPI, CUANDO SEA GRANDE
QUIERO SER BOXEADOR.
—PERO NO, HIJO. ESO ES PE-
LIGROSÍSIMO. IMAGÍNATE QUE
APARECE UN CONTRINCANTE
QUE TE GOLPEA Y TE MATA.
—TIENES RAZÓN. CUANDO SEA
GRANDE QUIERO SER CONTRIN-
CANTE.

430

¿No crees que ya jugaste mucho
con la *Ouija*?
¡Anímate a hablar conmigo cara a cara!

*"Vivió soñando toda su vida,
ahora sueña que vive eternamente".*

"Siempre llegué tarde a todos lados
y aquí, por más que traté, no pude..."

"¿Para siempre? Me parece mucho tiempo".

"Prohibidos los perros".

"¿Debo algo?"

"Que alguien diga algo gracioso".

"El asado está listo".

"Sin aditivos ni conservantes".

"Volveré... y seré hamburguesa".

¡Me traje una muñeca de goma!

*"Aquí yace Pérez Salvador. Chofer, y
de los buenos... que pisó el acelerador,
en vez de pisar los frenos".*

"La operación de próstata fue bárbara.
No me levanto más para ir al baño".

**SER DECENTE ES *UN DEFEC-
TO MUY POCO RENTABLE.***

431

"¿Qué es bueno contra los gusanos?"

Ojalá que el gusano que
me comió termine en un tequila... ¡salud!

"Heme aquí de puro democrático".

"Si hay otra vida volveré
para borrar este epitafio".

"Salí un momento. Vuelvo enseguida".

"Recomendación: No sigas la luz al final del
túnel, aprende de mi experiencia".

"Se me paró el futuro".

"Perdí una apuesta con la muerte... y yo
siempre pago".

*"Al final de todo viaje lo único
que queda son unas buenas fotografías".*

¿Quién es ése que está con mi mujer?

Entonces ¿no era whisky?

Cambié de trabajo: ahora crío malvas.

BANDEJA: CONJUNTO DE MÚ-
SICOS, GENERALMENTE RÚSTI-
COS, PERO DE REDUCIDAS DI-
MENSIONES.

ADVERTENCIA: EL CONSUMO
DE ALCOHOL ES LA CAUSA
PRINCIPAL DE BAILAR COMO
PENDEJO.

LAS PERSONAS PREJUICIOSAS
SON TODAS IGUALES.

SI ERES UN INÚTIL, SI NO VA-
LES PARA NADA, SI LA SOCIE-
DAD TE RECHAZA, *¡INGRESA AL
EJÉRCITO!*

UN CONSEJO GRATUITO VALE
LO QUE USTED PAGA POR ÉL.

NO ESTOY DE ACUERDO *CON
LA UNANIMIDAD.*

DESPUÉS DE AÑOS DE MEDITA-
CIÓN, AHORA TENGO LA SEGU-
RIDAD ABSOLUTA *DE QUE YA
PUEDO DUDAR DE TODO.*

Vacaciones. El tipo carga las maletas, los suegros, los hijos, los padres,
el perro, el canario, la sombrilla, la heladerita de playa, una parrilla, cuatro hijos
y dos amiguitos de los nenes y les dice a sus vecinos antes de partir:
—*Ahhh, yo me voy principalmente para desconectarme de todo.*

Abogado:
Sujeto que salva nuestros bienes de los enemigos, y se los queda para sí mismo.

ESTUPIDIARIO

PENSAMIENTOS - FRASES - OBSERVACIONES Y OTRAS IDIOTECES DE WILLY MULEIRO

(EL PARIENTE CASI SABIO DE LOS MULEIRO)

No importa qué salga mal, siempre hay alguien que lo sabía.

ぺ

La experiencia es una cosa que no tienes hasta después de haberla necesitado.

ぐ

Nadie es tan feo como muestra su foto del DNI.

ぐぺ

Al hacer las maletas para las vacaciones, llévese la mitad de la ropa y el doble del dinero.

ぐ

Cuando estés en un centro comercial y suene una canción que te gusta en su sistema musical, el encargado de megafonía emitirá un mensaje.
O sea: *La duración y estupidez del mensaje*

LA PROBABILIDAD DE QUE SE ROMPA UNA CUERDA DEL PIANO EN PLENO CONCIERTO ES DIRECTAMENTE PROPORCIONAL AL NÚMERO DE FAMILIARES Y AMIGOS ASISTENTES A ÉL.

es directamente proporcional a lo que te guste la canción.

HAY TRES CLASES DE MENTI-
RAS: *LAS MENTIRAS, LAS MAL-
DITAS MENTIRAS Y LAS ESTA-
DÍSTICAS.*

EL DINERO ES COMO EL ESTIÉR-
COL: SI SE AMONTONA, *HUELE
MAL.*

—¿QUÉ HARÍAN LOS HOMBRES
SIN LAS MUJERES?
—DOMESTICARÍAN OTRO ANI-
MAL Y ESTA VEZ NO LE ENSE-
ÑARÍAN A HABLAR.

*VIAGRA: VIEJAS AGRADECI-
DAS.*

—EL TIEMPO ES EL MEJOR MAES-
TRO. DESGRACIADAMENTE MA-
TA A TODOS SUS ESTUDIANTES.

No importa lo profundo o superficial que caves un agujero: siempre al rellenarlo habrá más tierra de la que sacaste.

La anilla de una lata de cerveza sólo se romperá si era la última en la nevera.

Si algo ha de suceder que desvíe la atención de todos, sucederá cuando tú estés contando tu mejor chiste.

La probabilidad de aparecer en televisión y hacer el ridículo es directamente proporcional a los amigos que sabían que ibas a salir en la tele.
O sea: Si quieres que algo te salga bien, no se lo digas a nadie.

Te darás cuenta de que un alimento estaba caducado dos horas después de haberlo digerido.

Un reloj es sumergible hasta que es sumergido.

Las probabilidades de que una puerta chirríe son directamente proporcionales a lo tarde que llegues borracho a casa.

Si estás intentando clavar en la pared una chincheta y ésta se te cae al suelo, no pierdas el tiempo agachándote a buscarla, porque no estará. Simplemente descálza-

MANIFIESTA: JUERGA DE
CACAHUATES.

EL GALLEGO PACO HA QUEDA-
DO TAN RENGO QUE YA NO PO-
DRÁ CORRER *NI UNA JUERGA.*

436

te un pie y pisa al azar cualquier punto de la habitación, no importa lo grande que ésta sea. La chincheta estará allí.

Las alergias solamente se presentarán cuando tu jefe, tu cliente o cualquier persona atractiva del sexo contrario que acabas de conocer esté a la distancia suficiente para recibir en su cara los resultados de tu estornudo.

La primera página por la que el autor abra el libro recién publicado será aquella que contenga el peor error.

Cuando una caja de chinchetas cae al suelo, la última que recojas es siempre la penúltima.

Es más fácil hacer preguntas estúpidas que corregir errores estúpidos.

Errar es humano. Echarle la culpa a otro es más humano todavía.

La duración de un minuto depende del lado de la puerta del cuarto de baño en que te encuentres.

Si acabas de encender un cigarro, aparece el camarero con la comida.
O sea: Si la comida tarda, enciende un cigarrillo.

Los objetos que buscas jamás aparecerán cuando los necesitas, sino cuando estés buscando cualquier otra cosa, momento en el

AMOR A PRIMERA VISTA: LO QUE OCURRE CUANDO SE ENCUENTRAN DOS PERSONAS POCO QUISQUILLOSAS Y EXCEPCIONALMENTE CALIENTES.

REPARTO: MELLIZOS.

DEFINICIÓN INFANTIL DE LA IMPACIENCIA: ESPERAR CON PRISA.

MAMADERA: MATERIA PRIMA DE LOS CARPINTEROS TARTAMUDOS.

MEJOREMOS LOS CEMENTERIOS: LA QUE LLEVAN LOS MUERTOS NO ES VIDA.

VAGO: PARTE DEL INTESTINO QUE NO TRABAJA.

HISTORIA: CUENTO FICTICIO, CUYO DESENLACE COINCIDE ASOMBROSAMENTE CON LA ACTUALIDAD.

cual, claro está, será totalmente inútil, incluso hasta un estorbo.

O sea: *Debes buscar cualquier otra cosa cuando quieras encontrar lo que realmente necesitas.*

Cuanto mayor es la intención de hacer una cagada silenciosa (paredes delgadas, novias o amistades al otro lado de la puerta, etc.) mayor también será la salida incontrolada de sonidos de todas clases, sea cual fuere el cuidado que se ponga en ello.

Un objeto se llevará años estorbando donde a nadie conviene, y sin que nadie se moleste en quitarlo de ahí, pero, cuando sea de utilidad, habrá desaparecido de forma espontánea.

Algunos errores pasarán siempre desapercibidos hasta que se publique el libro.

No importa qué quieras comprar, el que acaba de irse se ha llevado el último. Esta ley es especialmente activa cuando buscas un regalo el día antes del cumpleaños de alguien y tienes las ideas claras sobre lo que quieres comprarle.

No importa que vivas con 4857 personas en tu casa, la bombona (garrafa) de butano se te acabará a ti.

Los objetos al caer tienden a hacer un máximo de daño, así en todo el universo, pero se puede llevar a las puertas de tu casa. Por ejemplo, la probabilidad de que

MARABILIOSO: EXPULSA LA BILIS DE FORMA EXTRAORDINARIA, EXCELENTE Y ADMIRABLE.

ANÓMALO: HEMORROIDES.

EL HOMBRE QUE INSISTE EN QUE NUNCA HA COMETIDO UNA EQUIVOCACIÓN, GENERALMENTE TIENE UNA ESPOSA *QUE SÍ SE EQUIVOCA.*

una tostada caiga sobre una alfombra con la mermelada hacia abajo es directamente proporcional al precio de la alfombra.
O sea: *Si quitas la alfombra, la tostada se verá atraída por tu ropa, o lo más caro que esté debajo de ella durante su caída.*

El camino más corto entre dos puntos está siempre prohibido o es inaccesible.

Si te encuentras solo en el campo, sácate el aparato para mear, si no aparece un chucho, aparecerá su dueño, o si no el niño que ha perdido la pelota.

Si eres familiar de un médico y éste te ha recomendado a un compañero, todas las complicaciones posibles irán surgiendo sucesivamente durante el tratamiento

Cualquier situación, por mala que sea, es susceptible de empeorar.

Cuando más tiempo lleve en una cola, más probabilidades hay de que se haya equivocado de ventanilla.

Cuando las azafatas están a punto de servir el café, se producen turbulencias.
O sea: *Servir café en los aviones produce turbulencias.*

Cuando un subordinado tuyo te plantee una cuestión pertinente y difícil, mírale a los ojos como si hubiera perdido la razón; en cuanto

baje la mirada, repítele la pregunta como si fuera tuya.

🎵

Dentro de cada pequeño problema hay un gran problema luchando por abrirse paso.

🎵

Leyes del Juego de la Vida:
Usted no puede ganar.
Usted no puede empatar.
Usted no puede abandonar el Juego.

🎵

*La mancha que está limpiando en el vidrio, se encuentra siempre al otro lado.
O sea: Si la mancha está en el interior, queda fuera de su alcance.*

🎵

Por fantástico que sea tu éxito o por desastroso que sea tu fracaso, hay millones de chinos a los cuales no les importa lo más mínimo.

🎵

El primer 90 por ciento de la realización de un trabajo exige el 90 por ciento del tiempo, el otro 10 por ciento del trabajo se lleva el 95 por ciento restante del tiempo.

🎵

Nunca vayas a una consulta de un médico cuyas macetas de la sala de espera estén secas.

🎵

Dentro de cada gran problema, siempre hay uno pequeño que lucha por abrirse paso.

🎵

En el fondo de todo ser humano subyace un genio. Lo que pasa es que muchos son tan

—EN REALIDAD SOY UN OPTIMISTA EN BUSCA DE LA VERDAD: SÉ QUE EL VASO ESTÁ MEDIO LLENO, PERO QUIERO SABER *QUIÉN SE BEBIÓ EL RESTO Y SI TENDRÉ QUE PAGAR YO TODO EL TRAGO.*

- - - - - - - -

SÓLO UN LOCO CELEBRA *QUE CUMPLE AÑOS.*

- - - - - - - -

BAILAR: ES LA FRUSTRACIÓN VERTICAL DE UN DESEO HORIZONTAL.

- - - - - - - -

INFLACIÓN: TENER QUE VIVIR PAGANDO LOS PRECIOS DEL AÑO PRÓXIMO *CON EL SUELDO DEL AÑO PASADO.*

- - - - - - - -

SI QUIERES UNA MANO QUE TE AYUDE, *LA ENCONTRARÁS AL FINAL DE TU BRAZO.*

- - - - - - - -

estúpidos que no son capaces de dejarlo salir a flote.

ꞁ

Para no golpearse con el martillo en los dedos al clavar un clavo en la pared, basta con sostener el clavo con las dos manos.

ꞁꞁ

Todo el mundo miente. Pero importa poco, nadie escucha.

ꞁ

El hombre tropieza a veces casualmente con la verdad pero, en tal caso, desvía un poco su trayectoria, la evita, y sigue su camino.

ꞁ

No creas todo lo que oigas y digas.

ꞁꞁ

Si hay alguna vía para demorar una decisión importante, la burocracia dará con ella.

ꞁ

Lo importante no es cuánto cuesta un producto, sino cuánto ahorras.

PARA ENCONTRAR GUSTO A LA VIDA, *NO HAY COMO MORIRSE.*

HAY ESTUDIANTES A LOS QUE LES APENA IR AL HIPÓDROMO Y VER QUE *HASTA LOS CABALLOS LOGRAN TERMINAR SU CARRERA.*

AMIGA: DÍCESE DE LA PERSONA DEL SEXO OPUESTO QUE TIENE ESE "NO SÉ QUÉ" QUE ELIMINA TODA INTENCIÓN DE QUERER ACOSTARSE CON ELLA.

−¿Y por qué tengo que abandonar la playa?
−¡Es que la marea está esperando que usted se vaya para subir, señora!

¡Vayámonos al Carajo!

El Carajo es Indispensable en Nuestro Vocabulario.
¿Quién no Usa un Par de Carajos al Día en su Conversación?
El Carajo es Todo y Nada.
Todas las Sensaciones del Mundo en un Carajo.

Un amigo al encontrarse con otro le da una palmadita en la espalda y exclama: "Carajo chico... ¿qué era de tu vida?"

El que desprecia las cosas y miserias de la vida dice: "Todo me importa un carajo".

El hombre que ha visto todos los lugares dice: "Ya no tengo adonde carajo ir".

Oímos decir a todo el mundo:
"Fulano es más bruto que el carajo"

El hombre que es pobre dice: "Soy pobre, pero qué carajo puedo hacer?"

El hombre que no se distrae con nada o no visita ningún sitio dice: "Para vivir así, más vale irse al carajo".

Acostumbramos mandar al carajo a cualquiera que se nos interpone y de otros decimos que no vale más que un carajo a la vela.

"La muchacha es más linda que el carajo".

Cuentan de un maestro de obras a quien le faltaban materiales para terminar la construcción, que puso un letrero que decía:
"Al carajo albañiles que se acabó la mezcla".

Si un comerciante le va mal en el negocio dice:
"Si las cosas siguen así, me voy a tener que ir al carajo".

Lo mismo le decimos al terminar esta carta:
"Váyase al mismísimo carajo si no le gustó el buen rato que le hemos hecho pasar".

Atentamente: Un amigo que te aprecia más que el carajo.
P.S. Ésta es la cadena del carajo. Saquen una copia y envíela a un amigo que usted aprecie más que el carajo. Si no lo quiere hacer, se puede ir al mismísimo carajo.

BRONCONEUMANÍA: OBSESIÓN POR ESTAR ENFERMO DE LOS BRONQUIOS.

PEPE MULEIRO AL CONTESTADOR TELEFÓNICO:
–NO ME IMPORTA QUE SEA UNA GRABACIÓN. ¡NO ME INTERRUMPA!

VELOCIPEDO: EXPULSIÓN DE AIRE POR EL ANO CON GRAN RAPIDEZ Y CELERIDAD.

–¡NO TOQUE LA PINTURA FRESCA! A MENOS QUE ESTÉ SECA.

ESPANTOSO: OSO MUY, PERO MUY FEO.

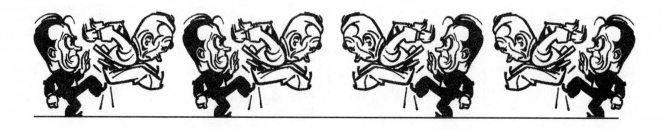

VENDO VENDO CASA CASA COMO COMO NUEVA NUEVA, PRECIO PRECIO NEGOCIABLE NEGOCIABLE.

JOSÉ JOSÉ

LA DISTANCIA MÁS CORTA ENTRE DOS PUNTOS DEPENDE DE *LO LEJOS QUE ESTÉN UNO DEL OTRO.*

AMIGO: ALGUIEN QUE TE QUIERE INCLUSO DESPUÉS DE CONOCERTE.

ALGUNAS DE LAS MUJERES QUE HE CONOCIDO EN MI VIDA PARECÍAN DIPUTADOS: ME PROMETÍAN FELICIDAD ETERNA, *ME COSTABAN UN OJO DE LA CARA Y CAMBIABAN DE OPINIÓN A CADA MOMENTO.*

VIOLO A DOMICILIO, SOLICITE *MUESTRA GRATIS.*

GRACIAS A LA TELE UNO PUEDE ENTERARSE DE *TODO LO QUE DICE LA TELE.*

AL GALLEGO PEPE LE DICEN ESPONJA *PORQUE SE CHUPA TODO.*

FALTO: QUE NO ES FEQUEÑO.

EN GENERAL, LOS PRESIDENTES DE LOS GOBIERNOS, POR MUY DEMOCRÁTICOS QUE SEAN, PIENSAN QUE SÓLO HAY DOS CLASES DE CIUDADANOS: *LOS QUE VOTAN POR ELLOS Y LOS QUE NO SABEN UN CARAJO DE POLÍTICA.*

NADA REVELA MEJOR EL CARÁCTER DE LOS HOMBRES QUE *UNA BURLA TOMADA A MAL.*

LA ADVERTENCIA CONSISTE EN *AMENAZAR POR LAS BUENAS.*

UN HOMBRE MORALISTA ES, CASI SIEMPRE, UN HIPÓCRITA; UNA MUJER MORALISTA ES, INVARIABLEMENTE, *FEA.*

REZA, PERO NO DEJES DE *REMAR HACIA LA ORILLA.*

—HACE UNOS DÍAS ACTUÉ EN UNA BARBACOA PARA RECAUDAR FONDOS POR *LOS DERECHOS DEL ANIMAL.*

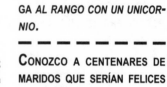

UN HOMBRE SABIO JAMÁS JUEGA *AL RANGO CON UN UNICORNIO.*

CONOZCO A CENTENARES DE MARIDOS QUE SERÍAN FELICES DE VOLVER AL HOGAR *SI NO HUBIESE UNA ESPOSA ESPERÁNDOLOS.*

TRABAJO EN EQUIPO: POSIBILIDAD DE ECHARLES LA CULPA A OTROS.

SI EL SOL ES UNA ESTRELLA, ENTONCES *¿POR QUÉ LO VEMOS DE DÍA Y NO DE NOCHE?*

DECÍA EL BRUTÍSIMO GALLEGO PACO: *"NUNCA CAGUES MÁS DE LO QUE COMES".*

EL GRAN DILEMA MORAL
TÚ... ¿QUÉ HARÍAS?

Vas a ser sometido/a a un pequeño test. Tiene una sola pregunta, pero es muy, muy importante.
¡¡¡¡No respondas demasiado deprisa o sin reflexionar!!!!

Piensa antes de dar tu respuesta. Hazlo sinceramente y podrás conocer tu estatura moral.

Se trata de una situación imaginaria en la que debes tomar una decisión. *¡¡¡Piensa que debes dar una respuesta espontánea, pero también sincera!!!*
Estás en Florida...
En Miami, para ser más exactos. Te encuentras en el caos más absoluto, en medio de catastróficas inundaciones tras un huracán y de enorme, gigantescas masas de agua...
Eres reportero gráfico de una de las mayores agencias de prensa del mundo... *y te encuentras en medio de ese desastre fantástico....*
Tratas de conseguir las más impresionantes imágenes.
A tu alrededor las aguas arrastran casas enteras y se tragan a la gente...
La fuerza de la naturaleza se muestra en toda

DECIR LA VERDAD LO PUEDE HACER CUALQUIER IDIOTA. *PARA MENTIR HACE FALTA IMAGINACIÓN.*

LAS PERSONAS A LAS QUE NADA SE LES PUEDE REPROCHAR TIENEN, DE TODAS FORMAS, UN DEFECTO CAPITAL: *NO SON INTERESANTES.*

su crueldad. Lo arrastra todo, absolutamente todo...

De pronto, ves a un hombre al volante de un todoterreno que lucha desesperadamente para no verse arrastrado por la riada de agua y lodo.

Te acercas...

Parece alguien importante y conocido...

Le reconoces y para tu sorpresa *¡¡¡resulta ser George W. Bush!!!*

Te das cuenta de que la gigantesca riada se lo va a llevar definitivamente....

Tienes dos posibilidades: salvarle o tomar la foto de tu vida, que con seguridad *¡¡¡te hará ganar el Premio Pulitzer!!!*

Una foto que mostrará la muerte del hombre más poderoso del planeta...

Después de la ilustración, la pregunta...

—¿CÓMO SE HACE PARA DES-CUBRIR A BUSH EN UNA BI-BLIOTECA?

—ES EL QUE BUSCA UN NÚME-RO DE TELÉFONO EN EL DIC-CIONARIO.

LA VIUDA DE BUSH VISITA LA TUMBA DE PINOCHET.

—¿CÓMO SE LLAMA LA PELÍ-CULA?

—UN DÍA PERFECTO.

EL PRESIDENTE BUSH, EN EL CONGRESO, ANTE SUS COM-PAÑEROS REPUBLICANOS:

—YO JAMÁS ROBÉ UN DÓLAR EN MI VIDA. TODO LO QUE LES PIDO ES UNA OPORTUNIDAD.

Y ahora la pregunta
(responde sinceramente):
—La copia de la foto, ¿la quieres mate o brillante?

Todos los Boludos

Usted...
¿Qué Clase de Boludo Es?
Parte 2

Boludo epiléptico: Las boludeces
lo sacuden y lo hacen morderse la lengua.

Boludo ermitaño: Se retira a hacer
sus boludeces a donde nadie lo vea.

Boludo erudito: En cuestión de
boludeces se las sabe todas todas.

Boludo esférico: Por todos
lados es boludo.

Boludo esperanzado: Cree que un
día dejará de ser tan boludo.

Boludo esquizofrénico: Lo
boludo lo vuelve loco.

Boludo estrella: Sus boludeces
brillan más en el campo que en la ciudad.

—¿Cómo se hace para me-
ter a **1.200** modelos en
una cabina telefónica?
—*No sé.*
—Se les dice que es un
Porsche.

Boludo federal: Va haciendo boludeces provincia por provincia.

Boludo filántropo: Regala boludez a manos llenas.

Boludo filósofo: Se pregunta el porqué de sus boludeces.

Boludo fiscal: Cuestiona las boludeces que hacen los demás.

Boludo Frankestein: Es tan boludo que asusta.

Boludo fulminante: "¡Hola qué t…" (y ya hizo diez boludeces)

Boludo fúnebre: Boludo hasta el último suspiro.

Boludo gallego: Redundancia.

Boludo espacial: Boludo hasta el infinito.

Boludo gallo: Apenas amanece comienza a boludear (a veces antes).

Boludo garantizado: Si él hace una boludez, es una boludez.

Boludo Gay: Se hizo puto por boludo.

VESTUARIO DE FÚTBOL.
−¡LA PUTA QUE LO PARIÓ! ¡TUVE QUE HACER LA PRUEBA DE ORINA Y ME DIO POSITIVO!
−¡QUÉ CAGADA, LOCO! TE VAN A SUSPENDER COMO A MARADONA.
−¡NO! ¿POR QUÉ? ¡ESTOY DE TRES MESES! ESPERO UN VARONCITO PARA ENERO.

Boludo Géminis: Boludo por partida doble.

Boludo global: Todo
el mundo sabe de sus boludeces.

Boludo gold: Ha hecho tantas
millas de boludeces que se lo reconocen.

Boludo heredero: Sos
más boludo que tu padre.

Boludo hiperactivo: No
para de hacer boludeces.

Boludo hiperhiperactivo: Hace tantas
boludeces que parece dos boludos.

Boludo hipnotizado: Cuando
alguien chasquea
los dedos empieza a hacer boludeces.

Boludo hipocondríaco: Lo enferman
sus propias boludeces.

Boludo hipócrita: Lo mío
no es boludez y puedo demostrártelo.

Boludo hipotecado: Hace
boludeces donde debe.

Boludo hogareño: De casa
a la boludez y de la boludez a casa.

FLACO, ¿POR QUÉ DECÍS QUE
EL TAMPÓN ES MEJOR QUE LA
TOALLITA CON ALAS?
—¡REOBVIO, BOLÚ! LA TOALLI-
TA CON ALAS, POR MÁS QUE LO
INTENTES, NO VAS A CONSE-
GUIR QUE VUELE. EN CAMBIO
AL TAMPÓN, LO AGARRÁS DEL
PIOLÍN Y LO REVOLEÁS HASTA
LA PUTA QUE LO PARIÓ,
¿ENTENDÉS BOLÚ?

Boludo honesto: no se hace
el boludo, es boludo.

Boludo honoris causa: Profesor
de todos los boludos.

Boludo hospitalario: Te invita
con todas sus boludeces.

Boludo ignorante: Todos
saben que es boludo menos él.

Boludo imaginario: Cree que
es boludo… y sueña con no serlo.

Boludo imbatible: El campeón
de los boludos.

Boludo impasible: Hace boludeces
sin mover un músculo.

Boludo importado: El más
fino de los boludos.

Boludo impotente: Quiere
pero no puede hacer boludeces.

Boludo impredecible: No se sabe
con qué estupidez te va a salir.

Boludo incansable: Jamás
deja de hacer boludeces.

Boludo inasistente: ¡El boludo que faltaba!

CONVENCER A LA REINA ME
COSTÓ UN HUEVO.

CRISTÓBAL COLÓN.

¡CRISTÓBAL, NO ME ROMPAS
LOS HUEVOS!

LA REINA ISABEL.

Boludo incapaz: Hasta las boludeces le salen mal.

Boludo incubadora: Es boludo de nacimiento.

Boludo inédito: Ni él sabe que es boludo.

Boludo influyente: Dice que tiene acceso a boludos poderosos: Bush, Aznar, etc.

Boludo injusto: Yo soy boludo pero no por mi culpa.

Boludo inocente: Es normal pero tiene cara de boludo.

Boludo inodoro: Boludo de mierda.

Boludo insatisfecho: No le alcanza el día para ser estúpido.

Boludo insistente: Hace muchas veces la misma boludez.

Boludo inteligente: Opina perfectas boludeces.

Boludo internacional: Boludo sin fronteras.

Boludo introvertido: A nadie cuenta sus boludeces.

−¿POR QUÉ LAS GALLINAS PONEN LOS HUEVOS?
−PORQUE SI LOS TIRAN, SE REVIENTAN.

SOY IMBATIBLE.
                    EL HUEVO DURO.

Boludo invernal: Te deja
frío con tanta boludez.

Boludo investigador: Demuestra
científicamente sus boludeces.

Boludo invisible: Es tan
boludo que nadie lo puede ver.

Boludo irreprochable: Sus
boludeces son per-fec-tas.

Boludo irresponsable: No le
importa ser boludo.

Boludo jefe: Entre todos los boludos
es el boludo que menos sabe de boludeces.

Boludo jeroglífico: Nadie
puede entender sus boludeces.

Boludo lento: Más boludo que las tortugas.

Boludo laborioso: Todo
el día hace boludeces.

Boludo juguetón: Hace boludeces
como llenar la bañera y tirarse pedos
para ver las burbujitas.

Boludo Julio Iglesias: Es un
truhán, un señor y un boludo.

¡QUÉ BOLÚS!

PREGUNTAS QUE
SE HACEN LAS MODELOS

−¿ES CIERTO QUE CUANDO
NO LOGRA UNA BUENA EREC-
CIÓN *EL HOMBRE QUEDA MAL
PARADO*?

−¿SERÁ CIERTO? MI NOVIO
ME DIJO QUE JAMÁS TOMA
AGUA PORQUE *LOS PECES FI-
FAN ALLÍ.*

−¿ES VERDAD QUE PELEAR
POR LA PAZ ES ALGO ASÍ CO-
MO *COGER POR LA VIRGINI-
DAD*?

458

Boludo jeringa: Te inocula con boludeces.

Boludo Lázaro: Se levanta
y anda para hacer boludeces.

Boludo liberal: Su gran
capital es la boludez.

Boludo líder: Lo siguen los boludos.

Boludo limítrofe: Vive al
borde de las boludeces.

Boludo líquido: Lo toman por estúpido.

Boludo literario: Escribe
un montón de boludeces.

Boludo llorón: Boludo hasta las lágrimas.

Boludo local: Sólo hace
boludeces en su barrio.

Boludo loco: Grita a mil
voces sus boludeces.

Boludo luminoso: Es una luz
para las boludeces.

Boludo masoquista: Por mi boludez,
por mi grandísima boludez...

¡QUÉ BOLÚS!

PREGUNTAS QUE
SE HACEN LAS MODELOS

—ME DIJO UN FOLCLORISTA
QUE TENÍA UN CHARANGO DE
CAPARAZÓN DE TORTUGA *PA-
RA TOCAR LOS TEMAS LEN-
TOS*, ¿SERÁ VERDAD?

DÉBORAH Y CARLA, DOS MO-
DELOS LESBIANAS, HABÍAN
ADOPTADO UN BEBÉ.
—CUANDO EL BEBÉ SEA
GRANDE... ¿QUÉ LE VAN A DE-
CIR?
—PERO ¿QUÉ SE CREEN, QUE
SOMOS TONTAS? LA TENEMOS
RECLARA: ¡JAMÁS LE DIRE-
MOS QUE ES ADOPTADO!

459

Boludo matemático: Es exactamente un boludo.

Boludo mediador: "Lleguemos a un acuerdo: el que hace las boludeces, soy yo".

Boludo mediocre: Es medio boludo.

Boludo mediocre: Es algo menos que boludo.

Boludo melancólico: "¡Yo sí que fui boludo!"

Boludo meticuloso: Hace boludeces y te da por culo.

Boludo mil usos: Hace boludeces en cualquier actividad que desempeñe.

Boludo millonario: Hace $ólo boludece$ carí$$$$$ima$.

Boludo mimo: Hace boludeces y ni una palabra.

Boludo mixto: Boludo y pelotudo.

Boludo modelo: Es reboludo ¿viste?

Boludo moderno: Boludeces virtuales.

Boludo molesto: Jode con sus boludeces.

—¿CUÁL ES LA DIFERENCIA ENTRE UNA MODELO DE SAN ISIDRO Y UNA DE AVELLANEDA?
—NI IDEA.
—EN LA MODELO DE AVELLANEDA LAS JOYAS SON FALSAS Y LOS ORGASMOS REALES.

460

Boludo monotemático: Hace sólo una boludez pero la repiiiiiiiiiiite.

Boludo Morse: B-o-l-u-d-o
(-.... ... .-.. ..- -.. ...)

Boludo mosquito: Lo tenés que matar para que deje de hacer boludeces.

Boludo mouse: Boludo click.

Boludo MP3: Carga y recarga nuevas boludeces.

Boludo Muleiro: Sus boludeces son un chiste.

Boludo multifacético: Cabe en dos o más categorías de boludos.

Boludo multifacético: Abarca dos o tres clases de boludos.

Boludo muy egoísta: Quiere hacer él solo todas las boludeces.

Boludo naranjero: Le saca el jugo a sus boludeces.

Boludo nato: Boludo de nacimiento.

Boludo náufrago: Hace boludeces hasta en una isla desierta.

LORENA SE RETIRÓ DE LAS PASARELAS Y SE DEDICÓ A DISEÑAR UNA MUÑECA INFLABLE TAN REALISTA QUE APENAS LE PONÍAS UN ANILLO DE CASAMIENTO EN EL DEDO, *EMPEZABA A ENGORDAR Y ENGORDAR. SUS CADERAS SE ENSANCHABAN Y LE CRECÍAN RULEROS.*

–¿CÓMO HACE UNA MODELO PARA TENER MELLIZOS?
–NI IDEA.
–LE HACE DOS AGUJERITOS AL FORRO.

Boludo nervioso:
"No soy boludo, es un tic".

Boludo neto: Exactamente un boludo.
Un boludo: ni más ni menos.

Boludo neurasténico: Se enoja
cuando le dicen boludo.

Boludo neurótico: Los nervios
lo hacen todavía más boludo.

Boludo ñandú: Es un
boludo con unos huevos enormes.

Boludo obelisco: Es el
monumento al boludo.

Boludo ocioso: Tiene tiempo
de leer esta sarta de boludeces.

Boludo ocupado: No es más
estúpido porque no tiene tiempo.

Boludo Operación Triunfo:
Boludea y encima, desafina.

Boludo óptico: Tiene gran
visión para hacer boludeces.

Boludo orientado:
No necesita mapa para sus boludeces.

PARA MUCHOS HOMBRES, EL
MATRIMONIO ES LA MANERA *MÁS
CARA DE TENER LAS CAMISAS
LIMPIAS.*

ROXANA LLEGÓ EXCITADÍSIMA
AL CASTING.
–¡CHICAS, CHICAS! ¿SABEN
CÓMO SE LE DICE A UN BEBE
JUDÍO QUE NO ESTÁ CIRCUN-
CIDADO?
–NI IDEA.
–¡NENA!

Boludo nazi: El boludo es ése, ése.

Boludo ortodoxo: Sólo boludeces.
Nada de pelotudeces ni estupideces.

Boludo ortopédico: No para
de meter la pata, el boludo.

Boludo otorrinolaríngeo: No huele, no
oye ni traga otra cosa que boludeces.

Boludo parabólico: ¡Hay que ver las
boludeces que es capaz de captar!

Boludo paranoico: Cree que todos saben
que es boludo y por eso lo persiguen.

Boludo paria: Va de aquí
para allá haciendo boludeces.

Boludo patentado: Boludo
como él sólo hay uno.

Boludo pato: Una boludez, una cagada.

Boludo pelado: No tiene
ni un pelo de boludo.

Boludo petulante: Se enorgullece
de boludear.

Boludo pirámide egipcia: Hace boludeces
que sólo pueden descifrar los arqueólogos.

LA SABIDURÍA NOS PERSIGUE,
PERO NOSOTROS LOS GALLE-
GOS *SOMOS MUCHO MÁS RÁPI-
DOS.*

LA MODELITO TENÍA UN LOCAL
EN EL SHOPPING, DE ROPA...
INTERIOR. SE LO HABÍA REGA-
LADO SU ÚLTIMO AMIGOVIO MI-
NISTRO DEL... INTERIOR.
—*EL NEGOCIO ME VA TAN MAL
QUE EL AÑO PASADO PERDÍ
1.500 DÓLARES POR SEMANA.
Y ESTE AÑO ESTOY PERDIENDO
2.100 POR SEMANA.*
—¿*Y* POR QUÉ NO LO CIE-
RRAS?
—¿*AH* SÍ? ¿*Y* DE QUÉ VOY A
VIVIR?

463

Boludo pirotécnico:
¡Ohhhh Ahhhh Uhhhh! ¡¡¡Quééé boludo!!!

Boludo plano: Es lisa y llanamente estúpido.

Boludo político: Es boludo,
pero según él tiene fácil solución.

Boludo postal: Boludo certificado.

Boludo póstumo: Cree que
ésta fue su última boludez.

Boludo precavido: Es boludo por si acaso.

Boludo preceptor:
Pasa lista de sus boludeces.

Boludo precoz: Desde
chiquito ya era boludo.

Boludo predicador en desierto: Nadie se
entera de las boludeces que dice.

Boludo pregonero: "Vengo a
comunicarles de parte del señor alcalde que
hoy a las 21 comenzarán mis boludeces".

Boludo prehistórico: Más boludo
que los dinosaurios.

Boludo premonitorio: Sueña
boludeces y se cumplen.

—¿POR QUÉ LAS MUJERES GE-
NERALMENTE VIVEN MÁS QUE
LOS HOMBRES?
—PORQUE NO SE CASAN CON
MUJERES.

—¿EN QUÉ SE PARECE UN HOM-
BRE QUE NO DICE MENTIRAS AL
999?
—NI IDEA.
—EN QUE LOS DOS SON SINCE-
ROS.

A CABALLO REGALADO, *QUÍ-
TALE EL ENVOLTORIO.*

—¿POR QUÉ SE LLAMA A LA
CÓMODA "CÓMODA" Y A LA
CAMA "CAMA" SI LA CÓMODA
ES LA "CAMA" *Y* NO LA "CÓ-
MODA"?

ARTE ABSTRACTO: DONDE LA
FIRMA SE COTIZA MÁS QUE LA
PROPIA OBRA.

DECÍA LA NUEVA RICA ARGEN-
TINA:
—¿POR QUÉ NO HACEN BILLE-
TES DE **10.000** DÓLARES?
SORRY, *PERO GASTAR DE A*
100 ES UN OPIO ¿OKAY?

Boludo prenupcial: De haberlo sabido ella jamás se hubiese casado con semejante boludo.

Boludo preocupado: ¿Habré quedado como un boludo?

Boludo preparado: Tiene una boludez para cada ocasión.

Boludo presidencial: Bushludo.

Boludo presumido: Cuenta a todos su última boludez.

Boludo profesional: Es tan boludo que parece que hizo algún curso.

Boludo progresivo: Fue idiota, tonto, estúpido, tarado, imbécil.

Boludo psicólogo: "¿Usted qué piensa? ¿Soy boludo?"

Boludo quirúrgico: Cree que un día lo operarán de la boludez.

Boludo rapero: Cree que sus boludeces son poesía.

Boludo rayado: Hace bolude… bolude… bolude…

—¿Cuántas veces puede restarse ocho de cuarenta y ocho?
—Una sola vez. La siguiente no se restaría de cuarenta y ocho, sino de cuarenta.

El nuevo rico gallego era tan idiota que quería instalar un *cajero automático en la limusina.*

Soy demasiado rica *para comer pan.*

—Ríase solo, y el mundo pensará que usted es un idiota.

Retención: 15 por ciento de estreñimiento reservado para el erario público.

Anotaciones en la agenda de una nueva rica: Comprar tres docenas de anillos en Tiffany *(por si alguien me pide limosna).* Si llego a tener otro hijo lo voy a llamar Franco (suizo). Si es nena, *Yen.* Tengo que empapelar *la limusina.*

Boludo razonable:
"Lo sé, lo sé. Soy un boludo".

Boludo real: El rey de los boludos.

Boludo reciente: Acaba de
enterarse de que es boludo.

Boludo recíproco: "¿Vos boludeas?
"Yo boludeo".

Boludo refrán boludo: Más vale
boludo en mano que cien boludos volando.

Boludo regalo: Siempre
se aparece con alguna boludez.

Boludo repollo: Boludo al pedo.

Boludo romántico: "Te quiero con el
alma. Te quiero como la primera vez.
Te quiero con gran calma.
Aunque parezca una boludez".

Boludo Rolling: Es un recital de boludeces.

Boludo reumático: Quedó
duro de tanta boludez.

Boludo románico: Boludo de medio punto.

Boludo sabio: Sabe
que sus boludeces son una boludez.

Boludo sabio: Se abstiene de decir sus boludeces (pero las hace todas).

Boludo salvado: "He hecho tanta boludez que ya me puedo retirar".

Boludo sastre: Boludeces a medida.

Boludo semáforo: Viene en tres colores y hay uno en cada esquina.

Boludo sifilítico: Sus boludeces son muuuy contagiosas.

Boludo siliconas: Quiere boludeces aún más grandes. Quiere que se noten más sus boludeces.

Boludo simpático: Te conquista con sus boludeces.

Boludo sociable: Cada boludez es una fiesta.

Boludo socialista: Comparte sus boludeces.

Boludo sociólogo: Está censando a todos los boludos del mundo.

Boludo soldado desconocido: Boludo sin pena ni gloria.

–¿QUÉ LE DIJO DIOS A JESÚS?
–NI IDEA.
–"ME IMPORTA UN CARAJO QUE SEAS MI HIJO: SI DEJÁS CAER UNA VEZ MÁS ESA CRUZ, TE SACO DEL DESFILE".

Boludo sonámbulo: Hasta dormido
hace boludeces.

Boludo Star Treck: La fuerza
lo acompaña para hacer boludeces.

Boludo suplente: No es un
boludo de primera.

Boludo surrealista: Cree que es un
genio aunque nadie entiende sus boludeces.

Boludo tanguero: Boludeces cada 2x4.

Boludo tartamudo: Es re-re-re bol-bol-bol…

Boludo tauro: Boludo y con cuernos.

Boludo teatral: Para hacer una gran
boludez necesita apuntador.

Boludo teflón: No se le pega ningún huevón.

Boludo telescópico: Desde lejos
se nota que es boludo.

Boludo televisivo: Famosísimo boludo.

Boludo testimonial:
Da fe de sus boludeces.

Boludo tierno: ¿Qué hacés boludito?

–UN SEÑOR QUE IBA PARA
MADRID SE ENCONTRÓ CON
DIEZ SEÑORAS, UN CURA, TRES
MONJAS, UN GATO, DOS PERROS
Y UN POLICÍA QUE HACÍAN EL
MISMO TRAYECTO. ¿CON CUÁN-
TAS MUJERES SE CRUZÓ?
–CON NINGUNA, PORQUE TODOS
IBAN EN LA MISMA DIRECCIÓN.

EL GALLEGO MULEIRO ES TAN
BRUTO QUE SE DUERME *APE-
NAS APOYA LOS PIES EN LA AL-
MOHADA.*

MULEIRO DONÓ SUS ÓRGANOS
A LA CIENCIA. LE ACEPTARON
TODO MENOS EL CEREBRO.

EL GALLEGO PACO:
–FUMAR MATA. SI TE MATAN,
HAS PERDIDO UNA PARTE MUY
IMPORTANTE DE TU VIDA.

–¿QUÉ CULPA TENGO YO DE
QUE EL HOMBRE SEA TAN, PERO
TAN, PERO TAN TORPE?
        LA MISMA PIEDRA

Boludo tímido: "Quién habrá hecho esta pequeña boludez?"

Boludo tintorero: Ni una mancha de boludez.

Boludo titular: Tiene noventa minutos de boludeces asegurados.

Boludo top: Firma autógrafos a los boludos.

Boludo tradicional: Boludo de toda la vida.

Boludo triste: Triste boludo.

Boludo turista: Cuatro días y tres noches de boludeces.

Boludo ultra: Sale a cazar pelotudos con otros boludos.

Boludo estadístico: En promedio es un boludo.

Boludo estresado: No sabe cómo hacer para dejar de ser boludo.

Boludo estudioso: Estudia las boludeces de los demás para superarse.

Boludo expiatorio: Es tan boludo que a veces resulta útil.

COMESTIBLE: QUE SE PUEDE COMER Y ES DE DIGESTIÓN SALUDABLE, COMO UN GUSANO PARA UN SAPO, UN SAPO PARA UNA SERPIENTE, UNA SERPIENTE PARA UN CERDO, UN CERDO PARA UN HOMBRE Y UN HOMBRE PARA UN GUSANO.

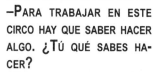

—PARA TRABAJAR EN ESTE CIRCO HAY QUE SABER HACER ALGO. ¿TÚ QUÉ SABES HACER?
—PUES YO HAGO LA MOSCA.
—¡AH, VUELAS!
—PUES NO; ¡ME PARO SOBRE UN MONTÓN ASÍ DE MIERDA!

Boludo valiente: Es capaz de dar la vida por boludeces.

Boludo vegetal: Boludo hasta la raíz.

Boludo verde: Boludo por naturaleza.

Boludo vergonzante: Jamás me haría socio de un club de boludos como yo.

Boludo Viagra: No se le para de hacer boludeces.

Boludo Vip: Casi todos los vips son boludos.

Boludo virgen: Guarda sus boludeces para compartirlas con quien será su compañera de toda la vida.

Boludo vividor: Vive de las boludeces de los demás.

SI TE HE VISTO, NO ME ACUERDO... *SI TE DESVISTO, NO ME OLVIDO...*

ERA TAN PERO TAN BRUTO QUE CUANDO SOÑABA DESPIERTO, RONCABA.

–DOCTOR, CREO QUE SOY INVISIBLE.
–¿QUIÉN ANDA AHÍ?

ABSTEMIO: DÍCESE DEL MASOQUISTA QUE NO TIENE LA SUFICIENTE FUERZA DE VOLUNTAD COMO PARA DEJAR DE CASTIGARSE.

CERO: ARTE DE LAS MATEMÁTICAS QUE ME APLICARON EN HISTORIA, GEOGRAFÍA Y CASTELLANO.

Decía el gallego Paco:
–Lo que más me llamaba la atención
de la guerra era la cantidad de balas que desperdiciaban en mí.

AL DERECHO O AL REVÉS

PALÍNDROMOS: FRASES O PALABRAS QUE SE LEEN IGUAL
DE IZQUIERDA A DERECHA QUE DE DERECHA A IZQUIERDA.
TÉRMINO QUE VIENE DEL GRIEGO (*PALÍN:* DE NUEVO; *DROMOS:* CARRERA).

O sacáis ropa por si acaso.

Al reparto sacas otra perla.

Amad a la dama.

Amad al ayo y a la dama.

Logre ver gol.

Atar al raedor y rodear la rata.

La moral, claro, mal.

No traces en ese cartón.

No deseo yo ese don.

Así revelará su amada dama usar aleve risa.

SI QUIERE SER MÁS POSITIVO,
PIERDA UN ELECTRÓN.

DISCULPEN *SI LES LLAMO CA-
BALLEROS,* PERO ES QUE NO
LOS CONOZCO MUY BIEN.

—PEPE MULEIRO ERA UN GA-
LLEGO MUY SANO Y VITAL. CON-
SIGUIÓ TRABAJO EN UN SUB-
MARINO, PERO LO ECHARON A
LA SEMANA.
—¿POR?
—PORQUE INSISTÍA EN DORMIR
CON LAS *VENTANAS ABIERTAS.*

CURSOS DE ORIENTACIÓN:
PARA GENTE QUE *NO SE EN-
CUENTRA BIEN.*

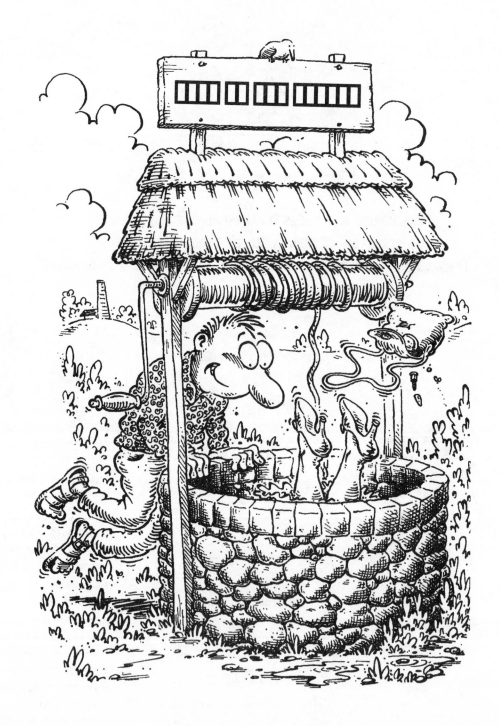

–¡Joder! ¡Realmente funciona!

TEST ASQUEROSO

HUMOR QUE HUELE MUY MAL

¿Cuando te sacas los mocos antes de
lanzarlos juegas un rato con ellos?

¿Te sacas los mocos?

¿Te sacas el toffee con una llave o un clip?

*¿Cuando te tiras un pedo en la cama te tapas
con la colcha para que el olor no se escape?*

¿Le agarras a tu pareja la cabeza y le pones
las cachas en la cara para tirarte un pedo?

¿Escupes por la ventana del coche?

¿Pegas el chicle debajo del escritorio o mesa?

*¿Te sacas lo que te sale entre los
dedos del pie y luego te hueles la mano?*

¿Remasticas los pedacitos de comida que te
queda entre los dientes después de comer?

¿Le revientas granos o le
sacas espinillas a tus amigos?

¿Alguna vez has orinado en la calle?

¿Alguna vez has cagado en la calle?

Si es mujer: ¿Una compresa le dura 2 días?

Si es mujer: ¿Alguna vez cuando has esta-
do con la regla y hay gente cerca, alguien
ha preguntado si huele a pescado?

¿Tiene menos calzoncillos,
calzones o medias que días de la semana?

¿Su almohada brilla?

¿Las uñas de sus pies
sobresalen de los dedos?

¿Te guardas el palillo de
dientes para una próxima ocasión?

¿Después de usar el papel higiénico en el
baño lo tiras abierto y cara arriba al techo?

Si eres mujer: ¿amaneces con
el pelo pegado en la cara por el babeo?

ERA UN HOMBRE TAN FEO QUE
CUANDO NACIÓ DIJO EL DOC-
TOR: ¡MÁTENLO ANTES DE QUE
SE PROPAGUE!

―――――――――

―¿QUÉ POSICIÓN SEXUAL PRO-
DUCE LA HIJA MÁS FEA?
―NO SÉ.
―PREGÚNTALE A TU MADRE.

―――――――――

UNA SOLA PALABRA CONTIE-
NE A TODAS LAS DEMÁS: ET-
CÉTERA.

―――――――――

―――――――――

―¿POR QUÉ LAS HORMIGAS NO
SALEN A LA CALLE LOS DÍAS
DE SOL?
―PORQUE EL HORMIGÓN ESTÁ
CALIENTE.

―――――――――

SE DICE QUE EL PERRO SIEMPRE
HA SIDO EL MEJOR AMIGO DEL
HOMBRE. ¡YO ME ENCARGO DE
LAS MUJERES!

EL GATO

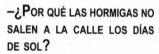

¿Te secas las manos en el polo o pantalón?

¿Tu cuarto huele a azufre?

¿Tus amigos te llaman cerdo?

*¿Tu personaje favorito
de televisión era Colombo?*

¿Cuando juegas fútbol nadie te marca?

*¿Tienes sólo un par
de medias para la semana?*

¿No te limpias
el ombligo porque te da cosa?

¿Te comes las uñas? (del pie)

Si encuentras un pelo en tu comida,
¿te la comes igual?

¿No importa qué clase de pelo sea?

Si eres hombre:
¿En el swing siempre te agarrabas algo?

*¿Te tragas la flema
por la flojera de no ir al baño a echarla?*

¿Tu esposa se rehúsa a
lavar tus medias y calzoncillos a mano?

EN UNA PRIMERA CITA JAMÁS HABLES...

... DE LO BIEN QUE LO HACÍA TU EX.

... DE ESE SARPULLIDO QUE TE APARECE ALREDEDOR

...DE LOS GENITALES.

... EL CLIMA, EL CINE.

... EL PRECIO DE LOS PRE-SERVATIVOS.

... DE TU OPERACIÓN PARA EL CAMBIO DE SEXO.

... DE LO BIEN QUE COCINA TU MAMÁ.

LA TIERRA ES REDONDA Y SE LLAMA *PLANETA*. SI FUERA PLANA... *¿SE LLAMARÍA REDONDETA?*

479

¿Cuando estás durmiendo y babeas al despertar tratas de succionar tu baba para que no se den cuenta de que haz babeado?

¿Puedes decir tu nombre eructando?

¿Cuando alguien te pregunta qué has comido tú eructas y le soplas en la cara para que adivine?

¿Has llevado tu ropa alguna vez a una tintorería y no la han aceptado?

¿Cuando estás resfriado te limpias el moco con la manga de la camisa?

¿Has pisado alguna vez caca de perro y has guardado el zapato en el armario sin limpiarlo?

¿Tus calzoncillos o calzones tienen una mancha que parece un mapa?

¿Le buscas granitos a tu pareja mientras ve televisión?

¿Orinas dentro de la piscina? (Si estás en el trampolín y orinas dentro de la piscina, sumar 2 puntos).

En el pueblo nadie olvida el 2 de julio de 1980.
Fue el día en que Pepe Muleiro se rajó aquel graaaaaaaaan pedo.
Desde entonces nadie ha vuelto a verlo jamás. Hombre vergonzoso, Pepe Muleiro.

El gallego Paco yacía en su ataúd.
–¡Qué buen aspecto tiene Paco! ¿Verdad, Manolo?
–¡Lógico, si estaba sanísimo, corría 10 km diarios!

Esta Película Ya la Vimos

Cosas que no Sabríamos si no *Fuera por las* Películas americanas

En toda investigación policial que se precie, es necesario visitar como mínimo un club de striptease.

Todos los números de teléfonos de los Estados Unidos comienzan por 555.

Todas las camas tienen un embozo que llega hasta las axilas en el caso de las mujeres, y hasta la cadera, en el caso de los hombres.

Todas las bolsas de la compra del supermercado deben contener, como mínimo, una barra de pan que sobresalga un poco.

Una vez aplicada la barra de labios, es imposible hacer que se corra el color... aunque hagas submarinismo.

Un hombre no se inmuta mientras recibe una paliza de campeonato, pero se queja cuando una mujer intenta limpiarle las heridas.

BABOR: Súplica que se hace desde el lado izquierdo del barco. Ruego, demanda.
Ejemplo: *"Se lo pido por babor".*

En los telediarios de televisión siempre dan una noticia que tiene relación directa con uno mismo en ese preciso momento.

La mayoría de los perros es inmortal.

Es fácil pilotar un avión y aterrizar con él si hay alguien en la torre de control que pueda dirigir la operación por radio.

Los sistemas de ventilación de los edificios son el escondite ideal: a nadie se le ocurrirá mirar en ellos y sirven, además, para desplazarse hasta cualquier parte del edificio sin dificultad.

Si tienes que recargar la pistola, siempre dispondrás de suficiente munición, aunque vayas desnudo.

Es muy probable que sobrevivas a cualquier batalla, a menos que cometas el error de enseñarle a alguien una foto de tu novia.

Si tienes que hacerte pasar por un militar alemán, no es necesario hablar el idioma; con tener acento alemán bastará.

La torre Eiffel se puede ver desde cualquier ventana de París.

Si la ciudad se ve amenazada por un desastre natural o algún tipo de monstruo, la principal preocupación del alcalde será siempre la futura feria de comercio o su próxima exposición de arte.

—¿USTED COME BIEN?
—*NO ME QUEJO, DOCTOR.*
—¿ORINA BIEN?
—*TENGO LO MÍO, DOCTOR.*
—Y DÍGAME, ¿DUERME BIEN?
—¿VE? AHÍ HAY UN PROBLEMA: A LA NOCHE NO HAY DRAMA, A LA MAÑANA TAMPOCO, A LA HORA DE LA SIESTA, ME LAS ARREGLO, PERO A LA TARDECITA... ¡POR MÁS QUE TRATE NO ME PUEDO DORMIR, DOCTOR!

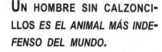

AMIGO: PERSONA DEL SEXO OPUESTO QUE TIENE ESE "NO SÉ QUÉ" QUE ELIMINA TODA INTENCIÓN DE QUERER ACOSTARSE CON ÉL.

UN HOMBRE SIN CALZONCILLOS *ES EL ANIMAL MÁS INDEFENSO DEL MUNDO.*

Si se ve en algún momento un vidrio de considerables dimensiones (sobre todo si lo llevan dos hombres) es que alguien va a atravesarlo en breves instantes.

El comisario de policía casi siempre es negro.

Si tienes que pagar un taxi, no busques un billete en la cartera: saca lo que tengas en el bolsillo al azar. Siempre será el importe exacto.

El cruce de razas es genéticamente posible con cualquier bicho proveniente de cualquier parte del universo.

Las cocinas no tienen interruptores de luz. Si entras en una cocina de noche, deberás abrir el frigorífico e iluminarte con la luz interior.

En el caso de las casas encantadas o con fantasmas, las mujeres deben investigar cualquier ruido raro vestidas únicamente con algo de lencería o ropa interior.

Los procesadores de textos nunca tienen cursor, pero siempre se abren con una pantalla que dice: Introduzca la contraseña.

Todas las mañanas, las madres siempre cocinan huevos, tocino y gofres para la familia, aunque su marido y sus hijos no tengan tiempo para comérselos.

No importa si tus enemigos te superan en número durante una pelea de artes marciales:

EL GALLEGO PACO LLEGA TARDE A SU CASA PINTADO CON LÁPIZ LABIAL. LO RECIBE SU MUJER:
—¿DÓNDE TE METISTE?
—NO ME LO VAS A CREER PERO ¡ME HE PELEADO CON UN PAYASO!

———

—HOLA, BUENAS. QUERÍA COMPRAR UNA MOSCA.
—PERO, ¡SI ESTO ES UNA PANADERÍA!
—YA, PERO ES QUE COMO HE VISTO TANTAS EN EL ESCAPARATE...

———

—¿QUÉ HACE UN GUSANO CON UNA MANZANA?
—SE LA REGALA A SU MAESTRO.

———

EL 25 POR CIENTO DE LOS HOMBRES TIENE PROBLEMAS PSÍQUICOS: EL RESTO ¡ESTÁ LOCO!

———

NUNCA SE PIERDEN LOS AÑOS QUE SE QUITA UNA MUJER: VAN A PARAR A CUALQUIERA DE SUS AMIGAS.

te atacarán de uno en uno, mientras esperan, con gesto agresivo, a que vayas acabando con sus compañeros.

El comisario de policía siempre destituirá a su detective preferido, o le dará 48 horas para terminar el trabajo.

Un solo fósforo sirve para iluminar una habitación del tamaño de un estadio de fútbol.

Los habitantes de ciudades y pueblos medievales tenían una dentadura perfecta.

Aunque en el siglo XX es posible disparar armas de fuego contra un objeto que esté fuera del alcance, la gente del siglo XXIII ha perdido esta tecnología.

Toda persona que sufra una pesadilla, se incorporará de golpe en la cama y jadeará sudorosa.

No es necesario decir hola ni adiós cuando se empieza o termina cualquier conversación telefónica.

Aunque conduzcamos por una cuesta abajo totalmente recta, es necesario girar el volante a izquierda y derecha cada cierto tiempo.

Casi cualquier computadora portátil tiene suficiente potencia para acabar con el sistema de comunicaciones de una civilización extraterrestre invasora.

DIEZ DE CADA CINCO NAZIS TIENEN DEFICIENCIAS MENTALES.

EN GALICIA DETUVIERON UN BARCO *POR ATRACAR UN PUERTO.*

KALAHARI: DESIERTO DE ÁFRICA AUSTRAL, HERMANO DE UNA FAMOSA ESPÍA.

–¿CÓMO SE DICE "ACABAR" EN ZULÚ?
–¡EYACULÉÉÉÉÉÉÉÉÉÉÉÉ!

LELO: QUE PASES LA MIRADA POR EL ESCRITO. QUE LO LEAS.

EL SEXO A LOS 90 ES COMO INTENTAR JUGAR AL BILLAR CON UNA CUERDA.

Las bombas van equipadas con temporizadores que tienen pantallas con grandes números rojos para que uno sepa cuándo van a estallar.

Siempre es posible estacionar delante del edificio al que se va de visita.

Un detective sólo resueve un caso cuando ha sido destituido o despedido.

Si decides ponerte a bailar en la calle, notarás que todo el mundo que te rodea conoce los pasos.

Los automóviles que chocan casi siempre acaban explotando, ardiendo o ambas cosas.

Los automóviles que chocan casi siempre acaban explotando, ardiendo o ambas cosas.

Si una persona se queda inconsciente tras recibir un golpe fuerte en la cabeza, nunca sufrirá conmoción ni daños cerebrales.

Nadie que tenga que participar en una persecución de automóviles, en un secuestro, explosión, erupción volcánica o invasión extraterrestre sufrirá un desmayo inoportuno.

Cuando están a solas, los extranjeros prefieren hablar inglés entre ellos.

Las comisarías de policía someten a sus agentes a exámenes de personalidad para que ten-

ERA TAN PERO TAN FEO QUE LOS RATONES *LE COMIERON EL DNI* Y DEJARON LA FOTO.

— — — — — — — —

MI MUJER SE QUEJA DE QUE TENEMOS MUCHOS HIJOS. *¿Y QUÉ CULPA TENGO YO?*

— — — — — — — —

BARBERIDAD: ESTROPICIO, DESASTRE, DESAGUISADO QUE CAUSABA EL BARBERO POR NEGARSE A AFILAR LA HOJA.

— — — — — — — —

— — — — — — — —

ADVERTENCIA: EL CONSUMO DE ALCOHOL PUEDE HACERLO PENSAR QUE ES EXPERTO EN KUNG FU.

— — — — — — — —

LA GALLEGA PACA ERA TAN PERO TAN FEA *QUE EL VIOLADOR GOLPEADOR SÓLO LA GOLPEÓ.*

— — — — — — — —

—¿HA TRAÍDO EL RH DE SU PADRE?
—NO, DOCTOR, *HOY VINE EN EL VIEJO R5 DE MI TÍO.*

— — — — — — — —

gan como compañero de patrulla a otro que es, justamente, lo opuesto a él.

Siempre hay una motosierra a mano si uno la necesita.

En cuestión de segundos, no hay cerradura que se resista si uno tiene a mano una tarjeta de crédito o un clip, a menos que sea la única puerta de acceso a una casa en llamas con un niño atrapado dentro.

Una verja eléctrica, lo bastante potente como para matar a un dinosaurio, no dejará secuelas duraderas en un niño de ocho años.

-¿QUÉ ES EL ARTE?
-MORIRTE DE FRÍO.

EL CRISTIANISMO PODRÍA SER BUENO *SI ALGUIEN INTENTARA PRACTICARLO.*

LO BUENO DE TENER MUCHO DINERO *ES QUE UNO PUEDE SEGUIR VENDIÉNDOSE.*

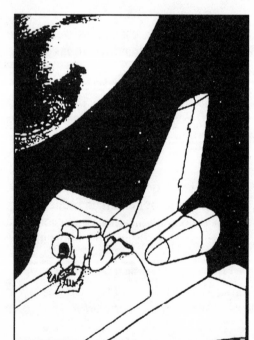

Primera mujer enviada al espacio

–Dice mamá que si vas a asomarte, ¡dejes el *termo!*

...La muchachita y el muchachito
de la telenovela se casaron...
comieron perdices en muy mal estado
y ¡reventaron de una putísima vez!

¡¡¡Nos Vemos!!! En Los Próximos...

... DIVERTIDÍSIMOS 5000 CHISTES